Zieliski, Tadeu__

Die Gliederung der altattischen Komoedie

Zieliski, Tadeusz

Die Gliederung der altattischen Komoedie

Inktank publishing, 2018

www.inktank-publishing.com

ISBN/EAN: 9783747799079

DIE GLIEDERUNG

DER

ALTATTISCHEN KOMOEDIE

VON

Dr. TH. ZIELIŃSKI,

DOCENT AN DER UNIVERSITÄT ST. PETERSBURG.

Τάδ' οὐχὶ Πελοπόννησος, ἀλλ' Ἰωνία

LEIPZIG,

DRUCK UND VERLAG VON B. G. TEUBNER.

1885.

HERRN GEHEIMEN RAT

Dr. OTTO RIBBECK,

PROFESSOR AN DER UNIVERSITÄT LEIPZIG

ZU SEINEM

FÜNFUNDZWANZIGJÄHRIGEN JUBILAEUM

IN AUFRICHTIGER VEREHRUNG

ZUGEEIGNET.

INHALTSÜBERSICHT.

7

Wenn heutzutage jemand versuchen wollte, einem Systeme der Logik die bekannten Kategorien des Aristoteles zu Grunde zu legen, so würde er mit seiner Idee schwerlich viel Anerkennung finden; die peripatetische Philosophie ist zwar auch für die Wissenschaft der Gegenwart keineswegs gleichgültig, doch dürften sich nicht viele finden, die ihr jetzt noch ein anderes als ein historisches Interesse entgegenbrächten. Wenn die Philologie in diesem Puncte zurückgeblieben ist, wenn wir uns von der anerkannten Unzulänglichkeit der alexandrinischen Doctrinen noch immer nicht emancipiert haben, so trägt die Verschiedenheit des Materials, das unseren Forschungen zur Grundlage dient, gewifs die Hauptschuld daran. Alle übrigen Wissenschaften haben seit der Periode, von der die Rede ist, die Gegenstände ihrer Betrachtung bis zur Überfülle vermehrt; die Altertumswissenschaft allein hat um die Wende jener Zeit, in der die Kräfte zur Bewältigung des unendlichen Stoffes nicht langten, eine gewaltige, nie zu verschmerzende Einbufse erlitten. Es ist daher nur natürlich, wenn wir den Meinungsäufserungen jener Gelehrten, denen noch aus dem Vollen zu schöpfen vergönnt war, einen hohen Wert beilegen — selbst dann, wenn unser Inneres uns sagt, dafs sie ihre Vorlagen in unverantwortlich fahrlässiger Weise genutzt haben. Indessen giebt es doch Fälle, wo uns eine gewisse Selbständigkeit zur Pflicht wird. Der historische Sinn, das poetische Feingefühl, das sind Gaben, die der alexandrinischen Gelehrsamkeit teils gänzlich abgingen, teils in zu geringem Mafse eigen waren, und die uns an mehr als einer Stelle berechtigen, ihren auf noch so breiter Grundlage ruhenden Constructionen ein überzeugtes und überzeugendes 'es ist doch nicht so!' entgegenzusetzen.

Sehr lehrreich ist die Betrachtung, wie sich auf einem anderen Gebiete der Altertumswissenschaft unsere Zeit zu

immer gröfserer Freiheit und Selbständigkeit durchringt. Auf
die frohe, unbefangene Begeisterung, welche der Wiederge-
winn der Kunstschätze des Altertums erweckt hatte, war die
nüchterne und besonnene Forschung gefolgt; die Philologie
mufste ihre Speicher öffnen, und bald hatte die Kunst der
classischen Völker eine Geschichte, wenn es auch nur eine
Künstlergeschichte war. Jetzt aber ist auch diese Periode im
Ausleben begriffen; die Künstlergeschichte, auf Schriftquellen
aufgebaut, hat sich als eine häufig unzuverlässige Führerin
erwiesen, mehr und mehr macht sich das Bestreben geltend,
die Denkmäler für sich selber reden zu lassen und die alten
Kunstschriftsteller ihnen gegenüber nur als Autoritäten zweiten
Ranges zu betrachten. Noch einige Arbeit in dieser Richtung,
und wir werden die Künstlergeschichte durch eine Kunstgeschichte ersetzt sehen.

In der Wissenschaft von der altattischen Komoedie ist das
Arbeitsfeld ähnlich beschaffen. Die verschiedenartigen Gefühle, welche die Werke ihres einzigen uns erhaltenen Ver-
treters erweckten, liefsen erst das Bedürfnis einer historischen
Forschung auf diesem Gebiete nicht aufkommen; es war daher
ein grofser Gedanke, als AMeineke es unternahm, eine kri-
tische Geschichte der attischen Komiker zu schreiben. Auch
wurde das Werk durch seine Gründlichkeit und Reichhaltig-
keit zu einer wahren Schatzkammer für alle, die seitdem die
attische Komoedie zum Gegenstande ihrer Forschung machten.
Und doch wird jeder, der sich durch diese Sammlung commen-
tierter Grammatikernotizen durchgearbeitet hat, ihr gern alle
möglichen ehrenden Beinamen, nur nicht den einer Geschichte
gönnen; denn diese ist vor allen Dingen Darstellung des
Werdens, und von einem Werden der Komoedie ist in der
Schrift AMeineke's wenig zu finden. Doch liegt es mir
fern, AMeineke's gewaltiges Verdienst verkleinern zu wollen;
wie auch unser Urteil im einzelnen ausfallen möge, immerhin
war er derjenige, der für die attische Komoedie eine „Künstlergeschichte" geschaffen hat. Nun dürfen wir uns der Hoffnung
hingeben, dafs auch die „Kunstgeschichte", das heifst, die Geschichte der griechischen Komoedie nicht mehr lange wird auf
sich warten lassen.

Bausteine zu einer solchen soll auch die vorliegende Schrift liefern.

Aus welchen Quellen sollen wir aber schöpfen, wenn wir die Grammatikerzeugnisse nur in zweiter Linie als solche gelten lassen? Zum Teil, allerdings nur zum geringeren Teil aus den Bruchstücken der verlorenen Komoedien; in der Hauptsache aber aus der überaus reichhaltigen und noch immer nicht annähernd erschöpften Quelle, die uns Aristophanes selber in seinen elf erhaltenen Komoedien hinterlassen hat. Sie stellen uns die wesentlichsten Momente einer nahezu vierzigjährigen Entwickelung in fast ununterbrochener Reihenfolge dar; wir sehen den Strom fliefsen, und wir dürfen ihn nur auf die Bestandteile seines Wassers hin untersuchen, um zu erkennen, wo er entsprungen ist und durch welchen Erdgrund er sich sein Bett gewühlt hat.

Die Methode der Forschung ist durch das eben Gesagte vorgezeichnet. Aus einer sorgfältigen Analyse der erhaltenen Stücke müssen sich die Momente ergeben, die für eine Darstellung der geschichtlichen Entwickelung der griechischen Komoedie vor allen anderen mafsgebend sein werden. Diese Analyse hofft der Verfasser in einigermafsen erschöpfender Weise zu geben; sie bildet den Inhalt der vorliegenden Schrift.

Aber läfst sich über die Gliederung der altattischen Komoedie noch viel Neues sagen?.. Der Verfasser seinerseits bedauert nur, dafs er über dieselbe nicht viel Altes sagen kann. Der Grund ist aus der obigen Auseinandersetzung ersichtlich; hier, wenn irgendwo, war die Veranlassung, ja der Zwang vorhanden, sich von dem Einflufs der aristotelischen Classificationen frei zu machen. Bekanntlich handelt das zwölfte Capitel der Poetik von der Gliederung der Tragoedie; dafs es viel Treffliches enthalte, abgesehen von den einzelnen für die Terminologie verwendbaren Namen, läfst sich nicht behaupten. Schlimm ist schon das Eine, dafs der Verfasser auf die Entwickelung der Tragoedie gar keine Rücksicht genommen hat; während die Definition der Exodos nur für die jüngere Tragoedie gilt, ist die Definition der Parodos und des Stasimon ausschliefslich der ältern Periode angepafst. Doch braucht darauf nicht viel Gewicht gelegt zu werden; dafs man im all-

1*

4

gemeinen bei der Zergliederung der Tragoedie mit dem aristotelischen Schema auskommt, stelle ich nicht in Abrede. Viel
schlimmer steht es aber um den indirect auf Aristoteles zurückgehenden Aufsatz eines anonymen Grammatikers in Cramer's
„Anecdota Parisina" über die Komoedie; so wie dort für die
Erklärung der Wirkung der Komoedie die Formel der κάθαρ-
cιc τῶν παθημάτων verwendet ist, so ist auch das aristotelische Gliederungsschema der Tragoedie frischweg auf die Komoedie übertragen. Jetzt haben wir auch in der letzteren Epeisodia und Chorika; Epeisodion heifst alles, was zwischen zwei
Chorika liegt, Chorikon aber nennt sich jedes vom Chor gesungene Lied, wenn es lang genug ist. Dafs uns nun jeder
Mafsstab fehlt, um zu bestimmen, wie lang ein Chorlied sein
mufs, um als Chorikon zu gelten; dafs wir ferner zur Annahme gezwungen wären, ein nicht genügend langes Chorlied
sei kein Chorikon, und dies ein leidliches Absurdum ist; dafs
wir endlich, wenn wir dieser Definition folgen, nicht wissen,
ob wir in einer gegebenen Komoedie drei oder zehn Epeisodia
anzunehmen haben — das sind Übelstände, die sich noch
verhältnismäfsig leicht würden verschmerzen lassen. Verhäng-
nisvoll dagegen im höchsten Grade war das Princip, demzu-
folge man annehmen zu können glaubte, die Komoedie müsse
nahezu aus denselben Teilen bestehen, wie die Tragoedie[1]), und
das in seiner Anwendung notwendigerweise zur gänzlichen
Verkennung der eigentümlichen komodischen Composition

---

[1]) Diese Consequenz ist auch wiederholt gezogen worden; so in der
Dissertation von HT Hornung 'de partibus comoediarum Graecarum' (1861),
im übrigen einer der trefflichsten Arbeiten in dieser Richtung (S. 3)
'denique cum comoediam tragoediamque ut similem originem habuerint,
ita forma quoque esse simillimas facile appareat, ut, si summam rem
spectas, ad idem fere exemplum videantur compositae, mirum non erit, si
id, quod de tragoediae partibus iamiam prolatum est, in nostrum usum
convertimus.' — Cf. FAscherson 'Umrisse der Gliederung des griechischen
Drama' (Fl. Jb. Sppl. 4 [1862]) S. 449 'wir sind überzeugt, dafs die Komoedie
in formeller Beziehung sich die Tragoedie zum Muster genommen hat'. KKock
'de parabasi' (1856) S. 1 ... 'id quidem in litterarum Graecarum studio vel
obiter versanti facile occurrit, tragoediam comoediamque indole dissimillimas,
forma autem esse ita similes, ut si summam rem spectas, ad idem fere
exemplum videantur esse compositae'. Eine ehrende Ausnahme ist für
HGenz 'de parabasi' zu machen, der die Selbständigkeit der komodischen

führen mufste. Wohl stand dieser Schematisierung die Parabase gegenüber, ein der Komoedie allein angehöriges Element; statt aber diese zum Ausgangspuncte zu nehmen — ein Weg, auf dem man unfehlbar dazu gelangt wäre, die Unabhängigkeit der attischen Komoedie anzuerkennen — begnügte man sich, sie so gut es anging in die einmal für unfehlbar erklärte Theorie einzuzwängen, oder meinte gar, sie wäre 'von den Dichtern mit glücklichem Wurf in die entwickelte Komoedie eingelegt worden.'

In den vorliegenden Untersuchungen ist die aristotelische Theorie als völlig unbrauchbar aufser Acht gelassen. Der Laie wird möglicherweise eine eingehende Widerlegung derselben an dieser Stelle vermissen, der Fachmann wird mir hoffentlich — in Erinnerung an all den Mifsmut, welchen ihm das mit den aristotelischen Termini so oft getriebene Prokrustesspiel bereitet hat — Dank wissen, dafs ich die Toten ruhen lasse. Mein Bestreben war, von der Komoedie selber über ihre Gliederung Aufschlufs zu erlangen; und das Resultat war, dafs den beiden Hauptgattungen des attischen Dramas grundverschiedene Compositionsweisen zuzuerkennen sind. Wenn auf ein volles, aus Strophe und Antistrophe bestehendes Lied eine unbestimmte Anzahl gesprochener Verse folgt, dann wieder ein volles Lied, hierauf abermals gesprochene Verse, so haben wir es mit der epeisodischen Composition zu tun; diese ist der Tragoedie eigen. Wenn dagegen auf die Strophe des Liedes unmittelbar eine bestimmte Anzahl gesprochener Verse folgt, und dieselbe Anzahl der Antistrophe angehängt ist, so dafs der ganze Abschnitt in zwei gleiche Teile zerfällt, von denen jeder aus einem μέλος und einer ῥῆσις besteht, und die sich zueinander wie Strophe und Antistrophe verhalten — dann haben wir die epirrhematische Composition vor uns; diese kommt in der Komoedie zur Geltung. Man möge diesen Unterschied nicht gering anschlagen; wenn auch sonst nichts an ihm wäre, so wäre schon das Eine von Bedeutung, dafs hierdurch für die

---

Nomenclatur wiederholt betont und auch die Agone in ihrer Bedeutung erkannt hat. Sein Versprechen, den Gedanken näher auszuführen, hat er meines Wissens nicht eingelöst.

Komoedie eine von der Tragoedie völlig gesonderte Entstehung erwiesen wird.

Dafs dieser Umstand bis jetzt verborgen bleiben konnte, lag hauptsächlich daran, dafs die trichotomische Gliederung der altattischen Komoedie, ihre Zusammensetzung aus Parodos, Agon und Parabase, als solche nicht erkannt wurde. Zwar war es längst zum Gemeingut geworden, dafs in der Parabase der älteste Bestandteil, der eigentliche Kern der Komoedie zu suchen sei, auch die Parodos konnte sich bei ihren reichen und wechselnden Formen dem Blicke der Forschung nicht entziehen. Dafs aber die Parodos eine der Parabase durchaus ebenbürtige und analoge Formation sei, daran konnte niemand denken, so lange der Agon nicht als gleichberechtigtes drittes Element anerkannt wurde.

Wenn das nun auch in dieser Schrift geschieht und damit der Schlüssel zur Lösung der ganzen Gliederungsfrage — und hoffentlich nicht nur dieser letzteren — dem Leser in die Hand gegeben wird, so liegt es mir doch fern, mir ein Verdienst anmafsen zu wollen, das mir nicht im ganzen Umfange gebührt, vielmehr freut es mich gestehen zu können, dafs ich die Auffindung dieses Schlüssels demjenigen, dem diese Blätter zugeeignet sind, verdanke. Ein noch während meiner Studienjahre von Herrn Prof. ORibbeck gestelltes Preisthema bildete für mich die Anregung, mich mit dieser Frage zu beschäftigen; durch natürliche Anziehungskraft schossen im Laufe der Zeit andere Untersuchungen verwandten Inhalts an: so entstand das vorliegende Buch.

Die Anordnung des Stoffes ist nicht ganz diejenige, die eine systematische Darstellung würde einhalten müssen; es waren beide Principien, das darstellende und das untersuchende, miteinander zu verbinden, und das konnte nicht ohne einige Schädigung des ersteren geschehen. Der Leser möge sich daher die Mühe nicht verdriefsen lassen, Zusammengehöriges aus verschiedenen Stellen der Arbeit zu sammeln; meinerseits ist alles geschehen, um diese Mühe zu erleichtern.

ERSTER TEIL.

DIE THEORIE

DER

EPIRRHEMATISCHEN COMPOSITION.

Erster Abschnitt.

Der Agon.

So sehr auch die epeisodische Gliederungstheorie dazu ver- § 1
leiten mußte, sämtliche Dialogpartien der aristophanischen
Komoedie unter demselben Namen zusammenzufassen, so konnte
doch eine bestimmte Gattung unter ihnen in ihrer Eigentümlichkeit nicht lange verborgen bleiben. Sie kehrt in den
meisten Komoedien unseres Dichters ziemlich regelmäßig wieder, wenn auch selten mehr als einmal; ihr kanonischer Platz
ist zwischen Parodos und Parabase, selten erscheint sie nach
dieser letzteren; man erkennt sie leicht sowohl an dem Stillstand der Handlung, der sie bedingt, als auch an ihrer besonderen, sonst nicht vorkommenden Composition. Alles das
mußte die Aufmerksamkeit der Forschung auf sich ziehen,
und so sehen wir auch, dass RWestphal von 'einer für die
Oekonomie der Komoedie sehr charakteristischen Stelle der Epeisodien'[1] spricht, der er den Namen Syntagma giebt, und
anderwärts geradezu die 'antisyntagmatischen Partien' der Parabase an die Seite stellt.[2] Damit war diesen Partien wenigstens
in der Theorie die gebührende Anerkennung zuteil geworden;
die richtige Verwertung aber haben sie bis auf den heutigen
Tag nicht gefunden.

Der Name Syntagma ist seit RWestphal ziemlich populär
geworden; doch ist nicht abzusehen, wozu wir einen modernen
Namen einführen sollen, während Aristophanes selber uns einen
viel sprechenderen an die Hand giebt. So wie er selber für

---

1) Metrik II, 401 f. — 2) Prolegg. zu Aeschylus 96 ff. Auch ENesemann 'de episodiis Aristophaneis' hebt diese certamina aus der Reihe
der übrigen 'Epeisodien' heraus.

die grofse chorische Partie, die den Omphalos der Komoedie bildet, den Namen 'Parabase' nahe legt, so bezeichnet er den in Rede stehenden Abschnitt des Dialogs mit dem Worte Agon.[1]) Ich werde daher diese Bezeichnung beibehalten. Eine Definition des Agons wird sich besser im weiteren Verlaufe der Untersuchung geben lassen; nachstehend möge eine Aufzählung der erhaltenen Agone folgen. Dieselben sind zu Gruppen zusammengefafst; zuvörderst sind diejenigen behandelt, in denen die Eigentümlichkeiten der Composition am schärfsten hervortreten.

§ 2   **Erste Gruppe.** Der Agon enthält zwei Teile; sowohl die erste Dialogpartie — das Epirrhema — als auch die ihr entsprechende zweite — das Antepirrhema — besteht aus anapaestischen Tetrametern und Dimetern.

A. Die 'Wespen' V. 526—724. Mit grofser Gewandtheit hat der Dichter in der Parodos die Handlung so zugespitzt, dafs die Scene, die ihrem Inhalte nach einer Negation derselben gleichkommt, zur dramatischen Notwendigkeit geworden ist. Der Angriff des Heliastenchors ist vom Hausherrn und dessen Sclaven endgültig zurückgeschlagen, Philokleon verbleibt in der Gewalt seines Sohnes, das Motiv, das den Anfang der Komoedie beherrschte, ist damit am Endpuncte seiner Entwickelung angelangt, und es mufs ein neues eingeführt werden. Ein solches schafft Bdelykleon durch ein einziges berechnend hingeworfenes Wort. Das Bewufstsein seiner Wichtigkeit, seiner einflufsreichen Stellung war es, das den verbissenen Heliasten allen Lockungen eines sorgenfreien, pflichtenlosen Lebens widerstehen liefs; diesen seinen schönen Traum zerstört aber die rauhe Hand seines Sohnes; nach dessen Worten erwiese sich die vermeintliche Herrschaft der Richtergreise beim gehörigen Lichte betrachtet recht eigentlich als eine erniedrigende Knechtschaft. Bei der empfindlichsten Saite seines Herzens berührt, wird der alte Philheliaste allen Ernstes böse; er macht sich anheischig, zu beweisen, dafs keine öffentliche Stellung an Bedeutung der eines Richters gleichkomme; und

---

1) Wesp. 533; Fr. 883. Über Ach. 392 und Ar. Frgm. 331 Kock (Thesm.²) s. u. §§ 8 und 10.

da der Sohn sich bereit erklärt, die entgegengesetzte Meinung
zu verfechten, so wird der Chor, der mit dem neutralen Boden
der Orchestra auch die ihm zustehende Unparteilichkeit wieder-
gewonnen hat, zum Schiedsrichter bestellt, und es beginnt,
nachdem die beiden Gegner sich über die Bedingungen ge-
einigt haben, ein regelrechter Wortkampf, der Agon der Komoedie. Es lassen sich in demselben neun Teile unterscheiden,
die sowohl dem Inhalte, wie auch der Form nach sich streng
voneinander absondern.[1]) Erstens, die Ode, vom Chore gesungen und zweimal durch je zwei Tetrameter der Gegner (die
mesodischen Tetrameter) unterbrochen; der Alte wird ermahnt, sich wacker zu halten, weil ein unglücklicher Ausgang
des Streites zugleich die Existenzberechtigung der Greise in
Frage stellen und sie selbst dem Spotte der athenischen Strafsen-
jugend preisgeben würde. Unterdessen trifft Bdelykleon seine
Vorbereitungen zum bevorstehenden Wortgefecht. — Zweitens,
der Katakeleusmos. Da alles in Ordnung ist, eröffnet der
Chor den Streit, indem er seinem Vorkämpfer in einem anapaestischen Distichon feierlich das Wort erteilt. — Drittens,
das Epirrhema. Philokleon entwickelt in zusammenhängender
Rede seine Ansicht von der bevorzugten Stellung der Heliasten,
indem er in chronologischer Reihenfolge die vier Glückselig-
keitsstadien eines Gerichtstages beschreibt. Noch ehe sie die
Wohnung verlassen, wird ihnen von den vornehmsten Männern
der Stadt, die von der bevorstehenden Gerichtssitzung nichts
Gutes für sich erwarten, in der liebenswürdigsten Weise um
den Bart gegangen; in der Heliaia selber müssen sie sich fast
als Götter fühlen, wenn sie die Anstrengungen sehen, mit
denen die Angeklagten ihr Herz zu rühren suchen; ist das
Urteil gesprochen, so stehen ihnen seitens der Freigesprochenen
allerhand — freilich ziemlich unschuldige — Überraschungen
bevor, während andererseits niemand das Recht zusteht, sie
für ihr Erkenntnis zur Rechenschaft zu ziehen; daran knüpft
sich als Excurs die Beschreibung der Wichtigkeit, welche die

---

1) Bei der Aufzählung der einzelnen Teile ist zugleich ihre Nomenclatur gegeben, deren Begründung der Leser erst im weiteren Verlaufe
der Untersuchung finden wird.

grofsen Demagogen selber dem Heliastenwesen beimessen; die Rede schliefst mit einer begeisterten Schilderung der häuslichen Freuden, die den Besitzer des vielumworbenen Triobolons erwarten. Bdelykleon redet selten drein; seine Einwendungen sind ganz kurz und dienen dazu, die fünf Abschnitte der Rede seines Gegners besser hervorzuheben. — Viertens, das Pnigos, aus einem ununterbrochenen System anapaestischer Kurzverse bestehend; Philokleon schwelgt im Vorgefühle des sicheren Sieges. — Hierauf wiederholen sich die vier beschriebenen Abschnitte in derselben Reihenfolge und bilden zusammen den zweiten Teil des Agons. — Fünftens, die Antode, die gleich der Ode durch vier mesodische Tetrameter unterbrochen ist. Der Chor beglückwünscht den Vorredner und wendet sich in keineswegs ermutigenden Ausdrücken an dessen Gegner, während Philokleon nicht aufhört, durch seine vorzeitige Siegesfreude die Ate heraufzubeschwören. — Sechstens, der Antikatakeleusmos, in dem der Chor dem Gegenredner das Wort erteilt. — Siebentens, das Antepirrhema. Nach einer kurzen Vorrede, welcher der ungeduldige Alte rasch ein Ende macht, lenkt Bdelykleon auf das Hauptthema ein, auf die durchaus untergeordnete Stellung der Heliasten; zunächst sei ihre Besoldung verschwindend klein im Verhältnis zur Besoldung der höheren Beamten; sodann nähmen diese den Bundesstädten gegenüber eine ungemein einflufsreiche, mit manchen gesetzwidrigen Einnahmen verbundene Stellung ein, wogegen die Heliasten mit ihren drei Obolen vorlieb nehmen müssen; ferner sei es empörend, zu sehen, wie sich die grauen Männer, die in den Richtercollegien sitzen, von verweichlichten Jünglingen müssen commandieren lassen; endlich wird der Grund dieser Unterordnung angegeben — die hohen Herren wünschen, die Männer des Volkes arm zu sehen, um sie desto leichter beherrschen zu können. Auch hier ist die Rede zusammenhängend; Philokleon unterbricht sie nur selten und nie mit mehr als zwei Versen. — Achtens, das Antipnigos. Bdelykleon sucht seinem Vater die Niederlage zu versüfsen, indem er auf das gute Leben hinweist, das er ihm zu bereiten willens sei. — Neuntens, die Sphragis; diese besteht aus vier Tetrametern und enthält den Urteilsspruch des Chores, der den

Agon beschliefst, indem er Bdelykleon den Sieg zuerkennt.
Die folgende lyrische Strophe des Chores ist zwar nicht einmal durch Satzende von der Sphragis geschieden, trotzdem
hängt sie antistrophisch mit der folgenden Scene zusammen
und hat mit dem Agon nichts zu thun. Doch darüber das
weitere unten.[1])

B. 'Lysistrate' V. 476—613. Wie sonst, so folgt auch in
dieser Komödie das Wort auf die Tat. Lysistrate besetzt
an der Spitze ihres Frauenheeres heimlich bei Nacht die Akropolis; mit dem Tagesanbruch wird der Handstreich ruchbar,
und einer von den Probulen erscheint mit einer Compagnie
Bogenschützen, um die Ordnung wiederherzustellen. Es geht
ihm schlecht; die Skythen werden zurückgeworfen und ergreifen
die Flucht, und er sieht sich genötigt, mildere Saiten aufzu-
ziehen, um die Frauen ihrer Tat wegen wenigstens zur Rede
stellen zu können. Da Lysistrate nicht abgeneigt ist, so hebt
der Agon an. Die äufsere Inscenierung desselben ist von der
des vorigen wesentlich verschieden; wir haben es hier nicht
mit einem, sondern mit zwei Chören zu tun, von denen jeder
in dem Einen von den beiden Gegnern seinen Vorkämpfer hat.
Da dieses Verhältnis durch den Verlauf des Agons nicht verändert wird, so können sich die Chöre zum Urteilsspruche
nicht vereinigen; dies hatte den Wegfall der Sphragis zur
Folge. Auch in der Oekonomie hat der Agon der 'Lysistrate'
manches Eigentümliche. Seine beiden Teile sind einander nicht
in der Weise entgegengestellt, dafs im einen der eine, im andern der andere Gegner das Wort führte; vielmehr ist der
eine wie der andere von ihnen an beiden Epirrhemen gleichmäfsig beteiligt, nur dafs der redegewandten Lysistrate hier
wie dort der Löwenanteil zufällt. Wenn trotzdem in den
Katakeleusmoi für das Epirrhema ausdrücklich dem Probulen,
für das Antepirrhema der Gegnerin desselben das Wort erteilt
wird, so hat das seinen besonderen, tiefer liegenden Grund, auf
den hier nicht eingegangen werden kann.[2]) Dagegen drückt
das Antepirrhema dem Epirrhema gegenüber einen wesentlichen
Fortschritt des Gedankens aus; in diesem werden von der

1) Teil A, Abschn. III und Teil B, Abschn. I. — 2) S. darüber
unten § 11.

Rednerin nur die Übelstände geschildert, an denen der Staat krankt, in jenem die Hülfe und Heilung, die von der Frauenpolitik erwartet werden darf. Im übrigen besteht dieser Agon gleichfalls aus neun Abschnitten. — Die Ode ist durch keine eingeschobenen Langverse unterbrochen, doch geht ihr eine Anzahl Tetrameter voraus (proodische Tetrameter). Sie wird von den Greisen gesungen und ist an den Probulen gerichtet, dem auch der Katakeleusmos gilt. Das Epirrhema wird durch eine Frage des Probulen eingeleitet, doch ist es Lysistrate, die sich alsbald des Wortes bemächtigt und dasselbe den ganzen Agon hindurch behält, so dafs der Anteil des Probulen auf wenige und geringfügige Einwendungen und Ausrufe beschränkt ist. Noch unbedeutender ist die Rolle der Kalonike[1]), die ihrer Freundin Lysistrate als handfeste Kampfgenossin zur Seite steht. Der Zweck des Handstreichs wird kurz angegeben; der Bundesschatz sollte in Beschlag genommen und jede Möglichkeit, den Krieg weiter zu führen, den Männern entzogen werden. Als dann der Probule unwillig fragt, wie denn die Frauen auf den Einfall gekommen seien sich um Krieg und Frieden zu bekümmern, wird ihm das von Lysistrate auseinandergesetzt. Bisher haben die Männer das weibliche Geschlecht in ungerecht strengem Bann gehalten, alle gutgemeinten Versuche des letzteren, der Stadt nützlich zu sein, barsch zurückgewiesen, obgleich sie doch selber eingestehen mufsten, die Sache gänzlich verfahren zu haben; in Zukunft soll das anders werden, die Frauen werden den Staat verwalten und die Männer für ihren Teil den Mund halten. Diese Zumutung bringt den Probulen auf; ihr, der Haubenträgerin gegenüber soll er schweigen? Mit dieser Frage mufs die halbwegs ernste Stimmung notwendigerweise umkippen; dem entsprechend hören auch die Tetrameter auf und es beginnt das Pnigos. Wenn ihn weiter nichts störe, meint Lysistrate, könne ihm leicht geholfen werden; dabei bindet sie ihm ihre eigene Haube um, und Kalonike bleibt natürlich nicht untätig. — Die Antode wird gleichfalls durch proodische Tetrameter eingeleitet[2]), in denen die Greise ihrer gedrückten

1) Denn diese ist doch wohl unter der γυνὴ α' zu verstehen. — 2) Nach den Handschriften allerdings nur durch die beiden V. 539 f. des

Stimmung Luft machen; im Gegensatz dazu spricht sich in der Antode selber, die der Frauenchor singt, die froheste Zuversicht aus. Im Antikatakeleusmos ergeht seitens dieses letzteren an Kalonike und Lysistrate die Mahnung, mutig auszuharren und den günstigen Fahrwind auszunutzen. Demgemäfs ergreift im Antepirrhema diese das Wort, um dem negativen Teil ihrer Auseinandersetzung den positiven nachfolgen zu lassen; die Erlösung werde nicht lange auf sich warten lassen, nur so lange bis Eros' und Aphrodites Zauber gewirkt hat; dann werden die Frauen dazu berufen werden, die verwickelten Staatsverhältnisse zu entwirren, sie, die sich so gut darauf verstehen, selbst das verworrenste Garn in Ordnung zu bringen. Allein der Probule ist ein verstockter Zweifler; da kein Zureden helfen will und der Alte gar Anstalten macht, wieder handgreiflich zu werden, entschliefst sich Lysistrate, mit ihm kurzen Procefs zu machen, und es beginnt das Antipnigos. Dafs es dem Alten darin nicht gut ergeht, sehen wir an seiner Entrüstung; näher bestimmen läfst sich die Art des Scherzes nicht.[1]) — Dafs der Agon nicht mit einer Sphragis enden

Frauenchors; doch läfst sich mit genügender Wahrscheinlichkeit dartun, dafs die V. 467—470 des Männerchors hieher versetzt werden müssen. In der dem Agon vorausgehenden Scene hatte der Probule auf die deutliche Anspielung der freiwillig herausgetretenen Lysistrate (432), die einen Redekampf wünschte, mit der Anwendung roher Gewalt geantwortet, von Unterhandlungen wollte er nichts wissen; daher entbehren die Worte des Chors an ihn ʽὦ πόλλ' ἀναλύσας ἔπη' und ʽτί τοῖςδε cαυτὸν ἐς λόγον τοῖς θηρίοις cυνάπτεις' an der Stelle, wo sie jetzt stehen, jeder Berechtigung. Ferner würde es doch von unerträglicher Zerfahrenheit zeugen, wenn die Greise denselben Probulen, dem sie erst von einem Wortstreit mit den Frauen abgeraten, bald darauf (in der Ode und dem Katakeleusmos) zu einem solchen anspornten. Endlich sind die proodischen Tetrameter der Frauen (471—475) deutlich an den Probulen, nicht an die Greise gerichtet; Beulen (κυλοιδιᾶν 472) hatte es nur in der Rauferei mit der Mannschaft des Probulen gegeben, im Zanke mit den Greisen (381 ff.) war nur Wasser geflossen. — 1) Gewöhnlich nimmt man an, dafs die beiden Frauen den Probulen mit Wasser begiefsen (so schon der Scholiast zu V. 610 ὡς ἔχω βεβρεγμένον). Aber erstens hat dieses Motiv bereits im Zanke mit den Greisen als Schlufs der Parodos seine Wirkung getan. Zweitens ist nicht abzusehen, wo Lysistrate und ihre Freundin das Wasser hätte hernehmen sollen; zur Hand hatten sie keins. Endlich wird unter dieser Voraussetzung V. 603

konnte, ist bereits gezeigt worden; hier sehen wir eine andere Schlufsform verwandt, das Epirrhemation. Nach dem letzten Verse des Antipnigos sagt jeder von den beiden Gegnern noch drei iambische Trimeter; dann gehen sie auseinander, und es beginnt die Parabase. C. Die 'Vögel' V. 451—628. Der Kuckuck hat die Vögel zu einer grofsen Versammlung einberufen, damit seine beiden Gäste mit ihnen über die Wiedergewinnung der verlorenen Herrschaft Rat pflegen; aber dazu scheint es nicht kommen zu wollen. Wie sie nur hören, dafs ihr Stammgenosse zwei ihrer Erbfeinde bei sich beherbergt habe, sind sie aufser sich; der treulose Vogel möge später seiner Strafe gewärtig sein, einstweilen sollen die Eindringlinge büfsen. Es droht ernsthaft zu werden, die Athener verschanzen sich, so gut sie können, aber ein rechtzeitig hingeworfenes gutes Wort des Kuckucks wendet das Verderben ab. Es wird Waffenstillstand geschlossen, die Fremden erhalten das Recht, ihre Meinung darzulegen; dafs Peithetairos der Redner ist, versteht sich von selbst, als sein Gegner tritt der Kuckuck auf.[1]) Der Agon besteht, da auch die Sphragis nicht fehlt, aus neun Abschnitten. Der Chor traut dem Athener noch immer nicht recht, aber die Möglichkeit, dafs dieser ihm eine Neuigkeit von Belang mitzuteilen hätte, stachelt seine Neugier an (Ode); und so fordert er denn den Redner in aller Form auf, furchtlos seine Ansicht vor ihm zu entwickeln (Katakeleusmos). Peithetairos ist bereit; nur verlangt der weihevolle Augenblick einige Feierlichkeit im Ceremoniell; es wird ein Kranz herbeigeschafft und die Händewaschung vollzogen. Hierauf beginnt der erste Teil der Rede. Was war, das kann werden — das ist die Logik des Märchens, und so kommt es Peithetairos vor allem darauf

---

καὶ ταυταὶ δέξαι παρ' ἐμοῦ völlig unverständlich; die Grammatiker ergänzen teils ταινίας, teils δραχμάς, letzteres gewifs mit Unrecht; aber auch die Zuschauer konnten unmöglich wissen, was gemeint sei, wenn sie nicht wirkliche Taenien in den Händen der Geberin sahen. Die ganze Scene kann nur gewinnen, wenn wir nicht an einen so brutalen Gewaltact gegenüber einem Manne von dem Alter und der Stellung des Probulen zu denken brauchen. — 1) So TBergk; dafs er Recht hat, wird weiter unten (§ 11) dargetan werden.

an, zu beweisen, dafs die Vögel einst die Welt beherrscht haben. Das ergiebt sich zunächst daraus, dafs sie älter sind, als die Erde, wie eine Fabel des Aesop unzweideutig bezeugt; sodann aber sind noch viele Zeichen und Spuren jener alten Weltherrschaft erhalten. Der Hahn, der 'persische' Vogel, herrschte über die Perser; noch jetzt wird sein Weckruf des Morgens als Signal betrachtet, für die ehrlichen Leute, an ihr Tagewerk zu gehen, für die Diebe, sich zur Ruhe zu begeben. Der Weih war König der Hellenen, die sich noch immer aus alter Gewohnheit vor ihm niederzuwerfen pflegen; ebenso der Kuckuck König der Phoenicier. Ja noch später, als bereits Götter und Menschenkönige sich die Herrschaft angemafst hatten, war jedem von ihnen ein Vogel beigesellt, der auf dem Scepter oder anderswo[1] safs und an den Geschenken und

---

1) Nach V. 514—516 auf dem Kopfe der betreffenden Gottheiten, Zeus (Adler), Athena (Eule) und Apollon (Habicht). An den Versen ist vielfach herumconjiciert worden. Erstlich nahm man daran Anstofs, dafs Apollon ein Habicht zugesellt wird, und nicht, wie sonst, ein Rabe; sodann schien es sonderbar, dafs die Götter diese ihre Attribute auf dem Kopfe tragen sollten. So wurde denn statt τῆς κεφαλῆς nach einander τῆς χειρός (RBentley), τῆς σκυτάλης (KKock), τοῦ σκήπτρου (FBlaydes) vorgeschlagen; auch AMeineke (VA. 92) kommt die Stelle bedenklich vor; OBachmann endlich Phil. 1883, 752 hilft sich mit einer Athetese, ohne sich viel darum zu sorgen, dafs die drei Verse durch die gleiche Verszahl in den Epirrhemen sowie durch die ähnliche Eingangsform (Wesp. 605 an ähnlicher Stelle) geschützt werden. — Ganz aufgehellt kann die Sache vorläufig nicht werden; das eine aber läfst sich mit Bestimmtheit sagen, dafs an der Ueberlieferung nichts zu ändern ist. Was zunächst den ersten Anstofs anbelangt, so ist die Beziehung des Habichts zum Apolloncultus durch die von OMüller (Dorier I, 306) herangezogenen Stellen hinlänglich gesichert (zu denen noch Aelian nat. an. VII, 9; XII, 4 hinzuzufügen ist; auch II, 42 f. ist in dieser Hinsicht interessant: den Abscheu vor Leichen, sowie die Kenntnis der heilkräftigen Kräuter, die dort am Habicht hervorgehoben wird, teilt er mit dem Gott; dafs er ferner in Delphi einen Tempelräuber entlarvt haben soll — sowie ein andermal ein Wolf, ebda X, 26 — setzt ebenfalls seine enge Beziehung zu diesem Mittelpunct des Apolloncultus voraus); aufserdem erscheinen auf einem Vasenbilde (bei GHeydemann griech. Vb. III, 2) als Begleiter Apollons Vögel, die zwar von GHeydemann als Adler gefafst werden, aber schon von CBursian (Lit. Cbl. 1871, Sp. 91) richtig als Habichte gedeutet worden sind. — Gröfsere Mühe macht der zweite Einwand. Die Parthenos des Pheidias hatte auf der einen Backenklappe des Helmes eine Eule sitzen,

Opfern seinen Anteil nahm (Epirrhema). Aber diese schönen
Zeiten sind längst vorüber; jetzt hat niemand mehr Respect
vor den Vögeln, man mifshandelt sie auf jede erdenkliche Art
(Pnigos). — Hier macht der Redner eine Pause, um sich des
Eindrucks, den seine Ausführungen bei der sanguinischen Zuhörerschaft hinterlassen haben, vorerst zu vergewissern. Es ist
durchaus der erwartete; der Chor ist tief betrübt ob der Schwach-
heit seiner Vorfahren, die eine solche Herrschaft preisgegeben
haben (Antode). Aber er weifs, dafs sein Gast nicht deshalb
gekommen ist, um ihn nach dem Unerreichbaren lüstern zu
machen, sondern dafs er einen ausgearbeiteten Plan in Bereit-
schaft hält; diesen also verlangt er zu hören (Antikatakeleusmos). Peithetairos ist wieder gern erbötig. Das Mittel
zur Wiedergewinnung der verlorenen Macht ist ein gewaltiger
Synoikismos der gesamten Vogelwelt, die Gründung einer
grofsen Wolkenstadt. Ist dieses erst geschehen, so wird einerseits das Scepter von den Göttern zurückverlangt, andererseits
der eingetretene Dynastienwechsel den Menschen kund getan.
Weigert sich Zeus, der Forderung nachzugeben, so wird die
Atmosphaere gesperrt; machen die Menschen Schwierigkeiten,
so mögen sie sich für ihre Äcker und Herden in Acht nehmen.
Erkennen diese aber die neuen Götter an, so steht ihnen alles
Gute, Reichtum, Gesundheit und langes Leben bevor (Antepirrhema). Aufserdem wird der neue Göttercultus lange

und so erscheint sie auch auf drei Medaillons der St. Petersburger Ermi-
tage (publ. von GKieseritzky in den Mitteilungen des d. arch Inst. 1883,
S. 291), demgemäfs ist auch die sonst nicht entscheidende Stelle Ritt. 1092
zu deuten. Auf einen jüngeren Typus scheint die kleine Florentiner
Bronze (publ. bei Zannoni, Reale Galleria di Firenze IV, tav. 141) zurück-
zugehen, wo die Eule mit ausgebreiteten Flügeln auf dem Kopfe der
Göttin erscheint; vgl. KBöttiger Amalthea III, 266 Anm. Der Adler
auf dem Kopfe des Zeus ist ebenfalls so gut wie bezeugt durch Luc.
'Götterversammlung' 8; Momos spricht zu Zeus: οὐκοῦν μηδὲ περὶ τοῦ ἀετοῦ
εἴπω, ὅτι καὶ οὗτος ἐν τῷ οὐρανῷ ἐστιν, ἐπὶ τοῦ βασιλείου σκήπτρου καθ-
εζόμενος καὶ μονονουχὶ ἐπὶ κεφαλήν σοι νεοττεύων θεὸς εἶναι
δοκῶν. Ist also dadurch der überlieferte Text gesichert, so bleibt doch
die Schwierigkeit, dafs wir gezwungen sind, auch einen Apollon mit dem
Habicht auf dem Kopfe anzunehmen. Aber daran wird sich nichts ändern
lassen, und so mag denn diese Darstellung dem Spürsinn der Kunst-
mythologen empfohlen sein.

nicht so umständlich und kostspielig sein, wie der alte (Antipnigos). — Nun ist der Redner zu Ende, und der Chor hat
sein Urteil auszusprechen; somit erwarten wir zum Abschlufs
des Agons eine Sphragis. Eine solche findet sich auch, und
zwar besteht sie wieder aus vier anapaestischen Tetrametern;
nur sind diese in der Mitte durch eine iambische Strophe unterbrochen. Aber nichts ist leichter, als durch Umstellung der
V. 629—636 und 637 f. die Sphragis in ihrer kanonischen
Gestalt wiederherzustellen; wir würden dann, wie im Agon
der 'Wespen', vier Tetrameter haben, an die sich eine lyrische
Strophe anschlösse. Der Leser möge dieses Postulat einstweilen
hinnehmen; im weiteren Verlaufe der Untersuchung wird er
hoffentlich Beweggründe genug finden, ihm seine Zustimmung
nicht zu versagen. — Im übrigen steht unser Agon dem der
'Lysistrate' beträchtlich näher, als dem der 'Wespen'. Auch
hier sind die Epirrhemen nicht unter die Gegner verteilt, Peithetairos ist in beiden der Redner; und wie in der 'Lysistrate',
so drückt auch hier das Antepirrhema dem Epirrhema gegenüber einen Fortschritt des Gedankens aus. Auch hier ist im
Epirrhema ausschliefslich von den Übelständen selbst, im Antepirrhema von der Heilung derselben die Rede. Doch ist der
Ton unseres Agons von jenem wesentlich verschieden; der
Epops tritt nicht als grämlicher Starrkopf auf, der von der
gebotenen Hilfe nichts wissen will; er ist vielmehr der ge-
lehrige Schüler, der seinem Meister im voraus Vertrauen ent-
gegengebracht hat und sich von seinen Worten leicht hin-
reifsen läfst. Dieses Verhältnis verleiht dem ganzen Agon
ein freundlich scherzhaftes Gepräge, wie wir es in einem hei-
teren Märchen erwarten. — Dafs wir es in unserem Agon
mit einem einheitlichen Chor zu tun haben, braucht nicht
erst hervorgehoben zu werden; auch dafs beide Katakeleusmoi
an denselben Gegner, Peithetairos, gerichtet sind, wird der
Aufmerksamkeit des Lesers nicht entgangen sein.

    Zweite Gruppe. Der Agon ist zweiteilig; von den § 3.
beiden Epirrhemen ist das eine in anapaestischen, das
andere in iambischen Tetrametern gedichtet.

    D. Die 'Frösche' V. 895—1098. Das Erscheinen eines so
unruhigen Geistes, wie Euripides, konnte nicht umhin, die Unter-

2*

welt in Aufruhr zu versetzen; wer sich einiger von den vielen
menschlichen Schwächen bewufst war, die dieser bei Lebzeiten
in seinen Tragoedien so meisterlich in Schutz genommen hatte,
nahm für ihn Partei, und da die Guten überall in der Minder-
zahl sind, so fühlte sich Euripides an der Spitze seiner Anhänger bald stark genug, dem Dichterfürsten Aischylos den
Thron streitig zu machen. Ein Agon soll die Frage nach dem
Vorrang entscheiden, so schwer es auch dem stolzen Heros
der Dionysien wird, dem verachteten Gegner Rede zu stehen.
Dionysos selber, den die Sehnsucht nach dem hingeschiedenen
Liebling der Athener, dem Volksdichter Euripides, in die Unterwelt getrieben hat, soll den Streit schlichten. Nachdem erst
die beiden Gegner in nicht ganz würdiger Weise ihrem Unmut
Luft gemacht und alle Beteiligten nach dem Vorgange des
Chores zu den Göttern gebetet, beginnt der Agon. Der Chor
ist völlig unparteiisch, beiden Gegnern zollt er gleich hohe
Achtung; in der Ode spricht er seine Zuversicht aus, dafs
beide sich ihres Ruhmes würdig erweisen werden, und man
daher auf den Verlauf des Agons mit Recht gespannt sein
dürfe. Auch der Katakeleusmos ist an beide gerichtet; der
Chor begiebt sich seines Rechtes, die Reihenfolge der Redner
festzustellen; Euripides benutzt diesen Umstand und ergreift
zuerst für das Epirrhema das Wort. Die Disposition seiner
Rede hat er bereits fertig; erst soll bewiesen werden, dafs
die Poesie des Aischylos auf Täuschung der Zuschauer berechnet sei, nachher will er von den Vorzügen seiner eigenen
Dichtweise reden. An Aischylos tadelt er das Vorwalten des
melischen Elementes, hinter dem die Handlung ganz zurück-
trete, so dafs das Publikum, das gerade auf diese sich gefreut
hatte, ohne etwas gesehen zu haben, enttäuscht hätte heim-
gehen müssen; ferner die Unverständlichkeit und Unnatur seines
prunkenden Stiles; endlich die kindische Freude an ungeheuerlicher Bühnenmalerei. Ihm selbst wäre zu Anfang seiner dich-
terischen Tätigkeit die Aufgabe zugefallen, der an Schwulst
und Bombast schwer darniederliegenden Tragoedie durch kräf-
tige Hausmannskost erst wieder aufzuhelfen; dann habe er sie
gelehrt, sich bei der Schilderung menschlicher Verhältnisse
einer menschlichen Sprache zu bedienen. — Das ist wieder

ein Punct, wo der redliche Ernst der Situation unvermeidlich
übersprudeln muſs; im Pnigos wird der allzumenschliche
Haushalt der neuen Tragoedie einer etwas ins einzelne gehenden
Prüfung unterworfen; Dionysos ist natürlich mit Herz und
Seele dabei. Die Antode drückt die Besorgnis des Chores
aus, Aischylos, der sich bis dahin nur in kurzen Sätzen hatte
hören lassen, könnte im Grimme über die Zungenfertigkeit
seines Gegners die Schranken der agonistischen Licenz überschreiten; es wird ihm weise Mäſsigung und Zurückhaltung
ans Herz gelegt. Der Antikatakeleusmos ist an ihn per-
sönlich gerichtet; recht wider Willen entschlieſst er sich, der
Redner des Antepirrhemas zu sein. Im einzelnen mag er
auf die Vorwürfe des Euripides nicht eingehen; er geht von
dem Grundgedanken aus, an dem zu zweifeln noch nicht erlaubt war, daſs der Wert der Poesie in ihrem versittlichenden
Einflusse bestehe. Da Euripides das zugeben muſs, so fühlt
sich Aischylos berechtigt, an die Tragodik seines Gegners nicht
den aesthetischen, sondern den eigentlich ethischen Maſsstab
zu legen. Vergebens beruft sich dann Euripides darauf, daſs er
nichts gegen die Tradition ersonnen, sondern nur die hieratische
Sage, das heiſst die lautere Wahrheit wiedergegeben habe; der
Dichter darf eben nicht enthüllen, was lieber verborgen und
unbemerkt geblieben wäre. Im einzelnen sind es drei Puncte,
die an den Dramen des Beschuldigten tadelnd hervorgehoben
werden; das über Gebühr sich breit machende Moment der
Erotik, der unedle Charakter vieler handelnden Personen, endlich der skeptische Grundton seiner ganzen Dichtung, der sogar auf das niedere Volk schädlichen Einfluſs gehabt und es
gelehrt habe, zu raisonnieren und der Obrigkeit den Gehorsam
zu versagen. Damit kommt die Komik wieder zum Durchbruch,
und ihr wird unter abermaliger eifriger Beteiligung des Dionysos
im ganzen Antipnigos Rechnung getragen. Da der Streit
mit dem Agon seinen Abschluſs noch nicht erreicht hat, so
müssen die Schluſsformen wegfallen; wir finden daher weder
die Sphragis noch das Epirrhemation, sondern an die letzten
Worte des Dionysos knüpft unmittelbar der die folgende Scene
einleitende Chorgesang an. Abgesehen von dieser Unvoll-
ständigkeit und von der bei der Charakterisierung der ganzen

Gruppe erwähnten metrischen Verschiedenheit, hat unser Agon
mit dem der 'Wespen' die gröfste Ähnlichkeit; die Epirrhemen
sind unter die beiden Redner verteilt, die sich gegenseitig nur
selten unterbrechen.

E. Die 'Wolken' V. 950—1104. Der Agon ist ziemlich un-
vermittelt eingeführt, worüber später. Pheidippides soll zwischen den beiden Gegnern, dem Sprecher des Rechts und dem
Sprecher des Unrechts, die Wahl treffen; wem er den Sieg
zuspricht, der wird ihn in der Redekunst unterrichten. Die
Anlage unseres Agons ist demnach der des vorigen durchaus
ähnlich. Zunächst wendet sich der Chor in einer lyrischen
Anrede aus Publicum, das er auf die Wichtigkeit des bevorstehenden Streites aufmerksam macht (Ode); dann fordert er
den Sprecher des Rechts auf, die Wesenheit seiner Lehre darzulegen (Katakeleusmos). Dieser leistet der Mahnung Folge
und entwickelt im Epirrhema die Theorie der altathenischen
Erziehung. Seine Rede besteht, wie die übrigen uns bekannten
griechischen Tugendspiegel, ihrem didaktischen Charakter gemäfs aus lauter einzelnen Verhaltungsmafsregeln für junge
Leute. Im Pnigos fafst der Redner den Inhalt seiner Ausführungen zusammen, indem er das Bild eines nach seinen
Grundsätzen erzogenen Jünglings entwirft und diesem einen
andern, von seinem Gegner unterrichteten gegenüberstellt.
Nachdem er geschlossen, spricht ihm der Chor seine wärmste
Anerkennung aus und preist das Zeitalter glücklich, in welchem
solche Grundsätze mafsgebend waren (Antode); hierauf erteilt
er in ziemlich kühler Form dem Sprecher des Unrechts das
Wort (Antikatakeleusmos). Aber dieser fühlt sich in der
spitzfindigen sokratischen Exetasis sicherer als im zusammenhängenden Vortrag; ohne auf den leitenden Gedanken der gehörten Rede einzugehen, greift er beliebig einzelne Puncte aus
derselben heraus. Warme Bäder zu untersagen, hat keinen
Sinn, denn schon Herakles hat von denselben Gebrauch gemacht; den jungen Leuten den Besuch der Agora zu verbieten,
ist gleichfalls ungerecht, da schon Nestor nach Homer ein
ἀγορήτης war; endlich hat sich die vielgepriesene Sophrosyne
niemand vorteilhaft erwiesen, was an Peleus dargetan wird.
Seine eigene Lehre ist kurz; der Mensch soll allen Gelüsten

die Zügel schiefsen lassen, kein Laster ist verwehrt. Der
herkömmlichen Strafe für verbotene Genüsse kann ein ge-
wandter Redner leicht entgehen, und wenn sie ihn auch trifft,
— damit wird der Gedanke aus dem Antepirrhema ins Antipnigos hinübergeleitet, — so ist das weiter nicht schlimm,
denn alle Volksredner, Anwälte und Tragoediendichter, ja die
Mehrzahl der anwesenden Zuschauer hat dieselbe erleiden
müssen. Dieses mufs der Sprecher des Rechts zugeben, und
damit ist der Agon zu Gunsten seines Gegners entschieden.
Wie stellt sich nun der Chor zu einem solchen Ausgange, der
seinem Wunsche und der Forderung der Gerechtigkeit so
wenig entspricht? Leider hat Aristophanes die Sphragis, die
wir mit Fug und Recht als Abschlufs des Wettstreites erwarten dürfen, nicht hinzugedichtet. Sonst ist zu diesem
Agon bezüglich der Oekonomie dasselbe zu sagen, wie zum
vorigen.

F. Die 'Ritter' V. 756—940. Nachdem Agorakritos alle
anderen Proben, zuletzt vor dem Rate der Fünfhundert, siegreich bestanden hat, steht ihm nun die letzte und bedeutendste
bevor. Demos selber soll entscheiden, welchem von den beiden
Nebenbuhlern er sich fürder anvertrauen wolle. Er wird herbei-
gerufen, der Schauplatz durch eine — wirkliche oder gedachte —
Verwandlung nach der Pnyx verlegt, und der Agon beginnt.
Der Chor nimmt in ihm, wie im ganzen Stück, eine eigentümliche, von allen übrigen Komoedien abweichende Stellung
ein; der glühende Hafs, den er Kleon entgegenbringt, läfst
das Gefühl der Gerechtigkeit in ihm gar nicht aufkommen;
zum Richter eignet er sich ganz und gar nicht. So ist gleich
die Ode an Agorakritos gerichtet, ebenso der Katakeleusmos; nichtsdestoweniger ist es der Paphlagonier, der das Wort
ergreift, ohne es jedoch durch das ganze Epirrhema behalten
zu können. Kaum hat er mit einem schwungvollen Gebete an
die Schutzgöttin der Stadt den Anlauf zu einer Prunkrede genommen, so bringt ihn Agorakritos durch ein ähnliches, nur
noch farbenreicheres Gebet aus dem Concept. Nun will der
Paphlagonier in geordneter Reihenfolge seine Verdienste um
den Gebieter herzählen; aber kaum hat er mit dem ersten
derselben den Anfang gemacht, so schlägt ihn Agorakritos

völlig aus dem Felde, indem er ein zwar geringfügiges, aber im Augenblicke wirklich tiefempfundenes Bedürfnis des Alten befriedigt, so dafs dieser in freudige Dankesbezeigungen ausbricht. Diese Gelegenheit benutzt Agorakritos, um dem noch verwirrten Paphlagonier den schwersten Hieb zu versetzen — die Beschuldigung, den Frieden böswillig hintertrieben zu haben. Umsonst macht dieser für seine Handlungsweise patriotische Motive geltend; alles wird ihm als Eigennutz ausgelegt, und wie er sich in seiner Bedrängnis an den Gebieter wendet, findet er ihn ganz verändert. Von Demos barsch abgewiesen, fährt er auf den unablässig ihn verdächtigenden Gegner — im Pnigos — los; aber dieser läfst sich nicht einschüchtern. So hat der erste Teil des Agons einen schönen Sieg des Wursthändlers zur Folge; der Chor wünscht ihm in der Antode Glück dazu und ermahnt ihn, nur auf dieselbe Weise fortzufahren, dann würde sein Erfolg vollständig sein. Der Antikatakeleusmos ist wieder an ihn gerichtet. Mittlerweile hat sich aber der Paphlagonier vom ersten Anprall erholt und Ordnung in seinen Gedanken geschafft; nun sollen wirklich die Verdienste aufgezählt werden, und zwar sind es die Schilde von Pylos, unter deren Wucht der Gegner erdrückt werden soll. Aber selbst dieser Haupttat, dem blendendsten Erfolge des Demagogen, wird ein nichtswürdiges Motiv unterschoben; und andererseits weifs Agorakritos durch eine abermalige greifbare Wohltat die Dankbarkeit des Gebieters auf sich zu lenken. Auf dieselbe Weise wird ein zweites Verdienst des Paphlagoniers abgefertigt; dieser will die Schliche seines Gegners nachahmen, benimmt sich aber dabei so ungeschickt, dafs der Alte nur noch stärker gegen ihn aufgebracht wird. Und wieder weifs der Wursthändler den Augenblick auszunutzen, um die abenteuerlichsten Beschuldigungen gegen seinen Gegner vorzubringen, bis beide — im Antipnigos — wieder aneinander geraten, wobei des Paphlagoniers Wut ohnmächtig von der kaltblütigen Ruhe des Wursthändlers abprallt. Die Sphragis ist ausnahmsweise in Prosa geschrieben; der Chor ist über die Talente seines Lieblings so verblüfft, dafs er nur zu einem kräftigen Schwur Worte finden kann. Auch diese Verstümmelung läfst sich scenisch dadurch rechtfertigen, dafs

der Streit der beiden sich über den Agon hinaus noch fortsetzt, genau wie in den 'Fröschen'. Sonst wird zugestanden
werden müssen, dass dieser früheste aller erhaltenen Agone
des Dichters in der Oekonomie noch ziemlich mangelhaft ist;
weder sind die Epirrhemen unter die beiden Gegner verteilt,
noch läfst sich auch im zweiten ein Gedankenfortschritt dem
ersten gegenüber wahrnehmen. Die behandelten Fragen sind
im Epirrhema allgemeinerer, im Antepirrhema speciellerer
Natur; das ist aber auch der einzige Unterschied, der sich
finden läfst, und auch dieser dürfte beim ersten Lesen nicht
vielen auffallen. Licht und Ordnung in der Gedankenfolge
wird gar sehr vermifst, das ganze hat einen recht tumultuari-
schen Charakter, obgleich andererseits der Ton in unserem
Agon ebenso ernst ist, wie in den übrigen.

Dritte Gruppe. Der Agon ist zweiteilig; beide §4.
Epirrhemen sind in iambischen Tetrametern verfafst
Zu dieser Gruppe gehören nur Agone zweiten Ranges, die
sich zu den Hauptagonen verhalten, wie die zweiten Parabasen
zu den ersten.

G. Die 'Wolken' V. 1345—1451. Strepsiades hat seinen
Sohn aus der Lehre abgeholt und zu einem Freudenschmaus
nach Hause mitgenommen. Drinnen kommt es zu einem
Streite zwischen den beiden, dem Alten geht es dabei schlecht,
und er kommt weinend herausgelaufen. Der Sohn folgt ihm;
dafs er den Vater geschlagen habe, giebt er zu, behauptet
aber, dabei nur sein gutes Recht geübt zu haben. Strepsiades
selbst vergifst den Schmerz vor Erstaunen; er ist doch neugierig zu hören, wie sein Sohn das Unmögliche beweisen will.
Damit ist der Agon angekündigt; der Chor übernimmt das
ihm von Rechtswegen zufallende Amt des Schiedsrichters und
ermahnt in der Ode den Alten, sich ja zusammenzunehmen,
da ihm ein harter Strauf bevorstehe; seine Worte sind streng
und zurückhaltend, er gönnt dem unverständigen Vater das
Unglück, das dieser selbst mutwillig heraufbeschworen. Der
Katakeleusmos ist an Strepsiades gerichtet, es wird ihm
befohlen die Ursache und den Verlauf des Zankes zu erzählen.
Das geschieht im Epirrhema. Der Alte hatte nach gutem
alten Brauch seinen Sohn aufgefordert, zum Weine ein Lied

des Simonides zu singen; diesem ist aber das Singen an sich
zuwider, und am wenigsten mag er sich mit einem so alt-
modischen Dichter wie Simonides befassen. Nun soll er wenigstens eine Scene des Aischylos vortragen; aber auch an ihm
findet er keinen Geschmack. Da überläfst ihm der Vater
freie Wahl, selber aus den modernen Dichtungen eine Rhesis
auszusuchen; und alsbald declamiert Pheidippides die Scene
aus dem euripideischen 'Aiolos', die vom blutschänderischen
Liebesbund der Geschwister Makareus und Kanake handelt.
Nun kann Strepsiades seinen Zorn nicht mehr zähmen; ein
Wort giebt das andere, und das Ende ist, dafs der Sohn den
eigenen Vater mit Schlägen aus dem Hause treibt. Wie der
Alte mit seiner Erzählung, die er über das Epirrhema hinaus
ins kurze Pnigos geleitet hat, fertig ist, hat der Chor kein
Wort des Mitleids für ihn; in der Antode giebt er nur der
Spannung Ausdruck, mit der er der bevorstehenden Vertei-
digung des Sohnes entgegenharrt. Zu dieser giebt endlich der
Antikatakeleusmos das Signal, und es beginnt das Antepirrhema. Nach einer kurzen, seine Siegeszuversicht aus-
drückenden Vorbemerkung leitet er den Beweis ein mit der
Frage, ob der Vater ihn, als er noch ein Kind war, geschlagen
habe; da das zugegeben wird, behauptet er weiter, gleiches
Recht müsse für alle gelten. Aber die Achtung vor dem
Alter? — im Gegenteil, vielmehr müssen die Greise um so
härter büfsen, da sie für ihre Handlungen eine höhere Ver-
antwortung tragen, als die unzurechnungsfähigen Kinder. — Aber
den Vater wenigstens mufs man ausnehmen, das verlangt die
Natur selbst! — mit nichten; vielmehr ist gerade die Natur
reich an Beispielen, dafs die Väter von ihren Kindern ge-
züchtigt werden. — Nun fällt dem Alten ein Rettungsweg ein;
gleiches Recht gilt allerdings für alle, doch ist das so zu verstehen, dafs der Vater den Sohn, und dieser wieder seinen
Sohn zu schlagen berechtigt ist; — 'wenn er nun aber keinen
bekommt?' wendet Pheidippides ein. Da giebt sich Strepsiades besiegt. Aber der Jüngling ist mit seinem Erfolge noch
nicht zufrieden; auch für die Mutter will er sich gleiches
Recht erstreiten. Doch das kann der Alte nimmermehr zugeben, so sehr er auch selber die Mutter als die Hauptschul-

dige betrachtet; und da sein Sohn den Beweis in allem Ernst
zu liefern erbötig ist, so flucht Strepsiades ihm, und Sokrates,
und dem Sprecher des Unrechts. Damit schliefst der zweite
Teil, in welchem gleichfalls das Antepirrhema unbemerkt ins
Antipnigos übergeht. Eine Sphragis erfolgt hier so wenig
wie im Hauptagon; in beiden wird der Dichter unterlassen
haben, sie hinzuzudichten. Auch sonst hat unser Agon in der
Oekonomie die gröfste Ähnlichkeit mit dem Streite der beiden
Sprecher.

H. Die 'Ritter' V. 303—410. Beim Erscheinen des ge-
fürchteten Paphlagoniers hat Agorakritos die Flucht ergriffen;
aber der rechtzeitige Einmarsch der Ritter zwingt ihn auf der
Bühne zu bleiben. Nun will sich der Paphlagonier, der seinen
Feind von so mächtigen Verbündeten unterstützt sieht, seinerseits aus dem Staube machen; aber auch dieses Vorhaben wird
durch den Chor vereitelt. Bald wird der Zwang zur Lust;
der Chor besetzt, da er nun des Dableibens seiner Leute
sicher ist, die Orchestra, während der Zank der beiden Gegner
sich von selbst zu einem Agon entwickelt. Die Ode enthält
Schmähungen auf den Paphlagonier, sie wird genau wie im
Agon der 'Wespen' durch mesodische Tetrameter unterbrochen, in denen die Kämpfer, die vor Ungeduld das Ende
der Ode nicht abwarten können, gegen einander losfahren.
Der Katakeleusmos ist an den Wursthändler gerichtet, doch
sind am Epirrhema beide Gegner beteiligt, ebenso wie im
Hauptagon. Nach einem auf den ersten Blick etwas unver-
ständlichen Streit um das erste Wort, von dem unten die
Rede sein wird (§ 11), lügen sie sich gegenseitig die abenteuerlichsten Redeerfolge vor, die sie erringen ... wollen; und
da keiner den andern gelten lassen will, so kommt es zum
Schlusse, im Pnigos, zu grauenerregenden Drohungen, deren
letzte und beste dem phantasievollen Demosthenes ihre Entstehung verdankt. Während die Streiter sich abkühlen, singt
der Chor die Antode, in der dem Wursthändler Glück und
dem Paphlagonier baldiges Verderben gewünscht wird; auch
hier reden die beiden in mesodischen Tetrametern drein.
Die beiden Verse, die sonst den Antikatakeleusmos enthalten, haben hier mit einer Aufforderung nichts zu thun, sie

setzen den Gedanken der Antode fort; doch ist dies das einzige Beispiel einer solchen Verwendung des einleitenden Distichons. Das Antepirrhema ist seinem Gedankeninhalte nach vom Epirrhema nicht viel verschieden, nur stehen die dort berührten Tatsachen und Pläne der Wirklichkeit näher. Die gegenseitigen Drohungen arten im Antipnigos in eine arge Schimpferei und zuletzt in eine Rauferei aus, bei der Kleon den kürzeren zieht. Die Sphragis hat ihre kanonische Gestalt und besteht demnach aus einem Tetrastichon, in welchem der Chor Agorakritos zu seinem Erfolge beglückwünscht; sein Urteil braucht er nicht erst auszusprechen, da die Faust des Wursthändlers den Ausgang des Agons nur allzudeutlich gemacht hat. Doch müfste ich mich sehr irren, wenn in den der Sphragis folgenden sechs Trimetern nicht das uns von der 'Lysistrate' her bekannte Epirrhemation anzuerkennen wäre. Sie hängen zwar mit der folgenden Scene zusammen, aber das tut die Sphragis in den 'Wespen' auch. So möge denn der Leser diesen Fall einstweilen im Auge behalten; der weitere Lauf der Untersuchung wird ihn hoffentlich meiner Annahme geneigt machen. Die Oekonomie unseres Agons ist der des Hauptagons durchaus analog.

§ 5.   **Vierte Gruppe.** Der Agon weist die Hauptabschnitte nur einmal auf; das Epirrhema ist anapaestisch. Die Agone dieser Gruppe sind als verkümmert zu betrachten.

I. Die 'Ekklesiazusen' V. 571—709. Die List in der Volksversammlung ist geglückt, Praxagora kehrt mit den andern Frauen heim. Auf die Fragen ihres Mannes Blepyros stellt sie sich unwissend und erfährt so von ihm das Gelingen ihres eigenen Planes. Nun fragt Blepyros weiter, was sie zu tun vorhabe, nachdem die Frauen auf verfassungsmäfsigem Wege die Herrschaft erlangt hätten; sie ist gern bereit, ihn darüber aufzuklären, und damit ist das Thema für den Agon der Komoedie gegeben. In der Ode ermahnt der Chor seine Sprecherin, ihre Worte wohl zu wägen, recht neue und überraschende Einfälle vorzubringen; das Signal zum Beginne des Agons giebt der Katakeleusmos. Im einzigen Epirrhema des Agons entwickelt Praxagora ihren volkbeglückenden Plan. Alles soll Gemeingut sein, ein Bürger soll leben wie der andere.

Zunächst wird das Privateigentum aufgehoben; diese Mafsregel
wird sich leicht durchführen lassen, da andererseits auch alle
Genüsse, den der Liebe nicht ausgeschlossen, allgemein zugänglich sein werden; nur soll bei der letzteren den Hüfs-
lichen beider Geschlechter von Rechtswegen der Vorrang gesichert werden, damit niemand zu kurz kommt. Die Arbeit
wird von den Sklaven verrichtet werden; Schulden zu machen
wird nicht mehr möglich sein; wenn aber einer den andern
mutwillig kränkt, so wird ihm zu Gunsten des Gekränkten
die Brotration verkürzt werden. Die einzige Beschäftigung
der männlichen Bevölkerung werden die Freuden des Gast-
mahls bilden. Die Heimkehr und ihre Hindernisse beschreibt
das Pnigos. Die Sphragis vermissen wir, die folgende Scene
schliefst sich unmittelbar an den Agon. Stil und Ton erinnert
lebhaft an den Agon der 'Vögel', nur dafs die Farben viel
blasser sind.

K. Der 'Plutos' V. 487—626. Chremylos und sein Freund
Blepsidemos sind im Begriffe, den glücklich festgenommenen
blinden Gott des Reichtums zur Heilung in den Tempel des
Asklepios zu führen; da erscheint ein blasses, hageres Weib,
das sich nach kurzem Herumraten als die Armut, Penia, zu
erkennen giebt. Sie weifs, dafs von dem Vorhaben der beiden
Männer weder für sie, noch für die Menschheit viel Gutes erwartet werden könne und bietet daher alles auf, um es zu
hintertreiben; man soll sie wenigstens anhören. Da Chremylos
keine Schwierigkeiten macht, so ist die Situation für den
Agon geschaffen. Der Chor beteiligt sich an ihm nur durch
den Katakeleusmos, der an die beiden Freunde gerichtet
ist; hierauf folgt das Epirrhema, in welchem Chremylos
zuerst das Wort ergreift. Dafs es so vielen Bösen wohl, so
vielen Guten übel geht, ist eine offenbare Ungerechtigkeit, die
Folge der Blindheit des Gottes; wird er erst schend, so wird
den Forderungen des Rechtes Genüge geschehen. Dagegen
wendet Penia ein, dafs unter solchen Umständen niemand
arbeiten, Landbau, Handwerk und Handel darniederliegen und
die Menschheit viel elender als zuvor leben würde. Den be-
denklichen Fehler dieser Beweisführung — es sollen ja nicht
alle Menschen, sondern nur die guten, also die arbeitsamen

durch Reichtum gelohnt werden — bemerkt Chremylos nicht[1]);
vielmehr schildert er in einigen poetisch allerdings sehr wir-
kungsvollen Versen das dürftige Leben, das Penia ihren Leuten
verschafft; diese findet jedoch die ganze Schilderung übertrieben
und macht ihren Gegner auf den Unterschied zwischen Armut
und Bettelhaftigkeit aufmerksam. Ferner weist sie auf den
versittlichenden Einfluss der Lebensweise hin, die sie der
Menschheit auferlegt, und Chremylos muss sehr wider Willen
ihr Recht geben. Damit ist er geschlagen; aber zur rechten
Zeit besinnt er sich auf das Auskunftsmittel, das andernorts der
Sprecher des Unrechts seinen Adepten empfiehlt — εἶτ' εἰc
τὸν Δί' ἐπανενεγκεῖν — und beruft sich auf Zeus, der doch
nicht reich sein würde, wenn der Reichtum nicht ein gut
Ding wäre. Und hier tritt diejenige Phasis des Streites ein,
die im Agon gewöhnlich das Umschlagen der ernsthaften
Stimmung bedeutet; Penia wagt allen Ernstes die Behauptung,
Zeus wäre überhaupt nicht reich. Und in der Tat ist das
Epirrhema damit zu Ende; im Pnigos treiben die beiden
Alten ihre Gegnerin von dannen, die auch mit einem letzten,
warnenden Rufe die Bühne verläfst. Den Agon schliefst ein
Epirrhemation ab, das jedoch eine etwas veränderte Ge-
stalt hat; die beiden Tristicha werden von derselben Person,
Chremylos, gesprochen und sind durch zwei Verse, die Blepsi-
demos dazwischen redet, von einander getrennt.

§ 6.   Im Vorhergehenden sind alle Agone, die in den erhaltenen Komoedien des Aristophanes vorkommen, aufgezählt
worden; es dürfte jetzt nicht unangemessen sein, der Bedeutung des Agons überhaupt, seiner Stellung in der Oekonomie der Komoedie eine kurze Betrachtung zu widmen. Denn
dafs die eigentümliche agonistische Form an einen bestimmten Inhalt gebunden ist, wird der Leser bereits gefunden haben.

----

1) Diese Inconsequenz benutzt ElBrentano ('Untersuchungen über
das antike Drama') um den 'Plutos' in eine 'Titanenkomoedie' und eine
Posse im Stil der jungattischen Komoedie zu zerstücken. Im Princip
könnte man einverstanden sein; der Durchführung vermag ich nicht zu-
zustimmen. Eher könnte man geneigt sein FRitter ('de Aristophanis
Pluto') Recht zu geben, der in der angeführten Tatsache den Einfluß der
Diaskeue erblickt.

Den Agon durchweg als Streit zu bezeichnen würde verfehlt sein; nicht immer sind die beiden Personen, die ich der
Kürze halber überall Gegner genannt habe, wirklich Vertreter
zweier bestimmter, einander entgegengesetzten Ansichten. In
den 'Ekklesiazusen' ist Blepyros zwar ein Zweifler, aber seine
Einwendungen zeugen blofs von Wifsbegier, nicht von Wider-
spruchsgeist, und er läfst sich voll und ganz überzeugen; und
gar in den 'Vögeln' ist der Kuckuck bereits von vornherein
von dem Gedanken seines Gastes eingenommen. Es ist aber
eine Erscheinung allen behandelten Agonen gemeinsam, und
das ist der absolute Stillstand der Handlung. In der Scene,
die dem Agon unmittelbar vorhergeht, hat sich die Tatenlust der beteiligten Personen vorläufig ausgetobt, und nun
concentriert sich das ganze Interesse des Stückes hundert bis
zweihundert Verse hindurch auf Worte, nur auf Worte. Und
bedenkt man, dafs sich sehr häufig an den Agon die ebenfalls
über hundert Verse lange Parabase anschliefst, die mit dem
Inhalte des Stückes meist in keiner Beziehung steht, so wird
man nicht umhin können, eine so ausgedehnte Ruhe in einem
'Drama' sonderbar zu finden.

Aber die altattische Komoedie ist auch kein Drama im
gewöhnlichen Sinne und steht im schroffsten Gegensatze zur
Tragoedie sowohl wie auch zur jungattischen — und modernen
— Komoedie. Hier ist es die Handlung, die Verwickelung und
Lösung einer gegebenen Situation, welche die Aufmerksamkeit
des Zuschauers in Anspruch nimmt; daneben sind die jungattischen Komoedien zwar aufserordentlich reich an einzelnen
Sentenzen, aber sie entbehren durchaus eines leitenden, die
ganze Handlung beherrschenden Gedankens; und dasselbe läfst
sich auch von der Tragödie sagen — denn die bekannte Moral
'der Götter Wege sind wunderbar', die sich allen antiken
Tragoedien anhängen läfst und von Euripides tatsächlich vielen
angehängt worden ist, wird die Dichter schwerlich zu ihren
Schöpfungen begeistert haben. Die altattische Komoedie dagegen geht mehr oder minder in dem Gedanken auf, den sie
zum Ausdruck bringen will; was sie daneben bietet, ist nichts
als blofses mutwilliges Spiel der Phantasie und könnte mit
den kleinen Bildern und Arabesken verglichen werden, mit

denen die Frescomaler das Hauptgemälde umgeben, um dem
abgespannten Blicke angenehme Erholung zu gewähren und
kein Stück der Wandfläche unbenutzt zu lassen. Wollten wir
den Unterschied zwischen der altattischen Komoedie einerseits
und der Tragoedie und der jungattischen Komoedie andererseits
in zwei Wörtern aussprechen, so würden sich die beiden bekannten Gegensätze λόγος und μῦθος [1]) passend dazu verwenden
lassen.

Das Ideal, wie es der modernen Kunst vorschwebt, wäre
freilich, beide Elemente mit einander zu verbinden, den λόγος
durch den μῦθος zum Ausdruck zu bringen; doch darf von
der Antike, ohne ihr damit zu nahe zu treten, behauptet werden,
dafs sie sich diese Aufgabe nie und nirgends gestellt hat. So
wie die Tragoedie den einzigen Zweck hat, das Gemüt des
Zuschauers in irgend einer Weise durch das zur Schau Ge-
botene wohltätig zu afficieren, so betrachtete auch die von
Aristophanes vertretene Richtung der altattischen Komoedie in
ihrer ersten Zeit ihre Aufgabe als gelöst, so bald es ihr gelungen war, irgend einen Gedanken, der dem Dichter besonders am Herzen lag, in seinen näheren und weiteren Consequenzen den Zuhörern — denn von Zuschauern dürfen wir
kaum mehr reden — möglichst eindringlich zu Gemüte zu führen.
Wie dann die Handlung sich doch ein Plätzchen im Drama
des Gedankens zu erobern wufste, wie sie nach und nach ihren
Besitz zu erweitern und auf das ganze Stück auszudehnen verstand, diese Erwägungen würden nur in einer Geschichte der
attischen Komoedie am Platze sein.

Auf das moderne Drama bezogen, wie es sich aus der
attischen Tragoedie und der jungattischen Komoedie entwickelt

---

1) In der That hat das Wort μῦθος die verlangte Bedeutung in der
Poetik, wo es nicht blofs zur Bezeichnung der mythischen Stoffe der
Tragoedie, sondern auch der frei erfundenen, gleich unserem Wort
'Fabel', verwendet wird (s. 1451 b), und ebenso finden wir es gebraucht,
wo die Handlung der mittleren Komoedie verstanden werden soll (ebda).
Mit λόγος meint Aristophanes wiederholt den Inhalt seiner Stücke, z. B.
Ach. 513, Wesp. 65, Kir. 50, cf. Krat. Odyss. fr. 144, Metag. fr. 14 K. Dafs
freilich die beiden Ausdrücke auch für einander eintreten können, wo
keine Gegenüberstellung der Begriffe beabsichtigt ist, stelle ich durchaus nicht in Abrede.

hat, ist uns der Ausdruck 'Katastrophe' vollkommen geläufig; wir bezeichnen mit ihm die Scene, wo die Spannung der dramatischen Gegensätze ihren höchsten Grad erreicht hat und in der Situation ein durchgreifender Umschwung eintritt. Wer diesen Ausdruck auf die Gedankenkomoedie anwenden will, der mufs von der hier ganz untergeordneten Handlung zunächst absehen; wir werden vielmehr diejenige Scene die komische Katastrophe nennen dürfen, in welcher sich der vom Dichter geplante und gewünschte Umschwung im Gemüte der Zuhörerschaft vollzieht, möge sich dieselbe nun in den Sitzreihen, oder auf der Orchestra, oder auch auf der Bühne selber befinden; wo beispielsweise der Anhänger des Euripides von der höheren Bedeutung der aeschyleischen Tragodik, der übereifrige Richter von der Lächerlichkeit des ganzen Heliastenwesens überzeugt wird. Eine solche Scene war naturgemäfs vor allen anderen geeignet, sich in eine eigentümliche feste Form zu kleiden, und es ist gezeigt worden, dafs es eben die Form des Agons war.

Geht man von dieser Erwägung aus, so wird eine Komoedie ohne Agon ebenso undenkbar erscheinen, wie eine Tragoedie ohne Katastrophe; und da die beschriebene Form des Agons eine fast vierzigjährige Entwickelung im wesentlichen unverändert bestanden und selbst den vermeintlichen Urkern der altattischen Komoedie, die Parabase überlebt hat, so wird jeder leicht geneigt sein, a priori den Satz aufzustellen, dafs der Agon in seinen neun eigentümlichen Abschnitten den unvermeidlichen Bestandteil der altattischen Gedankenkomoedie gebildet habe. Und doch wird diese anscheinend auf so festen Voraussetzungen ruhende Folgerung durch die Erfahrung unerbittlich widerlegt; von den elf erhaltenen Komoedien des Aristophanes entbehren drei des Agons vollständig. Ich meine die 'Acharner', die 'Eirene' und die 'Thesmophoriazusen'.

Eine Lösung der Schwierigkeit durch Zuhilfenahme der Chronologie ist unmöglich, da die drei Komoedien zugleich die alte, mittlere und neue Periode der aristophanischen Dichtung vertreten; und so würde denn ein neuer Mifserfolg des oft gewagten Versuches, dem Wesen der altattischen Komoedie

beizukommen, verzeichnet werden müssen, wenn uns nicht ein
Ausweg offen stünde.

Ehe ich aber diesen einschlage, möge mir gestattet sein,
eine oft, bis zum Ueberdrusse oft behandelte Frage einer
nochmaligen Besprechung zu unterziehen — die Frage nach
der **Diaskeue der 'Wolken'.** Dafs die Kritik hier ihr letztes
Wort noch nicht gesprochen hat, wird jeder leicht zugeben; die
erzielten Resultate sind zwar bedeutend genug, aber doch
nicht so beschaffen, dafs sie in einer Untersuchung, die das
innerste Gewebe der altattischen Komoedie zum Gegenstande
hat, ohne Weiteres verwertet werden könnten.

§ 7.   Bei der gegenwärtigen Untersuchung wird folgendes als
bewiesen und anerkannt vorausgesetzt.[1]) Erstens, die erhaltenen 'Wolken' sind überhaupt nicht aufgeführt worden.[2])
Zweitens, die ganze Parabase[3]), der Hauptagon sowie die

---

1) Litteraturnachweise noch am besten bei EBrentano, Untersuchungen über das griechische Drama 1 S. 26 ff. — 2) Gegen die Angabe der 5. Hypothesis, die seit SPetitus und HClinton nur bei EBrentano (a. O. S. 31 ff.) und SANaber (Mnem. XI, 306) Glauben gefunden
hat. Ersterer nimmt dreierlei 'Wolken' an; die ersten wären 423, die
zweiten 422 aufgeführt worden, die — erhaltenen — dritten wären in
der frühbyzantinischen Periode aus den beiden ersten, den 'Daitaleis'
und anderen Stücken contaminiert, gleich den übrigen zehn aristophanischen Komoedien. Diese Ansicht findet im allgemeinen ihre Widerlegung, falls sie einer bedarf, in den mannigfaltigen von mir zu er-
weisenden Gesetzen, die eine gesungene Komoedie voraussetzen und daher nicht dem Hirne eines noch so schlauen 'oekumenischen Lehrers'
entstammen können; im besonderen in dem von EBrentano, wie es
scheint, übersehenen Umstand, dafs die Parabase jünger ist als das
Jahr 422. SANaber weifs das sehr wohl, kann sich aber doch nicht
entschliefsen, die Angabe von Hyp. V einfach zu verwerfen; er nimmt
daher an, die 'Wolken' seien allerdings ein zweites Mal aufgeführt
worden, aber nicht unter Ameinias, sondern später. Für mich ist die
Frage, soweit sie mit dieser Hypothesis zusammenhängt, endgültig erledigt durch die — von den Späteren consequent ignorierte — Erklärung
von MEEgger (essai sur l'histoire de la critique chez les Grecs 489 f.).
— 3) Von der eigentlichen Parabase wird das von allen zugegeben.
TKock Einl. S. 26 schliefst nur die Oden, jedoch auch diese nicht notwendigerweise aus; HKöchly kl. Schriften S. 427 noch das Antepirrhema,
von dem er annimmt, dafs es in den ersten Wolken zu V. 1115—1130
das Epirrhema gebildet habe; da es jedoch um 4 Verse länger ist, so

Brandscene[1]) waren den verlorenen 'Wolken' fremd und wurden erst nach der Aufführung, aber zu verschiedenen Zeiten eingefügt. Drittens, die VV. 110—120 (Erster Überredungsversuch des Alten seinem Sohne gegenüber[2])) gehören einer späteren Einlage an; ferner sind die VV. 731—739 Dittographie von VV. 723—730[3]), womit jedoch über die Zugehörigkeit dieser Fassungen noch kein Urteil ausgesprochen sein soll. — Auf dieser Grundlage soll hier weiter gebaut werden.

Zunächst werden einige Worte über die Scenerie nicht überflüssig sein.[4]) Die beiden Häuser, deren Inneres uns nirgends gezeigt wird, dürfen wir uns als bloße Decoration vorstellen, und zwar am wahrscheinlichsten — wenigstens am befriedigendsten — so, daß die Wohnung des Strepsiades etwa die linke Seitencoulisse bildete, das Philosophenhaus dagegen sich rechts im Hintergrunde befand. Den ganzen Bühnenraum zwischen dem letzteren und der Orchestra nahm das Gärtchen

streicht er einiges darin, so daß die ganze Partie unendlich matt wird. FVFritzsche (de fab. retr. spec. II) hält mit GIlermann ('Wolken'[2] S. 302) beide Epirrhemen für ursprünglich, indem er glaubt, daß die im Epirrhema erwähnte Strategie Kleons sich auf den Zug von Pylos bezieht, dagegen cf. TKock S. 27. FBücheler (Fl. Jb. 1861 S. 658 ff.), der gleichfalls an der Ursprünglichkeit der Epirrhemen festhält, bezieht das Epirrhema auf eine zwar nicht überlieferte, aber aus den Worten des Aristophanes eben zu erschließende Strategie Kleons i. J. 424; das Schweigen des Thukydides würde sich daraus erklären, daß Kleon keine Unternehmung im Felde leitete. Allein gerade eine solche meint Aristophanes; cf. V. 579 ἢν γάρ ἢ τιϲ ἔξοδοϲ und darüber WGilbert, Beitr. z. inn. Gesch. Athens S. 37. Das gilt auch gegen JBeloch (d. att. Politik s. Perikles 305). Der Spott Wesp. 970 ist verständlich, auch wenn Kleon sich um das Strategenamt nicht bewarb. — 1) Nur HKöchly (S. 421) spricht sie den ersten 'Wolken' zu, wobei er sich in einen seltsamen Widerspruch verwickelt. — 2) TKock (S. 35), HKöchly (S. 423), WTeuffel (Philol. VII S. 343); anders FBücheler (S. 675). — 3) TKock (S. 45), FBücheler (S. 673 ff.), HKöchly (S. 425 f.), WTeuffel (a. O. S. 326 ff.), FVFritzsche (de fab. retr. spec. III). — 4) Namentlich wegen der Auseinandersetzungen FBüchelers (S. 668 ff.), der zwar gegen ASchönborn richtig polemisiert, aber selber im Irrtum ist, indem er sich das Phrontisterion im Hause des Sokrates denkt; was um so schlimmer ist, da er nicht einmal angiebt, wie die zahllosen Schwierigkeiten, die er darnach im Texte entdeckt, durch die Annahme einer Diaskeue ihre Lösung finden.

3*

ein, welches vom Hause des Strepsiades durch eine Gasse geschieden war: diese zog dann am Hause des Sokrates vorüber
und verlor sich im Hintergrunde. Aufserdem war das Gärtchen gegen den Zuschauerraum zu von einer mäfsig hohen
Mauer umhegt, welche bei V. 184 entfernt wurde.[1]) Das
Philosophenhaus selber hatte von der Gasse keinen Zugang;
seine Haupttür ist unsichtbar, und wir haben uns zu denken,
dafs sie nach der Strafse führte, die im Hintergrunde, vom
Hause verdeckt, unsere Gasse aufnahm; dagegen war das Gärtchen von der Gasse aus durch eine Hintertür zugänglich. —
Die Handlung spielt zuerst auf der Gasse vor dem Hause des
Strepsiades; der Alte befindet sich im Freien, geht bei V. 11
hinein, kommt bei V. 12 wieder zum Vorschein; V. 19 ruft er
den Sklaven heraus (ἔκφερε), der V. 56 verlegen an der Tür
erscheint.[2]) Pheidippides befindet sich die ganze Zeit drinnen,
kommt erst bei V. 82 heraus und begiebt sich bei V. 125
(εἴςειμι) wieder hinein. V. 126—132 geht Strepsiades über
die Gasse und klopft an die Gartentür; V. 133 steckt der
Schüler, ohne die Pforte ganz zu öffnen, den Kopf heraus;
erst bei V. 184 geht die Tür auf, und zugleich wird die
Mauer im Vordergrunde weggeräumt, so dafs der Garten
Strepsiades sowie den Zuschauern sichtbar wird. Erst unter
der Annahme, dafs die Handlung im Garten spielt, hat das
Folgende Sinn; im Inneren des Hauses wäre gleich die Frage
des Strepsiades, ob die Schüler Zwiebeln suchen, unverständlich. Die letzteren befinden sich erst kurze Zeit im Freien,
V. 195 werden sie vom Famulus wieder ins Haus hineinge-
schickt, trotz der Bitte des Alten, der sich über seine Verlegenheit gern bei ihnen erst Rates erholen möchte, ehe er
sich an den Meister selber heranwagt.[3]) Die Einweihung des

---

1) Diese war deswegen wünschenswert, damit das Innere des Phron-
tisterions den Zuschauern nicht vor der Zeit sichtbar wurde. Zur Not
könnte man freilich auch ohne sie auskommen. — 2) Beiläufig mag
bemerkt werden, dafs die VV. 56—59 den Zusammenhang stören;
der Sinn verlangt, dafs wir sie nach V. 20 stellen. Da der Alte Licht
verlangt hat, mufs er auch warten, bis ihm eins gebracht wird. —
3) Damit erledigt sich das Bedenken von HKöchly (S. 423), WTeuffel
(deutsche Ausg. zu V. 135) und TKock (S. 38). 'Damit er euch nicht

Strepsiades und die Wolkenbeschwörung geht im Garten vor sich; erst mit V. 509 begeben sich die beiden Männer ins Haus, und die Bühne wird leer. Die VV. 627—789 spielen wieder im Garten; V. 789—803 begleitet Sokrates seinen Schüler trotz des Sträubens des letzteren zur Gartentür hinaus; V. 803 befinden sich beide auf der Gasse, und Strepsiades bittet Sokrates, dieser möge ihn drinnen (εἰcελθών), d. h. im Gärtchen erwarten[1]); während des folgenden Chorgesanges befindet sich Sokrates βρενθυόμενος καὶ τὠφθαλμὼ παραβάλλων im Garten.[2]) V. 814—860 spielt die Handlung auf der Gasse, von da an bis V. 1113 im Garten, und nun bis zum Schlufs auf der Gasse. Das Strepsiades das Sophistenhaus von der Strafse aus in Brand steckt, leuchtet ein; in den Garten wäre er nicht ohne weiteres hineingelassen worden.

Es zeigt sich demnach, dafs der scenische Apparat für beide Dramen im grofsen und ganzen derselbe war.

Nach dieser Erkenntnis dürfen wir der eigentlichen Frage näher treten. Was bei der bisherigen Behandlung derselben vermifst wird, ist vor allem ein folgerechtes Eingehen auf die Zwecke, welche der Dichter selber beim Überarbeiten seines Werkes verfolgte. Nur vereinzelten Andeutungen darüber bin ich bei meinen Vorgängern begegnet, und an Consequenz fehlt es allenthalben. Dieses soll daher der Hauptgesichtspunct bei der vorliegenden Betrachtung sein.

Sie läfst sich am besten an die Meditierscene V. 694— 803 knüpfen. Von der Dittographie V. 703—730 = V. 731— 739 ist schon die Rede gewesen; nun fragt es sich, welche von den zwei Fassungen die ursprüngliche ist. In beiden hat Strepsiades mit Schwierigkeiten zu kämpfen; das eine Mal hindern ihn die Wanzen am Grübeln, das andere Mal seine Schläfrigkeit, das eine Mal ist das Hindernis ein äufseres, das andere Mal ein inneres. Die Wanzen finden wir aufser-

---

trifft' V. 195, nämlich Sokrates, wenn er heruntersteigt. Die fünf Verse fügen sich nach meiner Meinung recht gut in den Zusammenhang hinein. — 1) Übrigens ist es leicht möglich, dafs V. 803 als Wiederholung von V. 843 zu streichen ist (cf. TKock z. d. St.; AMeineke VA 74). — 2) Diese Annahme beseitigt alle Schwierigkeiten, welche die Erklärung unserer Stelle TKock (S. 46) bereitet hat.

dem V. 634, 696—699, 706—722, endlich 742; in einigem
Widerspruch steht mit ihnen das Chorlied 700—705, in welchem das Schläfrigkeitsmotiv betont wird. Das Wanzenmotiv
beherrscht demnach die ganze Scene; denken wir uns die
VV. 700—705 und 731—739 hinweg und zwischen V. 699
und 706 ein passendes Chorlied hinzu, so lesen wir ohne Anstofs bis zum unerwarteten Wendepunkt V. 713. Die ausge-
schiedenen Verse offenbaren sich dadurch als eine Einlage, die
von der Diaskeue herrührt.[1]) Warum mag aber der Dichter
das Wanzenmotiv mit dem andern vertauscht haben? Wer
die Scene liest, wie sie meiner Meinung nach gespielt worden
ist, der wird sich dem Eindrucke nicht entziehen können, dafs
der Unterricht einen günstigen Verlauf nehmen mufs. Der
Alte ist eigentümlich aufgeweckt und schlagfertig; von den
abstractis versteht er zwar nicht viel, ist aber hocherfreut,
wenn ihm etwas davon beigebracht wird, und gar wie auf

---

1) Zum entgegengesetzten Resultat kommen TKock (S. 46 f.),
HKöchly (S. 425), WTeuffel (deutsche Ausg. S. 21 ff.), FBücheler (S. 673),
FVFritzsche (de fab. retr. spec. III). Auf eine Polemik über jede
Einzelheit kann ich unmöglich eingehen; im allgemeinen erwarte ich,
dafs meine Darstellung selber für sich reden wird. Hier mag jedoch
bemerkt werden, dafs man Unrecht daran thut, auf V. 538 zu verweisen,
um das Schläfrigkeitsmotiv den ersten 'Wolken' zuzusprechen. Wenn
der Schol. zu V. 734 meint, Strepsiades müsse καθέζεςθαι ἔχων τὸ αἰδοῖον
καὶ μιμεῖςθαι τὸν δερμύλλοντα ἑαυτόν, so mag er das selber verantworten;
im Texte steht nichts davon, und der Umstand, dafs Strepsiades schläft,
schliefst diese Vorstellung geradezu aus. Auch am Chorlied V. 805 ff.,
das nach meiner Darstellung den zweiten 'Wolken' angehört, nimmt
man unberechtigten Anstofs; namentlich ist TKock darin allzuspitz-
findig. Zu V. 806 μόναc θεῶν fragt er 'was soll diese Belehrung dem
Sokrates gegenüber?' Zugegeben, dafs sie müfsig ist; was folgt daraus?
doch nur, dafs der Dichter einen Fehler gemacht hat; denn unmöglich
konnte TKock der Meinung sein, das Lied wäre in den ersten 'Wolken'
an Strepsiades gerichtet gewesen. Zu V. 808 ὅς' ἂν κελεύῃς 'Sokrates
denkt nicht daran, dem Alten weiter etwas zu befehlen.' Und V. 876, wo er
von ihm ein Talent verlangt? Dafs V. 810 ἐπηρμένου auf die ersten
'Wolken' hinweise, 'in welchen Strepsiades ganz entzückt über die er-
lernte Weisheit davoneilte' (S. 47) gebe ich nicht zu, weil ich dann das
ἐκπεπληγμένου nicht verstehe; in den zweiten 'Wolken' war Str. ἐκπεπληγ-
μένος durch das harte Benehmen des Sokr., ἐπηρμένος durch die neue
Hoffnung, welche die Wolken bei ihm erweckt hatten.

seinen Wunsch das praktische Gebiet an die Tagesordnung
kommt, setzt er durch seine Findigkeit den Meister selbst in
Erstaunen. Mit diesem Verhalten harmonieren die Wanzen
recht wohl, sie gehören eben zu den πολλὰ κακά, die der So-
phist mufs ertragen können (V. 363). Nicht aber die Schläfrigkeit; wie soll ein Mann, der über dem Nachdenken ein-
schläft, — und noch dazu in der V. 736 angegebenen Positur, —
alle die geistvollen Einfälle V. 746 ff. bekommen? Wenn daher V. 783 ff. der Unterricht ein jähes Ende nimmt, und dem
eben noch so gelehrigen Schüler die Tür gewiesen wird, so
bringen wir das leicht mit der besprochenen Änderung in Zusammenhang; und der Umstand, dafs der auf den Weggang
des Strepsiades unmittelbar folgende Chorgesang V. 805—812
den als Einlage bereits erkannten VV. 700—705 antistrophisch
entspricht, macht unsere Vermutung zur Gewifsheit. Als
Hauptunterschied der ersten 'Wolken' von den zweiten darf
also folgendes gelten: dort hatte der Unterricht des Strepsiades Erfolg, hier lief er ungünstig ab.[1])

Wird das einmal zugegeben, so mufs auch anerkannt
werden, dafs der Unterricht des Pheidippides überhaupt eine
Idee war, auf die der Dichter erst bei der Umarbeitung ver-
fiel. Darnach würde nicht blofs der Hauptagon, von dem es
überliefert ist, sondern auch alle folgenden Scenen — ausgenommen die Dialoge mit Pasias und Amynias[2]) — nament-

---

1) Zu diesem Resultate kommt auch TKock (S. 42. 47) und HKöchly
(S. 426). Nur folgern beide daraus, dafs Strepsiades dann selber seinen
Sohn in der ungerechten Redeweise unterrichtet habe. Dafs die Textesworte, mit denen HKöchly diese Ansicht stützen zu können vermeinte
trügerisch seien, hat TKock selber (S. 42***) nachgewiesen, aber auch
so ist sie unbedingt zu verwerfen. Sollte die Katastrophe, die der
Nebenagon bringt, wirken, so mufste sie notwendig sein; das war sie
in den zweiten 'Wolken', wo Strepsiades durch dieselbe Hand geschlagen
wurde, von der er sich Hilfe versprach. In den ersten 'Wolken' wäre
sie mutwillig heraufbeschworen; wozu braucht Strepsiades seinen Sohn
zu unterrichten, da er selber, und nicht dieser es ist, der die Gläubiger
vertreibt? — 2) Diese sind für die ersten 'Wolken' gedichtet, stehen
jedoch auch mit den zweiten nicht im Widerspruch, wie das TKock
(S. 42) und HKöchly (S. 425) meinen (cf. FBücheler S. 683). Die
Gläubiger sind ja keineswegs abgefertigt; sie wollen eine Klage anheischig machen, um mit Hilfe des Gerichts zu ihrem Gelde zu kommen,

lich auch der Nebenagon den zweiten 'Wolken' zuzusprechen sein.[1]) Das läfst sich aber auch durch andere Gründe dartun. Fürs erste liegt ein entschiedener oekonomischer Fehler darin, dafs derselbe Pheidippides, der im Prolog durch keine Mittel zu veranlassen war, seine gesunde Gesichtsfarbe um die trockene Weisheit der Sophisten herzugeben, sich hier so leicht dazu bewegen läfst. Ihn fortzujagen hatte der Alte schon V. 121 ff. gedroht; damals rührte ihn das nicht, er wollte zum Oheim Megakles gehen. Offenbar hätte der Dichter das nicht geschrieben, wenn er damals die VV. 814 ff. im Auge gehabt hätte. Ebenso wenig hätte er den Unterricht des Strepsiades beschrieben, wenn er im Sinne gehabt hätte, nachher Pheidippides denselben Unterricht geniefsen zu lassen; eine so phantasielose Wiederholung wird niemand dem Dichter zutrauen. Ferner spricht die oft citierte Stelle aus Platons Apologie[2]), die man gewöhnlich dazu verwendet, um den Hauptagon mit dem Verfasser der sechsten Hypothesis den ersten 'Wolken' abzusprechen[3]), noch weit mehr gegen die Zugehörig-

---

und da soll Pheidippides retten. Wir sehen auch, dafs der Dichter wenigstens die Pasiasscene in den neuen Zusammenhang zu bringen wufste. So ist V. 1222/3 eine Reminiscenz an 1182 eingeschoben, die sich leicht herausschält; in der Tat gestattet Vers und Sinn recht wohl die Verbindung

ΠΑC. εἰς τὴν ἕνην τε καὶ νέαν. CTP. τοῦ χρήματος;

Desgleichen findet sich eine umfangreichere Einlage V. 1228—1236, wo der Unterricht des Pheidippides ausdrücklich erwähnt wird. Beiläufig möchte ich bemerken, dafs wir zur Annahme durchaus nicht berechtigt sind, dafs der Unterricht in der Physik, dem Str. seine Weisheit V. 740 ff. und 1279 f. verdankt, auf der Bühne vor sich gegangen sei. Lehrreich ist der Vergleich mit Wesp. 1381 ff.; Philokleon hat von den λόγοι, die er vorbringt, die meisten hinter den Coulissen gelernt. — 1) Mit UvWilamowitz Anal. Eur. 148. — 2) 19 BC. Plato fafst die Anklage des Aristophanes in einer fingierten Formel zusammen: Cωκράτης ἀδικεῖ καὶ περιεργάζεται ζηλῶν τά τε ὑπὸ γῆς καὶ οὐράνια καὶ τὸν ἥττω λόγον κρείττω ποιῶν καὶ ἄλλους τά αὐτὰ ταῦτα διδάσκων .. ταῦτα γὰρ ἑωρᾶτε καὶ αὐτοὶ ἐν τῇ Ἀριστοφάνους κωμῳδίᾳ, Cωκράτη τινὰ ἐκεῖ περιφερόμενον, φάσκοντά τε ἀεροβατεῖν καὶ ἄλλην πολλὴν φλυαρίαν φλυαροῦντα, ὧν ἐγὼ οὐδὲν οὔτε μέγα οὔτε μικρὸν πέρι ἐπαΐω. Davon unterschieden die Klage des Meletos 24 B. Cωκράτη φησὶν ἀδικεῖν τούς τε νέους διαφθείροντα καὶ θεοὺς οὓς ἡ πόλις νομίζει οὐ νομίζοντα, ἕτερα δὲ δαιμόνια καινά. — 3) TKock (S. 30); WTeuffel (lat. Ausg. S. 7).

keit des Nebenagons zu denselben. Wir wissen, was Anytos meinte, wenn er Sokrates einen Jugendverderber nannte; sein eigener Sohn war ihm durch diesen abspenstig gemacht worden. Im Nebenagon haben wir das Verhältnis noch viel verschärfter; Sokrates wird geradezu beschuldigt, dafs er die Söhne lehre, ihre Eltern zu mifshandeln, und *'es ist nicht abzusehen, in wiefern hierin ein charakteristischer Unterschied zwischen den Anklagen der Komoedie und denen des Anytos zu erkennen sein soll, wenn nicht in den ersten 'Wolken' dieser Teil, die Verführung der Jugend durch Sokrates fehlte'.*[1]) — Dann hängt aber der Nebenagon auch sonst mit dem Hauptagon zusammen. Gleichwie Strepsiades in den Scenen mit Pasias und Amynias die Brocken verwendet, die er von Sokrates gelernt hat, ebenso ist im Nebenagon der Sprecher des Unrechtes das Vorbild für Pheidippides.[2]) Man vergleiche die VV. 909 ff. aus der dem Hauptagon unmittelbar vorhergehenden Scene —

ΔΙΚ. καταπύγων εἶ κἀναίσχυντος. ΑΔ. ῥόδα μ᾽ εἴρηκας. ΔΙΚ. καὶ βωμολόχος. ΑΔ. κρίνεσι στεφανοῖς. ΔΙΚ. καὶ πατραλοίας. ΑΔ. χρυσῷ πάττων μ᾽ οὐ γιγνώσκεις. ΔΙΚ. οὐ δῆτα πρὸ τοῦ γ᾽, ἀλλὰ μολύβδῳ. ΑΔ. νῦν δέ γε κόσμος τοῦτ᾽ ἐστὶν ἐμοί — mit V. 1327 ff. aus dem Nebenagon:

CTP. ὦ μιαρὲ καὶ πατραλοῖα καὶ τοιχωρύχε.
ΦΕΙΔ. αὖθίς με ταὐτὰ ταῦτα καὶ πλείω λέγε.
ἆρ᾽ οἶσθ᾽ ὅτι χαίρω πόλλ᾽ ἀκούων καὶ κακά;
CTP. ὦ λακκόπρωκτε. ΦΕΙΔ. πάλλε πολλοῖς τοῖς ῥόδοις.

An eine zufällige Ähnlichkeit ist nicht wohl zu denken. Alles das führt uns zu demselben Resultat, das sich schon aus der Betrachtung der Oekonomie des Dramas ergab — dafs der Nebenagon mit den umgebenden Scenen den ersten 'Wolken' fremd war.[3]) Genau genommen liegt dieses Ergebnis bereits in den Worten der sechsten Hypothesis ausgedrückt; wenn es dort heifst, dafs aufser der Parabase und dem Hauptagon noch die 'Schlufsscene' eingefügt sei, 'wo das Haus des Sokrates verbrannt wird'[4]), so verlangt die Analogie der beiden ersten

---

1) TKock a. O. — 2) cf. TRötscher (a. O. S. 354). - 3) Das nimmt auch SANaber an (Mnem. XI, 321 f.). — 4) ἤμειπται... καὶ τὸ τελευταῖον, ὅπου καίεται ἡ διατριβὴ Cωκράτους.

Beispiele, dafs wir die ganze Schlufsscene, d. h. von V. 1321
an darunter verstehen, und es ist reine Willkür, wenn man
etwa bei V. 1475[1]) oder 1483 die Einlage beginnen läfst und
dadurch zwei Scenen auseinanderreifst, die mit allen Fasern
zusammenhängen.

Die Sicherheit dieses Ergebnisses scheint jedoch durch
eine Anzahl Gründe erschüttert zu werden. Erstens, hat man
gesagt, ist der Nebenagon schon deshalb unter die älteren
Partien zu zählen, weil er Wesp. 1037 f. als der Angelpunkt
der aufgeführten 'Wolken' angedeutet ist.[2]) Dort heifst es
nun, Aristophanes habe im verwichenen Jahr die ἠπίαλοι an-
gegriffen, οἳ τοὺς πατέρας τ' ἦγχον νύκτωρ καὶ τοὺς πάππους
ἀπέπνιγον. Soll das auf unseren Nebenagon gehen, so müfste
Pheidippides darin seinen Vater bei Nacht würgen und seinen
Grofsvater erdrosseln; nun würgt er aber den Vater am hellen
Tage, und vom Grofsvater ist überhaupt nicht die Rede. Übrigens hat die ganze Beziehung der Stelle auf die 'Wolken'
keine andere Gewähr, als die Privatmeinung des Scholiasten,
der von der Sache gerade soviel wufste, wie wir auch;
TBergk[3]) hat in einer für mich wenigstens überzeugenden
Weise nachgewiesen, dafs diese Meinung irrtümlich ist, und
ich freue mich, dafs durch das Ergebnis der vorausgehenden
Betrachtung ihr die letzte Stütze entzogen ist. — Zweitens
wird mit Vorliebe[4]) ein παραβεβλημένον von RWestphal[5])

---

1) FBücheler (S. 676). — 2) FBücheler (S. 676. 688). Übrigens
müssen alle dieser Ansicht sein, welche den Worten des Scholiasten
zum angeführten Vers 'πέρυσι γὰρ τὰς Νεφέλας ἐδίδαξεν ἐν αἷς τοὺς περὶ
Cωκράτην ἐκωμῴδησεν. ἠπιάλους δὲ αὐτοὺς ὠνόμασεν, εἰς ὠχρότητα παρα-
cκιύπτων...τὸ δὲ τοὺς πατέρας ἦγχον λέγει διὰ τὸν ἥττονα λόγον, τὸν
πατραλοίαν. ἢ διὰ τὸν ὑπ' αὐτοῦ πέρυσιν εἰσαχθέντα ἐν Νεφέλαις τύπτοντα
τὸν πατέρ' αὐτοῦ.' Glauben schenken. — 3) Bei AMeineke FCG. II, 2,
S. 1113 (cf. CBeer, die Zahl der Schauspieler S. 136). · Ihm folgen
MEgger (a. O. 495) und UvWilamowitz (Obss. critt. S. 20). Deswegen
braucht man freilich die fraglichen Worte nicht auf die 'Holkaden' zu
beziehen; s. TKock (CAF I S. 495). Unten §. 10 werde ich den Nachweis
zu führen versuchen, dafs vielmehr die 'Landleute' gemeint seien, ein
sicher dieser Periode angehöriges Stück. — 4) FBücheler (S. 676); WTeuffel
(deutsche Ausg. S. 32); EBrentano (a. O. S. 88). — 5) Metrik der Griechen (II², S. 421 A).

gegen die hier befürwortete Ansicht ins Feld geführt: 'dadurch, dafs die zweite Bearbeitung diese syntagmatische Partie hinzu- fügte (den Hauptagon) haben die ' Wolken' aufser dem aus der ersten Bearbeitung stammenden Syntagma 1345—1453 noch ein zweites Syntagma erhalten. Hierdurch tritt ein fernerer auf- fallender Unterschied zwischen der Composition der uns vor- liegenden ' Wolken' und der übrigen Stücke ein, indem alle übrigen nur ein einziges Syntagma haben.' Dieser Behauptung gegen- über braucht nur auf die 'Ritter' verwiesen zu werden, welche aufser dem Hauptagon (F) gleichfalls noch einen Nebenagon (H) haben[1]); wir dürfen aber noch weiter gehen und be- haupten, dafs die in Frage stehende Scene, selbst wenn sie den ersten 'Wolken' angehörte, nur einen Nebenagon hätte bilden können, da ihr zu einem Hauptagon die Anapaeste fehlen. — Auf den dritten Einwand — dafs der Schol. zum Platonischen 'Axiochos'[2]) das Sprichwort δὶς παῖδες οἱ γέρον- τες, das sich in unserem Nebenagon findet, aus den ersten 'Wolken' anführt[3]) — braucht hier nicht eingegangen zu werden, da ihm durch FBücheler[4]) bereits die Spitze abge- brochen worden ist.

1) Ob dieses Beispiel wohl WTeuffel vorgeschwebt hat? Er drückt sich (a. O.) folgendermafsen aus: 'zu diesen scenischen Schwierigkeiten kommt noch die weitere Eigentümlichkeit hinzu, dafs auch ohne die Zweikampfscene (den Hauptagon) das Stück in V. 1345 ff. bereits sein Syntagma hat und dafs das Vorhandensein von zwei Syntagmen bei unserem Dichter fast unerhört ist.' Man beachte das 'fast'. — 2) VI S. 465 Bekker; s. TKock CAF. I. S. 490. — 3) FVFritzsche (de fab. retr. spec. IV). — 4) S. 676. Umsomehr mufs man sich wundern, dafs derselbe Ge- lehrte (S. 675) Gewicht darauf legt, dafs Athenaios die VV. 1196—1200 — die nach meiner Vermutung von der Diaskeue herrühren — aus den ersten Wolken citiert (IV, 171 C. Die Stelle hat bereits WTeuffel S. 12 der lat. Ausgabe zum selben Zwecke benutzt). Auch hier darf mit FBüchelers Worten gefragt werden 'oder kann jemand einen Grund angeben, warum Athenaios sich auf die ersten, verschollenen ' Wolken' be- rufen haben soll, da in den zweiten ' Wolken' die Stelle gleichfalls ge- funden wurde?' Die Zahlenangabe zu streichen, wie dies FBücheler und SANaber beim platonischen Scholiasten tut, ist willkürlich; vielmehr ist anzunehmen, dafs sowohl diesem, als auch Athenaios die erhaltenen 'Wolken', weil sie bekannter und geläufiger waren, auch als die ersten galten. S. u. § 10, wo für diesen Gebrauch weitere Belege gebracht werden.

Nun komme ich auf die Grundfrage zurück — warum hat der Dichter geändert? warum hat er für Strepsiades dessen Sohn eintreten lassen? Die Antwort ergiebt sich unmittelbar aus dem Vergleiche der ursprünglichen Teile mit den eingefügten. Offenbar sollte der zweite Angriff ernster, schmerzhafter werden als der erste. Die immerhin verleumderische, aber in ihrer Verfehltheit harmlose Beschuldigung, dafs Sokrates durch Meteorosophie und Wortklauberei halbverrückte Alte um ihr Restchen Verstand bringe, war dem Dichter übel bekommen; die Niederlage des Aristophanes war ein Sieg des Sokrates, und zu den übrigen persönlichen oder politischen Motiven gesellte sich für den ersteren der gekränkte Ehrgeiz hinzu. Der erste Hieb war pariert; um so fester sollte der zweite sitzen. Aristophanes wufste, womit er die athenischen Familienväter auf seine Seite bringen konnte; solche Fälle, wie der mit dem Sohne des Anytos mögen schon damals vorgekommen sein, — und wenn auch nicht, so war es doch die Consequenz der sokratischen Lehre, dafs sich neben und über die väterliche Autorität Rücksichten[1]) stellten, die von dieser völlig unabhängig waren. Also weg mit der Naturphilosophie, die den Athenern doch gleichgültig war; die ungeschriebenen Gesetze der Kindespflicht mufsten als gefährdet dargestellt werden, dann war zu erwarten, dafs sich Athen würde aufrütteln lassen. So ging mit dem Helden der Komoedie ein Wechsel vor; der barfüfsige Sterngucker wurde zum Verführer und Verderber der Jugend.[2]) Noch ein zweites Moment kam hinzu. So lange Sokrates der harmlose, genügsame Meteorosophist der ersten 'Wolken' war, sorgte er um sein leibliches Fortkommen nicht viel. Er stahl wohl, wenn ihn gar zu sehr hungerte (V. 179), im übrigen war ihm aber an Geld und Gut nichts gelegen.[3]) Es ist geradezu rührend und versöhnend zu lesen, wie Strepsiades, der es nicht anders

---

1) s. HKöchly S. 272. — 2) TKock (S. 33), FBücheler (S. 682). — 3) Wie FBücheler (S. 682) seine entgegengesetzte Ansicht mit den Worten des Dichters vereinigen will — namentlich mit V. 876, wo für den Unterricht des Pheidippides ein Talent verlangt wird — ist mir nicht klar. Das im Text Gesagte ist teilweise schon angedeutet von CPetersen (Allg. Monatsschr. f. Wft. u. Lit. 1852, S. 1112).

weifs, als dafs genossener Unterricht bezahlt werden mufs,
ihm zweimal Honorar anbietet und beide mal abgewiesen
wird. Das eine Mal (V. 245 f.) schwört er bei den Göttern,
ihm zu geben, was er verlangen würde; da hält sich Sokrates
darüber auf, dafs sein Schüler bei den Göttern schwört, wo es
doch keine gebe. Das andere Mal (V. 668 f.) verspricht dieser,
ihm wenigstens die Kardopos rings mit Mehlsäcken zu umstellen; da wird er ausgelacht, dafs er Kardopos gesagt hat
statt Kardope. In den zweiten 'Wolken' wird das anders.
Für den genossenen kurzen Unterricht werden die Schuhe und
der Mantel des Alten, die er beim Eintritt in das Haus hat
ablegen müssen, zurückbehalten[1]); doch das ist nur eine
Kleinigkeit. Der ganze Unterricht hat nur den Zweck gehabt, dem Ärmsten den Kopf zu verdrehen und ihn dann von
seiner Höhe zu stürzen, damit er in seiner Not sich um so
williger schröpfen liefse; die Wolken secundieren darin ihrem
Priester meisterhaft, und es geht nach Wunsch. Wie Sokrates auf Antrieb der Wolken (ἀπολάψεις ὅ τι πλεῖcτον δύναcαι
V. 811) als Lehrgeld für Pheidippides ein Talent verlangt
(V. 876), hat Strepsiades nichts dagegen; V. 1146 bringt er
das Verlangte.[2])

Dieses neu eingefügte Moment mufste aber neue, weit-
greifende Veränderungen nach sich ziehen. Wie sollte der
Mann, dem die paar Obolen zum Einkauf des Öles fehlen
(V. 56), ein Talent zahlen können? und selbst wenn er es

---

1) s. V. 856, 858, 1498. In den ersten 'Wolken' war das Ausziehen
des Mantels und der Schuhe gewifs nur als Weihebrauch gemeint, als
eine Art Bufsübung; wenn der Alte V. 719 den Verlust der Schuhe beklagt, so ist nur die Unlust über das Barfüfsigsein der Grund. —
2) Auch hier hat der Scholiast durch eine törichte Anmerkung die
Erkenntnis des Tatsächlichen richtig zu verhindern gewufst. TRötscher
(a. O. S. 350), TKock (z. d. St.), WTeuffel (deutsche Ausg. S. 35),
HKöchly (S. 247) sind darüber einig, dafs Strepsiades mit einem Mehl-
sack erscheint, um sein Versprechen V. 668 f. zu erfüllen. Aber von
einer Erfüllung des Versprechens, das er in seiner Freude über die ihm
beigebrachte Orthoepie gegeben hatte, kann jetzt, nachdem ihn Sokrates davongejagt hat, nicht mehr die Rede sein; jetzt hat er nicht
für sich, sondern für Pheidippides zu zahlen, und zwar dem Abkommen
gemäfs ein Talent. Zu τοῦτον wird daher μιcθόν zu ergänzen sein.

könnte — wäre es nicht Wahnsinn, soviel Geld dranzuwenden
auf die unsichere Hoffnung hin, den Procefs zu gewinnen,
während er um den vierten Teil dieses Geldes sich den ganzen
Procefs vom Leibe halten konnte? Offenbar sollte hier manches anders werden. Strepsiades würde, wenn der Plan des
Dichters zur Ausführung gekommen wäre, als leidlich begüterter
Mann erscheinen; sein Hauptaugenmerk würde nicht der Procefs des Pasias sein, sondern etwas viel Bedeutenderes. Und
davon ist uns eine Spur erhalten; wenn Strepsiades (V. 1109)
Sokrates bittet, dafs er Pheidippides den einen Backen zu
Processen, den anderen zu wichtigeren Geschäften — εἰς τὰ μείζω
πράγματα — schärfe, so steht er mit seinem eigenen in der
Parodos nachdrücklich geäufserten Willen (V. 433 f) im Wider-
spruch. Aber das ist auch die einzige Spur; im übrigen hat
Aristophanes nicht Zeit, oder nicht Lust gehabt, seinen Gedanken folgerecht durchzuführen.

Hand in Hand mit der angedeuteten Wandelung im Wesen
des Sokrates mufste eine bedeutende Änderung in der Auffassung des Wolkenchores selber gehen. So wie uns
derselbe im erhaltenen Stücke erscheint, ist ein Gegensatz
unverkennbar. Natürlich meine ich hier nicht jenen vermeintlichen Gegensatz in dem Verhältnis der Wolken zu Sokrates
und den Sophisten, auf den man soviel Nachdruck zu legen
liebt. Wer sich darüber wundert, dafs 'der humoristische
Wolkenchor plötzlich moralisch wird'[1]), der kann die Parodos
nicht aufmerksam gelesen haben. Sokrates ruft in den Wolken
die einzigen Gottheiten an, die er anerkennt; sie erwidern
mit einem Preislied auf die Götter des attischen Landes. Ihre
zweite Äufserung ist ein ironisches Compliment an denjenigen,
der sich aus eigener Machtvollkommenheit zu ihrem Priester
aufgeworfen hat. Er will Böses tun und braucht ihren Beistand; sie leisten ihm bereitwillig Hilfe, ermuntern ihn noch
gar; wie aber die Schuld begangen ist, verstofsen sie ihn
und feuern seinen Feind gegen ihn an[2]), 'damit er wisse,

---

1) HKöchly (S. 246); cf. JHVofs, Anmkg. 2, V. 1025 ff. — 2) Hoffentlich wird man sich nicht mehr sträuben, die VV. 1508 f. mit den
Handschriften den Wolken zu geben; im Munde des Strepsiades sind

dafs er die Götter zu fürchten habe.' Das ist die echt antike Schicksalsidee, als deren Trägerinnen die Wolken sich von Anfang bis zu Ende gebärden. Unter dieser Auffassung, die uns der Dichter selber (V. 1458 ff.) an die Hand giebt, erscheint alles in schönster Ordnung und Harmonie.[1]) — Noch viel weniger meine ich jenen anderen angeblichen Gegensatz, den man zwischen den 'freudig ernsten und schwungvollen' Liedern der Parodos und den 'leichtfertigen und windigen Gottheiten, denen er geweiht ist'[2]), gefunden haben will. Erstens sind die strengen Lenkerinnen des Schicksals mit nichten windig und leichtfertig, und dann — wie mag es Aristophanes angefangen haben, um diesen Gegensatz der Zuhörerschaft zum Bewufstsein zu bringen? — Der Gegensatz, den ich im Sinne habe ist vielmehr folgender.

Das wahre Wesen der Wolken mufste natürlich in beiden Ausgaben des Stückes dasselbe bleiben, da es mit der religiösen Auffassung des zuschauenden Volkes in unlöslichem Zusammenhange stand. Die Wolkengöttinnen waren — wenn sie einmal personificiert wurden — Nymphen, wie die Naiaden und Oreaden, zwar unsterblich (V. 289) und auch viel mächtiger als die erdgeborenen Menschen, aber doch nur gehorsame Dienerinnen der olympischen Götter. Sie lieben Athen und hassen darum die Sophisten, die dem 'herrlichen Lande der Pallas' seine Schutzgöttin entfremden möchten. Aber von dieser Auffassung, welche die des attischen Volkes war, durfte der Begriff, den sich Sokrates über seine Gottheiten construiert hatte, ganz unabhängig sein, und er mufste dieselbe Wandelung durchmachen, der auch die Person des Sokrates unter-

---

sie ganz unpassend, möge man sie sich nun an den Sklaven, der vom Verhältnis der Sophisten zu den Göttern doch nichts wufste und dem es völlig gleichgültig war, oder an Strepsiades selbst (für REngers zuversichtliches 'wie dies öfters vorkommt' vermisse ich jeden Beweis; oder meinte er Situationen wie Ach. 410 ff.?) gerichtet denken. Dagegen entbehrt man ungern eine Äufserung der Wolken, die doch dem Auftritte gegenüber nicht gleichgültig bleiben konnten. — 1) Der richtige Gedanke leuchtet auch in Tlötschers Untersuchung durch (S. 323 ff., 344 f.), freilich durch Hegelianismen bis zur Unverständlichkeit entstellt. — 2) RWestphal (Metrik der Griechen, II², S. 381); CMuff (Vortrag der chor. Partien bei Aristophanes, S. 57); WTeuffel (deutsche Ausg. zu V. 275).

worfen war. In dem ersten Stücke war dieser lediglich Meteorosophist; demnach waren ihm die Wolken elementare Gottheiten, die aus eigenem Antrieb donnern, blitzen und regnen und unter allen möglichen Gestalten auftreten konnten. Diese Auffassung mufste um so mehr zurücktreten, je mehr der Schwerpunct des Dramas aus dem Gebiete der Meteorosophie in das der Ethik verschoben wurde. Sollte der Chor nicht als müfsiger und fremder Bestandteil der Komoedie erscheinen, so mufste für ihn eine neue, symbolische Bedeutung geschaffen werden. Und so wurden die Wolken zu Vertreterinnen jener wesenlosen Begriffe, welche die zwingende Phantasie des Redners zu einer gespenstischen Scheinexistenz beruft, um den gesunden Menschenverstand zu schrecken und zu verwirren und zuletzt an sich selbst irre zu machen (V. 317 f.).[1]) Dadurch wurden sie die natürlichen Beschützerinnen derjenigen, welche als Sprecher der schlechten Sache auftreten wollten.[2]) In dem uns erhaltenen Stücke finden sich beide Auffassungen nebeneinander; die erste beherrscht die Parodos, die zweite tritt namentlich im Chorgesange V. 805 ff. hervor, in welchem die Wolken Sokrates gegenüber die Rolle spielen, die er ihnen aufgedrängt hat.[3]) Aber schon in der Parodos finden wir diese zweite Auffassung in einer sehr interessanten Einlage (V. 316—340), die sich auch dadurch als eine solche zu erkennen giebt, dafs sie sich ohne Störung des Zusammenhanges herausschälen läfst.[4]) Dort werden die Wolken definiert, als

---

1) Durchaus zutreffend TKötscher a. O. S. 324 ff. -- 2) Dafs die Vertretung der schlechten Sache auch in den ersten 'Wolken' vorkam, ist FBücheler (S. 675) unbedingt zuzugeben (SANaber tut es freilich nicht, sondern hilft sich durch eine lange Kette von Athetesen im Texte der Apologie, a. O. S. 309 ff., die schwerlich jemand überzeugen werden), doch war dieses Moment darin nicht so betont, wie in der zweiten Ausgabe des Stückes, und sicher spielte auch dabei die Naturphilosophie die Hauptrolle. Das sieht man daraus, wie Strepsiades in den Scenen mit Pasias und Amynias naturhistorische Tatsachen zum Frommen seiner schlechten Sache zu verwenden weifs. — 3) Man beachte den Ausdruck δι' ἡμᾶς V. 805. — 4) In der Tat pafst die zweite Hälfte von V. 340 dem Sinne wie dem Metrum nach genau auf die erste Hälfte von V. 316. Darnach würde das Gespräch zwischen Sokrates und Strepsiades also anheben:

der Müfsiggänger mächtige Gottheiten, '*die Intelligenz, dialek-
tische Kraft und Ideen uns gnädig verleihen, und das fliefsende
Wort und den packenden Ton, und die Kunst, zu erschüttern,
zu rühren*' (GDroysen). Und weiter heifst es von ihnen, sie
ernährten allerhand σφραγιδονυχαργοκομῆται — wie gewifs nicht
Sokrates, wohl aber der Sprecher des Unrechts einer ist —
ohne dafs diese etwas zu arbeiten brauchten, recht im Wider-
spruche zu V. 414, wo vom Sophisten ausdrücklich τὸ ταλαί-
πωρον verlangt wird. Und man beachte, dafs auch hier die
Sorge um das leibliche Fortkommen betont wird, ein Moment,
das nachweislich erst bei der Diaskeue hinzugetreten ist.

So hat uns denn die Untersuchung auf die Composition
der Parodos geführt, welche unter allen, die uns von unserem
Dichter erhalten sind, die meisten Schwierigkeiten bietet. Die
genauere Analyse derselben bleibt dem zweiten Abschnitte
vorbehalten; teilweise jedoch mufs sie schon hier ihre Besprechung finden, da sie uns näher angeht, als es auf den ersten
Blick scheinen mag.

Sie beginnt mit einer feierlichen Beschwörung der Wolken
durch Sokrates (V. 263—274), welche diese mit zwei Liedern
(V. 275—290 und 298—313) beantworten. Auf die verwun-
derte Frage des Strepsiades, wer die Sängerinnen seien, werden
sie ihm beschrieben; ihr weibliches Aussehen läfst in ihm anfangs einige Scrupeln aufsteigen, die jedoch Sokrates durch
einige passende Beispiele wegzudisputieren weifs (V. 314—355).
Vollständig befriedigt bittet er die Wolken, ihn ihre Stimme
vernehmen zu lassen, was auch geschieht (V. 356—363). Kaum
hat Strepsiades Zeit, seinem Erstaunen Ausdruck zu geben, so
fährt Sokrates drein: 'Sie ganz allein sind Gottheiten, alles
andere ist Schwindel.' — 'Wie, ist denn der olympische Zeus
kein Gott?' — 'Nein.' — 'Wer regnet denn?' — 'Die Wolken.' —
und in dem Ton geht das Gespräch weiter bis V. 411; ein

CTP. πρὸς τοῦ Διὸς ἀντιβολῶ ce, φράcον, τίνες εἰc', ὦ Cώκρατες, αὗται
αἱ φθεγξάμεναι τοῦτο τὸ cεμνόν; μῶν ἡρῷναί τινές εἰcιν;
316 CΩ. ἥκιcτ', ἀλλ' οὐράνιαι Νεφέλαι. CTP. λέξον δή μοι, τί παθοῦcαι 340
εἴπερ Νεφέλαι τ' εἰcὶν ἀληθῶς, θνηταῖς εἴξαcι γυναιξίν;
Man vergl. V. 1222 f. (oben S. 39 Anm. 2). Näheres über diese Parodos-
stelle s. im zweiten Abschnitt.

ZIELINSKI, die Gliederung der altattischen Komoedie. 4

Bedenken nach dem anderen wird von Strepsiades geäufsert
und von Sokrates niedergeschlagen. Ton und Gedankenfolge
sind uns wohlbekannt; genau so giebt z. B. Peithetairos ('Vögel'
V. 46 f.) zu Anfang des Agons das Thema desselben an: 'Ihr
waret Könige!' — 'Wie so, wir Könige?' — 'Gewifs!' ...
Und da das Metrum anapaestisch ist, so kann kein Zweifel sein,
wir haben es mit dem Agon der ersten 'Wolken' zu tun, und
zwar, — da die Grundbedingung der Schülerweihe erörtert
wird, und da das Erstaunen des Strepsiades über die gewaltige Donnerstimme der Wolken nach der Antode zu spät
kommen würde — mit dem Epirrhema desselben. Dafs das
Zwiegespräch zwischen dem Chor und Strepsiades (V. 412 bis
422) an dieser Stelle nicht am Platze ist, hat man längst bemerkt.[1]) Aber auch V. 423 nimmt den Faden nicht auf; wir
finden die Streitenden schon weit fortgeschritten. Zu den
Wolken ist noch das Chaos und die Göttin Zunge hinzuge-
kommen; nach der skeptischen Beanlagung des Schülers haben
wir Grund anzunehmen, dafs er auch diese Gottheiten nicht
ohne Streit anerkannt hat, und nichts ist natürlicher, als dafs

---

1) Zuerst FVFritzsche (de fab. retr. spec. III), dann namentlich
FBücheler (S. 665), der mit vollem Rechte gegen FVFritzsche und
HKöchly bemerkt, man dürfe nach V. 411 nicht gleich mit V. 422 fortfahren, weil dann nicht klar sei, woher zu den Wolken sich noch das Chaos
und die Zunge gesellt habe. Dagegen kann die Art und Weise nicht
gebilligt werden, wie derselbe Gelehrte sich zu beweisen bemüht, dafs
die VV. 420—422 von den vorhergehenden abzulösen und als ein Bruchstück der ersten 'Wolken' zu betrachten seien. Die Worte εἵνεκα τούτων
(V. 422) fafst er gleich 'um dieser, der Wolken, willen', als ob das die
einzige Möglichkeit wäre; während gewifs das nächstliegende ist, sie
als alle die vorangegangenen ἕνεκα's zusammenfassend zu denken 'was
das alles anbelangt, so will ich . . .' (Man braucht deswegen diese resu-
mierenden Worte nicht für überflüssig zu erklären, wie es CBadham
Rh. M. 28, 173 tut, der auch zu παρέχοιμ' ἄν das Reflexivum verlangt
— mit Unrecht, wie Soph. Ai. 1145 u. a. Stellen beweisen — und darum
θαρρῶν ἐπιχαλκεύειν τούτῳ παρέχοιμ' ἄν ἐμαυτόν conjiciert. — GDroysen
übersetzt allerdings 'um den Preis', was aber noch immer viel wahrscheinlicher ist, als die Vermutung Büchelers). Auf diese falsche Übersetzung baut er dann den Schlufs 'weil er dies offenbar zu Sokrates ge-
wandt antwortet, so befiehlt der gemeine Menschenverstand anzunehmen,
dafs die Ermahnung, auf welche jene Antwort erfolgt, von Sokrates ausgegangen ist. Folglich vertragen sich 420—422 mit 412—419 nicht'.

eben dieser Streit den Inhalt des Antepirrhemas gebildet habe.
V. 427 ist an 426 recht geschickt angeknüpft; die ursprüngliche
Verbindung kann das jedoch nicht gewesen sein, da die VV. 427
—438, wie wir sehen werden, sicher noch zur Parodos gehörten.
V. 439—456 haben wir ein Pnigos. An und für sich kann
ein Pnigos auch eine anapaestische Parodos beschliefsen; da
jedoch in unserem Falle die Parodos mit V. 357 schlofs[1]), so
ist die Annahme wahrscheinlicher, dafs es das Pnigos des
Agons bildete. Natürlich knüpfte es in diesem Falle nicht
unmittelbar an V. 411 an, es können recht gut einige Verse
ausgefallen sein. An den letzten Vers des Pnigos schliefst
sich recht gut der folgende Chorgesang (V. 457—475), in
welchem wir demnach die Antode des Agons zu erkennen
haben werden; und die hier ausgesprochene Vermutung findet
ihre Bestätigung in V. 476 f. 'ἀλλ' ἐγχείρει τὸν πρεςβύτην κτλ',
die nichts anders gewesen sein können als ein Katakeleusmos.
Denn dafs ein anapaestisches Distichon des Chors ein iambisches
Gespräch einleite, wie wir es hier haben, ist unerhört.

So ist es uns denn gelungen, einige Teile des Agons der
verlorenen 'Wolken' ans Tageslicht zu fördern. Der leichteren
Übersicht wegen mögen sie nachstehend zusammengestellt
werden.

L. Die 'ersten Wolken'. Der Agon gehörte zur ersten
Gruppe (A—C), d. h. beide Epirrhemen waren anapaestisch.
In der (verlorenen) Ode sang der Chor dem neuen Schüler
ein ermunterndes Lied und forderte dann im (ebenfalls verlorenen) Katakeleusmos seinen Priester auf, ihn in die Geheim-
lehren des neuen Cultus einzuweihen. Dies geschieht im Epirrhema (V. 364—411). Der erste Grundsatz ist — es giebt
keine Götter aufser den Wolken; sie bewirken den Regen, den
Donner und den Blitz. Der Schüler folgt der Auseinander-

---

[1]) Mit den Worten οὐρανομήκη ῥήξατε φωνὴν κἀμοί kann sich Strepsiades nur ein Lied erbitten, denn die Tetrameter wurden — s. u. B, I, § 2
— nicht vom Gesamtchor, sondern nur von einem Chorenten gesprochen.
Dieses Lied, in dem sich also die Wolken an Strepsiades wandten, kann
nur die verschollene Ode des Agons gewesen sein, und es ist ganz in der
Ordnung, dafs Strepsiades dann — im Epirrhema — beginnt mit ὦ Γῆ
τοῦ φθέγματος κτλ.

4*

setzung mit wachsendem Interesse; zuletzt hat er alles begriffen
und kann sogar selber zu der Lehre des Meisters ein Beispiel
anführen. Seine Freude darüber spricht er im Pnigos (V. 439
bis 451) aus, worin er zugleich seinem Dankgefühl den Sophisten gegenüber Ausdruck giebt. In der Antode (V. 457—475)
äufsert der Chor seine Befriedigung über das Verhalten des
Neophyten und verspricht ihm Ruhm und Glückseligkeit, wenn
er bei seinem Vorsatze bleibt; hierauf fordert er Sokrates im
Antikatakeleusmos (V. 476 f.) auf, den Unterricht fortzu-
setzen. Nun wird Strepsiades im Antepirrhema (erhalten
nur V. 423—426) belehrt, dafs es aufser den Wolken wohl
noch Gottheiten gebe, nämlich das Chaos und die Zunge. Wie
ihm das Verständnis dieser Wesen erschlossen worden sein
mag, können wir nicht leicht erraten; aber es mufs nach
Wunsch gegangen sein, denn zum Schlufs hat er mit den Olym-
piern vollständig gebrochen. Der Inhalt des Antipnigos und
der eventuellen Schlufsformeln läfst sich gleichfalls nicht mehr
angeben.

§ 8.　　Die soeben beendete Untersuchung hat uns zweierlei gewinnen lassen; erstens, einen neuen Agon, und zweitens, ein
Praejudiz. Wir haben gesehen, wie zerstückt und schier un-
kenntlich die Reste des alten Agons durch die Parodos der 'Wolken' zerstreut sind. Begegnet uns also eine Komoedie ohne
Agon, so wird die Frage erlaubt sein, ob daran nicht gleichfalls die Überarbeitung des Textes die Schuld trage.

Gelegenheit dazu könnten gleich die 'Acharner' geben;
es ist bereits gesagt worden, dafs sie des Agons entbehren.
Allerdings ist von einer Diaskeue der 'Acharner' nichts überliefert; doch mag es uns gestattet sein, einstweilen festzustellen,
ob die Anlage des Stückes einen Agon notwendig erscheinen
läfst, und wo derselbe, in diesem Falle, seinen Platz am schicklichsten gefunden haben würde.

Dikaiopolis hat einen Separatfrieden mit Sparta geschlossen;
die Acharner sind darüber ergrimmt und drohen, ihn zu steinigen; mit Mühe gelingt es ihm, sich bei ihnen Gehör zu ver-
schaffen. Doch auch seine Rede hat trotz ihres tragischen
Apparates nur halben Erfolg; hat sie auch die eine Hälfte
der Choreuten gewonnen, so ist die andere Hälfte um so ge-

reizter; sie stürmt auf die Bühne, aber der Dikaiopolis freundliche Halbchor vertritt ihr den Weg; zurückgeworfen ruft sie
den Heros Lamachos zur Hilfe. — Der Handstreich des Dikaiopolis, das Eintreten der Choreuten, endlich die Antichorie
erinnern lebhaft an ein anderes Stück des Aristophanes, das
gleichfalls die Verherrlichung des Friedens zum Gegenstande
hat — die 'Lysistrate'. Wie dort der Probule, so erscheint
in den 'Acharnern' Lamachos als der Anwalt des bedrängten,
dem Helden feindlich gesinnten Halbchors. Es wäre interessant, zu ergründen, ob der Parallelismus auch weiter geht.
— Lamachos tritt auf, ganz Kriegesmut und Tatenlust[1]);
Dikaiopolis ist der Ohnmacht nahe, selbst dem freundlichen
Halbchor auf der Orchestra wird bange. 'Er hat die Stadt
geschmäht', denuntiiert der feindliche Halbchor; 'was hast du
gesagt?' herrscht Lamachos den Helden an. Dieser weifs es
vor Angst selbst nicht mehr; erst soll Lamachos die Waffen
ablegen. Das geschieht; die Gutmütigkeit des schrecklichen
Gegners läfst Dikaiopolis allmählich zu sich kommen, er nimmt
sich immer mehr heraus, endlich kommt seine alte Schalks-
natur in einem schnöden Witze zum Durchbruch. Doch damit
hat Lamachos' Langmut ein Ende; 'das sagst du mir, ein
Bettler dem Strategen?' — 'Ich bin ein ehrsamer Bürger',
antwortet der Angefahrene, 'du dagegen ein Gehaltschleicher!'...
Die Luft wird schwül, was wird Lamachos entgegnen? 'Man
hat mich ja gewählt!'... und das ist alles? 'Ein paar Gimpel
haben es getan', poltert Dikaiopolis weiter; 'das hat mich
empört, und darum schlofs ich Frieden, weil ich es nicht
ansehen mochte, dafs ehrwürdige Greise als Gemeine dienten,
Leute wie du dagegen allenthalben hoch besoldete Gesandt-
schaftsposten einnähmen'... Nun ist das Schuldbekenntnis
heraus; wie wird der Schlachtenheros mit dem Verräter verfahren? 'Man hat sie ja gewählt!' lautet die Antwort... und
das ist wieder alles? 'Warum denn immer dich und deines-
gleichen? Ist je einer von diesen — den Choreuten — in
Ekbatana Gesandter gewesen? Warum werden denn immer

---

1) Dafs er nicht allein kommt, ist an sich natürlich und wird durch
die Analogie des Probulen und den V. 575 unseres Stückes bestätigt.

verschuldete Junker wie du zu Gesandten gewählt?' Ein Seufzer ist die Antwort. Endlich rafft sich Lamachos auf 'Nie höre ich auf, gegen Sparta zu kämpfen!' spricht er und — geht. Wir hätten freilich einen anderen Ablauf der schön motivierten und angelegten Scene erwartet. Lamachos wird ja gerufen, um den Friedenshelden zu strafen; er soll es doch versuchen! Es wird ihm nicht so leicht werden; oder Dikaiopolis wird auch ihn überreden, erst seine Verteidigung anzuhören; so geschieht es ja mit dem Probulen in der 'Lysistrate'. Und nun sind alle Vorbedingungen für einen Agon geschaffen; Dikaiopolis und Lamachos sind die Gegner, sowie drüben Lysistrate und der Probule. Lamachos wird sich zwar nicht überreden lassen, ebensowenig wie es der Probule thut, aber ganz Athen wird eine herrliche Friedensmahnung anhören müssen, und sein ideeller Vertreter auf der Orchestra diesmal einstimmig dem Anwalt Eirenes seine Zustimmung geben. Das würde erst eine wirksame Katastrophe geben, wenn ein mit aristophanischer Meisterschaft ausgeführter Agon statt der unendlich matten und schalen Polterscene V. 593 ff. den Umschwung bewerkstelligte. [1])

Wäre es aber nicht möglich, dafs die Komoedie in ihrer ursprünglichen Gestalt dem soeben geäufserten Bedürfnis entsprochen habe?

An der fraglichen Scene haben bereits andere Anstofs genommen. Der erste, der sich über sie geäufsert hat, ist meines Wissens HMüller-Strübing[2]) gewesen, dessen Meinung für uns um so wertvoller ist, je ferner gerade ihm unser leitender Gesichtspunct lag. Er glaubt aus einem Umstande, auf den wir nicht einzugehen brauchen[3]), erwiesen zu haben,

---

1) Das ist freilich Geschmackssache. So meint FLeo (Bemerkungen zur attischen Komoedie Rh. M. 33 S. 417) '*Die bewundernswerte Kunst, mit der Dikaiopolis nun im Gespräch mit Lamachos den schon getrennten Chor ganz zu sich herüberzieht . . . hat HMüller-Strübing (dem ich folge) arg verkannt. Die Hypothese dieses Gelehrten über die spätere Einfügung bedarf demnach keiner Widerlegung*'. Also lasse auch ich die Äufserung FLeos ohne Widerlegung. — 2) Aristophanes und die historische Kritik (S. 498 ff.). — 3) Der Strategie des Demosthenes i. J. 426. Die entgegengesetzte Ansicht darüber vertritt GDroysen (Hermes IX S. 5 ff.).

dafs die Strategenwahlen nicht, wie gewöhnlich angenommen wird, im Sommer, sondern im Winter stattfanden, und findet nun in den 'Acharnern' die Bestätigung für diese Ansetzung. Seine Ansicht läfst sich in wenigen Worten zusammenfassen: während Lamachos sonst im ganzen Stücke als Lochage auftritt, kennt ihn nur die fragliche Scene als Strategen, folglich ist diese Scene — V. 593—619 — kurz vor der Aufführung (Lenaeen 425) eingelegt worden, folglich fanden die Strategenwahlen kurz vor den Lenaeen statt. Dafs nun Lamachos im übrigen Stück als Lochage zu denken sei, das sucht HMüller-Strübing — abgesehen von anderen Stellen, auf die ich nichts gebe — aus den VV. 566 ff., auf die ich nicht viel gebe, dann aber aus V. 1071 ff. zu erweisen.

HMüller-Strübings Behauptung rief allseitigen Widerspruch hervor.[1]) AvBamberg[2]), HGelzer[3]), ASchmidt[4]) und JHLipsius[5]) verurteilten sie einstimmig und blieben bei der Meinung, dafs bei Aristophanes alles in der Ordnung sei. Im ganzen Stück trete Lamachos als Stratege auf; nirgends sei ein Widerspruch vorhanden. Einigermafsen rehabilitiert wurde HMüller-Strübing durch OKeck[6]), welcher die 'Acharner' von einem anderen, oder vielmehr dritten Gesichtspunkte betrachtet und dabei gleichfalls an der Scene V. 593—619 An-

---

1) Meines Wissens hat sie nur WGilbert (Beiträge zur inneren Geschichte Athens S. 173 ff.) gebilligt. — 2) Lit. Cbl. 1874, Sp. 1193 ff. Mit unglücklichem Tacte hat AvBamberg diese wenigen Seiten des M.-Str.'schen Buches herausgegriffen, um an ihnen die Verkehrtheit der ganzen Methode zu beweisen. — 3) Jahresberichte 1873, S. 1046 f. — 4) Jenaer Literaturzeitg. 1875 Nr. 5. — 5) Jahresberichte 1873, S. 1368 f. — 6) Quaestiones Aristophaneae. Halle 1876 (S. 12 ff.). Von seinen Resultaten kann ich freilich für die vorliegende Untersuchung keinen Gebrauch machen, da meine Meinung über das Gesetz des Antimachos eine wesentlich andere ist. Das erste uns bekannte Gesetz gegen die Freiheit der Komoedie wurde unter dem Archontat des Morychides i. J. 440 erlassen und 437 aufgehoben. Nun trug Antimachos (Ar. Ach. 1151 ff.) höchst wahrscheinlich den Spitznamen Morychos, eines Daemons im Gefolge des Dionysos; so wurde es möglich, ihn mit Morychides zu verwechseln und ihm das scenische Gesetz zuzuschreiben. Ausführlicher habe ich über diese Frage in einem Aufsatze 'de lege Antimachea scaenica' (im russischen 'Journal d. Minist. d. Volksaufklg. 1884 März S. 1 ff.) gehandelt.

stofs nimmt. Indem er das vielbesprochene Gesetz des Antimachos im Gegensatz zu AMeineke[1]), TBergk[2]), TRötscher[3])
und FLeo[4]) als Verbot, die χειροτονηται καὶ κληρωται ἀρχαί
zu komodieren, fafst, nimmt er an der Person des Strategen
Lamachos in unserer Scene Anstofs. Doch lautet seine Lösung
der Schwierigkeit etwas anders. Den V. 593 — ταυτὶ λέγεις
cù τὸν cτρατηγὸν πτωχὸς ὤν; — entfernt er als unecht; dafs
V. 619 mit V. 620 schlecht zusammenhängt, erkennt er an,
hilft sich aber mit der Vermutung, dafs zwischen diesen beiden
Versen, sowie zwischen V. 592 und 594 mehreres ausgefallen
sei. Auch er giebt demnach die Inselhaftigkeit der Scene
V. 594—619 zu.

Nach diesem Überblick fahre ich in der Untersuchung fort.

Ebenso unmotiviert wie das Verhalten des Lamachos seinem Gegner gegenüber, ist das Benehmen des Chors, speciell
der Dikaiopolis feindseligen Chorhälfte. Umsonst hat dieser
in seiner Rede betont, dafs seine Vorwürfe nicht der Stadt
als solcher gälten (V. 515 ff.); sie bleibt dabei, dafs er die
Stadt geschmäht habe, und Lamachos wird gerufen, um den
allzufreimütigen exemplarisch zu bestrafen. Hat aber Dikaiopolis zuvor seinen Unmut nur an gewissen ἀνδράρια μοχθηρά
ausgelassen, so beschimpft er jetzt in ehrenrührigster Weise
den Strategen Lamachos selber, bei dessen Wahl seine Phy-
leten, die Acharner, sicher wie Ein Mann gestimmt haben; ja
die Wählerschaft selber bezeichnet er als κόκκυγες — nun,
sollte man meinen, hat er sogar den halben Erfolg seiner
Rhesis wieder verscherzt. Indessen, was tritt ein? 'Ανὴρ νικᾷ
τοῖcι λόγοιcι, meint der Chor — und zwar der Gesamtchor
— und schreitet zur Parabase. Ist das folgerecht?[5])

---

1) Historica critica S. 39 ff. — 2) Schmidts Zeitung II, 193 ff. (1844).
3) Klio I, 532. — 4) Quaestiones Aristophaneae. Bonn 1873 (S. 11 ff.).
Die eigentümliche Ansicht, die er darin über die Beschaffenheit des
Prologs in unserer Komoedie aufgestellt hat, nahm er später (Rh. M. 33,
414) zurück; ich durfte sie daher im folgenden ignorieren. — 5) Dieser
Einwand im wesentlichen nach HMüller-Strübing (a. O.). Wenn AvBamberg (a. O.) ihn gering anschlagen zu können glaubt, so zeugt das
nicht von grofsem Kunstverständnis. Es braucht darum nicht ge-
leugnet zu werden, dafs die Fragen des Dikaiopolis an die Choreuten

Und nun — wie steht es um die militärische Würde
des Lamachos? Einen Strategen nennt er sich selber V. 593;
dafs er im übrigen Stücke als Lochage aufzufassen ist, mufs
ich HMüller-Strübing und OKeck zugeben. Entscheidend
ist für mich — da auf V. 569 meines Erachtens nicht viel
Gewicht zu legen ist[1]) — V. 1071 ff., die Unterredung des
Lamachos mit dem Boten.[2])

ΑΓΓ. ἰὼ πόνοι τε καὶ μάχαι καὶ Λάμαχοι.
ΛΑΜ. τίς ἀμφὶ χαλκοφάλαρα δώματα κτυπεῖ;
ΑΓΓ. ἰέναι ϲ᾽ ἐκέλευον οἱ ϲτρατητοὶ τήμερον
ταχέως λαβόντα τοὺς λόχους καὶ τοὺς λόφους.

Wer diese Stelle ohne Voreingenommenheit liest, der
wird die Vorstellung gewinnen, dafs Lamachos Taxiarch oder
Lochage, aber gewifs kein Stratege sei; als Stratege müfste
er an der Beratung der Feldherrn teilnehmen, während ihm
hier der Befehl der letzteren, die ihn als Untergebenen behandeln, überbracht wird. Das giebt auch JHLipsius zu,
meint aber, der Dichter wäre berechtigt gewesen, in einer
Komoedie vom Herkommen abzuweichen. Das sehe ich jedoch
nicht ein; nicht einmal für den Fall, dafs damit eine komische

(V. 609 ff.) in einem passenden Zusammenhange recht gewandte dema-
gogische Kunstmittelchen abgegeben haben würden; dafs sie hier un-
zulänglich sind, kann allerdings nur empfunden und behauptet werden.
Und vor allen Dingen — was brauchte es des Lamachos dazu? —
1) Doch mufs gegen AvBamberg und OKeck bemerkt werden, dafs
dieser Vers unmöglich dochmisch gemessen werden kann. Vielmehr
sind die sechs Verse 566—571 die Antistrophe zu V. 490—495, und da
dort die beiden mittleren Verse iambische Senare sind, so müssen solche
auch hier für V. 568 f. reconstruiert werden (so mit Recht HSchmidt,
antike Compositionslehre a. s. O.). Mit V. 569 hat die Sache keine
Schwierigkeit, wohl aber mit V. 568; dafs er verderbt ist, folgt schon
aus dem gleichen Anfange mit V. 566. — Immerhin glaube ich, dafs der
Sinn der Stelle besser zur Anschauung pafst, wonach Lamachos als Lochage
gefafst wird; JHLipsius' Beispiel Ἕκτορι καὶ Τρωϲίν scheint mir doch
nicht ganz zutreffend, da es 'Feldherr und Volk' bedeutet; vgl. OKeck S. 16.
— 2) Seltsamer Weise glaubt AvBamberg, diese Stelle wäre gegen
die Ansicht HMüller-Strübings entscheidend, weil V. 1074 von mehreren
λόχοι die Rede ist, ein Lochage aber nur über einen Lochos verfügen
kann. Nun ja; es sind aber auch mehrere Λάμαχοι da (V. 1071), so dafs
auf jeden Λάμαχος ein λόχος kommt.

Wirkung erzielt werden sollte, was doch hier entschieden nicht zutrifft . . . oder kann jemand angeben, inwiefern die Komik beeinträchtigt sein würde, wenn Lamachos selber, in der Feldherrnsitzung überstimmt, in Klagen über sein Loos ausbräche? Aber man lese doch, wie genau Aristophanes, um ein Beispiel zu nehmen, in der Probeversammlung der 'Ekklesiazusen' auf die bestehenden Verhältnisse, auf die Tagesordnung der Ekklesie Rücksicht nimmt und sie, ohne sie je zu verletzen, zu komischer Wirkung zu verwenden weifs.

Soweit befinde ich mich mit HMüller-Strübing und OKeck im Einklang; nicht also in der Lösung der Schwierigkeit. Gegen HMüller-Strübings Vorschlag fallen vollwichtig in die Wagschale die Einwände von JHLipsius bezüglich der Strategenwahlen — ganz abgesehen davon, dafs ein Stück, in dem dieselbe Person zugleich Stratege und Lochage ist, geradezu unaufführbar ist. Aber auch OKeck kann ich nicht Recht geben, wenn er V. 593 streichen will; wie soll einer drauf gekommen sein, ihn zu interpolieren. Und die Annahme je einer Lücke vor und nach der Scene V. 594—619 ist doch auch nicht unbedenklich.

Indem ich den Leser auf das zu Anfang dieser Betrachtung Gesagte verweise, behaupte ich, dafs die Scene V. 593 bis 619 als notdürftiger Lückenbüfser für den verdrängten Agon der Komoedie eingetreten ist. Und zwar kann ich für diese Behauptung einen Beweis anführen, der mir wenigstens zwingend erscheint.

Der Leser wird sich aus der Behandlung der erhaltenen Agone erinnern, was ein Epirrhemation ist. Wir fanden diese interessante Schlufsfigur in der Komoedie, auf die wir schon öfter gerade bei der gegenwärtigen Untersuchung haben Rücksicht nehmen müssen — in der 'Lysistrate'. Seine Stelle ist zwischen dem Antiprigos und dem folgenden Chorgesange — in der 'Lysistrate' der Parabase. Es besteht aus zwei gegenübergestellten Tristichen, in denen die unversöhnten Gegner noch einmal ihrem Hohn oder Groll Ausdruck geben, kann also mit Recht der Nachhall des Agons genannt werden. Beide Tristichen müssen sich auch im Sinne entsprechen, was durch einen gewissen Parallelismus in den Ausdrücken erzielt wird.

Der Anschaulichkeit wegen möge das Epirrhemation der 'Lysistrate' folgen.

Πρόβουλος.

εἶτ' οὐχὶ ταῦτα δεινὰ πάσχειν ἔςτ' ἐμέ;
νὴ τὸν Δί' ἀλλὰ τοῖς προβούλοις ἄντικρυς
ἐμαυτὸν ἐπιδείξω βαδίζων ὡς ἔχω.

Λυςιστράτη.

μῶν ἐγκαλεῖς ὅτι οὐχὶ προὐθέμεσθά cε;
ἀλλ' ἐς τρίτην γοῦν ἡμέραν coι πρῳ πάνυ
ἥξει παρ' ἡμῶν τὰ τρίτ' ἐπεσκευαςμένα.

Es folgt die Parabase. Man beachte, dafs in beiden Tristichen der erste Vers eine Frage, die beiden anderen die Antwort enthalten, welche in beiden Fällen durch ἀλλά eingeleitet ist. Auch dafs die ersten Verse jeder mit dem Accusativ des Personalpronomens schliefsen, scheint demselben Streben nach Parallelismus entsprungen zu sein. — Nun hat sowohl HMüller-Strübing, wie auch OKeck die Einlage nur bis V. 619 gehen lassen; mit V. 626 beginnt die Parabase; zwischen der Einlage und dieser liegen folgende sechs Verse:

Λάμαχος.

ἀλλ' οὖν ἐγὼ μὲν πᾶcι Πελοποννηcίοις
ἀεὶ πολεμήςω καὶ ταράξω πανταχῇ,
καὶ ναυcὶ καὶ πεζοῖcι, κατὰ τὸ καρτερόν.

Δικαιόπολις.

ἐγὼ δὲ κηρύττω γε Πελοποννηcίοις
ἅπαcι καὶ Μεγαρεῦcι καὶ Βοιωτίοις
πωλεῖν ἀγοράζειν πρὸς ἐμέ, Λαμάχῳ δὲ μή.

Also auch hier zwei Tristichen, jeder von einem der Gegner gesprochen, beide einander gegenübergestellt. Der Parallelismus springt in die Augen; dem ἐγὼ μέν des ersten Tristichons entspricht das ἐγὼ δέ des zweiten, in beiden finden wir das Wort Πελοποννηcίοις nachdruckvoll ans Ende des ersten Verses gestellt. In Stellung, Form und Inhalt entsprechen die angeführten sechs Verse genau dem Epirrhemation des Agons der 'Lysistrate', und ich finde keine Möglichkeit, daran zu zweifeln, dafs wir in ihnen das Epirrhemation des verlorenen 'Acharner'-Agons vor uns haben. Den Inhalt dieses letzteren zu reconstruieren, würde natürlich vergeblich sein; der folgende Ver-

such soll nur zeigen, dafs er auch nach der Rhesis des Dikaiopolis nicht tautologisch gewesen sein würde.

M. Die 'Acharner'. Nachdem sich Dikaiopolis das Wort
erkämpft oder erbeten hat, wendet sich der Chor, und zwar
die ihm wohlgesinnte Chorhälfte[1]) in der Ode an ihn und
ermahnt ihn, seine Sache ja gut zu machen, da sonst die
Drohung mit dem ἐπίξηνον doch noch zur Wahrheit werden
könne; hierauf kündet der Katakeleusmos den Beginn des
Wettstreites an. Im Epirrhema beschreibt Dikaiopolis die
Greuel des langwierigen, nie enden wollenden Krieges, die Ver-
wüstung der Äcker, die Zerstörung der Weinberge, die traurige Lage der in den Mauern eingeschlossenen Bauern, das
Hinsterben der jungen Landeskraft, den Gram der Mütter und
der verlassenen Bräute. Zwar versucht Lamachos, dem Kriege
einige Lichtseiten abzugewinnen, weist wohl namentlich auf
den bevorstehenden glücklichen Ausgang desselben hin, kann
aber doch mit seinen Vorstellungen nicht durchdringen, und
als gar Dikaiopolis das Gesagte im Pnigos zu einem grell-
farbigen Bilde zusammenfafst, da kann selbst die feindselige
Chorhälfte ihren Beifall nicht unterdrücken; sie mufs — in
der Antode — eingestehen, dafs der Friedensredner ihr das
Herz gerührt hat, dafs sie 'nicht weifs, wie ihr geschieht'. Im
Antikatakeleusmos fordert sie ihn auf, zu sagen, was er noch
zu sagen habe, den Weg anzugeben, der aus dieser Trostlosigkeit hinausführt. Nun entwirft Dikaiopolis — im Antepirr-
rhema — das Gegenbild, eine sonnige, farbentrunkene Schilderung der Friedensseligkeit. Ein jeder sollte nur machen, wie
er; dann würden alle aufs gesäuberte Land zurückkehren, die
Ölbäume und Reben begrüfsen, das Veilchenbeet am Brunnen
neu bepflanzen und den Schild im Rauchfang aufhängen können.
Dann würde sich der athenische Markt wieder beleben, Pelo-

---

1) Die Analogie der 'Lysistrate' würde vielmehr erwarten lassen,
dafs die feindselige Chorhälfte fürs Epirrhema Lamachos, darauf die
wohlgesinnte fürs Antepirrhema Dikaiopolis das Wort erteilte. Indessen
verlangt die Einigkeit des Chors in der Parabase — in der 'Lysistrate'
versöhnen sich die Chorhälften erst viel später — dafs die feindliche
Chorhälfte im Laufe des Agons ihre Gesinnung ändere; und das kann nur
in der Antode eingetreten sein. S. auch u. B, I, § 3.

ponnesier, Megarer und Boiotier würden wieder ihre Landes-
erzeugnisse, Spanferkel und kopaische Aale, zum Verkaufe
bringen, ganz Attika würde im Genusse dieser lang entbehrten
Leckerbissen schwelgen. . . . Ein humoristisches Pnigos macht
der Rede den Schluß. Lamachos wäre glücklich gewesen,
wenn er sich hätte überreden lassen! aber das sollte nicht
sein. Im Epirrhemation wiederholt er, daß er bei seiner
Ansicht bleibe, worauf Dikaiopolis an die Ausführung seines
Vorhabens geht. Der Chor aber wendet sich, nachdem er dem
Helden ausdrücklich den Sieg zugesprochen, dem Laufe des
Stückes gemäß zur Parabase. — Der Agon gehörte wohl, wie
derjenige der 'Lysistrate', zur ersten Gruppe, beide Epirrhemen
waren anapaestisch. — Auch der Gedankenoekonomie nach muß
er dem Agon der 'Lysistrate' nahe gestanden sein; in beiden
Epirrhemen derselbe Redner, nur daß sich im Antepirrhema
ein Fortschritt dem Epirrhema gegenüber zeigt. Daß beide
Katakeleusmen gleichmäßig an Dikaiopolis gerichtet sind, findet
im Agon der 'Vögel' und den Agonen der 'Ritter' seine Parallele; die Ode mag der Ode der 'Ritter' (Hauptagon), die
Antode der Antode der 'Vögel' ähnlich gewesen sein.

Wie ist es aber gekommen, daß der Agon bis auf eine
kleine Spur verschwunden ist, und daß ihn die unbedeutende
Scene V. 593—619 ersetzt hat? Wir wissen, daß Aristophanes
mit den 'Acharnern' an den Lenaeen 425 den ersten Preis da-
vongetragen hat; es lag also für ihn die Versuchung nahe,
das anerkannt gute Drama an den großen Dionysien — wahrscheinlich desselben Jahres — vor einem größeren Publicum
nochmals aufzuführen, wie er es ja notorisch nachher mit den
'Fröschen' gethan hat.[1]) Um der Zuschauerschaft, die das
Stück bereits kannte und nicht gern alle die alten Scherze
nochmals gehört haben würde, etwas Neues zu bieten, überarbeitete er das Drama in einzelnen Teilen; das mochte
schon aus äußeren Gründen notwendig geworden sein, da
die Verhältnisse sich teilweise geändert hatten. Mit dieser
Überarbeitung kam er dann ebensowenig wie mit derjenigen
der 'Wolken' zu Ende, sei es, daß er die Lust verlor,

---

1) S. u. II, § 4.

sei es, dafs der Archon der Komoedie keinen Chor geben
wollte.

Eine Bestätigung für meine Ansicht finde ich auch im
vielbesprochenen Chorgesang V. 1150—1172. Derselbe enthält
Verwünschungen gegen den bekannten Antimachos, der den
Dichter Λήναια χορηγῶν ἀπέκλειcε δείπνων. Nun mache ich
auf den Ausdruck Λήναια anfmerksam. Das Stück ist selber
an den Lenaeen aufgeführt worden; es wird im Chorgesang
keine weitere chronologische Bestimmung gegeben, welche
Lenaeen zu verstehen seien. Die Gelehrten streiten sich, ob
der Dichter die Lenaeen desselben, oder des vorigen oder gar
des vorvorigen Jahres gemeint habe.[1]) Ich behaupte, dafs nach
allgemein menschlicher Denkweise alle drei Erklärungen ebenso
unmöglich sind; davon kann sich jeder überzeugen, wenn er
die griechischen Worte durch eine entsprechende Wendung
seiner Muttersprache wiedergiebt. Die ganze Stelle wird aber
sofort verständlich, wenn wir annehmen, dafs der Chorgesang
dem überarbeiteten Stück angehöre, das an den grofsen Dionysien
aufgeführt werden sollte.

Es darf aber behauptet werden, dafs erst bei unserer An-
nahme das jetzt etwas zerfahrene Stück einen festen Halt und
Mittelpunct bekommt. Erst jetzt hat die dreimalige Gegenüberstellung der beiden Gegensätze, Dikaiopolis und Lamachos,
Sinn und Absicht. Das lächerliche Unglück, das den armen
Kriegshelden zu Ende des Stückes betrifft, steht bis jetzt ziemlich unmotiviert da; nun aber verstehen wir es — es ist die
Nemesis, die ihn ereilt hat. Im Agon bot ihm die Göttin
Eirene in der Person des Dikaiopolis die Hand, die er nur zu
ergreifen brauchte, um aller Sorge frei zu werden; er hat sie
verschmäht, dafür trifft ihn die Rache. Noch einmal kommt
er mit Dikaiopolis V. 1069 ff. zusammen; dieser trifft die Vorbereitungen zum Mahle, er selbst mufs in den Krieg hinaus;
'es geschieht dir schon Recht', höhnt Dikaiopolis, 'καὶ γὰρ cὺ

---

1) Die erste Ansicht vertreten AMeineke (hist. crit. S. 41), die
andere GDroysen (z. d. St.), UvWilamowitz-Möllendorf (Observationes
criticae S. 15), FLeo (QA S. 22), die dritte FVFritzsche (de Daetal. S. 9),
TBergk (bei AMeineke FCG II, 2, 1021).

μεγάλην ἐπετράφου τὴν Γόργονα'. Zum dritten Male sehen sie
sich nach vollbrachter Tat wieder; man sieht es beiden an,
wie ihnen ergangen ist. Lamachos stöhnt, Dikaiopolis lacht
ihn aus, und die Moral ist jedem klar — so lohnt und straft
Eirene!

Mithin müssen die 'Acharner' aus dem Verzeichnis der § 9.
Stücke, die des Agons entbehren, gestrichen werden, und übrig
bleiben nur zwei — die 'Eirene' und die 'Thesmophoriazusen'.
Wenden wir uns also zur 'Eirene'.

Sehr wertvoll ist die dritte Hypothesis zu diesem Stücke:
φαίνεται ἐν ταῖς διδασκαλίαις καὶ ἑτέραν δεδιδαχὼς Εἰρήνην
ὁμοίως ὁ Ἀριστοφάνης. ἄδηλον οὖν, φησὶν Ἐρατοσθένης, πότερον
τὴν αὐτὴν ἀνεδίδαξεν, ἢ ἑτέραν καθῆκεν, ἥτις οὐ cώζεται. Κράτης
μέντοι δύο οἶδε δράματα γράφων οὕτως· ἀλλ' οὖν γε ἐν τοῖς
Ἀχαρνεῦσιν, ἢ Βαβυλωνίοις, ἢ ἐν τῇ ἑτέρᾳ Εἰρήνῃ. καὶ cποράδην δέ
τινα ποιήματα παρατίθεται, ὅπερ ἐν τῇ νῦν φερομένῃ οὐκ ἔcτιν.
Hieraus darf mit Sicherheit gefolgert werden, dafs es im Altertum zwei 'Eirenen' gab; wie uns denn Verse aus der verlorenen
'Eirene' citiert werden; dies ist auch — wenn man von den un-
begründeten Scrupeln WDindorfs[1]) absieht — von allen zugestanden. Mehr kann aber aus den Worten des Anonymus
nicht erschlossen werden; wenn JRichter[2]) meint, es gehe
aus ihnen hervor, dafs Eratosthenes das erhaltene Stück für
das erste gehalten habe, so ist dieser Schlufs an sich ebenso
willkürlich, wie die von JRichter verfochtene Meinung falsch
ist. Über das Verhältnis des erhaltenen Stückes zum verlorenen sind die Gelehrten uneinig. Es sind hiebei zwei Fragen
zu beantworten. Erstens — war das zweite Stück vom ersten
völlig verschieden, oder nur eine Diaskeue desselben? JRichter[3])

---

1) Arist. frgm. 12. 13. Dagegen cf. TBergk bei AMeineke FCG II, 2,
1064, JStanger Über Umarbeitung einiger Aristophanischer Komoedien
(S. 31), FRanke AV (S. 283). — 2) Prolegomena zur Ausgabe des
Stückes, cap. I, § 14. Aus den Worten des Anonymus kann doch nicht
mehr herausgelesen werden, als: 'es ist unklar, ob Aristophanes dasselbe Stück zweimal aufgeführt, oder ein [vom erhaltenen Stücke] ver-
schiedenes, das verloren gegangen ist, auf die Bühne gebracht hat'.
Genau ebenso durfte sich Eratosthenes ausdrücken, auch wenn er unser
Stück, nach den ihm vorliegenden Didaskalien, für das spätere hielt. —
3) a. O. cap. I, § 7 ff.

ist der ersteren Ansicht und hat alle übrigen Gelehrten gegen sich. Wir dürfen uns den letzteren um so unbedenklicher anschliefsen, da die folgende Untersuchung auch diese Frage indirect beantworten wird. Zweitens — ist uns die erste oder die zweite 'Eirene' erhalten? TBergk[1]), JRichter[2]) und sein Recensent AvVelsen[3]), FVFritzsche[4]) und TKock[5]) stimmen für jene, GDroysen[6]) und JStanger[7]) für diese Ansicht. Der einzige blendende, wenn auch nicht überzeugende Einwand, der von jener Seite vorgebracht worden ist[8]), lautet dahin, dafs die Widersprüche, wenn solche im erhaltenen Stücke nachgewiesen werden könnten, keinen Rückschlufs auf eine Diaskeue der vorliegenden Fassung zuliefsen, da wir es mit einem aufgeführten, also fertigen Stücke zu tun haben. Demungeachtet mufs hier die Beweiskraft der Widersprüche aufrecht erhalten werden; es ist psychologisch wohl denkbar, dafs der Dichter solche, wenn sie nicht allzuauffällig sind, im Texte stehen läfst, sei es nun, dafs er sie übersehen hat, sei es, dafs er den Abschnitt, der sie enthielt, aus aesthetischen Gründen nicht opfern oder ändern will; unerklärlich wäre es aber, wenn sie sich in ein Stück eingeschlichen hätten, das aus einem Gufs entstanden ist.

Dafs nun die erhaltene 'Eirene' tatsächlich das überarbeitete Stück ist, dafür sprechen mehrere Anzeichen. Lehrreich vor allen anderen sind die Stellen, die über Kleon handeln. Dafs dieser acht Monate vor der Aufführung unserer Komoedie bei Amphipolis gefallen war, bemerkte bereits Eratosthenes[9]); und so ist es denn ganz in der Ordnung, dafs an

---

1) a. O. — 2) a. O. cap. I, § 14. Der eine seiner Gründe ist oben im Texte erwähnt worden; der andere 'dem Zeitraum 427—422 wären andere Stücke zuzuweisen, *et comico primis temporibus bis per annum docere concessum fuisse neguverim*' mag auf sich beruhen. Seine Ansicht ist, Aristophanes hätte die zweite 'Eirene' nach d. J. 404 — eine 'Eirene'! — aufgeführt. — 3) Zft. f. d. Gymn. w. XIX, 751. — 4) de Daetal. (S. 119; 131 A. 71) cf. de Pace utraque disp. Seiner Ansicht, die verlorene 'Eirene' wäre mit den Γεωργοί identisch, stimmt auch JStanger (a. O. S. 43 f.) bei; mir dünkt sie unerwiesen und wegen fr. 100. 102 K. auch gar nicht wahrscheinlich; s. u. B, III, § 4. — 5) CAF I, S. 467 — 6) Übersetzung (S. 325 f.). — 7) a. O. (S. 30 ff.). — 8) TBergk a. O. — 9) Schol. zu V. 48.

einigen Stellen der 'Eirene' sein Tod vorausgesetzt wird (V. 268 ff.,
313 ff., 647 ff.); um so mehr mufs es aber auffallen, wenn
es V. 45 ff. — wo der eine von den Sklaven den Zuschauern
das Rätsel vom Käfer aufgiebt — heifst

κᾷτ' αὐτῷ τ' ἀνὴρ

Ἰωνικός τίς φησι παρακαθήμενος·

δοκέω μέν, ἐς Κλέωνα τοῦτ' αἰνίττεται,

ὡς κεῖνος ἀναιδέως τὴν cπατίλην ἐcθίει[1]).

Ἧcθιεν für ἐcθίει zu schreiben (JRichter) ist ebenso wohlfeil
wie gewaltsam, da das Praesens durch den Scholiasten auf eine
sehr bedeutungsvolle Weise anerkannt wird; gewonnen wird
dadurch nichts, da ein lebendiger Käfer doch nicht den todten
Kleon bedeuten konnte. Mir scheint GDroysen mit der Behauptung sehr Recht zu haben, dafs die ausgeschriebenen Verse
im Hinblick auf den lebenden Kleon gedichtet worden sind.[2])
Ein zweites Anzeichen hat JStanger[3]) entdeckt. Wenn V. 479 f.
Hermes auf die Bemerkung des Trygaios, dafs die Lakoner

---

1) Σπατίλη = ἡ ἀνθρωπίνη κόπρος, und cπάτος = τὸ δέρμα, cπατίλη
= ὁ ῥύπος τοῦ δέρματος (Schol. cf. ALobeck proll. S. 108; 117). In der
einen dieser Bedeutungen mufs das Wort ionisch gewesen sein, daher
war die Einführung des Ioniers zum Zwecke des Wortspiels notwendig
(das mufs ich OSchneider Fl. Jb. 117, 675 gegenüber aufrecht erhalten,
da keine der von ihm gesammelten Stellen dem attischen Sprachgebrauche
entnommen ist; ich halte daher seine Conjectur cκατίλην für unnötig).
Wenn Kleon hier zugemutet wird, sich vom Abfall der Lederhäute zu
nähren, so ist das eine ebenso grotesk komische Fiction, wie wenn es
anderswo heifst, dafs er ἐν ταῖcι βύρcαιc ὕπτιος schlafe (Ritt. 104). Dieser
Erklärung gegenüber erscheint die Bemerkung des anderen Scholiasten
'διαβάλλει οὖν τὸν Κλέωνα ὡς cκατοφάγον' als eine blofse Hirnlosigkeit;
wie soll aber die Erklärung JRichters bezeichnet werden, der die Worte
dieses Scholiasten ausschreibt und hinzufügt 'immo ut παιδεραcτὴν et
παθικόν'? — 2) Dies giebt auch OKeck (QA S. 80) zu; wenn er aber meint,
in der ersten 'Eirene' hätte der Käfer seine Rolle als Symbol Kleons
weiter gespielt, so dafs der unglückliche Volksführer in den 'Rittern'
zu einem Sklaven, in den 'Wespen' zu einem Hund und in der 'Eirene'
gar zu einem Mistkäfer herabgewürdigt worden wäre, so kann ich dieser
phantasievollen Combination nicht beistimmen; zu einem so weitgehenden
Parallelismus berechtigt das Wortspiel mit cπατίλη nicht. — OSchneider
(a. O.) sträubt sich gegen unsere Auffassung und ihre Consequenzen und
construiert die elegante Asyndeton, 'ich denke das geht auf Kleon; sowie jener frifst es (τοῦτο?) schamlos den Kot'. — 3) a. O. (S. 13 ff.).

am Seile, das Eirene befreien soll, wacker mitziehen, mit den
Worten antwortet:

ἆρ' οἶσθ', ὅσοι γ' αὐτῶν ἔχονται τοῦ ξύλου
μόνοι προθυμοῦντ'· ἀλλ' ὁ χαλκεὺς οὐκ ἐᾷ.

so können unter den ersteren — ἔχονται τοῦ ξύλου — nach
menschlichem Berechnen nur die Gefangenen von Sphakteria
gemeint sein[1]), und ebenso sicher mufs unter dem χαλκεύς
Kleon (cf. Ritt. 469 ἐπὶ τοῖς δεδεμένοις χαλκεύεται) verstanden
werden.[2]) Und nun beachte man wieder das Präsens ἐᾷ, wofür sich gottlob nicht εἶα schreiben läfst.[3])

Es läfst sich jedoch auf diesem Wege viel weiter kommen.

Dort ist auch gegen die abweichenden Erklärungen von Palmerius und
JRichter das nötige gesagt. — 1) So schon der Scholiast z. d. St. —
2) OSchneider freilich (Fl. Jb. 117, S. 671) will unter dem χαλκεύς
Hyperbolos verstehen, 'cui cum χαλκῷ (ich denke eher cum κεράμῳ) res
erat ut λυχνοποιῷ'. Aber Hyperbolos war es doch nicht, der sie ange-
schmiedet hatte. Auch war die ganze Phrase beziehungslos, wo der
Friedensschlufs im besten Gange und Hyperbolos mit seiner Kriegs-
politik gänzlich lahmgelegt war. — 3) Unglücklich dagegen scheint
mir JStangers Vermutung, der Chor habe in der ersten 'Eirene' (=
Γεωργοί) aus attischen Landleuten, in der zweiten aus hellenischen
Städten bestanden. Darnach müfste man — da der Chor des erhaltenen
Stückes beide Elemente vereinigt — annehmen, irgend ein Grammatiker hätte sich die Mühe genommen, aus der abgerundeten zweiten
Bearbeitung Stellen zu entfernen und dieselbe mit Einlagen aus der
ersten zu versetzen. Das Richtige hat längst GDroysen getroffen (Übers;
cf. JRichter proll. S. 33 ff. REnger Rh. M. 9, 576 ff.) mit der Behauptung, dafs die Nichtathener ein Parachoregem bildeten, das sich
bei der Parabase entfernte. JStangers Einwand 'dafs der Chor bei
seinem Erscheinen V. 302 sich als Πανέλληνες bezeichnet', lasse ich nicht
gelten; es ist nicht gesagt, dafs der Chor dort sich selbst, und nicht
vielmehr das mit einstürmende Parachoregem meine. Und geradezu
gegen die Hypothese JStangers spricht der Umstand, dafs V. 478 ff.
— also in der Stelle, die nach ihm selber aus der ersten 'Eirene'
herübergenommen ist, — die Lakoner unter den Ziehenden vorausgesetzt werden. Nach RArnoldt freilich (Chorpartien S. 55 ff.) hätten
wir gar keinen Nebenchor anzunehmen; die von Trygaios angeredeten
Lakoner, Argeier etc. wären unter dem Publicum zu suchen. Darnach
wäre der höfliche Grufs ἄνδρες Μεγαρῆς, οὐκ ἐς κόρακας ἐρρήκετε (V. 500)
an die Adresse der zur Beschwörung des Eides in Athen anwesenden und
ins Theater eingeladenen megarischen Gesandten gerichtet; eine ebenso
tactvolle wie politische Äufserung.

Beachtenswert ist die Stelle, wo Trygaios den zornigen Hermes
besänftigt, indem er ihm den angeblichen Anschlag der
Lichtgötter Helios und Selene gegen die Olympier verrät. V. 406 ff. 'Sie gehen damit um, Hellas an die Barbaren
zu verraten'. — 'Und warum?' — 'Weil wir euch opfern, diese
aber ihnen; deshalb wünschen sie unser Verderben, um dann
selber göttlicher Ehren teilhaftig zu werden'. — 'Drum, meint
Hermes, haben sie schon lange Tage unterschlagen[1]) und am
Cyclus herumgenagt.' Was Hermes zuletzt vorbringt, mufs
ein ganz neuer Grund sein, der ihm eben eingefallen ist[2]),
Trygaios mufs also etwas anderes gemeint haben. Nach dem
Anlasse seines Verdachtes fragt Hermes nicht, er hat ihn also
ohne weiteres verstanden, und die Zuschauer werden gleichfalls
gewufst haben, worauf gezielt werde. Wir müssen es freilich
erraten; aber wodurch sonst können Helios und Selene ihr Übel-
wollen den Hellenen offenbaren, als durch Finsternisse? Und
zwar müssen wir, da von beiden Lichtern die Rede ist, an
Verfinsterungen beider denken, die an einem für Athen be-
deutungsvollen Momente kurz aufeinander gefolgt seien. Welche
gemeint seien, darüber kann kein Zweifel obwalten; es sind
dieselben, welche nach Aristophanes selber (Wolk. 581 ff.) der
Wahl Kleons zum Strategen und seinem Zug nach Amphipolis
vorausgingen.[3]) In dieser für ganz Hellas kritischen Zeit
mufste eine so auffallende Naturerscheinung für Athen wie
für Sparta das Schlimmste bedeuten; Hellas wird sich im
Kampfe aufreiben — das mochte die Meinung gewesen sein —
und eine leichte Beute für die Barbaren werden. Natürlich
konnte aber von einer solchen Furcht i. J. 421, wo sich die
Verfinsterungen nur für Kleon und Brasidas, die 'Mörserkeulen

---

1) An diesen Scherz erinnert lebhaft eine Parallele aus der Gegenwart. Im Ural besteht eine Secte, die den Sonntag am Mittwoch feiert,
'weil der Teufel Tage unterschlagen hat'. — 2) Dafür spricht schon
die Partikel ταῦτ' ἄρα. — 3) Wie man diese Schilderung auf ein Un-
wetter beziehen kann, sehe ich nicht ein. Der Ausdruck ἡ ϲελήνη δ' ἐξ-
έλειπε zum mindesten mufs auf eine 'Eklipse' gehen. JBeloch freilich
(d. att. Pol. s. Perikles 269 f.) versteht unter den ὁδοί die Strafsen Athens
und unter dem Ganzen eine νουμηνία; aber war denn der Neumond ein
so drohendes Naturphaenomen? — Die Sonnenfinsternis giebt auch er zu.

5*

von Hellas', als unheilvoll erwiesen hatten, nicht mehr die Rede sein; und damit war auch die Insinuation des Trygaios beziehungslos geworden. Es spricht also alles dafür, dafs der ganze Scherz zu Kleons Lebzeiten gedichtet worden ist. Ganz aufgeben mochte Aristophanes den hübschen Einfall nicht; es ist aber möglich, dafs in der ersten 'Eirene' zwischen V. 408 und 409 noch einige Verse gestanden, in denen Trygaios den Grund seines Verdachtes darlegte.[1]) So ist auch im Anfang des Prologes stark gekürzt worden. Nach den Worten des Sklaven (V. 43 ff.) erwarten wir ein scherzhaftes Herumraten seitens der Zuschauer, worauf dann der andere Sklave mit V. 50 mit der Lösung des Rätsels herausrücken würde; so haben wir es in den 'Wespen'. Statt dessen wird die scharfsinnige Idee des Ioniers gar keiner Antwort gewürdigt; mit V. 49 ἀλλ' εἰκὼν τῷ κανθάρῳ δώcω πιεῖν bricht der Sklave, der die Frage gestellt hat, plötzlich ab und entfernt sich. Hier ist also eine Lücke[2]); was zwischen V. 48 und 50 stand, hat Aristophanes gestrichen, gewifs weil es durch den mittlerweile erfolgten Tod Kleons unpassend geworden war. —

Die Himmlischen sind ausgezogen, aufser Hermes ist nur Polemos als Wächter der gefangenen Eirene zurückgeblieben. V. 236 kommt er lärmend heraus; Trygaios läuft erschrocken davon und versteckt sich, so dafs er den Schrecklichen sieht (V. 239), von ihm aber nicht gesehen wird; mit V. 289 hat dieser die Bühne wieder verlassen, und Trygaios benutzt den Augenblick, um die Choreuten zu rufen. Singend und schreiend kommen sie hereingestürmt; Trygaios gebietet ihnen Schweigen, damit Polemos nicht aufmerksam werde; soweit ist alles in Ordnung. V. 361 will Trygaios an die Befreiung Eirenes

_____

1) Wie die Beschuldigung des Trygaios im Epirrhema, so finden wir die des Hermes im Antepirrhema der 'Wolken' wieder. Cf. darüber ABöckh, Zur Geschichte der Mondcyclen der Hellenen (Neue Jahrb. für Phil., Supplb. I, S. 22 ff.). — 2) Einen Anhalt zu einer teilweisen Ausfüllung derselben könnte die Notiz bei Aelian (nat. an. I, 38) bieten: κανθάροις δὲ κακόcμοις θηρίοις εἴ τις ἐπιρράνειε μύρου (cf. Eir. 169), οἳ δὲ τὴν εὐωδίαν οὐ φέρουcιν, ἀλλ' ἀποθνήcκουcιν. οὕτω τοί φαcι καὶ τοὺς βυρcοδέψας cυντραφέντας ἀέρι κακῷ βδελύττεcθαι μύρον. Sie erinnert zu auffallend an die Fiction des Aristophanes, um aufser Zusammenhang mit ihr zu stehen.

gehen, da tritt ihm Hermes entgegen. 'Verwegener, was tust
du? du bist verloren!' — 'Wieso?' — 'Weifst du nicht, dafs
Zeus den Tod verhängt hat, wenn einer sie zu befreien versucht?'
Natürlich weifs er es nicht, und wir ebensowenig; V. 195 ff.
hiefs es, die Götter hätten ganz Hellas dem Polemos über-
antwortet und wären fortgezogen; dieser hätte dann aus eigener
Machtvollkommenheit Eirene eingeschlossen; dafs Zeus sich
noch weiter um die ganze Angelegenheit gekümmert habe,
war nicht zu ersehen. — 'Jetzt mufs ich also sterben?' spottet
Trygaios. — 'Ganz gewifs'. — 'So leihe mir drei Drachmen zu
einem Ferkel'. Nun ist die Geduld des ἐριούνιος erschöpft;
er erhebt seine Stimme und ruft — doch wohl den Polemos,
den Wächter Eirenes? Nein, Zeus selber. Wie sollte ihn
aber dieser hören, da er doch πόρρω πάνυ fortgezogen ist, ὑπ'
αὐτὸν ἀτεχνῶς τοὐρανοῦ τὸν κύτταρον? Es ist nicht gut,
wenn der Märchendichter die Gesetze der phantastischen Welt
verletzt, die er selber geschaffen hat; und das ist hier zweifellos geschehen. Nichtsdestoweniger würde ich mich nicht für
berechtigt halten, die Schwierigkeit durch Zuhilfenahme der
Diaskeue zu heben, wenn nicht ein äufseres Zeugnis dazu
einlüde. Zu V. 236 — wo Polemos zum ersten Male auftritt — bemerkt der Scholiast: ὁ Πόλεμος ἐξέρχεται θέλων
τρῖψαι μυττωτόν ... τινὲς δέ φασι τὸν Δία ταῦτα λέγειν[1]).
Da Polemos in dieser selben Scene wiederholt genannt wird,
so ist an ein Mifsverständnis seitens der τινές nicht zu denken;
ihre Ansicht ist blofs dann begreiflich, wenn in der ersten
'Eirene' eine parallele Scene vorhanden war, in welcher Zeus
die Rolle des Polemos spielte. Und wenigstens für den
ersten Teil dieser Consequenz haben wir auch eine ander-
weitige Bestätigung; es wird aus einer 'Eirene' der Vers 'ἰὼ
Λακεδαῖμον, τί ἄρα πείσει τήμερα;' citiert, der im erhaltenen
Stücke nicht vorkommt und doch eine Situation voraussetzt,

---

1) In ähnlicher Weise heifst es im Scholion zu V. 606 der
'Frösche' — es ist die Scene, wo Dionysos und Xanthias von Aiakos
bezw. dem Sklaven der Unterwelt umschichtig Prügel bekommen —
ἔνιοι δέ φασι πάντα αὐτὸν λέγειν τὸν Πλούτωνα, — d. h. dafs die Rolle des
Aiakos durch Pluton gespielt wurde —; doch ist das mit der Diorthose
des Stückes nicht in Zusammenhang zu bringen. S. unten II, § 4.

die unserer Scene völlig analog ist. — Trat aber für Polemos
Zeus selber auf, so ist es durchaus folgerecht, dafs sich Hermes
V. 376 an ihn wendet. Dies würde eine Überarbeitung des
Prologes von V. 195 an voraussetzen.

Soviel darf demnach als sicher gelten: unsere 'Eirene'
ist die Diaskeue eines verlorenen Dramas von gleichem
Namen. Dieses letztere wurde aufgeführt nach der Wahl Kleons
zum Strategen und vor seinem Tode, also an den grofsen
Dionysien 422[1]), genau ein Jahr vor der Aufführung des erhaltenen Stückes. Die Änderung mufs umfassend gewesen
sein; Zeus wurde durch Polemos, ferner Georgia (frgm. 294 K.)
durch Opora oder Theoria oder beide ersetzt.

Hatte nun — um auf die Hauptfrage zurückzukommen
— die erste 'Eirene' einen Agon? An sich steht dieser
Möglichkeit nichts entgegen; sie wird zur Wahrscheinlichkeit,
wenn man die Rolle des Zeus ins Auge fafst. Er hat es bei
Todesstrafe verboten, Eirene ans Tageslicht zu fördern; Trygaios trotzt seinem Verbote, und doch geht er ungestraft von
hinnen? Schon GDroysen vermifst 'eine neue Gefährdung der
befreiten Eirene seitens des Polemos'; wie die Sachen stehen,
löst sich die Schwierigkeit für Trygaios gar zu spielend. Der
berechtigte Anstofs, den wir an der Entwickelung der Handlung im erhaltenen Stücke nehmen, würde aber im verlorenen
um so gröfser sein, je höher Zeus steht als Polemos.

Aber wagen wir einmal die Vermutung, Zeus habe
Eirene von neuem gefährdet. Gerade wie sich Trygaios und
die Seinen zum Feste rüsten, zwischen Parodos und Parabase
— die in unserem Stück fast unmittelbar aneinanderstofsen —
kommt er vom Himmel herab in der besten Absicht, Trygaios
zu ἐπιτρῖψαι. Wie mag sich die Handlung entwickelt haben?
Trygaios mufs am Leben bleiben; also hat er Zeus überzeugt?
also hat jemand widersprochen? — denn dafs Zeus die Sache
des Polemos gegen einen Sterblichen vertrete, geziemt nicht
der Würde des obersten Gottes. Trifft das aber zu, so gab
es auch einen Streit — einen Agon.

Wer mag nun der Gegner des Trygaios gewesen sein?

---

1) Zu diesem Resultat kommen auch GDroysen und JStanger.

Zeus nicht; der war zum Richter berufen. Polemos existiert für die erste 'Eirene' nicht. Sehen wir uns unter den Menschen um — wer war der gröfste Feind Eirenes? In erster Linie natürlich Kleon; aber ihn aus Thrakien herzuciticren hatte seine Schwierigkeit. Lamachos? Der hatte in den 'Acharnern' sein Teil bekommen. Nun bleibt nur einer übrig — der Mann, bei dessen Erwähnung die Göttin voll Abscheu sich abwendet (V. 681), der nach Kleon der eifrigste Kriegspolitiker war, der noch vor zwei Jahren hundert Schiffe gegen Karthago ausrüsten wollte — Hyperbolos. Die Hypothese, dafs er und kein anderer der Gegner des Trygaios war, ist gar nicht so gewagt, wie sie auf den ersten Blick erscheinen mag.[1]) Denn wie ist es sonst zu erklären, dafs Trygaios sich V. 920 ff. rühmt

> δεινῶν ἀπαλλάξας πόνων
> τὸν δημότην
> καὶ τὸν γεωργικὸν λεών
> Ὑπέρβολόν τε παύςας[2])?

κᾷτα τῷ τρόπῳ οὐκ ἠςθόμην ἀγαθὸν τοςουτονὶ λαβών; konnte Hyperbolos fragen; denn von ihm ist, abgesehen von V. 681, wo er als προςτάτης genannt ist, im ganzen Stücke nicht die Rede gewesen. Nun könnte man allerdings einwenden, dafs eben durch die Befreiung Eirenes Hyperbolos das Handwerk gelegt worden ist; die Beweiskraft dieses Einwandes ist gerade grofs genug, um meine Vermutung nicht als sicher erscheinen zu lassen. Doch wird man immerhin zugestehen, dafs sie manches für sich hat.

---

1) Den Umstand, dafs Aristophanes Wolk. 551 ff. sich selbst unter den Komikern, die Hyperbolos aufs Korn genommen hatten, nicht anführt, wird niemand gegen meine Vermutung ins Feld führen. Kam auch Hyperbolos in der ersten 'Eirene' übel weg, so war diese Komoedie doch nicht in dem Sinne gegen ihn gerichtet, wie etwa der 'Marikas', die Ἀρτοπώλιδες und der 'Hyperbolos', oder wie die 'Ritter' gegen Kleon. — 2) Ebenso heifst es V. 1319 ὀρχηςαμένους καὶ ςπείςαντας καὶ Ὑπέρβολον ἐξελάςαντας. Wer an dieser Scene Anstofs nimmt (REnger Rh. M. IX, S. 754; JStanger a. a. O. S. 39), der hat das Ballet nicht in Betracht gezogen, das zwischen V. 1316 und 1317 anzusetzen ist. Hierauf bezieht sich das Wort ὀρχηςαμένους; das ςπειςαμένους auf die Einweihung der Eirene; die Austreibung des Hyperbolos mufs mithin dieser vorangegangen sein.

Dem sei indessen wie ihm wolle; einen Agon hat die erste 'Eirene' auf jeden Fall gehabt, und das ist alles, was hier zu beweisen war.

Allein wie ist der Umstand zu erklären, dafs die zweite 'Eirene', die doch auch ein aufgeführtes, also fertiges Stück ist, trotz alledem des Agons entbehrt? Sie steht — auf die 'Thesmophoriazusen' möge man sich nicht vor der Zeit berufen — mit dieser Eigenschaft ganz vereinzelt da, ihre aufsergewöhnliche Stellung mufs einen aufsergewöhnlichen Grund haben. Der Agon ist nach dem Gesagten die Katastrophe der Komoedie; eine Komoedie ohne Agon ist ebensowenig eine Komoedie, wie eine Tragoedie ohne Katastrophe eine Tragoedie sein würde. Unter den fertigen Dramen Schillers, beispielshalber, findet sich nur eins, welches keine Katastrophe enthält — die 'Huldigung der Künste'; es ist aber auch keine Tragoedie, sondern ein Gelegenheitsfestspiel.

Dasselbe ist von unserem Stücke anzunehmen. Die zweite 'Eirene' war keine Komoedie; ihre Interesse lag nicht in ihr selber, sondern in einem fremden Elemente, dem sie nur zum Beiwerk diente. Kurz, sie war ein Weihefestspiel.

Die Rolle, welche Eirene selbst in unserem Stücke spielt, hat viel auffallendes. Mit Recht wundert sich Trygaios (V. 657), dafs sie kein Wort redet[1]); wenn ihm Hermes als Grund ihres Schweigens den Zorn angiebt, den die Mifshandlung seitens der Athener bei ihr hervorgerufen hat, so wissen wir, was wir davon zu denken haben; es ist ein Versuch, die komische Fiction aufrecht zu erhalten. Der wahre Grund war, Eirene durfte oder konnte nicht reden. Das erste trifft nicht zu; in den meisten Scenen des Stückes sind nur zwei Schauspieler anwesend, so dafs die Rolle der Eirene recht wohl von einem dritten gespielt werden durfte. Also konnte die Göttin nicht reden; und das ist nur natürlich, da sie nach Eupolis und Platon d. K.[2]) eine Statue war. Doch ist da-

---

1) Hier mag auf die Verwandtschaft dieses Motives mit der 'Alkestis' des Euripides hingewiesen werden. In ganz analoger Weise, wie hier Eirene, wird dort Alkestis befreit; sie kehrt zurück, aber die Sprache ist ihr noch nicht wiedergegeben. — 2) Schol. Plat. p. 331 B. Κωμῳδεῖται δὲ (Aristophanes) ὅτι καὶ τὸ τῆς Εἰρήνης κολοσσικὸν ἐξῆρεν ἄγαλμα,

mit die Schwierigkeit nicht gelöst, sie wird erst grofs. Wir
wissen, dafs in der ersten 'Eirene' wenigstens Georgia durch
einen Schauspieler gegeben wurde, und die Analogie verlangt,
dafs wir von Eirene dasselbe annehmen[1]); was mag den
Dichter veranlafst haben, ihre Rolle im zweiten Stücke in
einer für uns wenigstens sehr ungeniefsbaren Weise durch ein
Standbild[2]) spielen zu lassen? Diese Frage ist um so berech-
tigter, da die beiden übrigen Göttinnen[3]), Opora und Theoria,

Εὔπολις Αὐτολύκῳ, Πλάτων Νίκαις. Wenn TBergk (a. O. S. 1064) bemerkt, Aristophanes wäre verspottet worden, weil er das Kolossalbild
der Eirene zwar ans Licht gefördert, aber nicht zweckmäfsig zu verwenden verstanden habe, da es die ganze Zeit müfsig dastehe und weder
handle noch rede, so verstehe ich ihn nicht recht. Was kann eine
Statue anders tun, als stehen? — 1) Das haben auch sämtliche Interpreten getan. — 2) Nur eine Stelle könnte den Leser an dieser Auffassung
irre machen: V. 682 αὕτη, τί ποιεῖς; τὴν κεφαλὴν ποῖ περιάγεις; Da niemand
gern an einen pagodenhaft beweglichen Kopf denken wird, so wird angenommen werden müssen, die Statue sei auf einem drehbaren Podium
gestanden. Möglicherweise stammt der Vers auch aus der ersten 'Eirene'.
— 3) Göttinnen sind sie, obgleich sie — namentlich Theoria — ziemlich unehrerbietig behandelt werden; V. 524 treten sie mit ihren Attri-
buten auf und werden an diesen von Trygaios ohne weiteres erkannt.
Nach der Meinung der Hellenen hatte das Beilager mit Göttinnen für
die Sterblichen Auszehrung zur Folge (s. Hymn. a. Aphr. V. 189 ἐπεὶ
οὐ βιοθάλμιος ἀνὴρ γίγνεται, ὅστε θεαῖς εὐνάζεται ἀθανάτῃσιν), es ist daher ganz in der Ordnung, dafs Trygaios, als ihm Opora zum Weibe gegeben wird, voll Besorgnis Hermes fragt, ob der Genufs der Opora ihm
nicht schaden werde. Hermes versteht die Frage absichtlich falsch; da
Opora auch Obst bedeutet, so antwortet er ihm: 'nein, du mufst nur
Poleithee hinterher trinken.' Polei wurde nämlich, wie noch jetzt, von
den Griechen gegen Verdauungsbeschwerden getrunken (cf. Fraas, Syn.
plant. flor. classicae S. 177; Lenz, Botanik der alten Griechen und
Römer S. 515). Mit ähnlichem Doppelsinn schreibt (Aelian 'Bauern-
briefe' 7) der Landmann Derkyllos an seine Freundin Opora (Opora als
Hetaerenname auch bei Alexis AMein. FCG III, 459): τῆς 'Οπώρας οὖν
κατελάcας (so für das überlieferte καταγελάcας AMeineke Herm. I, 421ff.;
RHercher καταπειράcας) τί ἀδικῶ; ἐπεὶ τά τε ἄλλα καὶ ἐφολκὸν ἐς ἔρωτα
τὸ ὄνομα, καὶ ταῦτα ἀνδρὶ γεωργίᾳ ζῶντι. Ich denke, diese Erklärung
dürfte der Wahrheit näher kommen, als der unsaubere Einfall von
JRichter (z. d. St.). Zu bemerken hätte ich gegen diesen noch, dafs
βληχώ in der von JRichter citierten Stelle der 'Lysistrate' deshalb
τὴν ἐπανθοῦcαν τρίχα bedeutet, weil von einer Thebanerin die Rede ist und
βληχώ das Wahrzeichen Boiotiens ist; hier würde es niemand verstehen.

wenigstens als lebende Wesen auftreten. Sicher mufs es mit
der Kolossalstatue der Eirene eine eigene Bewandtnis gehabt
haben. Wie, wenn sie den Hauptanziehungspunct der Komoedie gebildet hätte?

Der Käfer, auf dem Trygaios gen Himmel fährt, wird ver-
möge eines Krahnes, der auf dem Schnürboden befestigt ist,
in Bewegung gesetzt.[1]) V. 177 ist er auf dem Episkenion,
wo sich der Palast des Zeus befindet, angelangt, Trygaios
steigt ab und der Käfer schwebt empor, bis er oben auf dem
Schnürboden verschwindet. Für die fingierte Welt der Komödie befindet sich dort der κύτταρος des Himmels; daher antwortet Hermes, als ihn Trygaios nach dem Käfer fragt, Zeus
habe ihn zu sich aufgenommen. Doch wird jeder zugeben,
dafs dieses nur eine komische Ausflucht ist; es ist nicht abzusehen, warum Aristophanes den grandiosen Gedanken, Trygaios zum Jubel des versammelten Volkes auf seinem Mistkäfer niederschweben zu lassen, aufgegeben haben sollte, wenn
ihn nicht äufsere Gründe gewichtiger Natur dazu gezwungen
hätten. Und diese Gründe bestanden darin, dafs der Krahn
inzwischen notwendig geworden war, um Eirene samt ihrem
Postament vom Himmel zur Erde zu bringen. Das liegt in
den Worten des Aristophanes selber (V. 725 f. TPY. πῶς
δῆτ᾽ ἐγὼ καταβήσομαι; ΕΡΜ. θάρρει, καλῶς, τηδὶ παρ᾽ αὐτὴν
τὴν θεόν.) ausgedrückt; Trygaios und die beiden Mädchen
werden mit Eirene zusammen auf demselben Gestell herab-
gelassen. Das wäre alles nicht nötig gewesen, wenn Eirene
ein lebendes Wesen, oder auch eine Strohpuppe gewesen
wäre; der complicierte Apparat läfst uns auf etwas grofses —
auf ein Marmor- oder Erzbild — schliefsen.

Und das war auch unsere Eirene. Nur unter dieser Voraussetzung wird eine Scene verständlich, die bis jetzt auf alle
Leser ihre Wirkung verfehlt hat — die Scene, wo Hermes
die Choreuten und Trygaios über die Schicksale Eirenes belehrt. Wenn er mit den Worten anfängt (V. 605):

πρῶτα μὲν γὰρ ἤρξατ᾽ αὐτῆς Φειδίας πράξας κακῶς[2]),

----

1) Die Ausstattungsfrage ist in der Hauptsache richtig von J Richter
(proll. zur Ausgabe des Stückes cap. II) auseinandergesetzt worden. —
2) Wir müssen, so hart es auch klingt, das ἤρξατο praegnant ver-

so fragt man sich erstaunt, was in aller Welt Pheidias mit
dem Losbruche des peloponnesischen Krieges zu tun habe.
Im Hinblick aber auf das Standbild Eirenes wird es sofort
verständlich; der Zuhörer legt sich die Sache etwa so zurecht:
Dieses Standbild hat Pheidias begonnen, doch überraschte
ihn der Tod bei der Arbeit; nachher war die Gelegenheit, die
Statue fertig zu stellen, nicht mehr da, und jetzt endlich hat ein
Schüler des Pheidias das Werk seines Meisters vollendet.
Und nur unter dieser Voraussetzung wird die Antwort des
Chors verständlich. 'Traun, das habe ich nicht gewußt, daß
Pheidias ihr Anverwandter ist; drum ist sie also so schön!'
Der Mehrzahl des anwesenden Publikums war die Urheber-
schaft des Pheidias an der Statue, die unter dem Namen
des Schülers ging, unbekannt.

Diese 'Eirene des Pheidias' werden wir uns im wesentlichen nach der erhaltenen, einige Jahrzehnte jüngeren Eirene
des Kephisodotos (der sog. Leukothea in München) zu reconstruieren haben. Den Plutos hielt wahrscheinlich auch sie auf
den Armen, da er einmal zur Vorstellung der Ἐιρήνη βαθύ-
πλουτος gehört; in der Rechten hob sie vielleicht — wie der
Hermes von Olympia — eine Traube empor, woraus die Anrede βοτρυόδωρος, womit Trygaios sie bei ihrem Erscheinen
begrüßt, sich erklären würde (cf. V. 308 φιλαμπελωτάτη).

Eine Eirene, von Pheidias' Hand begonnen, war gewiß
ein Ereignis für das kunstliebende Publicum in Athen. Daß
sie ein Cultusbild war, versteht sich; ihr Platz war fortan in
einem eigenen Tempel. Sonst pflegen die Cultusbilder in ihren
Heiligtümern geweiht zu werden; in einem Falle aber, wie
der vorliegende, wo der zu errichtende Cultus der Eirene[1]) den

---

stehen: 'ließ sie unvollendet.' An der Stelle ist begreiflicherweise
vielfach geändert worden; die Aufzählung der Conjecturen darf ich mir
um so mehr erlassen (teilweise zusammengestellt von HMüller-Strübing,
Fl. Jb. 117, 762 ff.), da die Richtigkeit der Überlieferung leicht erwiesen
werden kann. Die Annahme einer Lücke wäre ebenso verfehlt, wie eine
Athetese (s. u. B IV, § 2); αὐτῆς ist geschützt durch die Antwort des Trygaios (s. HMüller-Strübing a. O.), ebenso die übrigen Worte bis auf
ἤρξατο; und dies ist von allen vorgeschlagenen noch die beste Lesart.
— 1) Ganz neu war er nicht. Zuerst hatte Kimon (Plut. Kim. 13) einen

ganzen Frieden, das Werk der reichen Partei des Nikias,
Athen und Hellas empfehlen sollte, war es nur natürlich,
wenn für die Einweihung ein Festplatz gewünscht wurde, der
die Zuschauer nach Tausenden fassen konnte; und dazu war
kein Raum geeigneter, als der geheiligte Boden des Dionysostheaters.

Aristophanes mufs sich leicht haben bereden lassen, seine
vor einem Jahr aufgeführte Komoedie zum Weihefestspiel herzugeben, da mit dem Friedensschlusse auch seine Wünsche erfüllt werden sollten. Neben dem Hauptereignis des Tages
konnte sie nur auf den kleineren Teil des Interesses rechnen.
So kann es denn nicht auffallen, dafs wir in ihr den Teil vermissen, der sonst die Komoedie zur Komoedie macht — den
Agon; wo sich alle im Genusse des Friedens befanden, wäre
es lästig und unzweckmäfsig gewesen, ihn noch in Frage zu
stellen.

Zu Anfang des Dramas, wo niemand in der verdeckten
Höhle des Episkenions die Eirene ahnt und aller Aufmerksamkeit sich auf die Handlung concentriert, entspricht diese
den Erwartungen vollkommen; die märchenhaft reizvolle, und
doch packend komische Erfindung des fliegenden Riesenkäfers
ist noch jetzt jedem bekannt und lieb, der jemals den Namen
Aristophanes gehört hat. Sobald aber Hermes auf die Grotte
der Eirene hingewiesen hat, fühlt jeder, dafs das Ende der
Handlung nahe sei; die leicht hinweggeräumten Hindernisse
dienen nur dazu, die Spannung zu steigern; bald ist der
Moment der Erlösung da. Nach einer letzten, äufsersten An-
strengung des Trygaios und der Choreuten fällt der Ver-
schlufs, und mit einem Mal steht das schöne Kunstwerk vor
den Augen des Zuschauers. Nun zieht sich die Komoedie be-
scheiden in die dienende Stellung zurück, die ihr in Gegenwart der Göttin selber zukommt; was jetzt folgt, gruppiert
sich um die Statue, wie eine Schale um ihren Kern; während
des unbedeutenden Gespräches des Trygaios mit Hermes

Altar der Eirene gestiftet; eine Erneuerung des Cultus durch Timotheos
(Corn. Nep, Tim. 11) war wohl die Veranlassung für Kephisodot, seine
Eirene zu bilden.

(V. 520 ff.) und des folgenden Preisgesanges (V. 582 ff.) hat
sich das Publicum von seinem Erstaunen erholt, und nun
wird es über die Herkunft des Standbildes belehrt (V. 601 ff.);
dann folgt ein im grofsen und ganzen versöhnend gehaltener
Dialog zwischen Eirene, für die Hermes das Wort führt, und
Trygaios. Nun mufste eine Pause eintreten, damit Eirene
auf die Erde niedergelassen werden konnte; hier war eine
Parabase am Platze, die gleichfalls in ihrer Bedeutungslosig-
keit — die Epirrhemen, sonst der anziehendste Teil, fehlen
hier — die Aufmerksamkeit der Zuschauer nur wenig vom
schönen Schauspiele auf der Bühne ablenkte, wo mittlerweile
Eirene auf ihrem Postament, ihr zu den Seiten die Herbst-
wonne und die Festlust, ihr zu Füfsen der attische Landmann
Trygaios — gewifs ein prächtiges lebendes Bild — sanft zur
Erde niederschwebten. Wie der Chor das letzte Wort gesungen hat, steigt Trygaios herab; es folgen zwei parallele
Scenen (V. 819 ff., 868 ff.), in denen über Opora und Theoria
verfügt wird, und nun kehrt die Handlung, wenn von einer
solchen die Rede sein kann, zu Eirene zurück. In einer
langen Scene (V. 922—1126) erfolgt die Weihe ihres Bildes,
und zwar nicht die fingierte, sondern die wirkliche Weihe,
nach deren Vollendung die Statue als heilig galt. Dafür
spricht vor allem der Umstand, dafs sie vor den Augen der
Zuschauer erfolgt; sonst pflegt Aristophanes die heilige Handlung hinter die Coulissen zu verlegen (Vög. 1056 f., Plut.
795 ff.), teils um dem Publicum die Weile nicht lang zu machen,
teils gewifs aus Scheu, das Ehrwürdige zu profanieren. Wenn
in der Weihescene manches vorkommt, was uns nicht ganz
am Platze zu sein scheint, so hat das nichts zu sagen; in
Hellas war es am Platze, wie die Etymologie des Wortes
βωμολόχος beweist. Es handelt sich um ein Freudenopfer,
die hellenischen Götter zürnen nicht, wenn die Menschen
fröhlich sind.[1] Und das mufs jeder zugeben — unter der Annahme, das Opfer sei nur fictiv, ist die ganze Scene unaus-

---

1) Es beruht daher auf einer gründlichen Verkennung sowohl der
antiken Auffassung im allgemeinen wie auch unserer Komoedie im besonderen, wenn TKötscher (a. O. S. 371) in der 'Eirene' 'das ganze Opfer
lächerlich gemacht' findet.

stehlich; unter der Annahme dagegen, die hier befürwortet wird, beansprucht sie dasselbe Interesse, wie jede andere heilige Handlung auch. — Wie die Weihe zu Ende ist, tritt wieder eine Pause ein, indem die Statue weggerollt wird; die Pause wird durch die zweite Parabase ausgefüllt, die auch die Epirrhemen enthält. Überhaupt lebt mit der Entfernung der Eirene die Handlung wieder auf; was jetzt kommt, die übermütigen Scherze des Trygaios mit den Waffenhändlern, mit den Buben des Lamachos und Kleonymos, ist geradezu reizend, und nicht minder der fröhliche Schlufsgesang.[1])

Die Tatsache also, dafs die erhaltene 'Eirene' des Agons entbehrt, ist durch die eben beendete Untersuchung nicht hinweggeräumt, sondern nur erklärt worden. Mit den Resultaten derselben dürfen wir uns trotzdem zufrieden erklären; denn wenn auch der Archaeologe mit der nachgewiesenen Eirene des Pheidias, die vorläufig noch durch keine bildliche Darstellung ihm veranschaulicht wird, nicht viel wird zu beginnen wissen, so liegt doch für die Philologie, wie mich dünkt, ein Fortschritt darin, dafs wir die 'Eirene' nicht mehr für eine der schwächsten Komoedien des Meisters, sondern für das sinn-

---

1) Die Ausnahmestellung, die hiernach unserer Komoedie zukommt, kann auch durch eine Erwägung grundverschiedener Art erwiesen werden. Dafs die altattische Komoedie als solche nur Männer zu Zuschauern hatte, steht hinreichend fest (cf. WAPassow Darmst. philol. Zft. 1837 N. 39; MEgger hist. de la crit. 504 ff.). Ebenso sicher ist aber, dafs der Aufführung der 'Eirene' Frauen beiwohnten, und zwar Bürgerinnen, nicht etwa Hetaeren. V. 953 fragt Trygaios den Sklaven, ob er Gerste unters Publikum geworfen habe; der Sklave antwortet:

νὴ τὸν Ἑρμῆν, ὥστε γε
τούτων ὅσοιπέρ εἰσι τῶν θεωμένων
οὐκ ἔστιν οὐδείς, ὅστις οὐ κριθὴν ἔχει.

TΡΥΓΑΙΟC.

οὐχ αἱ γυναῖκές γ᾽ ἔλαβον.

ΟΙΚΕΤΗC.

ἀλλ᾽ εἰς ἑσπέραν
δώσουσιν αὐταῖς ἄνδρες.

Dafs demnach unter den θεώμενοι auch Frauen waren — und zwar von den Männern geschieden, etwa in den oberen Sitzreihen — ist nicht anzuzweifeln. Ehrbarer ist unser Stück deswegen nicht, doch hat das nichts zu sagen.

reichste und artigste Weihefestspiel halten dürfen, das je gedichtet und gegeben worden ist.

Und die 'Thesmophoriazusen'? — Hier scheint die § 10.
Sachlage auf den ersten Blick ganz hoffnungslos. Allerdings
wissen wir, dafs es noch eine andere Komoedie des Aristophanes mit diesem Titel gab; allein von Casaubonus[1]) bis
TKock[2]) sind alle darüber einig, dafs diese verlorene Komoedie einen von der erhaltenen völlig verschiedenen Stoff behandelt hat. Und zwar tritt diese Behauptung immer in so
sicherer, kategorischer Form auf, dafs man ein Axiom oder
Dogma der Philologie vor sich zu haben glaubt.

Wenn beide Schalen einer empfindlichen Wage gleich
leer sind, giebt eine Flaumfeder den Ausschlag. Als eine
solche hat sich im vorliegenden Falle das Zeugnis des Athenaios[3]) erwiesen: Ἀριστοφάνους τὰς δευτέρας Θεςμοφοριαζούςας
Δημήτριος ὁ Τροιζήνιος Θεςμοφοριαςάςας ἐπιγράφει. Das erhaltene
Stück spielt am dritten Tage der Thesmophorien, der Nesteia;
die Worte des Demetrios liefern uns, combiniert mit Frgm.
335 K., den dankenswerten Beweis, dafs die verlorene Komoedie am letzten Tage, der Kalligeneia spielte. Nun weifs jeder,
der die 'Thesmophoriazusen' gelesen hat, dafs der Tag des
Festes auf die Handlung den allergeringsten Einflufs ausübt;
so wie sie ist, könnte die Komoedie ebensogut an den Stenien
oder Skiren, überhaupt — da die heilige Handlung auf der
Bühne nicht dargestellt werden durfte — an jedem Frauenfest spielen.

Es wäre daher besser gewesen, die Frage vorläufig unentschieden zu lassen[4]), besonders, da die andere Wagschale bereits mit einem ganz beachtungswerten Gewichte be-
lastet war — der durch Praecedenzfälle gestützten Forderung
des gesunden Menschenverstandes, dafs verschiedene Dramen
verschiedene Titel haben. Doch mag diese einstweilen auf
sich beruhen; nach dem Gesagten werde ich nicht zu kühn

---

1) Zu Athenaios 1, 29 A. — 2) CAF I, S. 482. — 3) a. O. —
4) Der begangene Irrtum hat denn auch andere zur Folge gehabt.
Nach TBergk (bei AMeineke FCG II, 2, S. 1075) und TKock wäre das
verlorene Stück die Fortsetzung des erhaltenen gewesen: eine 'Dilogie',
die sich in ihrer Vereinsamung wunderlich genug ausnimmt.

scheinen, wenn ich den Boden in dieser Hinsicht für durchaus neutral erkläre. Wichtiger ist ein anderer Umstand; wenn auch zugegeben werden mag, dafs von den beiden Stücken das spätere die Diaskeue des früheren ist, so scheint damit für die hier behandelte Frage nicht viel gewonnen zu sein, da das verlorene Stück häufig als die Θεcμοφοριάζουcαι δεύτεραι citiert wird, das erhaltene demnach für das frühere gehalten werden mufs. Dem gegenüber mufs jedoch auf das entschiedenste betont werden, dafs bei vielen Grammatikern[1]) keineswegs das chronologische Verhältnis für die Bezeichnungen πρότεραι (oder α΄) und δεύτεραι (oder ἕτεραι, oder β΄) mafsgebend war, sondern das gelesene, in den Handausgaben verbreitete Stück das erste, das unzugänglichere das zweite hiefs. Zwei Beispiele dieses Sprachgebrauches sind bereits angeführt worden[2]); das eine Mal führt Athenaios[3]) die VV. 1196—1200, das andere Mal der Scholiast Platons[4]) den V. 1417 des Nebenagons unter den 'ersten Wolken' an, obgleich beide Stellen der zweiten Bearbeitung angehören. Ferner wird ein Fragment der verlorenen 'Thesmophoriazusen' (334 K) von Hephaistion unter πρότεραι Θεcμ. citiert. So wird es endlich auch zu erklären sein, wenn die Scholiasten den verlorenen 'Plutos' als den zweiten bezeichnen.[5]) Wir würden das Verzeichnis leicht vermehren können, wenn unsere Quellen nicht die leidige Gewohnheit hätten, bei wiederholten Komoedien die Zusätze πρότερος und δεύτερος auszulassen. Doch wird schon das Angeführte hinreichen, um auch für die Zeitfrage den Boden neutral erscheinen zu lassen. Und nun mufs hervorgehoben werden, dafs dieselben Praecedenzfälle, welche zu Gunsten der Diaskeue sprechen, auch die Ansicht empfehlen, dafs die 'Nesteia' — so will ich das erhaltene Stück im Gegensatz zur 'Kalligeneia', dem verlorenen, nennen — die Überarbeitung der Komoedie sei. Die 'Acharner', die 'Wolken', die 'Eirene', der 'Plutos' sind uns in der Über-

---

1) Dieser Gesichtspunct könnte sich für die grammatische Quellenkunde als nicht unfruchtbar erweisen. Sicher hing der Sprachgebrauch nicht von der Willkür jedes einzelnen Grammatikers ab, sondern war an gewisse Schulen gebunden. — 2) S. 43 A 4. — 3) IV, 171 C. — 4) 465 Bekker. — 5) Zu V. 173 u. a.

arbeitung erhalten; und seltsam wäre es in der Tat, wenn in die Handausgabe der aristophanischen Lustspiele die ersten, nicht die zweiten Auflagen aufgenommen wären.

Doch soll das nicht mehr sein, als ein Versuch, die Grundlosigkeit der allgemein gehegten Ansicht über das Verhältnis der beiden 'Thesmophoriazusen' zu einander darzutun. Wenn ich der Meinung bin, dafs die 'Nesteia' die Überarbeitung der 'Kalligeneia' ist, so sind es — abgesehen vom fehlenden Agon — Gründe zwingendster Art, die mich dazu bewegen. Ich beginne mit dem Augenfälligsten.

Der mittlere Tag der Thesmophorien war nicht blofs für die Menschen, sondern auch für die Götter ein Tag der Trauer und des Fastens. Es wurden keine Opfer dargebracht; dies geht nicht blofs aus der Gegenüberstellung beim Scholiasten[1]) hervor — τῇ μέcῃ τῶν Θεcμοφορίων ἧ μάλιcθ᾽ ἡμῖν cχολή· ἐν γὰρ ταῖς ἄλλαις ἡμέραις περὶ τὰς θυcίας γίνονται — sondern noch viel zwingender aus den Worten des Aristophanes selbst; Vög. 1519 sagt Prometheus:

ἀλλ᾽ ὡcπερεὶ Θεcμοφορίοις νηcτεύομεν
ἄνευ θυηλῶν.

Im allgemeinen wird diese Bestimmung auch in unserer 'Nesteia' vorausgesetzt. Die durstige Mika kann zwar ihres Weinschlauchs nicht entbehren, doch mufs sie ihn als Kind verkleiden und so durchschmuggeln; auch scheint sie ihren Hunger mit einem Sesamkuchen gestillt zu haben, aber so heimlich, dafs nur Mnesilochos es weifs (V. 570). Nun aber sagt Mnesilochos (V. 284 f.) zu seiner Begleiterin:

Ὦ Θρᾷττα, τὴν κίcτην κάθελε, κᾆτ᾽ ἔξελε
τὰ πόπαν᾽, ὅπως λαβοῦcα θύcω ταῖν θεαῖν.[2])

Hierin liegt ein Widerspruch, der nur durch die Annahme, dafs wir es mit einem Überbleibsel aus der 'Kalligeneia' zu

---

1) Zu V. 376 — 2) FVFritzsche (de Thesmophoriazusis Comici posterioribus S. 7) verfällt auf die verzweifelte Idee, dafs Mnesilochus aus der Rolle falle: 'quod autem Mnesilochus sacrificium deabus offert, laedit nimirum morem patrium et infeliciter, ut alias (wo denn?), personam agit mulieris' — gewifs der beste Beweis, dafs der Stelle mit den gewöhnlichen Mitteln der Exegese nicht beizukommen ist.

tun haben, erklärt, wenn auch nicht beseitigt wird. Dafs
am Feste der Kalligeneia viel geopfert wurde, ist bekannt.[1])
Ein weiteres Bedenken. Nachdem ihm Thratta das Verlangte gereicht, sagt Mnesilochos zu ihr: 'jetzt, Thratta, ent-
ferne dich,

δούλοις γὰρ οὐκ ἔξεστ᾽ ἀκούειν τῶν λόγων'.[2])

Wir verstehen das so, dafs nur Freie im Thesmophorion anwesend sind. Aber das Folgende rechtfertigt unsere Erwartung
nicht; nicht nur Mika läfst sich von ihrer Mania bedienen
(V. 728), auch die anderen Frauen haben ihre Dienerinnen
bei sich (V. 537). Man sieht daraus, dafs die Sklavinnen
nicht zu jeder Zeit vom Thesmophorion ausgeschlossen waren.
Combiniert man diese Tatsache mit der bekannten Stelle
des Isaios[3]), so wird man annehmen dürfen, dafs die Festplätze
den Sklavinnen nur während der Opfer unzugänglich waren,
in der übrigen Zeit aber von ihnen betreten werden durften.
Wendet man das auf die Thesmophorien an, so ist die Anwesenheit der Unfreien an der Nesteia, wo nicht geopfert
wurde, weiter nicht auffällig; wohl aber wäre sie es am Feste
der Kalligeneia. Es wird also jede · Schwierigkeit durch die
Annahme beseitigt, dafs die Unterhaltung des Mnesilochos
mit Thratta der 'Kalligeneia', der Zank V. 53 ff.(= Agon N, s. u.)
und die Telephosscene V. 684 ff. der 'Nesteia' angehört.

---

1) In aller Kürze möchte ich bemerken, dafs die verzweifelte Frage
nach den Kalendertagen der Thesmophorien (s. AMommsen Heortologie
291 ff.) ebenfalls durch meine Annahme gelöst wird. — Der vielbesprochene Vers 80

ἐπεὶ τρίτη 'cτι Θεcμοφορίων ἡ μέcη

lautete in der 'Kalligeneia' ἐπείπερ ἐcτὶ Θ. ἡ τρίτη, in der 'Nesteia'
ἐπείπερ ἐcτὶ Θ. ἡ μέcη. — 2) An dem Verse nimmt auch AMeineke
Anstofs, der ihn aber mit leichter Hand streicht. — 3) De Phil.
hered. p. 49, 3 ἡ δὲ τούτων μήτηρ ... οὖcα δούλη καὶ ἅπαντα τὸν χρό-
νον αἰcχρῶc βιοῦcα, ἥν οὔτε παρελθεῖν εἴcω τοῦ ἱεροῦ ἔδει οὔτ᾽ ἰδεῖν
τῶν ἔνδον οὐδέν, οὔcηc τῆc θυcίαc ταύταιc ταῖc θεαῖc ἐτόλμηcε cυμ-
πέμψαι τὴν πομπὴν καὶ εἰcελθεῖν εἰc τὸ ἱερὸν καὶ ἰδεῖν ἃ οὐκ ἐξὸν
αὐτῇ. Das Verbot, den heiligen Raum überhaupt zu betreten, wird in
der sonstigen Nichtswürdigkeit der Person seine Begründung haben;
als Gesetz dürfen wir, streng genommen, nur das Verbot fassen, an den
θυcίαι und πομπαί teilzunehmen. Cf. [Dem.] Neaer. 74 ff.

Auch an die Person des Mnesilochos knüpft sich eine
Schwierigkeit. Mit Recht hat EHiller[1]) darauf aufmerksam
gemacht, dafs Aristophanes nur einen fingierten κηδεςτής[2])
auftreten läfst; nirgends wird er Mnesilochos genannt, und
manche Züge (namentlich V. 1206) passen nicht auf den
Schwiegervater des Euripides. Wenn er aber glaubt, der
Name Mnesilochos rühre von späteren Erklärern des Euripides
her, so kann ich ihm nicht beipflichten; die übrigen Beispiele,
die er aus Aristophanes anführt, gehören — mit Ausnahme
des Nikias, Demosthenes und Kleon, mit denen es eine durchaus eigenartige Bewandtnis hat — sämtlich Stücken an, deren
Diaskeue teils feststeht, teils anzunehmen ist (Kephisophon
aus den 'Acharnern', Pasias, Amynias und Chairephon aus
den 'Wolken', Aiakos · aus den 'Fröschen'), und das ist kein
Zufall. Irre ich nicht, so ist in der 'Kalligeneia' tatsächlich Mnesilochos aufgetreten; in der 'Nesteia' hat der Dichter
ein beliebigen 'Vetter' des Euripides für ihn eingesetzt, —
vermutlich weil Mnesilochos inzwischen gestorben war. Eine
Bestätigung finde ich in V. 289 aus derselben Unterhaltung
mit Thratta; denn das — freilich nur das — scheint mir
JAHartung[3]) mit Recht betont zu haben, dafs in den Worten
des Mnesilochos

καὶ τὴν θυγατέρα Χοῖρον ἀνδρός μοι τυχεῖν

eine Anspielung auf den Namen Choiriles, der Tochter des
Mnesilochos liegt. Ist aber die Tochter — Choirile, so ist
der Betende kein anderer als Mnesilochos, und das Gesetz der
Komoedie verlangt, dafs er dem Publicum vorgestellt werde.

---

1) 'Über einige Personenbezeichnungen griechischer Dramen' Hermes
VIII, 449 ff. — 2) Das Wort bedeutet bekanntlich jeden Grad der
Verschwägerung; EHiller vergleicht passend das deutsche 'Vetter'. —
3) Eurip. restit. I, S. 282. An die Entdeckung von UvWilamowitz
(Anal. Eur. 149) 'Χοιρίλη Vulvula soror est Κερκόλα τοῦ Ἀνδρίου, Virbii
Candini' brauchen wir nicht eher zu glauben, bis er auch Choira (He-
rodian p. 8; Cram. Anecd. III, 363) und Choiridion (athenischer Grab-
stein im Patissia-Museum, s. LvSybel, Katalog Nr. 171) aus dem Verzeichnis der griechischen Frauennamen entfernt. FVFritzsche z. d. St.
ändert Χοῖρον in Χοῖριον, was ich für überflüssig halte. Ebenso ent-
behrlich erscheinen mir die übrigen Conjecturen, mit denen dieser Vers
heimgesucht worden ist.

6*

Ein weiterer Beweis zu Gunsten der hier verfochtenen Ansicht liegt in der Beschaffenheit der Parodos. Da die Frage recht schwierig ist, wird ein weiteres Ausholen gestattet sein.

Dafs die Tetrameter hier gänzlich fehlen ist bekannt. Die ganze Parodos besteht aus zwei Gebeten des Chores, denen je ein Gebet der Sprecherin, erst in Prosa, dann in Trimetern vorangeht. Diese Zweizahl ist . . . wir dürfen nicht sagen — unzulässig aber doch recht auffallend[1]); die erst prosaische, dann trimetrische Form ist gleichfalls nichts weniger als naturgemäfs; doch mag man sich damit noch versöhnen können. Was hat es ferner für einen Sinn, wenn die antistrophische Responsion der beiden Chorlieder sich nur auf die ersten drei Verse erstreckt? — Doch soll auch darauf kein allzugrofses Gewicht gelegt werden; das allerseltsamste jedenfalls ist der von allen Erklärern mit Stillschweigen übergangene Umstand, dafs tatsächlich dem ersten Gebete der Sprecherin das zweite des Chors in allen Teilen entspricht, und ebenso dem zweiten Gebete der Sprecherin das erste des Chors. Die Sprecherin fordert den Chor auf, zu den thesmophorischen Gottheiten zu beten; statt dessen ruft der Chor Zeus, Apollon, Athena, Artemis, Poseidon, die Nereiden und Nymphen an. Sodann heifst ihn die Sprecherin zu den olympischen, pythischen, delischen und anderen Göttern — also vor allem zu Zeus, Hera, Athena, Apollon und Artemis beten — ein wenig post festum —, und nun erst erfolgt ein Gebet, das den Inhalt der ersten Aufforderung wiedergiebt. Das ist doch wohl Confusion!

Um Ordnung zu schaffen mufs man folgendes bedenken. Die Gebete der Alten hatten, wie unsere Litaneien, amoebaeische Form. Der Sprecher lud ein, zu einem bestimmten Gotte zu beten, und alsbald kam der Chor oder der Ministrant dieser Aufforderung nach. Und zwar ist zu beachten, dafs das Gebet fürs gewöhnliche aus fünf Teilen bestand, nach dem Schema

---

1) Das mufs sie auch AMeineke erschienen sein, der in seinen Ausgaben das ganze zweite Gebet als unecht einklammert; eine Athetese, die in dieser Form ausgesprochen wenig Überzeugendes hat, obgleich ihr auch JTHornung (de part. com. gr. S. 16) zustimmt.

aa' bb' c. Als Beispiele sind aus Aristophanes selber anzuführen, erstens, das Gebet in der 'Eirene'. Sprecher ist Hermes, Ministrant Trygaios[1]); der Chor beteiligt sich nur an dem einleitenden Teil; hierauf folgt das Gebet der beiden: *a*) V. 441—443; *a'*) V. 444—446; *b*) 447—449; *b'*) 450—452; *c*) 453—457. Zweitens, das Gebet in den 'Vögeln' (V. 865—889). Sprecher ist der Priester, Ministrant Peithetairos; *a*) V. 865—869; *a'*) V. 870—874; *b*) V. 875 - 877; *b'*) V. 878—880; *c*) V. 881 ff. Drittens, und zwar als das Interessanteste, das Gebet der Musen im Prolog unseres Stückes. Sprecher ist Agathon; *a*) V. 101—106; *a'*) V. 107—113); *b*) V. 114—119; *b'*) V. 120—125; *c*) V. 126 ff. Entschliefsen wir uns einmal, auch für das Gebet der Parodos dieselbe Fünfteiligkeit wiederherzustellen, so wird alsbald klar, was die wunderliche Responsion der drei ersten Zeilen jedes der beiden Chorgesänge zu bedeuten hat. Diese zwei Tristichen werden die zwei Teile *aa'* unseres Gebetes sein.

Wir würden demnach, wenn wir die Teile amoebaeisch ineinander verflechten, das folgende Gebet erhalten:

ΚΗΡΥΞ

Εὐφημία 'ϲτω, εὐφημία 'ϲτω. Εὔχεϲθε τοῖν Θεϲμοφόροιν καὶ τῷ Πλούτῳ καὶ τῇ Καλλιγενείᾳ καὶ τῇ Κουροτρόφῳ καὶ τῷ Ἑρμῇ καὶ ταῖς Χάριϲιν[2]),

---

1) Gewöhnlich werden die Verse des Gebetes zwischen Trygaios und dem Chor verteilt; das verstöfst jedoch gegen ein wichtiges Gesetz, von dem unten (B II, § 3) die Rede sein soll, und gegen die Meinung des Scholiasten (zu V. 441) Δύο πρόϲωπα ταῦτά φηϲιν, ὧν ὁ μὲν εὔχεται, ὁ δὲ ἀκόλουθα τῇ εὐχῇ καταρώμενος λέγει und (zu V. 444) ὥϲτε καὶ παρεπιγραφὴν εἶναι, ὥϲτε ἐκείνου προειπόντος κατάραν, ὁ ἕτερος τὸν λόγον ἐκδεξάμενος ἐπιφέρει. Daraus ergiebt sich folgende Personenverteilung: Hermes ϲπονδή, ϲπονδή ... Chor ϲπένδοντες εὐχόμεϲθα ... Trygaios μὰ Δί' ἀλλ' ἐν εἰρήνῃ ... *a*) Hermes ὅϲτις δὲ πόλεμον ... Trygaios ἐκ τῶν ὀλεκράνων ... *a'*) Hermes κεῖ τις ἐπιθυμῶν ... Trygaios πάϲχοι γε ... *b*) Hermes κεῖ τις δορυξός ... Trygaios ληφθείς ... *b'*) Hermes κεῖ τις ϲτρατηγεῖν ... Trygaios ἐπὶ τοῦ τροχοῦ ... *c*) Hermes ἡμῖν δ' ... Trygaios ἄφελε ... Hermes ἰὴ ἰή ... Trygaios Ἑρμῇ ... Hermes Ἄρει δὲ ... Trygaios μή ... Hermes μηδ' ... Trygaios μή. —
2) Bei der Aufzählung der Götter sind einige Namen, die schon von anderen als Interpolationen erkannt worden sind, weggeblieben.

ΧΟΡΟΣ

δεχόμεθα¹) καὶ θεῶν γένος   *Str. a.*
λιτόμεθα ταῖςδ᾽ ἐπ᾽ εὐχαῖς
φανέντας ἐπιχαρῆναι.

ΚΗΡΥΞ

ἐκκληςίαν τήνδε καὶ ςύνοδον τὴν νῦν κάλλιστα καὶ ἄριστα ποιῆςαι,
πολυωφελῶς μὲν τῇ πόλει τῇ ᾽Αθηναίων, τυχηρῶς δ᾽ ἡμῖν αὐταῖς,

ΧΟΡΟΣ

Ξυνευχόμεθα τέλεια μὲν   *Antistr. a.*
πόλει, τέλεια δ᾽ ἡμῖν²)
τάδ᾽ εὔγματα γενέςθαι.³)

ΚΗΡΥΞ

καὶ τὴν δρῶςαν καὶ τὴν ἀγορεύουςαν τὰ βέλτιςτα περὶ τὸν δῆμον
τῶν ᾽Αθημαίων καὶ τῶν γυναικῶν, ταύτην νικᾶν,⁴)

ΧΟΡΟΣ

*τὰ δ᾽ ἄριςθ᾽ ὅςαις προςήκει   *Str. b.*
*νικᾶν λεγούςαις.⁵)

---

1) Das δεχόμεθα wird gewöhnlich als Antwort auf den Grufs χαί-
ρωμεν der Sprecherin gefalst; es ist aber der terminus technicus für das
Eintreten im amoebaeischen Gesang (cf. Wesp. 1223 ff., Aisch. Schutzfl.
1022, sowie die oben angeführte Stelle des Schol. der 'Eirene'). —
2) Überliefert ist Ξυνευχόμεθα τέλεα μὲν | πόλει, τέλεα δὲ δήμῳ. Um
das Metrum wiederherzustellen schrieb man im ersten Vers Ξυνευχόμεςθα.
Diese Conjectur, so leicht sie auch ist, trifft doch nicht das Richtige,
da wir für das herodoteische τέλεα vielmehr das epische und attische
τέλεια verlangen dürfen. Setzt man dieses ein, so ist der erste Vers in
Ordnung, dagegen wird das Metrum im zweiten — πόλει, τέλεια δὲ δήμῳ
— gestört. Und da die Sprecherin πολυωφελῶς μὲν τῇ πόλει, τυχηρῶς
δ᾽ ἡμῖν αὐταῖς gesagt hatte, so darf die leichte Änderung des δὲ δήμῳ
in δ᾽ ἡμῖν als unbedenklich gelten. — 3) Ein verzweifelter Vers; cf.
AMeineke VA. 152. Man könnte τεύγματα ταδί vorschlagen; doch
ist die Wendung 'wir bitten, dafs die Bitten erfüllt werden' überhaupt
pleonastisch. AMeinekes Änderung stellt weder Ioniker her, noch können
wir welche brauchen; τάδε γ᾽ εὔγματα γενέςθαι ist einfach Prosa. AvVelsen
(ἅπαντα τάδε) bricht die Stelle übers Knie. — 4) δρῶςαν wird gegen
WHelbigs (Fl. Jb. 83, 537) ὁρῶςαν geschützt namentlich durch Lys. 1047
παραςκευαζόμεςθα . . . πάντ᾽ ἀγαθὰ καὶ λέγειν καὶ δρᾶν. —
5) Diese zwei 'Verse' behaupten einige zu verstehen; warum auch
nicht, wenn man einmal das Opfer des Intellects zu bringen ent-
schlossen ist. Mir scheint Sinn und Versmafs auf gleicher Höhe zu
stehen. Möglicherweise haben wir hier Anfang und Ende der Strophe,
etwa καὶ τάριςθ᾽ ὁπόςαις προςήκει . . . νικᾶν κεδνὰ λεγούςαις.

ΚΗΡΥΞ

⟨ἀπολέϲθαι δὲ αὐτάϲ τε καὶ τοὺϲ ἐκγόνουϲ αὐτῶν ὅϲαι ἂν ἐπι-
βουλεύουϲαι ἁλῶϲι τῷ δήμῳ τῶν Ἀθηναίων καὶ τῶν γυναικῶν.⟩

ΧΟΡΟϹ

ὅϲαι τ᾽ ἐξαπατῶϲι τοὺϲ ὅρκουϲ τοὺϲ νενομιϲμένουϲ,   *Antistr. b.*

ἢ ψηφίϲματα καὶ νόμουϲ ζητοῦϲ᾽ ἀντιμεθιϲτάναι,
τἀπόρρητα δὲ τοῖϲιν ἐχθροῖϲ τοῖϲ ἡμετέροιϲ λέγουϲ᾽,
ἢ Μηδοὺϲ ἐπάγουϲι τῶν κερδῶν οὕνεκ᾽ ἐπὶ βλάβῃ,
     τὴν πόλιν τ᾽ ἀϲεβοῦϲι.[1])

ΚΗΡΥΞ

ταῦτ᾽ εὔχεϲθε, καὶ ἡμῖν αὐταῖϲ τἀγαθά· ἰὴ παιών, ἰὴ παιών· χαί-
ρωμεν.

ΧΟΡΟϹ

ἀλλ᾽ ὦ παγκρατὲϲ[2])   *Epode.*
Ζεῦ, ταῦτα κυρώϲειαϲ, ὥϲθ᾽
ἡμῖν θεοὺϲ παραϲτατεῖν
καίπερ γυναιξὶν οὔϲαιϲ.

Diese Zusammenstellung wird den Leser endgültig von
der Zusammengehörigkeit des ersten Gebetes der Sprecherin
und des zweiten Chorliedes und damit von der in unserer
Parodos herrschenden Confusion überzeugt haben. Dafs nun
die beiden Gebete — einerseits 295—311 und 312—314 +
352—370, andererseits 331—351 und 315—330 — genaue Ditto-
graphien seien, läfst sich im Hinblick auf die Verschiedenheit
der angerufenen Götter nicht behaupten; immerhin bleibt ihre
Zweizahl auffallend, und noch auffallender ist das Überbleibsel
aus Strophe *b* des mitgeteilten Gebetes. Das νικᾶν findet
auf die Komoedie, so wie sie uns vorliegt, keine Anwendung;
es setzt einen Agon voraus, der in ihr nicht zu finden ist.
Alle die erwähnten Umstände zusammengenommen machen es

---

1) Die Antistrophe ist aus V. 356—367 geformt. Das παραβαίνουϲι
fasse ich als Glossem zu ἐξαπατῶϲι, das ἀδικοῦϲι (mit FHBothe) als Glossem
zu ἀϲεβοῦϲι. V. 360 habe ich getilgt als Wiederholung von V. 366
(anders OSchneider Fl. Jb. 123, 153 ff.). — 2) Der Dochmius ist bei
solchen Ausrufen kanonisch und wird geschützt durch Soph. OT. 200 τὸν
ὦ πυρφόρων (das seinerseits durch die hier angeführten Stellen geschützt
wird; die Corruptel möchte eher in der auch sonst schwer verderbten
Antistrophe zu suchen sein); cf. Wesp. 323 ἀλλ᾽ ὦ Ζεῦ μεγαβρόντα;
Thesm. 1142 φάνηθ᾽ ὦ τυράννουϲ.

wahrscheinlich, dafs von den beiden Gebeten das erste die Parodos der 'Kalligeneia', das zweite die beabsichtigte Parodos der 'Nesteia' ist.

Wenden wir uns jetzt zum Gebete der Musen.[1]) Dafs es in ionischem Versmafs geschrieben, sowie dafs es antistrophisch gegliedert ist, wird allgemein anerkannt; trotzdem bietet die Reconstruction dieses Liedes unüberwindliche Schwierigkeiten wegen der gänzlichen Arrhythmie von V. 102 f. 113 ff. und 120 ff. Wohlerhalten sind überall die Partien des Chors, und zwar wiederholt sich hier viermal dieselbe Strophe, zwei Anaklomenoi und ein katalektischer Dimeter.[2]) Wenn man für die beiden ersten Verse des Liedes die Conjectur AMeinekes[3]) aufnimmt, auf ξὺν ἐλευθέρᾳ πατρίδι Verzicht leistet[4]) und in der Antistrophe Φοῖβον als Glossem entfernt, lassen sich die beiden ersten Strophen folgendermafsen wiederherstellen:

Sprecherin. *Str.*	Sprecherin. *Antistr.*
Ἱερὰν ταῖν χθονίαιν δε-	Ἄγετ᾽ ὀλβίζετε Μοῦσαι
ξάμεναι λαμπάδα κοῦραι,	χρυσέων ῥύτορα τόξων,
⟨ἄγετ᾽ εὐγνώμονα σεμνάν	ὃς ἐφιδρύσατο χώρας
τε⟩ χορεύσασθε βοάν.	γύαλα Σιμουντίδι γᾷ.
Chor.	Chor.
τίνι δαιμόνων ὁ κῶμος;	χαῖρε, καλλίσταις ἀοιδαῖς
φράσον· εὐπείστως δὲ τοὐμὸν	Φοῖβ᾽ ἐν εὐμούσοισι τιμαῖς
δαίμονας ἔχει σεβίσαι.	γέρας ἱερὸν προφέρων.

Für die übrigen Strophen müfste man sich freilich ganz aufs Nachdichten verlegen; so wie sie stehen, spotten sie jeder Rhythmisierung. Aber man mag sie sich denken wie man will — immer wird der ganze Gesang an dieser Stelle in hohem Grade befremdlich sein. Wie hat man sich die ganze

---

1) Dafs es Musen sind, darf wegen V. 41 mit JHVofs und REnger ohne weiteres angenommen werden. — 2) Der freie Ionicus gestattet statt der beiden ersten Kürzen des Dimeters einen Trochaios Disemos (WChrist Metrik S. 498), daher ist χαῖρε καλλίσταις ἀοιδαῖς neben τίνι δαιμόνων ὁ κῶμος und δαίμονας ἔχει σεβίσαι neben γέρας ἱερὸν προφέρων (cf. FRitschl Opp. I, S. 283 f.) nicht zu beanstanden. — 3) Vindiciae Aristophaneae S. 145. — 4) s u. S. 95.

Scene vorzustellen? Der Scholiast meint, Agathon spiele zugleich die Rolle des Chors und antworte sich selber — man denke sich!.. Dem gegenüber haben Neuere vielfach ein Parachoregem angenommen. Immerhin; was haben aber die ersten Verse für eine Bedeutung? Man hat gemeint, Agathon bete mit seinem Gefolge, um nachher mit dem Dichten zu beginnen, und es sehr passend gefunden, dafs der verweichlichte Dichter gerade an einem Frauenfest ans Dichten geht. Das mag dahingestellt sein, wenn nur die fackeltragenden Musen eine andere Deutung zuliefsen, als dafs sie unter den Feiernden zu denken sind. Ἱερὰν ταῖν χθονίαιν δεξάμεναι λαμπάδα κοῦραι, die Mädchen, die von den Thesmophoren die heilige Fackel empfangen haben, sind an den Thesmophorien aufserhalb des Thesmophorions nicht denkbar. Beherzigt man ferner die Ähnlichkeit, die zwischen diesem Liede und dem ersten Gebete des Chores obwaltet, so wird man sich der Überzeugung nicht verschliefsen können, dafs in der 'Kalligeneia' zwei Frauenchöre oder vielmehr Halbchöre auf dem Festplatz ihren Einzug hielten; der eine bestand aus Musen, der andere aus sterblichen Frauen.

Und hierfür haben wir eine urkundliche Bestätigung in einer sonderbarerweise noch nicht verwerteten Stelle aus der Vita des Euripides[1]): λέγουςι δὲ καὶ ὅτι γυναῖκες διὰ τοὺς ψόγους οὓς ἐποίει εἰς αὐτὰς διὰ τῶν ποιημάτων τοῖς Θεςμοφορίοις ἐπέςτηςαν αὐτῷ βουλόμεναι ἀνελεῖν· ἐφείςαντο δὲ αὐτοῦ πρῶτον μὲν διὰ τὰς Μούςας, ἔπειτα δὲ βεβαιωςαμένου μηκέτι αὐτὰς κακῶς ἐρεῖν. Bis auf die hervorgehobenen Worte giebt diese Notiz den Inhalt unserer Komoedie ziemlich getreu wieder; und wenn der Biograph die Scherze des Komikers bona fide hingenommen zu haben scheint, so erhöht dieser Umstand doch nur seine Glaubwürdigkeit. Da nun der Musenchor in der 'Nesteia' die Rolle, die ihm der Biograph zuteilt, nicht spielt, so müssen wir annehmen, dafs der ganzen Notiz die 'Kalligeneia' zu Grunde liege.

Glücklicherweise sind wir in der Lage, auch aus der 'Kalligeneia' selbst eine Beweisstelle beibringen zu können. Frgm. 344 K. lautet:

---

1) Euripides kl. Ausg. v. ANauck 1, VII.

μήτε Μούcας ἀνακαλεῖν ἑλικοβοστρύχους,
μήτε Χάριτας βοᾶν εἰς χορὸν Ὀλυμπίας·
ἐνθάδε γάρ εἰcιν, ὥς φηcιν ὁ διδάcκαλος.

'Hier sind die Musen und Chariten', meint der Chor, also auf
der Orchestra, unter den Choreuten, leibhaftig, nicht etwa
bildlich — was von jedem Drama ebensogut hätte gelten
können und ebendarum hier höchst einfältig wäre. Und machen
wir die arithmetische Probe, so fällt sie zur gröfsten Befriedigung aus. Zwölf Mitglieder zählte ein Halbchor, und zwölf
beträgt die Zahl der Musen und Chariten. Eine solche Übereinstimmung mufs, dünkt mich, jeden Widerspruch entwaffnen:
die Anwesenheit eines Musenhalbchores in der 'Kalligeneia'
darf als erwiesen gelten. Indirect wird sie auch noch durch
eine Notiz in der 'Nesteia' bestätigt. Vor dem Chorgesange
V. 659 ff. stehen im Ravennas die Worte ἡμιχόριον γυναικῶν.
Für die 'Nesteia' haben sie keinen Sinn und sind daher mit
Recht von den Herausgebern gestrichen. Die Annahme liegt
nun sehr nahe, dafs sie sich aus der 'Kalligeneia' hinüber-
gerettet haben. Sie setzen ein anderes Hemichorion voraus,
das nicht aus Weibern besteht; und ein solches — den Musenchor — haben wir gerade in der Kalligeneia.[1]

Je mehr man sich in diesen Gedanken eindenkt, desto
reizvoller und zwingender erscheint er. Οὐ παύcομαι, singt
Euripides selber[2], τὰς Χάριτας Μούcαις cυγκαταμιγνύς, ἡδίcτην
cυζυγίαν — wie passend ist es, wenn unter der feindseligen
Frauenschar die einzigen weiblichen Wesen, denen der Dichter
Verehrung zollte, seine Partei ergriffen! Man sage nicht, dafs
eine solche Idee Aristophanes, seinem Feinde, nicht zuzutrauen
sei; im Vorbeigehen mögen die Musen ihrem Schützlinge immerhin Malicen genug gesagt haben.

Somit hätten wir auch in der 'Kalligeneia' Antichorie
constatiert. Durch die Praecedenzfälle der 'Acharner' und der
'Lysistrate' belehrt, wissen wir nun, was das zu bedeuten hat.

―――

1) Um nicht mifsverstanden zu werden, bemerke ich, dafs ich auf
den Zusatz γυναικῶν Gewicht lege; dafs das Wort ἡμιχόριον nicht be-
weisend sei, gebe ich zu; cf. R Arnold, Chorpartien 182. — 2) Herc.
fur. 673.

Sie ist des Agons wegen da. Mnesilochos wird, vom Musenchor unterstützt, zu Gunsten des angegriffenen Dichters geredet
haben; ihm widersprach die Rednerin der Thesmophoriazusen.
Diese war natürlich nicht Mika oder Kritylla; so gemeine
Namen standen einer Agonistin nicht zu. Glücklicherweise
sind wir im Stande, einen klangvollen Namen anzugeben, der
sich den Namen Lysistrate und Praxagora würdig an die Seite
stellen darf, um so die Dreizahl der aristophanischen Chariten
voll zu machen. Zu V. 383 der 'Nesteia', wo die γυνή α΄ zuerst auftritt, bemerkt der Scholiast ganz kurz ʽΚαλλιλεξία γυνή';
der Monacensis hat die Notiz im Text. Die Rednerin der 'Nesteia'
kann so nicht heifsen; nirgends wird sie ja genannt, wie kann
also der Scholiast ihren Namen erfahren haben? Er wird
also — wie der Frauenhalbchor und der Name Mnesilochos
— aus der 'Kalligeneia' stammen, und der hochtrabende Name
Kallilexia ist ein neuer Beweis dafür, dafs dort die Inscenierung viel würdiger war.[1])

Wie der Wortstreit verlief, darüber werden wir im Unklaren gelassen. Am sichersten denken wir uns die Handlung
der Handlung der 'Nesteia' möglichst ähnlich. Der Agon
wird die Gegensätze nicht versöhnt haben; der verkleidete
Gegner wird ergriffen, und erst nachdem er sich mit den
Thesmophoriazusen verglichen hat, gelingt es Euripides, seinen
gefangenen Freund durch die bekannten μηχαναί aus den Händen der Gerechtigkeit zu befreien. Die Versöhnung selber
werden wir uns nicht so abgerissen und unbefriedigend denken,
wie sie in der 'Nesteia' (V. 1160 ff.) erscheint.

Die Fragmente der 'Kalligeneia' sind mit Absicht im
Vorstehenden so gut wie ferngehalten worden; einer mit Bruchstücken operierenden Kritik bringt der besonnene Forscher
stets ein berechtigtes Mifstrauen entgegen. Hier sollen sie
jedoch nur in der Absicht herangezogen werden, um den Nachweis zu führen, dafs sie sich mit der hier vertretenen Ansicht sehr gut vereinigen lassen.

---

1) Ähnliche Namen sind Eupraxia (Bachm. Anecd. II, 324 dan.
εὐπραγία), Eudoxia (dan. Eudokia), Melesia (AFick gr. Personenn. 54),
Auxesia (ebda 17), Philesia (ebda 86).

Wir beginnen mit Frgm. 317 K.

> οἶνον δὲ πίνειν οὐκ ἐάcω Πράμνιον,
> οὐ Χῖον, οὐδὲ Θάcιον, οὐ Πεπαρήθιον
> οὐδ' ἄλλον ὅcτις ἐπεγερεῖ τὸν ἔμβολον.

Das letzte Wort beweist, daſs die ganze Verhaltungsmafsregel an einen Mann gerichtet ist[1]); und das wird wohl derselbe Mann sein, der Euripides am Kalligeneiafest vertreten soll. Er wird angewiesen, keine aufregenden Weine zu trinken, um sein Geschlecht nicht zu verraten. Frgm. 318 und 319 handeln von Speisen, die beim Festmahle genossen, oder vielmehr nicht genossen werden sollten, und mufsten natürlich in der 'Nesteia' gestrichen werden. Frgm. 320 ist ein leidlich langwieriges Verzeichnis von Frauenkleidungsstücken, das mit den Worten beginnt

> Ξυρόν, κάτοπτρον, ψαλίδα, κηρωτήν, λίτρον,
> προκόμιον, ὀχθοίβους, μίτρας, ἀναδήματα κτλ.

Ξυρόν ist das Rasiermesser; man fragt erstaunt, was das unter den weiblichen Nippsachen zu schaffen habe.[2]) Dagegen erklärt der Vergleich mit der Scene der 'Nesteia' (V. 130 ff.) alles; es ist die Wirtschaft des Agathon, die gemustert wird, und bei diesem fällt ein Rasiermesser nicht auf; ξυροφορεῖς ἑκάστοτε, sagt ihm Euripides (V. 218). Eben dahin mag auch Frgm. 321 gehen. Über Frgm. 322 läfst sich nichts sagen, es konnte überall eingeschoben werden. Frgm. 323 ff. stammen aus der Unterhaltung eines Freien mit seinem gepäcktragenden, unwilligen Sklaven; da liegt es am nächsten, an Mnesilochos und seine Thratta zu denken, die gleich ihm selber ein verkleideter Mann gewesen sein mag. Frgm. 325 ist aus einer Entkleidungsscene; eine solche kommt auch in der 'Nesteia' vor (V. 636 ff.). Die stilistische Bemerkung Frgm. 326 ist fast überall am Platze; charakteristisch dagegen Frgm. 327

> Ἄμφοδον ἐχρῆν αὐτῷ τεθεῖcθαι τοὔνομα.

---

1) 'Calligeniam haec in prologo recitare existimat Bergkius; non credo; pertinere videntur ad eandem cum fragm. 318 scaenam' und zu 318 'loquitur mulier quae Lysistratae instar quasi principatum tenet sodalicii' so 'Kock. Es klingt fast komisch; wissen denn die Herren nicht, was ἔμβολος bedeutet, und was es einzig bedeuten kann? — 2) als Depilatorium sicher nichts; cf. Ekkl. 1 ff.

Das Etym. m. erklärt: λέγει δὲ Εὐριπίδης ὁ τραγικὸς ἐτυμολογῶν τὸ ᾽Αμφίων, ὅτι ᾽Αμφίων ἐκλήθη παρὰ τὸ ἄμφοδον [1]) ἤγουν παρὰ τὸ παρὰ τὴν ὁδὸν γεννηθῆναι. ὁ δὲ ᾽Αριστοφάνης κωμικευόμενος λέγει, ὅτι οὐκοῦν ῎Αμφοδος ὤφειλε κληθῆναι. Daraus wird der Zusammenhang klar. Der gefangene Mnesilochos sinnt auf Flucht und nimmt zu dem Zwecke die Fluchttragoedien seines Schwiegersohnes durch. Unter diesen spielte die 'Antiope' eine Hauptrolle; die Flucht der Heldin von Dirke bildete die Voraussetzung der Katastrophe. Also sitzt Mnesilochos und declamiert den Prolog der 'Antiope', erzählt ihre Schicksale, die Schwängerung durch Zeus, die Geburt der Zwillinge; Kritylla macht ihre Bemerkungen dazu, und ebenso wie in der 'Nesteia' ihr der Name Proteus nicht gefällt, kann sie sich hier mit dem Namen Amphion nicht befreunden. — Frgm. 328 ist indifferent; Frgm. 329 findet an V. 204 f. der 'Nesteia' seinen Rückhalt; Frgm. 330 deutet auf eine Trunkscene hin, die in der Nesteia wegbleiben mufste. Durch Frgm. 331

ἀγὼν πρόφασιν οὐ δέχεται

finden wir unseren Agon in wünschenswertester Weise bestätigt. Frgm. 332 ist wiederum gleichgültig; das interessante Frgm. 333 stammt aus der Parabase, ebenso Frgm. 334, von dem bereits die Rede war. Durch Frgm. 335 erfahren wir, dafs Kalligeneia [2]) im Prolog auftrat, wie in der Lysistrate die Titelheldin. Sie wird wohl aufgetreten sein zwischen V. 279 und 280, wo in der 'Nesteia' eine empfindliche Lücke vorhanden ist. Frgm. 337 'λύκος ἔχανεν' ist ein Sprichwort 'ἐπὶ τῶν ἐλπιζόντων μέν τι ἕξειν, διαμαρτόντων δὲ τῆς ἐλπίδος' (Suidas), also vollständig parallel dem V. 928 der 'Nesteia' αὕτη μὲν ἡ μήρινθος οὐδὲν ἔσπασεν. Die übrigen Fragmente sind ganz unbedeutend.

Aus dem Agon der 'Kalligeneia' hat sich höchst wahrscheinlich ein Katakeleusmos erhalten in V. 381 f. der 'Nesteia'

---

1) So möchte ich schreiben (n. παρὰ τὸ ἄμφοδον γεννηθῆναι = am Wege). Überl. παρὰ τὸ παρὰ τὴν ἄμφοδον. ῎Αμφοδος als Adjectivum, erklärt durch παρὰ τὴν ὁδόν. — 2) Das Zusammentreffen der Kalligeneia mit Kallilexia im selben Stücke beruht wohl nur auf einer neckischen Zufälligkeit.

cîγα, cιώπα, πρόcεχε τὸν νοῦν· χρέμπτεται γὰρ ἤδη
ὅπερ ποιοῦc᾽ οἱ ῥήτορες. μακρὰν ἔοικε λέξειν.

Diese zwei iambischen Tetrameter bilden hier die Einleitung zu einer Rhesis in Trimetern, was der Analogie entbehrt.
Übrigens mufs bemerkt werden, dafs eine Art Agon auch
in der 'Nesteia' vorhanden ist — allerdings ein ganz unbedeutender und würdeloser. Doch müssen wir ihn unter die
Agone aufnehmen, da er sonst nirgendwohin gehört.

N. Die 'Thesmophoriazusen' V. 531—573. Nachdem
Mnesilochos seine Schmährede geendet, macht der Chor im
Katakeleusmos die Bemerkung, dafs nichts über weibliche
Schamlosigkeit geht. Hierauf entspinnt sich — im Epir-
rhema — ein heftiger Zank zwischen Mnesilochos und einer
Frau, der in Tätlichkeiten überzugehen droht, aber vom Chor
durch die Meldung, dafs Kleisthenes ankomme, unterbrochen
wird. Aus diesem Grunde fehlt auch das Pnigos.

Das Interesse, welches die 'Thesmophoriazusen' für unsere
Zwecke hatten, ist durch die Resultate der eben zu Ende geführten Untersuchung erschöpft. Nichts desto weniger will
ich bei dem Stoffe noch verweilen, um auch die Consequenzen,
zu welchen die gewonnenen Ergebnisse für manche nicht un-
wichtige Fragen führen, zu verfolgen. Aus der verfehlten
Voraussetzung, dafs die 'Nesteia' das erste, die 'Kalligeneia'
das zweite Stück sei, hat man mancherlei Schlüsse gezogen,
die sich als irrig erweisen müssen, sobald das Verhältnis sich
anders herausstellt. Dafür wird aber auch die Erkenntnis,
dafs umgekehrt die 'Kalligeneia' der Zeitfolge nach das erste
Stück sei, zum Schlüssel, der uns manche Schwierigkeiten
enträtselt.

Wann ist die 'Nesteia' aufgeführt worden? Die
Meinungen schwanken zwischen den Jahreszahlen 411 und 410;
für erstere entscheidet sich Palmerius, KOMüller[1]), REnger[2]),
FVFritzsche[3]), für letztere RHanow[4]), GBernhardy[5]), GDroysen,
FRitschl[6]) und HMüller-Strübing.[7]) Jetzt, wo erwiesen ist,

---

1) Griech. Litg. II, 246. — 2) Rh. M. IV, 49 ff. — 3) S. 308 ff. der
Ausg. — 4) Exercit. crit. in com. gr. S. 82 ff. — 5) Griech. Litg. II,
2, 579. — 6) Opp. I, 429. — 7) a. O. 317.

dafs die 'Nesteia' nichts als eine Umarbeitung der 'Kalligeneia' ist, wird die Frage, ob sie überhaupt aufgeführt wurde, erlaubt erscheinen. Für die negative Beantwortung dieser Frage sprechen erstens die Praecedenzfälle der 'Acharner' und 'Wolken', zweitens der Umstand, dafs die Meinungen für 411 und 410 sich gegenseitig aufheben, drittens das Fehlen eines Agons, das nicht, wie in der 'Eirene', in der Inscenierung des Stückes seine Entschuldigung finden kann, viertens und hauptsächlich die oft haarsträubende Arrhythmie und Asymmetrie der Chorgesänge, die das Stück geradezu unaufführbar machen. Und da vollends uns keine Didaskalie erhalten ist, so wird man zugeben, dafs alle Gründe gegen und kein einziger für die Annahme einer wirklichen Aufführung spricht. Aber dafs der Dichter um 412—410 sich mit der Absicht getragen habe, seine Komoedie auf die Bühne zu bringen, ist unzweifelhaft; dafür sprechen alle längst hervorgehobenen politischen Bezüge, zu denen noch die von AMeineke nicht verstandenen Worte ξὺν ἐλευθέρᾳ πατρίδι gehören[1]) — sicher eine handschriftliche Notiz des Dichters, die in den Zusammenhang erst hineingearbeitet werden sollte.

Um so mehr Interesse bietet die Frage nach der Aufführungszeit der 'Kalligeneia'. Hiebei wird zunächst erlaubt sein, die Momente, die in der 'Nesteia' enthalten sind und zum Jahre 410 resp. 411 nicht passen, auf die 'Kalligeneia' zurückzuführen. Ein solches ist vor allem die Person des Agathon. Dafs er, der zur Zeit der vermeintlichen Aufführung der 'Nesteia' ein Mann von wenigstens 35 Jahren war, V. 134 als νεᾶνις angeredet wird, daran hat schon FRitschl[2]) Anstofs genommen. Doch könnte man sich damit noch versöhnen; auffallender ist V. 173 f., wo Euripides über Agathon zu Mnesilochos sagt

καὶ γὰρ ἐγὼ τοιοῦτος ἦν
ὢν τηλικοῦτος, ἡνίκ' ἠρχόμην ποιεῖν.

Nun war Euripides nach der Vita 26, nach Thomas Magister 25, nach Gellius sogar 22 Jahre alt, als er zu διδάσκειν anfing;

---

1) V. 102. Das befreite Vaterland ist Athen nach dem Sturze der Vierhundert. — 2) a. O. 435.

war Agathon ebenso alt, so stimmt das trefflich zu seiner
ganzen Figur (cf. V. 191 f.), nicht aber zur Datierung der
'Nesteia'. Agathon selbst hatte nach dem Scholiasten vor
drei Jahren angefangen, Tragoedien für die Bühne zu schreiben;
damit kämen wir auf 414 oder 413, und das stimmt wieder
nicht, da bereits vom Jahre 416 der erste Sieg — also lange
nicht die erste Tragoedie[1]) — Agathons gemeldet wird.[2]) Ferner
ist V. 189 zu beachten. 'Warum verteidigst du dich nicht
selbst?' fragt Agathon. 'Das will ich dir sagen', antwortet
Euripides,

$$\text{πρῶτα μὲν γιγνώσκομαι,}$$
$$\text{ἔπειτα πολιός εἰμι καὶ πώγων' ἔχω.}$$

Diese Eigenschaften besitzt Agathon also nicht, Agathon ist
in Athen noch unbekannt; wie war das aber nach dem Jahre 416
möglich?

Dieses alles zwingt uns, das Auftreten Agathons der
'Kalligeneia' zuzuweisen und diese selbst eine Anzahl von
Jahren hinauf zu datieren, ohne uns einen festeren Anhalts-
punct zu geben. Etwas weiter führt uns die Tatsache, dafs
die Tragoedien 'Andromeda' und 'Helena' des Euripides ein
Jahr vor den 'Thesmophoriazusen' aufgeführt worden sind
(V. 1012; 1060 cf. Schol.). Man nimmt allgemein an, dafs
die Aufführung dieser Stücke ins Jahr 412 fällt, und zwar
auf die Autorität der Scholiasten z. d. St. und zu V. 53 der
'Frösche' hin; indessen zwingt uns nichts zur Annahme, dafs
die Scholiasten eine andere Quelle eingesehen hätten, als
unseren Dichter selbst, aus dessen Worten sich die Zeitbestimmung leicht ergab. Ist dem aber so, so müssen wir bedenken,
dafs die Parodien der 'Helena' und der 'Andromeda' ebenso

---

1) Platon Symp. p. 173 A ὅτε τῇ πρώτῃ τραγῳδίᾳ ἐνίκησεν Ἀγάθων,
wo Hüsener (Rh. M. 25, S. 580 ff.) aus guten Gründen τὸ πρῶτον τραγῳδίᾳ schreibt. Auch JGWelcker (gr. Trag. III, 981 A. 3) läfst die
Meinung gelten, dafs Agathon vor seinem Lenaeensiege (die allzuspitz-
findigen Bedenken mehrerer Commentatoren des Platon gegen die Überlieferung, die Agathon zuerst am Lenaeenfest siegen läfst, sind von
PNikitin, zur Geschichte der dramatischen Wettkämpfe in Athen [russ.]
S. 46, endgültig widerlegt) Tragoedien aufgeführt habe. — 2) Darum
schrieben auch Clinton (fasti Hell. XXXIII) und FRitschl πέντε für τρισίν
— eine Conjectur, die nicht überzeugen kann.

gut aus der 'Kalligeneia' stammen können, und dafs damit
das Datum der beiden Tragoedien ebenso labil wird, wie das
Datum der 'Kalligeneia' selber.

Dafs nun die in Rede stehenden Scenen in der Tat bereits in der 'Kalligeneia' enthalten waren, beweist — und das
ist die erste Schwierigkeit, die durch unsere Annahme gelöst
wird — das Scholion zu V. 348 der 'Vögel' καὶ δοῦναι
ῥύγχει φορβάν· παρὰ τὸ Εὐριπίδου ἐξ 'Ανδρομέδας 'ἐκθεῖναι
κήτει φορβάν', ὡς 'Ασκληπιάδης τὰ μηδέπω διδαχθείσης τῆς τραγῳδίας παρατιθέμενος. Die schweren Spondeen, der tragische
Ton, der Dorismus machen es sicher, dafs der angeführte Vers
der 'Vögel' eine Parodie enthält; der Vers der 'Andromeda'
ist im Metrum identisch, in den Ausdrücken verwandt; kein
Zweifel, dafs Asklepiades mit seiner Behauptung Recht hat.
Doch wenn auch nicht, soviel ist sicher, dafs er sich die 'Andromeda' vor den 'Vögeln' aufgeführt dachte; und einer solchen
Autorität ist eher Glauben zu schenken, als dem ihn wider-
legenden Scholiasten, der sich offenbar durch die Verse der
'Thesmophoriazusen' verwirren liefs. Fällt also die Aufführung
der 'Andromeda' vor die grofsen Dionysien 415, so ist die 'Kalligeneia' spätestens an den Lenaeen dieses Jahres aufgeführt worden.[1])

Diese Annahme wird bestätigt durch eine bisher über-
sehene, und doch auffällige Parodie der 'Helena', die sich in
den 'Rittern' findet. In der rührseligen Erkennungsscene
schwören sich Menelaos und Helena (V. 835 ff.) zu, mit einander zu sterben; darauf lautet die widerwärtig unnatürliche
Frage Helenas: πῶς οὖν θανούμεθ' ὥστε καὶ δόξαν λαβεῖν; Und
in den 'Rittern' kommen die beiden Sklaven, die öfter miteinander κομψευριπικῶς reden, gleichfalls zum Entschlusse, sich
zu tödten; Nikias ist es, der diesen Gedanken ausspricht (V. 80)
und alsbald versetzt Demosthenes: ἀλλὰ σκόπει, ὅπως ἂν ἀπο-
θάνωμεν ἀνδρικώτατα.

---

1) Damit wird auch der Verfasser des Scholions zu Lysistrate 963
ποία ψυχή· παρὰ τὸ ἐξ 'Ανδρομέδας 'ποῖαι λιβάδες, ποία ceιρήν' rehabilitiert; als Beweismittel mochte ich die Stelle nicht verwenden, da die
Ähnlichkeit der Worte des Aristophanes mit denen des Euripides nicht
augenfällig ist, und da wir nicht wissen, ob die Notiz auf Asklepiades
oder einen anderen zurückgeht.

Übrigens ist die Ansetzung der 'Andromeda' und 'Helena' ins Jahr 412 auch vom Standpuncte der Euripidesforschung fehlerhaft. Zur selben Didaskalie mit diesen beiden Tragoedien gehörte, wie JAHartung[1]) richtig erkannt hat, auch die 'Elektra'; nun findet sich aber gerade in der 'Elektra' eine unverkennbare Anspielung auf die Zeitgeschichte —

νὼ δ' ἐπὶ πόντον Cικελὸν cπουδῇ
cώcοντε νεῶν πρώρας ἐνάλους[2])

sagen die Dioskuren.[3]) Dafs damit auf die sicilische Expedition angespielt wird, ist klar; wir hätten uns also darnach zu erkundigen, wann athenische Schiffe auf den sicilischen Gewässern segelten. Das geschah zuletzt im Jahre 413; damals sandte Athen seine letzten 73 Trieren unter Demosthenes ab; diese Flotte wurde noch im selben Jahre vernichtet, und im Jahre 412 war kein athenisches Schiff mehr im sicilischen Meere zu finden. Konnte also die 'Elektra' im Jahre 412 nicht gegeben werden[4]), so liegt gar kein Grund vor, sie lieber dem Jahr 413

---

1) Eur. rest. II, S. 301. Nur in der 'Elektra' erscheint die Helenasage so, wie sie in der 'Helena' dargestellt ist; in allen übrigen Stücken giebt Euripides — Gelegenheit dazu findet er mehr als genug — die vorstesichoreische, volkstümliche Fassung der Sage wieder. Dem gegenüber hat der Einspruch UvWilamowitz' (Anal. Eurip. S. 152) 'eadem tetralogia coniungi non poterant, nam si id voluisset, Euripides in fine Helenae Dioscuros praedicentes fecisset, et Naupliam non Spartam (i. e. Gythium) adpulsurum esse Menelaum, et Clytaemnestram ab eo humatum iri' wenig zu bedeuten; er läuft auf einen Schlufs ex silentio hinaus. — 2) V. 1347 f. Über das folgende — das Versprechen, die Meineidigen zu strafen und die unschuldig Leidenden zu lohnen — s. u.; unter den Meineidigen Alkibiades zu verstehen (wie noch zuletzt UvWilamowitz Herm. XVIII, S. 220) ist unstatthaft, noch ungeheuerlicher freilich die Vermutung JAHartungs, wonach unter den Meineidigen die Syrakusaner, unter den Duldern die gefangenen Athener zu verstehen wären; wenn die Sachen in Sicilien so weit gediehen waren, was hatten da die Dioskuren auf dem sicilischen Meere zu retten?   3) ANauck (obs. crit. de trag. Gr. fragm. S. 8 f.) hat freilich die Echtheit des ganzen Schlusses von V. 1233 an angezweifelt; sollte sich dieser Zweifel bewahrheiten, so würde damit allerdings eine wichtige Stütze für meine Ansicht verloren gehen; dafs ihre Grundlage davon nicht berührt wird, wird dem Leser einleuchten. — 4) Das nehmen trotzdem TBergk (bei AMeineke FCG II, 2, 952), JAHartung (a. O.) und TFix (Pariser Ausgabe

als einem anderen zuzuweisen¹); die Zeitbestimmung wird von anderen Erwägungen abhängig sein. Doch kehren wir zu den 'Thesmophoriazusen' zurück.

Bekannt ist die Stelle des Wespenprologs, wo Aristophanes seine Zuschauer bittet, sie möchten diesmal nichts allzugrofses erwarten,

μηδ' αὖ γέλωτα Μεγαρόθεν κεκλεμμένον.
ἡμῖν γὰρ οὐκ ἔστ' οὔτε κάρυ' ἐκ φορμίδος
δούλω διαρριπτοῦντε τοῖς θεωμένοις²),
οὔθ' Ἡρακλῆς τὸ δεῖπνον ἐξαπατώμενος,   60
οὐδ' αὖθις ἀνασελγαινόμενος Εὐριπίδης·
οὐδ' εἰ Κλέων ἔλαμψε τῆς τύχης χάριν,
αὖθις τὸν αὐτὸν ἄνδρα μυττωτεύσομεν.

Hierzu die Scholiasten: V. 60 ἐν τοῖς πρὸ τούτου δεδιδαγμένοις δράμασιν εἰς τὴν Ἡρακλέους ἀπληστίαν πολλὰ προείρηται. ποιοῦσι δὲ τὸν Ἡρακλέα γελοίου χάριν κεκλημένον εἰς δεῖπνον καὶ δυσχεραίνοντα διὰ τὸ βραδέως αὐτῷ παρατιθέναι τὰ ὄψα. V. 61 κατ' αὐτοῦ γὰρ καθῆκε τὰς Θεσμοφοριαζούσας. φησὶν οὖν, οὐ δεύτερον ταυτολογήσω περὶ αὐτοῦ, ὡς οἱ ἄλλοι. οὐ μόνον δὲ ἐν τοῖς Δράμασιν (so V) εἴρηται οὕτως Εὐριπίδης, ἀλλὰ καὶ ἐν τῷ Προαγῶνι καὶ ἐν τοῖς Ἀχαρνεῦσιν.

---

des Euripides S. XI) an. Den Vermittelungsversuch des letzteren hat HWeil (sept tragédies d'Eur. S. 568 f.) mit Recht zurückgewiesen. — 1) Das tun HWeil (a. O.), RRauchenstein (Fl. Jb. 101, S. 587) und UvWilamowitz (a. O.). — 2) Von diesen Versen sowie vom folgenden nimmt UvWilamowitz an (Obs. crit. S. 1 ff.), dafs damit der Inhalt je einer Komoedie des Arist. selbst angedeutet sei; V. 58 f. speciell ginge auf die 'Holkaden'. In diesem Stücke (Frgm. 412 K) war von allerhand Efsware die Rede, welche nach Attika gebracht worden war; darunter mögen auch Nüsse gewesen sein, die des Scherzes halber unters Volk verteilt wurden. Diese so unwahrscheinliche Erklärung wäre ihm wohl nicht in den Sinn gekommen, wenn er sich rechtzeitig des catullischen concubine, nuces da (61, 131) erinnert hätte. 'Wir wollen euch nicht eine Hochzeit aufführen' ist der Sinn dieser Verse, genau wie Wolk. 543, wo Arist. von seiner Komoedie rühmt, dafs sie οὐδ' εἰσῆξε δᾷδας ἔχουσ', οὐδ' ἰοῦ ἰοῦ βοᾷ (ἰοῦ, nicht ἰοῦ cf. Schol. Wolk. 1170), wo freilich eine aberwitzige Bemerkung des Scholiasten wieder einmal das Verständnis erschwert hat. Mit V. 58 f. und 60 bezeichnet Arist. also die beiden Hauptgattungen der dorischen und dorisch-attischen Komoedie, das Familiendrama und die Hilarotragoedie.

7*

Also sagt es der Scholiast zu V. 61 nett und klar, daſs die 'Thesmophoriazusen' mit dem ἀνακελγαινόμενος Εὐριπίδης vor den 'Wespen', also vor 422 aufgeführt worden sind. Bis jetzt mufste man dem Scholiasten, trotz der Belesenheit, die er durch seine Erklärung an den Tag legt, allen Glauben versagen; doch stimmt seine Notiz zu gut mit unseren sonstigen Ergebnissen überein, als daſs wir an seiner Glaubwürdigkeit zweifeln sollten. Man entschlieſse sich, unter den 'Thesmophoriazusen', die er meint, die 'Kalligeneia' zu verstehen — so wird alles in schönster Ordnung sein.

Wir lernen jedoch aus den angeführten Scholien noch weit mehr. UvWilamowitz - Möllendorf[1]) gehört das Verdienst, der Lesart des Venetus im Schol. zu V. 61 die gebührende Anerkennung verschafft zu haben; ein Irrtum ist es freilich, wenn er auch im Schol. zu V. 60 Δράμαcι schreibt, wovon ihn, abgesehen von vielen anderen gewichtigen Gründen, der Plural ποιοῦcι hätte abhalten sollen. Aber im Schol. zu V. 61 ist die Lesart sicher, und aus ihr ergiebt sich die überraschende Tatsache, daſs unsere 'Kalligeneia' mit den 'Dramen' identisch gewesen ist.[2])

_____

1) Obs. crit. S. 13. Weniger glücklich waren die δεύτεραι φροντίδες dieses Gelehrten ('die Megarische Komoedie' Herm. IX, 330 A); bei der seltsamen Ansicht, daſs Aristophanes seine eigene Komoedie 'verächtlich einen aus Megara gestohlenen Schwank nennt', bleibt er, da es doch schwerlich ein Zufall ist, 'daſs eben der Kentauros, was längst vor mir Bergk bemerkt hat, einen ums Mittagsbrod geprellten Herakles enthält'. Nun gehört aber schon dazu eine gesegnete Phantasie, um auf den Gedanken zu kommen, der 'Kentauros' habe überhaupt die Bewirtung des Herakles durch l'holos zum Gegenstande gehabt; daſs der Gast dabei ums Mittagsbrod geprellt worden sei, davon weiſs die Sage nichts, und auch TBergk ist es nicht eingefallen, so was zu behaupten; derselbe sagt vielmehr ausdrücklich (AMeineke FCG II, 2, 1055) 'existimo poetam exhibuisse Herculem a Pholo Centauro hospitaliter exceptum'. — Dagegen verwirft er die Angabe des Scholiasten, daſs V. 61 sich auf die 'Dramata' beziehe und kehrt zur ärmlichen Ausflucht zurück, daſs Aristophanes seine 'Acharner' meine, in denen Euripides mit durchgezogen wurde. Als ob das der λόγος der 'Acharner' wäre, in dem Sinne, wie Kleon der λόγος der 'Ritter'! — 2) In dem von FNovati mitgeteilten Katalog des Ambrosianus (Herm. XIV S. 463 f.) ist allerdings aufser den beiden 'Thesmophoriazusen' noch der 'Kentauros' besonders angeführt; solange

Von den beiden Stücken mit dem Titel 'Δράματα', die im Altertum unter dem Namen des Aristophanes gingen, war wohl nur der 'Kentauros' wirklich von ihm; der 'Niobos' wurde bereits von alten Kritikern dem Archippos zugesprochen, und wir haben keinen Grund, conservativer zu sein, als jene. Für die Restitution des 'Kentauros' bieten die Fragmente wenig Anhalt; wichtiger sind die beiden Titel Δράματα und Κένταυρος. Um mit jenen anzufangen, so könnte Frgm. 267 recht wohl vom entdeckten und eingeschüchterten Mnesilochos gesprochen worden sein; Frgm. 268

ἀνοιγέτω τις δώματ'· αὐτὸς ἔρχεται

mag der Sklave des Agathon gesprochen haben; Frgm. 269

ἀλλ' εἰς κάδον λαβών τιν' οὔρει πίττινον

erinnert auffallend an V. 633 der 'Thesmophoriazusen', wo das Kalligeneiafest beschrieben wird; da die Aufforderung an einen Mann gerichtet ist, so liegt es nahe, an den entdeckten Mnesilochos (V. 611 ff.) zu denken; das verstümmelte Frgm. 270 deutet auf ein Festgelage; die anapaestischen Frgm. 271 ff. scheinen aus der Parabase zu stammen. Interessant ist das gleichfalls anapaestische Frgm. 273 'τὸ δὲ πορνεῖον Κύλλου πήρα'. Nach Photios war die Κύλλου πήρα eine Quelle, ἐξ ἧς αἱ πιοῦσαι εὐτοκοῦσι καὶ αἱ ἄγονοι γόνιμοι γίνονται. Wer denkt da nicht an die Schandrede des Mnesilochos, an jenes Weib, ἡ 'φασκεν ὠδίνειν δέχ' ἡμέρας, ἕως ἐπρίατο παιδίον. Aber das Mittel, welcheŝ das Weib in den Δράματα anwendet, ist unendlich unsauberer; für sie, eine attische Messalina, dient das πορνεῖον als Κύλλου πήρα.[1]) Da das Metrum anapaestisch ist, so scheinen die Worte im Agon der 'Dramata' gestanden zu sein, was ja auch stimmen würde. Auch das verderbte Frgm. 274 'ἐν κωμητίσι καπηλοῖς ἐπίχαρτον' findet in V. 735 ff.

aber nicht nachgewiesen ist, dafs der Katalog darin auf die pinakographischen Studien der Alexandriner zurückgehe, kann ich diesem Umstande kein Gewicht beilegen. Auch daran, dafs dieselbe Komoedie darnach drei verschiedene Titel (Δράματα, Κέντανρος und Θεcμοφοριάζουcαι) haben würde, ist kein Anstofs zu nehmen; so hatte ja auch die 'Lysistrate' die Nebentitel Διαλλαγαί (s. F'Novati a. O.) und 'Αδωνιάζουcαι (Schol. Lys. 389). — 1) τὸ πορνεῖον Κύλλου πήραν εἴρηκεν 'Αριcτοφάνηc. Hesychius unter Κύλλου πήρα. Eine ähnliche Wirkung rühmt Theophrast Αἰτ. 1, 18, 10 einer Quelle bei Thespiai nach.

ὦ θερμοτάται γυναῖκες, ὦ ποτίσταται,
κἀκ παντὸς ὑμῖν μηχανώμεναι πιεῖν,
ὦ μέγα καπηλοῖς ἀγαθόν κτλ.

eine auffallende Parallele. Die übrigen Fragmente bestehen
aus Wörtern. Von den Fragmenten, die unter Δράματα allein
citiert werden, so dafs ihre Beziehung ungewifs bleibt, ist keines
charakteristisch; nur bei κιχόρεια· τὸ ἄγριον λάχανον fällt
es schwer, nicht an Euripides zu denken, ἅτ' ἐν ἀγρίοισι τοῖς
λαχάνοις αὐτὸς τραφείς (Thesm. 456). Viel Gewicht kann
natürlich auf diese und ähnliche Beziehungen nicht gelegt
werden.

Wohl aber auf den Titel 'Dramata'. Man erklärte ihn
sich, indem man meinte, dafs Aristophanes *ridiculum ali-
quod spectaculum inscruit* (TBergk), wogegen aber schon TKock
erinnerte, dafs man nicht einsehe, *quomodo duplici actioni aut
scacnae Atticae simplicitas, aut histrionum numerus sufficere po-
tuerit.* Ein Blick in die 'Thesmophoriazusen' läfst alle Bedenken schwinden. Erst spielt Mnesilochos dem Frauenchor
gegenüber den Telephos, und wird von jenem in höchst pathe-
tischen Dochmien secundiert. Nachher wirft er als Palamedes
beschriebene Weihetafeln über die Bühne, aber Euripides schämt
sich seines frostigen 'Palamedes'; τῷ δῆτ' ἂν αὐτὸν προσαγα-
γοίμην δράματι (V. 849), fragt er in Verzweiflung. Dann
kommt ihm ein Einfall; er spielt die Helena, und alsbald erscheint Euripides als Menelaos; aber die Vereinigung wird
durch den Prytanen vereitelt. Euripides mufs gehen, doch sind
die μυρίαι μηχαναί noch nicht zu Ende; denn bald kehrt er
wieder als Echo, dann als Perseus, während Mnesilochos als
Andromeda gebunden am Pranger steht. Alles in allem
nehmen diese Zwischenspiele über 300 Verse ein, also
konnte recht wohl das Stück nach ihnen 'Dramata' genannt
werden.

Es bliebe demnach nur noch der andere Titel 'Kentauros'
zu erklären. Dazu müssen erst einige Worte über den Zweck,
richtiger die positive Grundlage der ganzen Fiction gesagt
werden. Der Biograph des Euripides, dem wir die wertvolle
Notiz über den Musenchor der 'Kalligeneia' verdanken, giebt
uns auch dafür einen Fingerzeig. Nachdem er vom Friedens-

schlusse zwischen Euripides und den Frauen berichtet, fügt er
hinzu ἐν γοῦν τῇ Μελανίππῃ περὶ αὐτῶν τάδε φησί·

μάτην ἄρ' εἰς γυναῖκας ἐξ ἀνδρῶν ψόγος
ψάλλει κτλ.

Der Biograph legt sich also die Sache so zurecht: in den
früheren Komoedien hatte Euripides die Frauen geschmäht;
durch ihre Drohungen erschreckt, versöhnte er sich mit ihnen,
und in der 'Melanippe' kündet er ihr Lob. Wir, die wir
im ganzen Friedensschlusse nichts als eine Fiction sehen, entnehmen seinen Worten nur den Hinweis darauf, dafs zwischen
der 'Melanippe' des Euripides und den 'Thesmophoriazusen'
des Aristophanes ein Causalnexus vorhanden war. Da nun
vor allen anderen Tragoedien die eine 'Melanippe' die Frauen
gegen Euripides erbost haben soll (Thesm. 547), müssen die
Verse, die der Biograph citiert, aus der anderen 'Melanippe'
sein; jene war die coφή, diese die δεcμῶτιc.[1]) Über die Aufführungszeit beider ist nichts bekannt[2]); es liegt demnach gegen
die Annahme, die zu unserer ganzen Combination am besten
passen würde, nichts vor. Wir nehmen an, zwei Jahre vor
der Kalligeneia wäre die 'weise', ein Jahr vor ihr die 'gefangene
Melanippe' des Euripides gegeben worden. Dafs damals in
der Person derselben Heldin Melanippe, die ein Jahr vorher
als der Typus weiblicher Verwegenheit geschildert worden
war, das weibliche Geschlecht verherrlicht wurde, sah sehr
nach einer Palinodie aus; man mochte sich fragen, was den
Meister bewogen haben könnte, seine Meinung zu ändern;
möglich, dafs noch vor der Aufführung der 'gefangenen Melanippe' die Frauen Athens sich über einzelne Stellen der coφή
aufgehalten hatten — was lag für den jugendlichen Dichter näher,
als solche und ähnliche Gerüchte mit der tatsächlichen Diver-
genz der beiden 'Melanippen' in Beziehung zu setzen und sie
zu der grofsartigen Fiction auszuspinnen, die uns in den 'Thesmophoriazusen' vorliegt!

---

1) Von ähnlichem Sinne ist Frgm. 497 N, das ausdrücklich unter
'Μελ. ἡ δεcμῶτιc' citiert wird. — 2) UvWilamowitz freilich (Anal. Eur.
S. 155) weist beide dem späteren Lebensalter des Dichters zu, aber ohne
Gründe anzuführen.

Es würde sehr nach einer Bestätigung dieser Ansicht aussehen, wenn wir in den 'Thesmophoriazusen' Beziehungen auf die 'Melanippen' finden könnten. Und in der Tat schwört Euripides V. 272 denselben Eid, den eine Person in der 'weisen Melanippe' schwört. Unbeachtet geblieben ist die Ähnlichkeit, die zwischen den Natursophismen des Euripides (Thesm. 14 ff.) und der Melanippe (Fr. 488 N) besteht. Doch sind die Fragmente der 'Melanippen' zu spärlich, als dafs wir weiter parallelisieren könnten.

Von den vier parodierten Scenen, die sich in den 'Thesmophoriazusen' finden, gehören zwei sicher der 'Kalligeneia' an, die 'Helena' und die 'Andromeda'; der 'Palamedes' sicher der 'Nesteia', da diese Tragoedie erst im Jahre 416 aufgeführt worden ist. Und ebenso wahrscheinlich der 'Telephos', da der verkleidete Schlauch der Mika einen Fasttag voraussetzt. Da nun der Titel Δράματα, der für die 'Kalligeneia' vorkommt, eher auf eine gröfsere, als auf eine geringere Anzahl von parodierten Stücken schliefsen läfst, so müssen wir fragen, welche Scenen durch den 'Palamedes' und den 'Telephos' ersetzt worden sind. Die eine ist höchst wahrscheinlich die 'Antiope' gewesen[1]); die zweite wird in der 'Melanippe' zu erkennen sein. In der 'weisen Melanippe', die gleich den 'Phoenissen' eine reiche Handlung gehabt zu haben scheint, trat in der ersten Scene Hippe, die Tochter des Kentauren Cheiron, auf; sie war von Aiolos geschwängert worden; beim Herannahen der Wehen von ihrem Vater überrascht, floh sie in den Wald und erbat sich von den Göttern die Vergünstigung aus, ungesehen von ihrem Vater gebären zu dürfen.[2]) Diese

---

1) S. oben .S. 93. — 2) Hyg. poet. astron. 2, 18, p. 463 Euripides autem in Melanippa Hippen Chironis Centauri filiam Thetin antea appellatam dicit . . . . ab Aeolo Hellenis filio Iovis nepote persuasam concepisse, cumque iam partus appropinquarent, profugisse in silvam — itaque cum parens eam persequeretur, dicitur illa petisse a deorum potestate, ne pariens a parente conspiceretur. Andere Stellen cf. ANauck Frgm. 492. Dafs die Scene wirklich dargestellt, nicht erzählt worden ist, folgt aus Pollux 4, 141 τὰ δ' ἔκκκευα πρόcωπα — Ἵππη ἡ Χείρωνος ὑπαλλαττομένη εἰς ἵππον παρ' Εὐριπίδῃ. — Anders JAHartung, Euripides restitutus I, 113 ff., der Hippe in einem Epilog auftreten läfst; doch lassen das die Worte des Pollux nicht zu, nach denen die Verwandlung

Fluchtscene war für die Zwecke des Mnesilochos so geeignet
wie nur eine; er wird die kreifsende Hippe mit dem nötigen
Ernst gespielt haben, während Euripides als Kentaur sich
grottesk genug ausgenommen haben mufs.

Von dieser Erscheinung des Kentauren, der auffälligsten
im ganzen Stück, wird auch, wenn mich meine Vermutung
nicht trügt, das ganze Drama den Nebentitel 'Kentauros' bekommen haben.

Es fragt sich nur noch, wann die 'Kalligeneia' =
'Kentauros' aufgeführt worden ist. UvWilamowitz
hat sich für das Jahr 426, und zwar für die Lenaeen dieses
Jahres entschieden; aber der Schlufs, den er aus Ach. 1154
zieht, würde, selbst wenn er gerechtfertigt wäre[1]), doch
weiter nichts beweisen, als dafs am Lenaeenfeste 426 eben
ein Stück aufgeführt worden ist. Meine Indicien sind, hoffentlich, nicht so trügerischer Natur.

Da das Jahr der 'Wespen' — 422 — als terminus ante
quem gesichert ist, müssen wir die 'Kalligeneia' in eine der
Lücken einsetzen, welche die folgenden komischen Fasti des
Aristophanes aufweisen:

427.	Lenaeen	'Daitaleis' (?)	gr. Dionysien	?
426.	„	?	„ „	'Babylonier'.
425.	„	'Acharner'	„ „	?
424.	„	'Ritter'	„ „	?
423.	„	?	„ „	'Wolken'.
422.	„	'Wespen'	„ „	'Eirene I'.

Wir hätten demnach fünf Lücken, von denen die eine —
Lenaeen 423 — sicher durch ein Drama des Aristophanes von

auf der Bühne vor sich geht. Das steht freilich im Widerspruch mit
der anderen, ebenso glaubwürdigen Nachricht, dafs der Prolog von
Melanippe selbst gesprochen wurde (Fr. 483 f. N.). Indessen wird es
nicht schwer fallen, diesen Widerspruch zu erklären. Nach Plutarch
hat Euripides die 'weise Melanippe' zweimal aufgeführt und bei der
Wiederholung einen Vers geändert, der die Zuschauer verletzt hatte;
bei derselben Aufführung mag er den Prolog der Hippe gestrichen haben
— vielleicht durch die Parodie desselben in den 'Dramata' bewogen.
Ähnlich scheint es dem Prolog des 'Meleagros' ergangen zu sein; s.
FVFritzsche zu Fr. 1238; ORibbeck röm. Trag. 507. — 1) S. oben S. 62.

der Wesp. 1038[1]) angegebenen Tendenz — also nicht durch die 'Kalligeneia' — ausgefüllt werden mufs. Andererseits sind es drei Dramen, die dieser Periode mit Gewifsheit zuzuweisen sind, nämlich aufser der 'Kalligeneia' noch die 'Lastschiffe' und die 'Landleute'. Letztere eignen sich nun für die Lenaeen 423 weit besser, als die von TBergk herangezogenen 'Lastschiffe'[2]); auf die schreckliche, die friedlichen Bürger ängstigenden Camorra, gegen die i. J. 423 aufgetreten zu sein Aristophanes sich rühmt, scheint mir Frgm. 100 K. zu gehen; desgleichen war das Preislied an den Frieden Frgm. 109 K. gerade i. J. 423, wo mit Sparta ein Waffenstillstand bereits in Sicht war, besonders angebracht.

Es würde sich demnach 427—424 als die Aufführungszeit der 'Kalligeneia' ergeben; präcisieren läfst sich dieses Resultat durch die Heranziehung der euripideischen 'Elektra', von der gezeigt worden ist, dafs sie um ein Jahr älter als die 'Kalligeneia' und gleichzeitig mit einer bedeutenden Expedition nach Sicilien ist. Da nun von einer solchen vor dem Herbst 427 nicht die Rede sein konnte, fallen die Jahre 427 und 426 für die 'Kalligeneia' aufser Betracht, und wir dürfen nur zwischen den Dionysien 425 und 424 wählen.

Nun war es im Frühjahr 425, als unter Sophokles und Eurymedon 40 Schiffe nach Sicilien abgingen; unterdessen hatten die Syrakusaner durch Verrat sich Messana's bemächtigt, das bis dahin den Athenern freundlich gesinnt war. Bei keiner zweiten Gelegenheit konnten die Verse der Dioskuren (El. 1347 ff.)

νὼ δ' ἐπὶ πόντον Cικελὸν cπουδῇ
cώcοντε νεῶν πρώρας ἐνάλους.

--- ---

1) S. oben S. 42. — 2) Dafs die 'Lastschiffe' ins Jahr 423 nicht hineinpassen, giebt auch HMüller-Strübing zu (Aristophanes S. 103), der sie aus später zu entwickelnden Gründen ins Jahr 424 datiert. Sie dem Jahre 425 zuzuweisen, wie ich es tue, daran hindert ihn offenbar die Notiz in der Hypothesis I der 'Eirene': οὐ τοῦτο δὲ μόνον ὑπὲρ εἰρήνης Ἀριστοφάνης τὸ δρᾶμα τέθεικεν, ἀλλὰ καὶ τοὺς Ἀχαρνεῖς καὶ τοὺς Ἱππέας καὶ Ὀλκάδας. Aber wer sagt ihm denn, dafs darin die Komoedien in chronologischer, und nicht vielmehr in alphabetischer Reihenfolge aufgeführt werden?

διὰ δ' αἰθερίας cτείχοντε πλακὸς
τοῖς μὲν μυcαροῖς οὐκ ἐπαρήγομεν....

ihrer Wirkung gewisser sein.

Ich möchte daher die Tetralogie 'Elektra', 'Melanippe II', 'Andromeda' und 'Helena' ins Jahr 425, die 'Kalligeneia' des Aristophanes in die grofsen Dionysien 424 datieren. Damit sind jedoch noch nicht alle Schwierigkeiten beseitigt. Da in der 'Kalligeneia' die euripideische 'Antiope' parodiert wird[1]), müssen wir uns die Aufführung der letzteren zeitlich vorangehend denken. Es macht daher für den Augenblick einen entmutigenden Eindruck, wenn wir im Scholion zu Fr. 53 die 'Antiope' neben der 'Hypsipyle' und den 'Phoenissen' zu den letzten Stücken des Dichters gerechnet sehen. Da aber dasselbe Scholion die fehlerhafte Angabe bezüglich der 'Andromeda' hat[2]), so läfst sich mit einiger Aussicht auf Erfolg die Hypothese aufstellen, dafs bei den Scholiasten des Aristophanes eine doppelte Chronologie der euripideischen Tragoedien cursierte; die eine, richtige (Asklepiades v. Myrleia) ging in letzter Linie auf die Didaskalien zurück, die andere, fehlerhafte, war mit leichterer Mühe aus den Komoedien — zunächst des Aristophanes — erschlossen, wobei Mifsverständnisse leicht mitunterlaufen konnten. So gleich bei den 'Phoenissen'; lassen wir einmal gelten, was sich weder beweisen noch widerlegen läfst, Aristophanes habe seine 'Phoenissen' bald nach der gleichnamigen Tragoedie des Euripides geschrieben, aber i. J. 406 zum Zwecke einer neuen Aufführung umgearbeitet; wenn der Interpret die tragischen Didaskalien nicht heranzog, konnte er nicht umhin, die Aufführung der euripideischen 'Phoenissen' kurz vor 406 anzusetzen, und die 'Phoenissen' konnten leicht die — ungefähr — gleichzeitigen Tragoedien 'Hypsipyle' und 'Antiope' in Schlepptau nehmen. Fand sich nun ein anderer Grammatiker, der von den Didaskalien Einsicht genommen hatte, so war der Conflict unvermeidlich. Und in der Tat, der Conflict blieb nicht aus. Im Scholion

_____

1) Frgm. 327 K. — 2) Τὴν Ἀνδρομέδαν· διὰ τί δὲ μὴ ἄλλο τι τῶν πρὸ ὀλίγου διδαχθέντων καὶ καλῶν. Ὑψιπύλης, Φοινιccῶν, Ἀντιόπης; ἡ δὲ Ἀνδρομέδα ὀγδόῳ ἔτει προειcῆλθεν.

zu Vög. 348 lesen wir mit Bezugnahme auf V. 423 ὡς τὰ
πάντα καὶ τὸ τῇδε καὶ τὸ κεῖcε καὶ τὸ δεῦρο· παρὰ τὰ
ἐκ τῶν μηδέπω διδαχθεικῶν Φοινιccῶν, φηcὶν (Asklepiades)
'κἀκεῖcε καὶ τὸ δεῦρο, μὴ δόλος τις ᾖ.' Dafs die Parodie nicht
auf der Hand liegt, räume ich unbedingt ein. Aber Asklepiades v. Myrleia hat sie doch für möglich gehalten; mit anderen Worten, er glaubte annehmen zu können, dafs die
'Phoenissen'[1]) vor den 'Vögeln' aufgeführt worden sind. Ein
unbekannter Grammatiker widerspricht ihm, ohne sich über
seine Quellen auszuweisen; und da er das letzte Wort behält,
so wird ihm geglaubt.

Ich denke, auch ceteris paribus sollte man eher geneigt
sein, Asklepiades vor seinem anonymen Gegner Recht zu geben;
um wie viel mehr jetzt bei dieser einzigen Übereinstimmung
aller Zeichen und Zeugnisse!

1) Zugleich mit den 'Phoenissen' ist — nach der A Kirchhoff'schen
Hypothesis — der 'Chrysippos' aufgeführt worden. Dieser Chrysippos wurde
sonst zu den allerfrühesten Tragoedien des Dichters gerechnet, weil in ihm
die anaxagorische Doctrin am getreuesten wiedergegeben ist. (J A Hartung
Eur. rest. I, 135). Ist diese Wahrnehmung triftig — und das mögen
andere entscheiden, die mit der Persönlichkeit des Euripides näher vertraut sind — so liegt in ihr eine Bestätigung meiner Annahme. Auch
den 'Oinomaos', der zur selben Trilogie gehörte, entschliefst sich UvWilamowitz (Anal. Eur. S. 156) augenscheinlich nur schwer, in die letzten
Jahre des Dichters hinabzudrücken, weil der strenge Bau der Trimeter auf
eine frühere Zeit hinzudeuten scheine. Doch möchte ich von diesem Crite-
rium keinen Gebrauch machen, da sich aus ihm ebensoviele Beweise gegen,
wie für meine Annahme ergeben würden. Man darf zwar zugeben, dafs die
'Alkestis', der 'Hippolyt' und die 'Medea' strenger sind, als die während
des peloponnesischen Krieges geschriebenen — nicht 'aufgeführten' —
Tragoedien; wer es aber versuchen wollte, nach dem Procentsatz der
aufgelösten Füfse sich eine chronologische Tabelle zusammenzusetzen,
der würde sich bald ad absurdum geführt sehen (vgl. UvWilamowitz,
Herm. XVIII, S. 242). So hat der 'Orestes', trotzdem er vor den 'Bacchen'
aufgeführt worden ist, fast doppelt so viele Auflösungen als diese. Doch
darin liegt vielleicht ein Fingerzeig; bekanntlich ist der 'Orestes' an
vierter Stelle, statt eines Satyrspieles aufgeführt worden. Viele Wahr-
scheinlichkeitsgründe sprechen dafür, dafs die 'Helena' dieselbe Stelle
innehatte; die 'Elektra' (V. 1280 ff.) weist auf die 'Helena' voraus, diese
wiederum (V. 767; 1464) auf die 'Andromeda' zurück (UvWilamowitz
a. O. S. 235); zwischen der 'Helena' und der 'Melanippe' fällt die Wahl
nicht schwer.

Denn nicht einmal die 'Hypsipyle' ist der Periode zu belassen, der sie der erwähnte Scholiast zuweist. In der Antode der — spätestens 419 geschriebenen — Wolkenparabase wird unter anderen Göttern angerufen:

> Παρνασίαν ὃς κατέχων
> πέτραν cùν πεύκαις ceλαγεῖ
> Βάκχαις Δελφίciν ἐμπρέπων
> κωμαcτὴς Διόνυcος.

Die parabatischen Oden sind bei Aristophanes der ständige Platz für parodierende Gesänge: zu den angeführten Versen bemerkt der Scholiast (V. 604): παρὰ τὸ Εὐριπίδειον (Prolog der 'Hypsipyle')

> Διόνυcος, ὃς θύρcοιcι καὶ νεβρῶν δοραῖς
> καθαπτὸς ἐν πεύκαιcι Παρνασὸν κάτα
> πηδᾷ χορεύων παρθένοις cùν Δελφίciν.

Die Beziehung scheint mir unabweisbar, und mit ihr der Zwang, die 'Hypsipyle' über das Jahr 419 hinauf zu datieren. Damit scheint mir das Jahr 424 als Aufführungszeit der 'Kalligeneia' gesichert.[1])

Haben nun die vorstehenden Untersuchungen den Nach- § 11. weis geliefert, dafs von allen aufgeführten Stücken des Aristophanes nur eins, die 'Eirene', nachweislich des Agons entbehrt hat, so empfiehlt es sich um so mehr, diesem interessantesten Bestandteile des komischen Dialogs gröfsere Aufmerksamkeit zuzuwenden.

---

1) Agathon war damals etwa 25 Jahre alt, also ebenso alt wie Euripides ἡνίκ' ἤρξατο ποιεῖν nach Thom. Mag. (oben S. 95). — Noch ein weiterer Gesichtspunct mag hier zur Sprache kommen. Mit Recht scheint mir UvWilamowitz (Anal Eur. S. 170 f.) auf den Umstand hingewiesen zu haben, *Euripidem iuvenem ad id incubuisse, ut novis et inauditis fabulis Athenienses delectaret*, während er als Greis, entmutigt durch den geringen Erfolg seiner Bestrebungen, wieder ins alte Geleise einlenkte. Wenn trotzdem der 'Alkmeon διὰ Κορίνθου' und der 'Archelaos' dem Greisenalter des Dichters angehören, so begreift sich das; die Dramen sind zu Pella am Hofe des Archelaos aufgeführt worden. Eine Anomalie bilden die drei Tragoedien 'Antiope', 'Chrysippos' und 'Helena' (denn auch diese ist dazuzurechnen), die bisher der letzten Periode zugewiesen wurden. Auch diese Schwierigkeit wird durch meine Annahme beseitigt.

Der Agon ist in der Oekonomie der Komoedie der Moment, wo die Handlung ihren Höhepunct erreicht hat und ruhen mufs, bis sich im Gemüte der Zuschauer der Umschwung vollzogen hat, der die Weiterentwickelung des Dramas ermöglicht; es ist der Punct, wo die beiden Gegensätze, die neben einander nicht weiterbestehen können, den Vernichtungskampf gegen einander ausfechten. Fragen wir aber weiter, wodurch die beiden Gegensätze gebildet werden, in welchem Verhältnis sie zu einander stehen, so zerfällt die aristophanische Komoedie in zwei Klassen, die zwar nicht haarscharf von einander gesondert sind, aber in ihren äufsersten Vertretern sich bedeutsam von einander unterscheiden. Die eine Klasse geht im Begriffe 'politische Komoedie' auf; die andere, auf ganz anderem Boden erwachsen und ganz anderen Gesetzen unterworfen, ist die 'Märchenkomoedie'. Jene wird durch die Mehrzahl der aristophanischen Dramen, namentlich die 'Wolken' und 'Frösche', diese durch die 'Vögel' vertreten. Jene steht — auch wenn der Conflict durch märchenhafte Elemente herbeigeführt ist — doch im Conflicte selbst durchaus auf dem Boden der Wirklichkeit; bei dieser ist dieser Boden vollständig verlassen, und nur hin und wieder spielen neckische Strahlen aus der Wirklichkeit in die Wunderwelt hinein. Hier wird niemand nach seinem Glauben gefragt, die verschiedenartigsten Individualitäten können friedlich neben einander hausen, und nur was schwunglos am Staube der Realität haftet, wird ohne Erbarmen in dieselbe zurückgestofsen; dort handelt es sich um scharfgesonderte politische oder ethische Bekenntnisse, die sich das Existenzrecht streitig machen. Darum mufs der Conflict in beiden Gattungen verschieden sein. In der Märchenkomoedie hat der Gegner, in dessen Kopf zuerst die geniale Idee von einem schöneren Dasein aufgeblitzt ist, einen unendlichen Vorsprung vor dem anderen; auch gilt der Kampf nicht sowohl dem letzeren, als seinem Vorurteile, dafs das Unmögliche unmöglich sei. Sich davon zu befreien, ist er gern bereit; sein fortgeschrittener Gegner bietet ihm hülfreich die Hand, lenkt die unsicheren Schritte, die jener ins Leere wagt, bis er ihn zu seiner eigenen Höhe gehoben hat. — Anders in der politischen Komoedie. Das Bewufstsein von der engen Verbindung der Streitfrage

mit dem Leben läfst beim Dichter und bei den Gegnern jene
sonnige Festtagsstimmung, die der Märchenkomoedie eignet,
nicht aufkommen; die Tendenz vergiftet den Scherz, der Streit
ist ernsthaft, bitter, schonungslos; mag der Unterliegende sich
bekehren oder trotzen — für die Komoedie existiert er nicht
mehr, achtlos stürmt die Handlung über ihn weg.

Die Stellung, welche der Agon in der Oekonomie des
Dramas einnimmt, spiegelt sich im Tone wieder, in dem die
beiden Gegner den Streit führen. Stets ist er würdig, nicht
selten erhebt er sich zu tragischem Pathos. Wie rührend
weifs Chremylos das Elend der Armut zu schildern in jenem
Schwarm von Kindern und alten Frauen, die sich in den
Wärmstuben an den Ofen schmiegen, oder in jenem Manne,
der einen Stein zu Häupten auf der Streu schlummert, während die Morgenfliegen ihm um die Ohren summen und singen
'du wirst hungern, aber steh nur auf!' Ein Gegenbild ist die
reizvolle Schilderung, die der Sprecher des Rechts vom Leben
seiner Jünger macht, von ihrer Freude an den Tagen des
Frühlings, wenn die Pappel ausschlägt und die Platane mit
der Ulme plauscht. Herb, vernichtend sind die Worte, mit
denen Agorakritos seinen Gegner und dessen vermeintliche
Wohltaten entlarvt; er sollte nur das attische Volk aufs Land
ziehen und im Genusse des Friedens sich erholen lassen, dann
würde es schon erkennen, welche Güter es um ihn und die
armselige Besoldung hingegeben hat. Und wiederum malen
uns die hohen Anforderungen, die Aischylos an die Dichter
stellt, das stolze Bewufstsein der antiken Tragoedie von ihrer
versittlichenden Kraft in unvergleichlich wahrhaften Zügen.
Doch das sind nur einzelne, besonders auffallende Stellen;
viel bedeutender ist der Eindruck, den der Genufs der ganzen,
durch keine βωμολοχία getrübten Agone macht. Und dafs
wir hierin eine Absicht des Dichters zu erkennen haben,
dafür zeugt jene Stelle aus dem 'Plutos' (V. 557), wo Chremylos sich über die Worte der Gegnerin einmal lustig zu
machen versucht und von ihr alsbald den Verweis bekommt:
cκώπτειν πειρᾷ καὶ κωμῳδεῖν τοῦ cπουδάζειν ἀμελήcαc. Die
Komoedie verläugnet sich selbst, das κωμῳδεῖν ist nicht mehr
erlaubt.

Freilich ist dieses Lob, das wir den Agonen gespendet haben, bedeutend einzuschränken. Denn einmal gilt es nur von den Reden der beiden Gegner, nicht von denen der dritten Person, die unten zu charakterisieren sein wird. Sodann tritt zu Ende der Epirrhemen fast regelmäfsig eine schwüle Stimmung ein, während sich der lange niedergehaltene Geist der Komik — in den Pnige — endlich loszuwittern anschickt. Ferner nehmen die Agone der 'Ritter' eine eigene Stellung ein, wie denn überhaupt der Stil dieser Komoedie etwas eigenartiges — ich möchte sagen — unaristophanisches hat.

In seiner Schrift περὶ τοῦ μὴ ῥαδίως πιστεύειν διαβολῇ (c. 6) giebt Lucian eine Definition der Verläumdung und fährt dann also fort: τοιαύτη μὲν ἡ ὑπόθεσις τοῦ λόγου· τριῶν δ' ὄντων τῶν προσώπων, καθάπερ ἐν ταῖς κωμῳδίαις, τοῦ διαβάλλοντος, καὶ τοῦ διαβαλλομένου καὶ τοῦ πρὸς ὃν ἡ διαβολὴ γίνεται, καθ' ἕκαστον αὐτῶν ἐπισκοπήσωμεν οἷα εἰκὸς εἶναι τὰ γινόμενα. Der Zusammenhang lehrt, dafs Lucian nicht etwa die Schauspielerzahl überhaupt, sondern gerade das Personal der Agone meint. Er unterscheidet der Personen drei: den Ankläger, den Angeklagten — allgemeiner gesagt, die beiden Gegner — und den Richter. Fangen wir mit den Gegnern an.

Ihr Verhältnis zu einander hängt von dem Charakter der Komoedie überhaupt ab. In der Märchenkomoedie war es dem Dichter blofs darum zu tun, die von ihm geschaffene Traumwelt und ihre Gesetze den Zuschauern zu erklären; daher haben wir hier nur einen überzeugten Gegner, der den Standpunct des Dichters vertritt, und einen zweifelnden, aus dessen Munde das Publicum spricht. So ist das Verhältnis namentlich in den 'Vögeln', dann auch in den 'Ekklesiazusen', die auf der Grenzscheide liegen zwischen der Märchenkomoedie und der politischen Komoedie, und teilweise selbst in der 'Lysistrate', die noch mehr zu der letzteren gehört. In der politischen Komoedie sind in den Gegnern zwei Principien verkörpert; das eine ist im grofsen und ganzen das des Dichters, die gegnerische Anschauung ist diejenige, die dieser bei den Zuschauern voraussetzt und bekämpfen will. Ich sagte — im grofsen und ganzen; denn dafs der Dichter sich irgendwo mit

dem Gegner, mit dem er sympathisiert, identificiert habe, ist
rundweg zu läugnen. Um von Agorakritos und Lysistrate zu
schweigen, kann nicht einmal zugegeben werden, dafs die Anschauungen des Aischylos und des Sprechers des Rechts in
jeder Einzelheit die des Dichters seien. Immer weifs sich
dieser zu salvieren durch irgend eine übertriebene, komische
Äufserung, die er seinem Schützling in den Mund legt; so
wenn Aischylos als wohltätige Folge seiner versittlichenden
Tragik rühmt, dafs zu seiner Zeit die Schiffer nichts verstanden, als ihr Commisbrod zu fordern und ῥυππαπαῖ zu rufen,
wogegen sie jetzt raisonnierten, oder wenn der Sprecher des
Rechts unter den anderen herben paedagogischen Grundsätzen,
nach denen er die Marathonkämpfer erzogen habe, auch den
angiebt, dafs ihnen als Knaben verwehrt gewesen sei, das
bessere Stück des Rettichs den Älteren vorweg zu nehmen.
Solche ironische Züge warnen davor, dafs man allen Äufserungen selbst der von Aristophanes beschützten Gegner die
Anschauungen dieses letzteren zu Grunde lege; er selbst mag
ein Mann von gemäfsigten, humanen Grundsätzen gewesen
sein; seine Personen waren Zeloten, die naturgemäfs über die
Schnur hieben.

Mit dieser Einschränkung wird es erlaubt sein, in den
Personen des Bdelykleon, des Sprechers des Rechts, des Aischylos,
des Agorakritos, der Penia und des Strepsiades das dem Dichter
sympathische Princip zu erkennen, und in den Personen des
Peithetairos, der Lysistrate und der Praxagora wenigstens
dasjenige, dem er von Herzen den Sieg gönnt. Im Hinblick
auf den tendenziösen Gehalt der aristophanischen Komoedien
müfste man nun annehmen, dafs solche überall aus dem Agon
siegreich hervorgehen; es trifft auch meist zu, nur für die
'Wolken' und den 'Plutos' nicht. Dieser Umstand berechtigt·
uns, für die Komoedie denselben Unterschied zu machen, der
für das ernsthafte Drama längst anerkannt ist. Gleichwie
dieses, je nachdem das gute Princip in der Katastrophe siegt
oder unterliegt, Schauspiel oder Trauerspiel genannt wird,
ebenso dürfen wir die Komoedien, in deren Agon das gute
Princip siegt — also die 'Wespen', 'Frösche' u. a. — Lustspiele nennen, die 'Wolken' und den 'Plutos' dagegen ... doch

nun sind wir um ein Wort verlegen, wenn auch die Gattung
unter den bürgerlichen Tragoedien sich ein Plätzchen zu erhalten gewufst hat. Immerhin: dafs den beiden Komoedien
eine eigene Stellung zukommt, wird jeder gern zugestehen.
Die 'Wolken' speciell enthalten alle Elemente einer Tragoedie;
Strepsiades, der in der sophistischen Aberweisheit Rettung in
seiner Not gesucht hat und selbst ihr Opfer wird, die Wolken, die Trägerinnen der Schicksalsidee, Pheidippides, der
Vollstrecker ihres Willens — alles das sind grofsartig wir-
kende tragische Personen, und schmerzhafter hat niemand das
Kernwort antiker Volksweisheit 'es fürchte die Götter das
Menschengeschlecht' empfunden, als der unglückselige Alte,
da wo ihm Pheidippides das Sprüchlein vom vertriebenen Zeus
mit schneidigem Hohne zurückgiebt; vom Sohne verlassen, von
den Wolken verstofsen, — was bleibt ihm da übrig, als die
Tat blinder Verzweiflung, mit welcher das Stück schliefst. Auch
der 'Plutos' ist tragisch angelegt. Chremylos ist der Schatz-
gräber der antiken Poesie; Penia der warnende Engel, der
ihm umsonst von den 'sauren Wochen, frohen Festen' erzählt;
er verfällt, wie wir sagen würden, dem Bösen, und Penia verläfst ihn mit dem unheildräuenden Abschiedswort 'du wirst
dich noch nach mir zurücksehnen'. Darnach erwarten wir
eine Handlung, etwa wie sie Schiller im Hexengesang geschildert hat; wenn unsere Erwartungen getäuscht werden, so
ist daran der Dichter schuld, der ein trefflich angelegtes
Drama in eine flache Posse hat auslaufen lassen. Inwiefern die Diaskeue daran Anteil hat, läfst sich schwer entscheiden; ich für meinen Teil würde ungern den Gedanken
aufgeben, dafs im ersten 'Plutos' die angedeutete Idee durchgeführt war.

Ein nicht sehr fruchtbares Classificationsprincip würde
sich für die Agone aus dem Umstande ergeben, dafs in den
einen das Epirrhema dem einen, das Antepirrhema dem andern
Gegner zufällt, in den anderen beide sich in gleichem Mafse
an beiden Epirrhemen beteiligen. In die erste Classe würden
demnach die Agone der 'Wolken', 'Wespen', 'Frösche' und
der Nebenagon der 'Wolken' gehören, in die andere alle
übrigen.

Wie fein die agonische Form bis in die Einzelheiten ausgebildet war, das beweist aufser anderem die Tatsache, dafs die Reihenfolge der Reden der beiden Gegner in den politischen Komoedien einer festen Norm unterworfen war. Und zwar bestimmte das Gesetz, dafs dem voraussichtlichen Besiegten das erste, dem Sieger das letzte Wort zufalle. Dieses Gesetz hatte für die Agone erster Classe die Folge, dafs dem Besiegten das Epirrhema, dem Sieger das Antepirrhema angehört; so reden in den vier genannten Agonen im Epirrhema der Sprecher des Rechts, Philokleon, Euripides, Strepsiades, im Antepirrhema der Sprecher des Unrechts, Bdelykleon, Aischylos, Pheidippides; diese bleiben Sieger. Für die übrigen Agone konnte sich das Gesetz nur in der Weise geltend machen, dafs der künftige Besiegte den Streit eröffnet, der künftige Sieger ihn beschliefst. Die einzige Ausnahme, die dieses Gesetz erlitten hat, gehört zu denen, welche die Regel bestätigen. Im Nebenagon der 'Ritter' ist der Wursthändler so schamlos, dafs er seinem Gegner sogar das Besiegtenrecht nicht gönnt; dieser aber hält allen Ernstes daran fest. In der Tat kann der Sinn der ersten Verse kein anderer sein. Kaum ist der Katakeleusmos zu Ende, so beginnt Agorakritos

ΑΛΛ. Καὶ μὴν ἀκούcαθ', οἷόc ἐcτιν οὑτοcὶ πολίτης
ΚΛΕ. οὐκ αὖ μ' ἐάceιc; ΑΛΛ. μὰ Δί', ἐπεὶ κἀγὼ πονηρός εἰμι.
ΚΛΕ. οὐκ αὖ μ' ἐάceιc; ΑΛΛ. μὰ Δία. ΚΛΕ. ναὶ μὰ Δία.
ΑΛΛ. μὰ τὸν Ποceιδῶ,
ἀλλ' αὐτὸ περὶ τοῦ πρότερος εἰπεῖν πρῶτα δια-
μαχοῦμαι.

Zu οὐκ αὖ μ' ἐάceιc ist natürlich λέγειν zu ergänzen, und gar der letzte der angeführten Verse kann nur die verlangte Bedeutung haben, wie er denn auch von niemand bis jetzt verstanden worden ist; man wollte ihn sogar streichen, was glücklicherweise die Symmetrie der Epirrhemen verhütet hat. Die Zuschauer kannten das agonische Gesetz recht wohl; da die Niederlage Kleons vorauszusehen war, so erwartete man allgemein, der Wursthändler würde ihm das erste Wort lassen, und der wunderliche Eigensinn des letzteren trug mit zur Komik der Situation bei.

8 *

Das verschiedene Ethos der beiden, in den Agonen angewandten Versmaſse legt den Gedanken nahe, daſs Aristophanes sie zur Charakterisierung der beiden Gegner verwendet haben möge. Doch können nur die Agone der ersten Classe in Betracht kommen, und von ihnen sind nur zwei — die der 'Wolken' (I) und der 'Frösche' — heterorrhythmisch. Diese kommen allerdings unseren Erwartungen entgegen; der Sprecher des Rechts und Aischylos sind durch das anapaestische, der Sprecher des Unrechts und Euripides durch das iambische Versmaſs trefflich charakterisiert. —

Aufser den beiden Gegnern erwähnt Lucian den Richter unter den Personen des Agons. Daſs ein besonderer Richter gewählt wird, sehen wir nur dreimal, nämlich in den 'Fröschen', 'Wolken' und 'Rittern', wo Dionysos, Pheidippides und Demos dieses Amt übernehmen. Aber auch da, wie sonst überall, ist in zweiter Instanz der Chor und in dritter das Publicum Richter des Agons. Als der Urteilsspruch des Dionysos von Euripides eine schändliche Tat genannt wird, antwortet jener: „warum denn schändlich, wenn sie den Zuschauern nicht also erscheint?" (V. 1475), und als der Wursthändler Demos auffordert, er möge sich für den einen von den beiden entscheiden, fragt er, wie er sich denn entscheiden soll, um von den Zuschauern gelobt zu werden (V. 1209 f.). Auch den Streit der beiden Sprecher entscheidet zuletzt das Publicum (V. 1096 ff.). Im übrigen möge es genügen, auf die Person des Richters hier hingewiesen zu haben; wir durften uns kurz fassen, da der Richter als Richter im Agon nicht zu sprechen hat.

Wo er spricht, tut er es als lustige Person, als βωμολόχος der Komoedie. Dies ist das dritte, fast unentbehrliche Element des Agons. Von sämtlichen Agonen des Aristophanes entbehren seiner nur drei, nämlich die Agone der 'Wolken' und 'Wespen'; in allen übrigen wird er durch Euelpides, Kalonike, Dionysos, Demos, Demosthenes, Chremes, Blepsidemos bald mit gröſserem, bald mit geringerem Glück gespielt. Seine Anwesenheit war notwendig, um die Zuschauer daran zu erinnern, daſs es ungeachtet der ernsten Verhandlung doch nur eine Komoedie sei, der sie beiwohnten; zugleich gewährte er dadurch, daſs er allein die gesamte Komik der Si-

tuation in sich concentrierte, den Gegnern die Möglichkeit, den
Streit um so ernsthafter zu führen.

Wenn also Demos und Dionysos in den Epirrhemen dreinreden, so tun sie es als lustige Personen, nicht als Richter;
Pheidippides, der nur Richter ist, verhält sich die ganze Zeit
über schweigend. Es läfst sich hiernach a priori bestimmen,
welche Stellung dem Chore im Agon zukommt. Er ist der
Agonothet, der Rhabduch; er hat im Katakeleusmos den Streit
zu eröffnen, in der Sphragis den Spruch zu fällen und den
Sieger zu verkünden; fänden wir in den Epirrhemen Äufserungen von ihm, in denen er die Redner 'zur Sache' oder
'zur Ordnung' riefe, so würde sich vom antiken sowie vom
allgemein menschlichen Standpuncte nichts darwider einwenden
lassen. Allein die Handschriften und noch mehr die Herausgeber lassen den Chor während des Agons eine Rolle spielen,
die, wenn sie gerechtfertigt wäre, unsere ganze Auseinandersetzung in Frage stellen und anstatt der klaren Praecision,
die wir anstreben, eine chaotische Willkür würde herrschen
lassen.

In den 'Wespen', der 'Lysistrate', den 'Wolken', 'Fröschen',
'Ekklesiazusen' und dem 'Plutos' beschränkt sich der Anteil
des Chors auf die ihm von Rechts wegen zukommenden Partien, die Oden, die Katakeleusmoi und die Sphragis; nicht
also in den 'Rittern' und 'Vögeln'. Zwar, vom Hauptagon
der 'Ritter' werden nur die vier Verse des Antipnigos (919—922)
in den Handschriften dem Chor in den Mund gelegt, und mit
Ausnahme von GDroysen und AvVelsen haben alle Herausgeber sie dem Wursthändler zurückgegeben, so dafs wir uns
ihnen nur anschliefsen dürfen. Blieben demnach übrig — der
Agon der 'Vögel' und der Nebenagon der 'Ritter'.

Dort ist die Sachlage folgende. Anwesend sind Peithetairos, Euelpides, der Kuckuck und der Chor. Der Träger der
Idee des Stückes ist Peithetairos; sein Freund und eo ipso
sein Anhänger ist Euelpides; der Kuckuck ist bereits von den
ersten Andeutungen, die ihm sein Gastfreund gegeben hat,
über die Mafsen entzückt; einzig der Chor ist derjenige, der
den Fremdlingen feindselig und mifstrauisch gegenübersteht.
Handelte es sich nun um eine politische Komoedie, so müfsten

wir allen Deductionen zum Trotz diesem letzteren die Gegner-
schaft zuweisen; aber die Märchenkomoedie stellt andere Forderungen. Es soll kein Streit stattfinden, sondern ein Unterricht; von den Einzelheiten der neuen Idee weifs der Kuckuck
noch nichts, ihm käme schon zu, durch passende Fragen die
Meinung des Atheners sich und den übrigen Vögeln näher zu
bringen. Ob der Dichter nun dieses Amt wirklich ihm, ob
dem Chor oder dessen Führer übertragen hat, dies zu entscheiden giebt es ein ziemlich einfaches Mittel. Zunächst
müssen wir uns darüber einigen, dafs dieselbe Rolle nicht
durch zwei Personen gegeben wurde, dafs der Fragende entweder der Kuckuck oder der Chor war; diese Forderung ist
ebenso unabweisbar, wie unbeweisbar.[1]) Sodann ist folgendes
zu beherzigen. Der Kuckuck ist zwar ein Vogel, aber nicht
der Vertreter der Vögel überhaupt; wenn er also von den
Vögeln spricht, kann er ebenso in der ersten wie in der
dritten Person reden, und ebenso kann Peithetairos, wenn er
zu ihm von den Vögeln spricht, nach Belieben die zweite oder
dritte Person gebrauchen. Dagegen ist der Chor nur Vertreter
der Vögel, ihm kommt unter solchen Verhältnissen nur die
erste Person zu, und ihm gegenüber ist im Munde des Peithetairos nur die zweite Person am Platze. Prüfen wir daraufhin
die Epirrhemen unseres Agons, so werden wir sehen, dafs
die fragliche Person von den Vögeln bald in der ersten (V. 467,
571 f., 592), bald in der dritten Person (V. 603) redet, desgleichen Peithetairos sich ihr gegenüber bald der zweiten
(V. 466 f., 483, 522, 525 f., 532, 537, 557, 577?, 588), bald
der dritten Person (V. 477 f., 593 f., 599 f.) bedient. Damit ist erwiesen, dafs der Gegner des Peithetairos nicht der
Chor, sondern der Kuckuck ist.

Und nun mufs es uns leicht fallen, gestützt auf die er-
drückende Majorität von neun Agonen gegenüber dem einen
Nebenagon der 'Ritter', die Verse dieses letzteren, welche die
Herausgeber in vielfachem Widerspruch mit einander wie mit

---

1) Aus diesem Grunde kann ich mich auch mit dem eklektischen Verfahren FWieselers (Advv. in Aesch. Prom. et Ar. Av. S. 82 ff.) nicht einverstanden erklären.

der Überlieferung dem Chore in den Mund legen, dem Demosthenes zuzueignen. Er ist der erste Freund des Wursthändlers, ihm steht es vor den anderen zu, dessen Mitstreiter zu sein; zudem beweist die Drohung Kleons dem Wursthändler gegenüber — ἐγώ ϲε παύϲω τοῦ θράϲουϲ, οἶμαι δὲ μᾶλλον ἄμφω[1]) — dafs der Bundesgenosse des Agorakritos ein einzelner Mann, und nicht vierundzwanzig Choreuten waren.

Es steht demnach fest, dafs die Epirrhemen und die Pnige von den Schauspielern allein, ohne Einmischung des Chores gesprochen wurden.

Wir wenden uns nun zur Form der Agone. Da viele §12. hier einschlagende Fragen auf die zusammenhängende Darstellung des zweiten Teiles aufgespart werden müssen, können hier nur einige vorläufige Andeutungen gegeben werden.

Dem Agon pflegt regelmäfsig eine vorbereitende Scene vorauszugehen, die wir, um im Bilde zu bleiben, Proagon nennen können. Nicht immer bildet sie eine Scene für sich; im Nebenagon der 'Ritter' und im Agon der 'Wespen' fällt sie mit dem letzten Teile der Parodos zusammen, und das scheint die Regel gewesen zu sein, wo sich der Agon an die Parodos schlofs. Sonst ist der Proagon in iambischen Trimetern geschrieben; ganz vereinsamt steht der Proagon der 'Wolken', der aus einer ununterbrochenen Reihe anapaestischer Dimeter besteht. Die Ursache dieser Anomalie bleibt rätselhaft; wir können nicht einmal sagen, ob hierin ein Reform- oder Reactionsversuch zu sehen ist. Als sicher darf aber gelten, dafs dieses Hypermetron nicht, wie RWestphal[2]) meint, das Pnigos eines später einzufügenden anapaestischen Epirrhemas gebildet habe.

Die Aufgabe des Proagons ist dreifach. Erstens sollten die Gegner, sofern sie den Zuschauern unbekannt waren, denselben vorgestellt werden; wo dieses nicht zutraf, fiel dieser Teil natürlich aus. Zweitens sollte die Kampfeswut der Gegner darin austoben und die Lust des grofsen Publicums an Zank und Lärm befriedigt werden, damit der Streit im Agon

---

1) Cf. REnger Fl. Jb. 69, 365 f.; GHermann Wiener Jb. 110, 55; WRibbeck z. d. Stelle; unzulängliche Polemik bei RArnoldt Chorpartien S. 45. — 2) Metrik II[2], 421.

selbst desto geordneter geführt werden konnte. Endlich sollte
der Gegenstand und die Bedingungen des Streites festgestellt
werden; dazu gesellte sich je nach den Umständen die Wahl
des Richters und andere mehr oder minder feierliche Eingangs-
caerimonien. Alle drei Bestandteile enthalten die Proagone
der 'Wolken' (Hauptagon), 'Frösche' und 'Plutos'; den ersten
und zweiten die der 'Lysistrate' und der 'Acharner' (der dritte
Teil scheint mit dem Agon selbst ausgefallen zu sein; vielleicht fehlte er auch, wofür die Analogie der verwandten 'Lysistrate' sprechen würde); den zweiten und dritten die der
'Wespen', 'Ritter' (Hauptagon), 'Wolken' (Nebenagon) und
'Ekklesiazusen'; den zweiten allein der Proagon der 'Ritter'
(Nebenagon), den dritten allein der der 'Vögel'.

Von den Oden wird nachher ausführlich die Rede sein.
Zu der Wahl des Versmaßes in den Mesoden ('Wespen',
'Ritter' [Nebenagon]) und Prooden ('Lysistrate') ist zu bemerken, daß dasselbe nie mit dem Versmaß des Agons, wohl
aber mit dem der Parodos übereinstimmt. Allerdings läßt sich
nicht sagen, ob das Zufall oder Absicht ist; dazu ist die Zahl
der Fälle zu gering.

Die Katakeleusmoi entsprechen in allen Fällen, von
einem einzigen abgesehen[1]), dem Namen, der ihnen hier gegeben worden ist. Ihr gleicher, stets wiederkehrender Inhalt
muß für den Dichter, der sich doch im Wortlaute nicht wiederholen durfte, eine unerträgliche Fessel gebildet haben, und wir
müssen die Macht des Herkommens bewundern, wenn wir
sehen, daß er es unter achtzehn Fällen nur einmal verletzt
hat. Einige Abwechselung bot allerdings der Umstand, daß
die Aufforderung bald an den einen, bald an beide Gegner
gerichtet war; im Übrigen schuf sich der Dichter selbst die
Abwechselung mit Hilfe der reichen Bildersprache, die ihm
zu Gebote stand. Bald vergleicht er den Agon mit einem
Pankration (Ritt. 841 f.), bald mit einem Seegefecht (Ritt. 761 f.),
bald mit einer Segelwettfahrt (Lys. 549); ein wunderliches
Gleichnis ist ihm in den 'Wespen' (V. 648 f.) eingefallen. Daß
die Katakeleusmoi gern mit einem ἀλλά anfangen, ist bereits

---

1) Nebenagon der 'Ritter', Antikatakeleusmos.

mehrfach bemerkt worden; von den anapaestischen Katakeleusmoi macht nur einer (Wesp. 648 f.), von den iambischen
vier (Ritt. 407 f., 841 f., Wolk. 1034 f., 1397 f.) Ausnahme.
Kanonisch ist die Distichie; das darf jedoch nicht so ausgedrückt werden, als fielen von den Epirrhemen die beiden ersten
Verse dem Chore zu, denn erstens haben wir gesehen, daſs
der Chor in den Epirrhemen überhaupt nicht redet, und zweitens werden wir sehen[1]), daſs die Epirrhemen ohne die Katakeleusmoi vom musicalischen Standpuncte ein Ganzes bilden.

Daſs die Epirrhemen aus einer ununterbrochenen Folge
von Tetrametern zu bestehen haben, ist bekannt.[2]) Wenn aber
auch dieses Gesetz Wolk. 1415 im parodischen Vers κλάουcι
παῖδες, πατέρα δ' οὐ κλάειν δοκεῖς verletzt erscheint, so wird
man doch nicht mit CGCobet oder HvHerwerden den Trimeter zu
einem Tetrameter ergänzen dürfen, wodurch der Parodie
ihre Spitze abgebrochen werden würde. Vielmehr ist hier die
Ausnahme anzuerkennen und, wie so oft, durch die Parodie
zu rechtfertigen.

Nicht also am Schlusse des Antepirrhemas im Hauptagon.
V. 1084 war der letzte Tetrameter, V. 1089 ist der erste Dimeter; zwischen diese haben sich vier Trimeter gedrängt. Es
läſst sich gar kein Grund angeben, weshalb Aristophanes vom
Herkommen abgewichen sein sollte; nichts desto weniger hat
noch niemand die Verse angetastet. Und doch kann man
sich leicht überzeugen, daſs diese Trimeter ihre Existenz nur
einer Metrikerlaune verdanken, wenn man die metrischen Scholien zu unserer Stelle, zu Ritt. 442 und Wolk. 1445 ff. vergleicht. Namentlich ist die letzte Stelle sehr lehrreich. Während andere Metriker (τινὲς δέ) V. 1445 den letzten Tetrameter

---

· 1) Teil B, Abschn. IV. — 2) Unbedingt zu verwerfen ist daher
AMeinekes Conjectur zu Thesm. 531 (VA 154), der aus dem ersten Tetrameter des Katakeleusmos — er streicht d. W. γυναικῶν — einen Trimeter
macht; seine Bemerkung 'tetrametrum poeta subiecit trimetro, quod quin
hoc loco recte fiat non dubitandum est' ist mir unverständlich. Derselbe
Gelehrte hat hin und wieder Interjectionen gegen die Überlieferung extra
versum geschrieben (VA 62: Ritt. 891; a. O. 99: Vög. 610); eine Freiheit,
für die ich die Belege vermisse. Vög. 319 ποῦ; πᾶ; πῶς φῄς; wo jede Silbe
einem Tact entspricht und das ganze als ein Vers zählt (s. B, IV, § 2),
ist kein Vergleich, ebensowenig Ekkl. 478, 480 (s. B, IV, § 2).

sein lassen und mit V. 1446 das dimetrische Pnigos beginnen, zerlegt unser Scholiast den V. 1445 in zwei Dimeter, denen er die beiden Dimeter V. 1450 f. (εἰς τὸ βάραθρον μετὰ Cω-κράτους καὶ τὸν λόγον τὸν ἥττω) entsprechen läfst, aus den fünfthalb Dimetern aber, die in der Mitte liegen, construiert er drei Trimeter.[1]) Man wird gestehen, dafs es reiner Zufall ist, wenn uns statt dieser verschrobenen Abteilung die der τινὲς δέ überliefert ist; ein ebensolcher Zufall ist es aber, wenn uns an der fraglichen Stelle nicht die dimetrische Abteilung erhalten ist. Auch wären die Herausgeber wohl längst auf den naheliegenden Gedanken verfallen, aus den vier Trimetern sechs Dimeter zu construieren, wenn nicht der dritte Dimeter mit dem Worte ποτέ zu enden hätte, oder die syllaba anceps innerhalb eines Pnigos gestattet wäre.[2]) Indessen wäre dies doch das erste Mal, dafs die Textkritik um ein Flickwort verlegen wäre; bis etwas besseres gefunden wird, möchte ich vorschlagen — um nicht den sprichwörtlichen Lückenbüfser γέ heranzuziehen — das ἄν des vorigen Verses zu wiederholen, was durchaus nicht gegen den Sprachgebrauch der Komoedie verstöfst (vgl. als besonders schlagendes Beispiel Ach. 212 ff.; auch Eir. 321 οὐ γὰρ ἂν χαίροντες ἡμεῖς τήμερον παυσαίμεθ' ἂν) und die ganze Stelle also abzuteilen

ἦν δ' εὐρύπρωκτος ᾖ, τί πεί- τί δ' ἄλλο; — φέρε δή μοι
cεται κακόν; — τί μὲν οὖν ἂν ἔτι φράcον·
μεῖζον πάθοι τούτου ποτ' ἄν; — cυνηγοροῦcιν ἐκ τίνων; —
τί δῆτ' ἐρεῖς, ἦν τοῦτο νι- ἐξ εὐρυπρώκτων. — πείθομαι.
κηθῇς ἐμοῦ; — cιγήcομαι. τί δαί; τραγῳδοῦc' ἐκ τίνων; —

Der Übergang des Epirrhemas zum Pnigos wird durch den Durchbruch des komischen Elementes hervorgerufen. Während im Epirrhema mit ernstgemeinten, auf die Wirkung berechneten Gründen gestritten wird, tritt im Pnigos die Komoedie in ihre Rechte ein. Der gröfseren Lebhaftigkeit, die dadurch in die Auseinandersetzung oder den Dialog gebracht

---

1) Das ist schon von GHermann bemerkt worden. — 2) In der Tragoedie allerdings findet sie ihre Entschuldigung im Personenwechsel, s. RWestphal Metrik II², 411 f.; für die Komoedie wüfste ich kein Beispiel.

wird, entspricht trefflich die lange Folge der Dimeter, welche
die Tetrameter ablösen. Es versteht sich jedoch, dafs diese
Dimeter bis zum Schlufs akatalektisch sein müssen; eine Binnenkatalexis würde die Zeile zerreifsen, die Wirkung schwächen.
Von den achtzehn agonischen Pnige, die uns erhalten
sind, entsprechen sechszehn dieser Forderung durchaus, zwei
dagegen weisen die Binnenkatalexis auf. Es sind das die Anti-
pnige der 'Lysistrate' (V. 602) und der 'Frösche' (V. 1088).
Allerdings tritt hier Personenwechsel ein[1]); doch ist das keine
Entschuldigung. Denn erstens hat der in den Pnige ziemlich
häufige Personenwechsel sonst keine Binnenkatalexis zur Folge;
und dann besteht das Wesen der Katalexis nicht darin, dafs
nach der letzten Silbe des verkürzten Verses eine Pause eintritt, sondern — wie beim modernen Gesange — darin, dafs
die vorletzte Silbe eine vierzeitige Dauer erhält. Im übrigen
wird es geraten sein, jeden Fall einzeln zu betrachten.

Das anapaestische Antipnigos der 'Frösche' zählt 21 Verse;
ihm entspricht das iambische Pnigos gleichfalls mit 21 Versen.
Die Gründe dieser Übereinstimmung mögen unerörtert bleiben;
sie ist da, zufällig kann sie nicht sein. Ist es wahrscheinlich,
dafs von diesen zwei, einander so genau entsprechenden Gedichten das eine zwei getrennte Strophen enthalten sollte, das
andere einig und zusammenhängend wäre? Zumal wo die
Verbesserung so nahe liegt! Der katalektische Vers lautet: [λαμ-
πάδα δ᾽ οὐδεὶς οἷός τε φέρειν]

ὑπ᾽ ἀγυμνασίας ἔτι νυνί.

Im Hinblick auf Wesp. 954, Fr. 1256 u. a. St. läfst sich die
leichte Änderung vorschlagen

ὑπ᾽ ἀγυμνασίας τῶν ἔτι νυνί,

und der rhythmische Flufs wird wiederhergestellt sein.
Noch viel überzeugender läfst sich die Binnenkatalexis
in der 'Lysistrate' als Corruptel nachweisen. Halten wir die
beiden Pnige neben einander, so ergiebt sich eine genaue Übereinstimmung zwischen je den drei letzten Versen, die beider-
halb von Lysistrate gesprochen werden; ferner zwischen V. 535

---

1) Damit scheint TKock (CAF I, 236) an diesen Stellen die Binnenkatalexis rechtfertigen zu wollen.

und V. 603, die beide der Kalonike zufallen; dann — mit
Aufnahme der überaus gefälligen Conjectur AMeinekes[1]) — zwischen V. 531b—534 und V. 599—602, in denen wiederum
Lysistrate spricht; endlich zwischen V. 531a und V. 598, mit
denen der Probule das Pnigos eröffnet. Diese schöne Symmetrie, die zu auffällig ist, um unbeabsichtigt zu sein, wird
durch V. 604 καὶ τουτονγὶ λαβὲ τὸν ϲτέφανον verletzt. Es ist
das der zweite Fehler, an dem die Syzygie krankt; beide sind
bereits bemerkt worden, allein die zahlreichen Versuche, sie
zu entfernen — der Leser kann sie im Commentar der FBlaydes'schen Ausgabe einsehen — leiden mehr oder minder
alle am πρῶτον ψεῦδος, dafs die Verderbnis im Pnigos zu
suchen sei; man suchte denn die Binnenkatalexis dort zu 're-
stituieren', nahm Lücken an, ohne doch etwas Überzeugendes
an den Tag zu fördern — und das von Rechts wegen. Dem
gegenüber bin ich der Überzeugung, dafs die Corruptel im
Antipnigos verborgen ist. Man mag den Totenschmuck, der
dem Probulen verehrt wird, auffassen, wie man will — immer
wird V. 604 neben 602 Anstofs erregen. Lysistrate sucht dem
Probulen die Aussicht auf sein Begräbnis möglichst verlockend
darzustellen. Das Weiheferkel soll er bekommen; den Sarg
kann er sich kaufen; den Honigkuchen für Kerberos will sie
ihm selbst backen: den Kranz erhält er auf der Stelle (V. 602);
Kalonike schenkt ihm noch die Taenien für die Stele; nun ist
alles da. Da kommt eine γυνή β′ mit dem Vers (604)
καὶ τουτονγὶ λαβὲ τὸν ϲτέφανον.
Wozu denn noch den? Einen Kranz hat er ja schon. Dann
aber — wo kommt diese γυνή β′ her? Sie würde die vierte
Person bilden, und wenn das auch in den sonstigen Dialogen
angehen mag, im Agon müssen wir uns gegen diese Über-
schreitung der kanonischen Dreizahl verwahren; nun aber möge
man bedenken, dafs dieser V. 604 der einzige ist, der auf ihre
Rolle fallen würde, dafs sie während des ganzen Agons stumm
dagestanden sein müfste — hat das irgend eine Gewähr der
Wahrscheinlichkeit? Alles dieses legt den Gedanken aufserordentlich nahe, dafs im Antipnigos der Text verderbt sei.

---

1) VA S. 126. Etwas Ähnliches hatte schon REnger vermutet.

V. 604 ist es, der die Symmetrie stört; ebenderselbe macht das Erscheinen der überzähligen γυνή β' notwendig; ebenderselbe bildet eine unerträgliche Tautologie mit V. 602 und dieser V. 602 ist eben derjenige, der die fehlerhafte Binnenkatalexis bietet. Machen wir nun aus den tautologischen Versen λαβὲ ταυτὶ καὶ cτεφάνωcαι und καὶ τουτονγὶ λαβὲ τὸν cτέφανον einen einzigen Dimeter

λαβὲ τουτονγὶ καὶ cτεφάνωcαι,

so sind alle vier Übelstände beseitigt. Es würden sich demnach entsprechen:

Pnigos.	Antipnigos.
Probulos.	Probulos.
περὶ τὴν κεφαλήν; μὴ νῦν ζώην.	ἀλλ' ὅcτιc ἔτι cτῦcαι δυνατόc...
Lysistrate.	Lysistrate.
ἀλλ' εἰ τοῦτ' ἐμπόδιόν coύcτιν,	cὺ δὲ δὴ τί παθὼν οὐκ ἀποθνήcκειc;
παρ' ἐμοῦ τουτὶ τὸ κάλυμμα λαβὼν	χοίριον ἔcται, coρὸν ὠνήcει,
ἔχε καὶ περίθου[1])	μελιτοῦτταν ἐγὼ καὶ δὴ μάξω.
περὶ τὴν κεφαλήν, κᾆτα cιώπα.	λαβὲ τουτονγὶ καὶ cτεφάνωcαι.
Kalonike.	Kalonike.
καὶ τουτονγὶ τὸν καλαθίcκον.	καὶ ταυταcγὶ δέξαι παρ' ἐμοῦ.
Lysistrate.	Lysistrate.
κᾆτα ξαίνειν ἐυζωcάμενοc	τοῦ δεῖ; τί ποθεῖc; χώρει 'c τὴν ναῦν,
κυάμουc τρώγων,	ὁ Χάρων cε καλεῖ,
πόλεμοc δὲ γυναιξὶ μελήcει.	cὺ δὲ κωλύειc ἀνάγεcθαι.

Zu dem Worte τουτονγί mag ein Leser das Substantivum τὸν cτέφανον beigeschrieben haben, was später recht gut die Veranlassung zur Zerreifsung des Verses geben konnte.

Mit der Feststellung der Tatsache, dafs in den agonischen Pnige die Binnenkatalexis unstatthaft ist, können wir den Abschnitt vom Agon beschliefsen.

---

1) Ein δίμετροc κατὰ μονοποδίαν; cf. RWestphal Metrik II² 177 f. Seine Rhythmisierung macht Schwierigkeiten; die Annahme einer Pause (RWestphal) würde den Begriff des Pnigos aufheben.

Zweiter Abschnitt.

Parodos und Parabase.

§ 1. Der Agon, von den Alten ignoriert, von den Neueren kaum beachtet, war bis auf die vorstehende Untersuchung ein unbeschriebenes Blatt, über das man sein Auge nach Belieben schweifen lassen konnte, ohne fremden Spuren zu begegnen. Anders die Parodos; hier hat sich der Einfluſs der peripatetischen Doctrin, von dem in der Einleitung die Rede war, in seiner ganzen Schwere fühlbar gemacht. Zwar ist weder bei Aristoteles, noch beim Anonymus XI von der komodischen Parodos die Rede; umsomehr fühlte man sich gedrungen, die Definition, die Aristoteles von der tragischen Parodos giebt, der Komoedie aufzuzwängen — besonders da nach einigen Aristoteles die Partien, die er aufzählt, und darunter die Parodos als κοινὰ ἁπάντων, der Komoedie wie der Tragoedie betrachtet. Auf die Controverse bezüglich des letzterwähnten Punctes brauchen wir uns nicht einzulassen. Meint Aristoteles wirklich, daſs nicht allein der Begriff Parodos, was selbstverständlich wäre, sondern auch die Definition, die er von ihm giebt, beiden Gattungen des Dramas gemeinsam ist, so ist seine Meinung irrtümlich; meint er es nicht, so gehört sie nicht hieher.

Denn es ist einmal mit der Definition nicht auszukommen, daſs die Parodos 'die erste vom Chore vorgetragene Lexis' sei; sie kann nur zur Verkennung des kunstvollen Baues der komodischen Parodos führen. Es ist verfehlt, die Parodos der Wolken mit V. 275 beginnen und mit V. 313 enden zu lassen, wie jetzt immer geschieht. Als was will man die 12 Tetrameter V. 263—274 auffassen? Sie sind vom trimetrischen Prolog ebenso scharf geschieden, wie sie mit V. 291—297, die

man doch zur Parodos schlägt, verbunden sind. Ebenso verfehlt ist es, die VV. 235—497 der 'Ritter' als 'Parodos mit
dem ersten Epeisodion unzertrennlich verbunden' aufzufassen.
. Wollte man die Definition des Aristoteles auf die Ritter anwenden, so wäre nur V. 247—254, 258—265 und 269—272,
allenfalls auch 274 und 276 f. als Parodos zu bezeichnen, für
alles was vorhergeht, dazwischen liegt und folgt, müfste man
sich nach einem andern Namen umsehen.

Doch genug hievon; wollte ich länger bei dem Gegenstande verweilen, bei jeder einzelnen Parodos die landläufigen
Ansichten widerlegen, ehe ich die meinige auseinandersetzte,
so würde diese Untersuchung, um im Bilde zu bleiben, einem
Palimpseste gleichen, bei welchem die alten und die neuen
Schriftzüge verwirrend durcheinanderschillern. Ich beginne
daher mit dem positiven Teile; Kundigen wird das Verhältnis
dieser Arbeit zu ihren Vorgängerinnen trotzdem nicht verborgen
bleiben.

Unter Parodos sind die sämtlichen Evolutionen des Chors
zu verstehen, von seinem Erscheinen an der Eisodos bis zur
Einnahme eines festen Standpunctes auf der Orchestra; im
weiteren Sinne, die diese Evolutionen begleitende Musik; im
weitesten Sinne, der für uns einzig in Betracht kommt, die
dieser Musik zu Grunde gelegten Textesworte.

Ist aufser dem Hauptchor ein Nebenchor vorhanden, oder
tritt Antichorie in der Weise ein, dafs der eine Halbchor sich
dem anderen gegenüber selbstständig fühlt, so nennen wir den
Einmarsch des Nebenchors bezw. des anderen Halbchors Nebenparodos.[1]

Hat der Chor nach dem Einzuge in die Orchestra dieselbe
wieder verlassen und kehrt er dann zurück, so nennen wir
diese Rückkehr die zweite Parodos.

Ich beginne auch hier mit der Aufzählung der einzelnen Par- § 2.
odoi. Da jedoch die Compositionsweise der Parodos viel freier ist
und dem Dichter eine viel reichere Auswahl gestattete, so verzichte

---

1) Den umstrittenen Namen 'Epiparodos' vermeide ich absichtlich;
nach dem Anon. bei Cramer Anecd. I, 20 und Tzetzes π. τραγ. V. 43 f.
würde er sich mit meiner Nebenparodos, nach Pollux IV, 108 mit der
zweiten Parodos decken.

ich darauf, die erhaltenen Parodoi in Gruppen einzuteilen. Die
Classification bleibt am besten der zusammenfassenden Darstellung zu Ende dieses Abschnittes vorbehalten.

A. Die 'Acharner' V. 204—346. Die Parodos ist zweiteilig; die beiden Teile sind von einander durch die Zwischenscene V. 241—279 getrennt. Die Ankunft des Chores ist
durch die letzten Worte des Amphitheos angekündigt; Dikaiopolis begiebt sich ins Innere seines Hauses; nachdem die Bühne
leer geworden ist, rückt der Chor ein. Das embaterische Versmafs ist der trochaeische Tetrameter. Im Epirrhema (V. 204
—207) giebt er den Zweck seines Erscheinens kund; es gilt,
den Überbringer der Friedensspenden einzuholen; sie haben
bis jetzt alle Vorübergehenden nach ihm gefragt, aber umsonst.
Der Gedanke, dafs der Friedensbote ihnen, den Greisen, ent-
flohen sei, giebt ihnen Anlafs, wehmütig an ihre Jugend zurück-
zudenken, wo niemand leichtfüfsiger war als sie; dieser Erinnerung ist die Ode (V. 208—218) geweiht. Aber der Chor
ermannt sich gleich wieder; im Antepirrhema (V. 219—222)
spricht er den Entschlufs aus, trotz alledem den Missetäter zu
verfolgen, damit er sich nicht rühmen könne, Acharnern ent-
flohen zu sein. Die Erwähnung des Flüchtlings erweckt in
ihnen bittere Gefühle des Hasses gegen ihn, die passend in
der Antode (V. 223—233) ihren Ausdruck finden. Zum Schlufs
folgt das Epirrhemation (V. 234—241), zwei Tristichen,
deren Symmetrie durch das 'εὐφημεῖτε, εὐφημεῖτε' des Dikaiopolis, das sich nach jedem von ihnen vernehmen läfst, betont
wird. Der Entschlufs, den Flüchtigen zu finden und zu steinigen, wird neuerdings wiederholt; der Ruf des Dikaiopolis
aus dem Innern des Hauses legt die Vermutung nahe, dafs
er eben der Verfolgte sei. Zu fromm, um die heilige Handlung zu stören, bei der dieser begriffen ist, beschliefsen sie,
das Ende derselben abzuwarten; sie verlassen die Orchestra
wieder durch die Eisodos.

Die Compositionsverwandtschaft des besprochenen ersten
Teiles der Parodos mit den Agonen ist unverkennbar. Zwar
fehlen die Pnige, und auch die Katakeleusmoi mufsten der
Natur der Sache gemäfs wegbleiben; aber das charakteristische
Merkmal der epirrhematischen Composition, der symmetrische

Wechsel der gesungenen und gesprochenen Teile, begegnet uns auch hier; nur dafs hier das Schema der Aufeinanderfolge nicht *abab*, sondern *baba* ist. Man beachte auch das Epirrhemation.

Es folgt als Zwischenscene eingeschoben der phallophorische Umzug des Dikaiopolis mit dem Phallosgesang; kaum ist dieser zu Ende, so beginnt der zweite Teil der Parodos, in dem das embaterische Versmafs wiederum der trochaeische Tetrameter ist. Mit dem trochaeisch-paeonischen, richtiger arrythmischen Kommation (V. 280—283) stürzt der Chor auf die Orchestra; einige Steine sind bereits auf die Bühne geflogen, so dafs dem Dikaiopolis um seinen Topf bange wird. Die Aufregung des Chores macht sich in der folgenden Ode (V. 284—302) Luft; umsonst sucht Dikaiopolis ihn in ruhig gehaltenen Tetrametern zu beschwichtigen. Nachdem sich die Wogen des ersten Zornes gelegt haben, ist der Chor so weit, dafs er — im Epirrhema (V. 303—318) — wenigstens mit sich reden läfst, allerdings nur, um auf seinem unveränderten Entschlufs, den Friedenshelden zu steinigen, immer nachdrücklicher zu bestehen. Dikaiopolis ist sehr nachgiebig; er will nur reden dürfen, und zuletzt erbietet er sich, mit dem Kopfe auf dem Hackeblock seine Ansprache zu halten. Mit diesem höchsten Zugeständnis endet das Epirrhema; und als der Chor — im Antepirrhema (V. 319—334) — noch immer an seinem mörderischen Beschlusse festhält, da ändert sich die Situation. Dikaiopolis ergreift, ein zweiter Telephos, den Liebling der Acharner, den Kohlenkorb, und droht ihn zu schlachten; der Chor ist in Verzweiflung; nun ist er es, der sich zu Bitten herabläfst, während Dikaiopolis den Unbeugsamen spielt. Die steigende Besorgnis der Choreuten um das Los ihres Lieblings erreicht in der Antode (V. 325—346) ihren Höhepunct, in welcher sich Dikaiopolis endlich erweichen läfst, unter der Bedingung, dafs auch seitens der Choreuten alle Feindseligkeiten eingestellt werden.

Auf den ersten Blick scheint dieser zweite Teil der Parodos nur aus drei Teilen zu bestehen: der allocometrischen Ode bis V. 302, dem Epirrhema bis V. 334 und der Antode bis V. 346. Nichts desto weniger glaube ich mit Recht die

Zahl der Tetrameter halbiert und zwei Epirrhemen construiert zu haben. In der Tat ist zwischen V. 318 und 319 ein Wendepunct in der Situation eingetreten. Bis dahin verhielt sich Dikaiopolis bittend; der Vorschlag mit dem Hackeblock war das äufserste, was er bieten konnte. Nun aber ist in ihm die Telephosidee aufgegangen, jetzt bittet er nicht mehr; fast drohend klingt seine•Frage V. 323 'ihr wollt mich also nicht hören?', wie eine letzte Warnung V. 325 'tut's nicht!' — und richtig, wie diese nicht berücksichtigt wird, offenbart er seinen Anschlag. Dafs bei V. 319 ein neuer Absatz zu machen ist, dafür spricht auch der Umstand, dafs der Chor hier die Verhandlungen, die er das ganze Epirrhema hindurch mit Dikaiopolis geführt hat, plötzlich abbricht; V. 321 f. reden die Choreuten einander an. — Wem diese Gründe nicht genügen, der möge die Tatsache der Teilung einstweilen als solche hinnehmen; der zwingendste Grund darf hier noch nicht verraten werden.

Das Compositionsschema der zweiten Parodos ist somit *abba*.

B. Die 'Ritter' V. 241—302. Da der Wursthändler, durch Kleon erschreckt, die Flucht ergriffen hat, ruft Demosthenes im Prooimion (V. 242—246) die Ritter zu Hilfe. Dies veranlafst den Wursthändler, zurückzukehren und Kleon Stand zu halten; der letztere möchte gern entweichen, mitterweile rücken aber die Ritter heran und versperren ihm von der Orchestra aus den Weg, während gleichzeitig, wie man annehmen darf, der Wursthändler und Demosthenes die Seitentüren der Bühne besetzen. Die Parodos hat keine lyrischen Teile; dem Prooimion folgt das Epirrhema (V. 247—257). Der Chor ermahnt den Wursthändler, Kleon nicht entwischen zu lassen; von den Bühnenausgängen zurückgedrängt, flüchtet sich Kleon nach der einen Eisodos, durch welche der Chor eben einmarschiert ist; zurückgeschlagen wendet er sich an die Heliasten unter dem Publicum mit der Bitte um Beistand. Ihm antwortet der Chor im Antepirrhema (V. 258—268), indem er ihm ein kleines Sündenregister vorhält, während jener gleichzeitig an der anderen Eisodos sein Glück versucht. Aber auch hier versperrt ihm der Chor den Weg. So wird er gezwungen, auf die Bühne zurückzukehren und den Kampf mit seinem Gegner aufzunehmen; dies geschieht im dritten Epirrhema (V. 269—283), das sich zu den beiden ersten verhält, wie die Epode zu den zwei Strophen. Der Chor beteiligt sich nur an den vier ersten Versen; von da an überläfst er das Wort den beiden Gegnern, so dafs das folgende dem Sinne nach den Proagon zu dem bald nachher sich anschliefsenden Agon (V. 303 ff.) bildet. Dem Epirrhema folgt ein ziemlich langes Pnigos (V. 284—302), das gegenseitige Drohungen enthält.

Die Classification der Teile der Parabase als ἁπλᾶ und διπλᾶ ist den Lesern bekannt. Im Agon sind fast alle Teile διπλᾶ, sogar das Epirrhemation; nur die Sphragis ist ein ἁπλοῦν. Auch in der Parodos der 'Acharner' hatten wir, abgesehen vom Kommation des zweiten Teiles, nur διπλᾶ gefunden; hier begegnen wir zuerst den ἁπλᾶ in gröfserer Ausdehnung. Ein ἁπλοῦν ist zunächst das fünfzeilige Kommation; die folgenden Verse 247—268 gliedern sich von selbst in Epirrhema und Antepirrhema; dann bleiben die V. 269—283 übrig, die keine Gliederung zulassen. Sie sind den Anapaesten der Parabase vergleichbar, auch darin, dafs hier wie dort auf die Tetrameter ein Pnigos folgt.

C. Die 'Wolken' V. 263—456. Die Parodos zerfällt deutlich in zwei Teile, von denen der erste durch die beiden Oden des Chors eine leicht kenntliche Gliederung erhalten hat. Wir unterscheiden das Epirrhema (V. 263—274), welches die Beschwörung des Sokrates enthält; die leidige Frage nach der Vollständigkeit und Einheitlichkeit, die bei jeder Partie in den 'Wolken' gestellt werden mufs, kann hier bejahend beantwortet werden; weder hier, noch anderwärts läfst etwas darauf schliefsen, dafs im Epirrhema etwas ausgefallen sei. Es folgt die Ode (V. 275—290), in welcher der Chor den Entschlufs kund giebt, seine Nebelgestalt abzuschütteln und zur Erde niederzusteigen; das fafst Sokrates im Antepirrhema (V. 291-297) als eine Erhörung seiner Bitte auf. Hier müssen einige Verse ausgefallen sein. Denn während zu Anfang des Antepirrhemas die Wolken noch als unsichtbar gedacht werden, fragt Strepsiades im anapaestischen Gedicht, das vom Antepirrhema nur durch die Antode getrennt ist, ob sie Heroinen seien. Das

9*

setzt ihre Erscheinung voraus; aus dem Gesange allein konnte er ihr Geschlecht nicht entnehmen. Da es nun Sitte der Komoedie ist, dafs der Einzug des Chores auf die Bühne auch durch die Worte des Textes angedeutet werde, so mufs am Schlusse des Antepirrhemas ursprünglich eine darauf bezügliche Bemerkung vorhanden gewesen sein. Diese Vermutung findet ihre Bestätigung in einem Verse der ersten 'Wolken' Frgm. 319 K. — ἐς τὴν Πάρνηθ' ὀργιcθεῖcαι φροῦδαι κατὰ τὸν Λυκαβηττόν — der allerdings auch nur vermutungsweise hierher bezogen werden darf. Es ist in ihm von weiblichen Wesen die Rede, die erzürnt nach der Parnes oder nach dem Lykabettos verschwunden sind — je nachdem man vor ὀργιcθεῖcαι oder hinter φροῦδαι das Komma macht. Als Subject lassen sich wegen V. 323 nur die Wolken denken; in der Exodos, wie manche wollen, kann der Vers nicht gestanden sein, denn nach der Entfernung des Chors — und von einer solchen ist die Rede — war das Drama aus und es fiel kein Wort mehr. Mit Recht hat also FBücheler den Vers auf die Parodos bezogen. Diese hat aber — abgesehen von den Einlagen, von denen die Rede gewesen ist — nur eine Diorthose, keine Diaskeue erlitten, daher mufs sich der Vers, den wir meinen, ohne allzugrofse Veränderungen in den Text einfügen lassen. Suchen wir nun nach einem Motiv, der den Zorn der Göttinnen hervorgerufen haben mag, so bietet sich einzig die βωμολοχία dar, die sich in unserem Antepirrhema breit macht. Strepsiades will den Donnergrufs der Göttinnen auf seine Weise erwidern; in den ersten 'Wolken' mag er es wirklich getan haben, daher der Zorn. Das läfst den Gedanken aufsteigen, dafs das Antepirrhema gekürzt worden sei; wen diese Gründe nicht überzeugen, der sei auf den zweiten Teil verwiesen. Auf das Antepirrhema folgt die Antode, deren Inhalt dem der Ode verwandt ist. Damit schliefst die erste Syzygie.

Nicht so leicht ist es, die Gliederung des zweiten Teiles zu erkennen — teils, weil die Oden fehlen, teils, weil die Symmetrie der Epirrhemen durch die Diaskeue gestört worden ist. Es ist im vorigen Abschnitte gezeigt worden, dafs V. 316b—340a eine Einlage ist, V. 364—411 dagegen, sowie V. 423—426 dem Agon der ersten 'Wolken' entstammt. Der Parodos hätten wir daher nur die V. 314—316a, 340b—363, 412—423 und 427—438 zuzuteilen, und die gehören auch dahin. Die beiden letzten Abschnitte schon deswegen, weil in ihnen der Chor spricht; es ist gezeigt worden, dafs derselbe an den Unterredungen des Agons keinen Anteil nahm. Die beiden ersten aber des Inhalts wegen; es ist in ihnen von der äufseren Gestalt der Wolken die Rede, und jeder Kenner des Aristophanes wird sich aus der Parodos der 'Vögel' einer Reihe analoger Stellen zu erinnern wissen.

In diesem zweiten Teile haben wir nun gleichfalls eine Syzygie, wenn auch ohne Oden, zu erkennen. Das geht einerseits aus der Zweiheitlichkeit des Inhalts hervor. In den beiden ersten Abschnitten bildet das Aussehen der Wolkengöttinnen das Thema des Gesprächs, in den beiden letzten der Wissensdrang des Strepsiades. Sodann haben wir hier zwei längere Anreden des Chors, welche gewissermafsen die Stelle der Oden vertreten. Allerdings konnten die letzteren nicht so aneinanderstofsen, wie dies jetzt geschieht. Die erste Anrede V. 357 ff. kann nicht die Antwort des Chors auf die Bitte des Strepsiades (V. 355 f.), dafs die Wolken auch ihm etwas sagen möchten, gewesen sein; sie wenden sich in ihr der Hauptsache nach an Sokrates, nicht an Strepsiades. Dagegen eignet sich die zweite Anrede V. 412 ff. sehr gut dazu; hier wendet sich der Chor nur an Strepsiades und verspricht ihm die gröfste Glückseligkeit, wenn er ausharrt; damit ist das Thema zum folgenden Gespräche gegeben. Daraus erhellt, dafs die zweite Anrede des Chors die Einleitung zum Antepirrhema gebildet haben mufs, und für die erste Anrede ergiebt sich keine passendere Stelle, als zu Anfang des Epirrhemas. Wir hätten demnach folgende Reihenfolge: Epirrhema: V. 358—363; 314—316a; 340b—357. Antepirrhema: V. 412—422; 427—438. Aber auch so dürfen wir nicht erwarten, die Parodos der ersten 'Wolken' vollständig reconstruiert zu haben. V. 359 hatten die Wolken Sokrates aufgefordert, ihm zu sagen, was er begehre; da dieser Aufforderung im ganzen Epirrhema nirgendwo nachgekommen wird, haben wir allen Grund zur Annahme, dafs die Antwort des Sokrates, die wir uns zwischen V. 263 und 314 zu denken haben, verloren gegangen sei. Im Antepirrhema scheint alles zusammenhängend, und aus dem Inhalte allein könnten wir nicht folgern, dafs zwischen V. 422 und 427 etwas ausgefallen sei; es geht dies aber aus anderen Gründen hervor, die nicht hierher gehören. Ein Pnigos kann die Parodos nicht gehabt haben; die Tetrameter V. 356 f. verlangen, dafs sich die Anrede des Chors und damit das Antepirrhema unmittelbar anschliefse. Somit gehört das Pnigos V. 439 ff. zum Agon, nicht zur Parodos.

An die Parodos schlofs sich unmittelbar der Agon der ersten 'Wolken', dessen erhaltene Teile im ersten Abschnitt herausgeschält worden sind. Die Gleichheit des Versmafses erleichterte die Confusion, wie sie bei der Diaskeue vorgenommen worden ist. Wir können es dem Dichter nicht übel nehmen, wenn er auf die reizenden Meteorosophismen V. 364 ff. nicht verzichten wollte; und da die neuen Wolken bereits zwei Agone hatten, so mufste der ursprüngliche Agon in die Parodos verarbeitet werden. Das hat auch wohl der Verfasser der sechsten Hypothesis mit seinen Worten τὰ δὲ παραπέπλεκται im Sinne gehabt.

§ 3.　　D. Die 'Wespen' V. 230—525. Nach der Verschiedenheit des embaterischen Versmafses zerfällt diese Parodos, die mannichfaltigste und interessanteste unter allen, in drei Hauptteile. Der erste Teil (V. 230—290) ist vom zweiten (V. 333—402) durch die Nebenparodos (V. 291—316) und die Monodie des Philokleon (V. 317—332) geschieden.

I. *Erster, iambischer Hauptteil* (V. 230—290). Dieser zerfällt wieder in zwei Abschnitte, je nachdem die Tetrameter, aus denen er besteht, prokatalektisch sind oder nicht. Beide Abschnitte haben ihre eigene Gliederung, die jedoch nicht in die Augen fällt, da weder durch Oden, noch durch Personenwechsel leicht wahrnehmbare Teilungsstriche geboten sind. Das einzige Kriterion, das uns nicht im Stiche läfst, ist die Symmetrie; daneben freilich die Antichorie. Die Betrachtung beider Momente gehört eigentlich in den zweiten Teil; hier seien nur kurz die Resultate für unsere Parodos zusammengestellt. Es sind folgende Glieder zu unterscheiden. Der erste Abschnitt zerfällt in das Epirrhema (V. 230—234), das Antepirrhema (V. 235—239) und ein ἁπλοῦν (V. 240—247) ähnlich dem der Ritterparodos. Den zweiten Abschnitt eröffnet ein Gespräch des Hauptchors mit dem Nebenchor, das aufserhalb der Symmetrie steht und als ἁπλοῦν aufzufassen ist (V. 248—258). Die folgende zusammenhängende Rede des Chors bildet eine Syzygie und gliedert sich in Epirrhema (V. 259—265) und Antepirrhema (V. 266—271) — eine Teilung, die schon durch den Sinn empfohlen wird. Nun erst kommt die Ode (V. 273—280), welcher alsbald die Antode (V. 281—290) folgt.

Der Nebenchor, aus lampentragenden Knaben bestehend, hat mit dem Hauptchor zugleich seinen Einzug auf die Orchestra gehalten, daher bedurfte es für ihn keiner besonderen Parodos. Doch die Sachlage ändert sich mit V. 257. Die Knaben gehen mit den Lampen nicht wirtschaftlich genug um und werden daher von den Alten geschlagen; sie erklären darauf, sie wollten sich ein zweites Mal nicht mifshandeln lassen, sondern würden weglaufen. Mit V. 258 müssen ihnen die Alten Grund gegeben haben, ihre Drohung zu erfüllen, denn sie sind tatsächlich nicht mehr da; V. 262 erscheinen die Lampen in den Händen der Alten. Diese sind es aber, die sich zuerst nach der Wiederherstellung des früheren Einverständnisses sehnen: zum Schlusse jeder Ode rufen sie die Knaben zurück.[1]) Das erste Mal wird noch geschmollt; das zweite Mal kommen die Knaben wieder zum Vorschein, verlangen aber ihrerseits Concessionen, wenn sie die Führerrolle wieder übernehmen sollen. Das wird zwar von den Alten nicht zugestanden, aber sie entschliefsen sich doch zu bleiben (erst V. 408 f. entfernen sie sich). Die Verhandlungen bilden eben den Inhalt.

II. der *Nebenparodos*, die wie immer nur aus Ode (V. 291—303) und Antode (V. 304—316) besteht. Es folgt die Monodie des Philokleon, an die sich

III. der *zweite, anapaestische Hauptteil* (V. 333—402) schliefst, welcher die epirrhematische Composition, wie wir sie aus dem Agon haben kennen lernen, am vollständigsten wiedergiebt.

---

1) Denn auch der Ode wird mit RArnoldt (de choro Aristophanis S. 15) das ὕπαγ' ὦ παῖ, ὕπαγε anzufügen sein.

Er beginnt mit der Ode (V. 333—345), welche genau wie die
Oden der Agone durch mesodische Tetrameter unterbrochen
wird. Es folgt das Epirrhema (V. 346—357), ein Gespräch
zwischen Philokleon und dem Chor. Die beabsichtigte Flucht
des Philokleon bildet das Thema; der Chor läfst an ihn erst
eine allgemeine Aufforderung ergehen, dann zwei specielle mit
Angabe der Mittel zur Flucht; Philokleon ist ganz mutlos
und weifs nichts anzufangen. Seiner gedrückten Stimmung
macht er im Pnigos (V. 358—364) Luft, und damit schliefst
der erste Teil. In der Antode (V. 365—378) lädt der Chor
seinen Schützling nochmals nachdrücklich ein, sich durch Flucht
zu retten und ihm zu folgen; diesem ist auch ein Mittel eingefallen, das er in den mesodischen Tetrametern dem Chore
mitteilt. Nachdem er sich — im Antepirrhema (V. 379—
402) auf jeden Fall seines Beistandes versichert hat, betet
er zu seinem Schutzgott und läfst sich dann sacht an einem
Seile herunter. Durch das Geräusch erweckt kommen Bdelykleon und Xanthias herbei, ihre Ankunft vereitelt die Flucht,
und Philokleon bleibt vorläufig, wie man annehmen mufs, auf
seinem luftigen Sitze zwischen Himmel und Erde schweben.
Das Antipnigos fehlt; unmittelbar an die Tetrameter des Antepirrhemas schliefst sich

IV. der dritte, trochaeische Hauptteil (V. 403—525). Auch
hier tritt die epirrhematische Composition deutlich hervor.
Mit dem Erscheinen des Bdelykleon auf der Bühne hat sich
die Situation verändert; Philokleon kann nun nicht mehr ent-
führt, sondern höchstens gewaltsam erkämpft werden. Dem
entspricht der Wechsel des Versmafses. — Dafs die Oden
durch mesodische Tetrameter unterbrochen werden können, dafür lieferten uns sowohl die Agone wie auch die Parodoi Belege. Andererseits läfst sich nicht absehen, warum nicht auch
umgekehrt die Epirrhemen durch eingelegte lyrische Partien
unterbrochen werden können. In den Agonen ist dieses natürlich unmöglich, da dort der Chor — und nur dem Chor könnte
man lyrische Partien zudenken — während der Epirrhemen
überhaupt nicht dreinspricht. Dagegen könnte man wohl erwarten, dieser Erscheinung in den Parodoi zu begegnen. Irre
ich nicht, so ist eben die gegenwärtige Parodos ein Beispiel.

V. 403—414 geht die Ode; dann beginnt (V. 415—462) das
Epirrhema, das aus trochaeischen Tetrametern besteht, aber
zweimal (V. 418—419 und V. 428—429) durch paeonisch-
choreische Verse des Chores unterbrochen wird. Man könnte
freilich einen anderen Weg einschlagen und die Ode bis V. 429
ausdehnen, so dafs umgekehrt diese zwei Mal (V. 415—417
und V. 420—427) unterbrochen sein würde. Doch fragt es
sich, was wir dabei gewinnen würden, wenn wir die so natürliche Erscheinung eines durch ein paar lyrische Verse unterbrochenen Epirrhemas beseitigten und dafür eine so unver-
hältnismäfsig lange Ode einführten, in welcher überdies das
stichische Versmafs das lyrische weit in den Hintergrund
drängen würde. Ich bleibe daher bei dem obigen Vorschlage
und bemerke nur, dafs die Frage durchaus nicht so gleichgültig ist, wie es beim ersten Blick erscheinen könnte. Die
Gliederungsstriche, die im Texte fehlen, waren in der Musik sicher vorhanden, und auf diese haben wir einige Rücksicht zu nehmen, da sie allein im Stande ist, uns eine Reihe
von Rätseln zu lösen. Im zweiten Teile werden wir daher
auch auf diese Frage zurückkommen.

Das Verhältnis der beiden Epirrhemen zu einander ist
übrigens dasselbe, wie in der zweiten Parodos der 'Acharner'.
Das Epirrhema enthält den Angriff des Chores auf das Haus
des Bdelykleon, der gerade am Schlusse (V. 457 ff.) zurückgeschlagen wird. Die tiefe Niedergeschlagenheit der Choreuten
über diesen Mifserfolg drückt die Antode (V. 462—476) aus,
die leider sehr verstümmelt ist. So bleibt für das Antepirrhema (V. 472—525) nichts übrig, als der Rückzug. Im
Agon, der sich unmittelbar an das Antepirrhema schliefst,
sehen wir den Chor auf der Orchestra.

E. 'Eirene' V. 299—656. Die Parodos, zu deren Behandlung ich übergehe, ist viel freier und, wenn man will, viel
willkürlicher componiert, als alle bisherigen. Sie ist zwar nicht
so reich, wie die der 'Wespen' — das embaterische Versmafs
bleibt überall der trochaeische Tetrameter — und zerfällt nicht
einmal in mehrere selbständige Teile. Dafür aber spielt sich
die ganze Handlung des Stückes — die Befreiung Eirenes —
in der Parodos ab, welche hier, was die Concentration des

Interesses anbelangt, den fehlenden Agon zu ersetzen hat.
Dies machte die Einfügung einer dialogischen Partie notwendig (V. 361—552) welche, ähnlich wie die phallische Procession in den 'Acharnern', die Tetrameter unterbricht. Be-
trächten wir zunächst dasjenige Stück der Parodos, welches
diesseits der Zwischenscene liegt, so fallen uns die beiden
Verse auf, mit denen Trygaios den Chor beruft. Wir könnten
sie im Hinblick auf die Parodos der 'Ritter' als Kommation
fassen; ihre Zweizahl aber sowie ein anderer Grund, der im
zweiten Teile wird geltend gemacht werden, spricht dafür,
dafs wir in ihnen vielmehr den Katakeleusmos, dem wir
in den Agonen regelmäfsig begegneten, wiedererkennen. Es
folgt (V. 301—338) das Epirrhema; der Chor stürmt raschen
Schrittes in die Orchestra; seine übermäfsige Tatenlust, die
zuletzt in einem munteren Tanze ihren Ausdruck findet, erscheint Trygaios selbst bedenklich; mit Mühe gelingt es ihm,
seine Freunde zur Besinnung zu bringen und sie zu erinnern,
dafs das grofse Werk noch lange nicht vollbracht ist; 'wenn
erst alles gelungen ist, dann —' was dann kommt, drückt
das kleine Pnigos (V. 339—345) aus. Die Ermahnungen
des Trygaios haben bei den Choreuten eine ernstere Stimmung
hervorgerufen, die in der Ode (V. 346—360) zum Ausdrucke
kommt. — Dieser erste Teil der Parodos enthält somit sämtliche Teile, die auch einem halbierten Agon zukommen, nur
in anderer Reihenfolge; fassen wir Katakeleusmos, Epirrhema
und Pnigos im Gegensatz zur Ode als ein Ganzes — und
dazu sind wir berechtigt — so ist das Schema eines halbierten Agons *ab*, dasjenige unserer halben Parodos *ba*.

Die Zwischenscene beginnt mit einem Gespräche zwischen
Trygaios und Hermes (V. 361—382); letzterer droht, den
ganzen Anschlag Zeus zu verraten; die Bitten des Trygaios
früchten nichts, er wendet sich in zwei trochaeischen Tetrametern an den Chor. Die Tetrameter, die einem Katakeleusmos täuschend ähnlich sehen, lassen uns ein Epirrhema erwarten; es kommt aber blofs die Ode (V. 385—399), die mit
der Ode der Parodos antistrophisch zusammenhängt, ohne
doch die Antode zu bilden. Dieses ist eine weitere Freiheit.
V. 400—458 wird das Gespräch fortgesetzt, diesmal kommt

146

Trygaios zum Ziel. Der Chor wird von Hermes aufgefordert, näher zu treten und das Seil zu ergreifen; die Aufforderung und die Antwort darauf sind in fünf versprengten Tetrametern enthalten, welche den Dialog unterbrechen (V. 426—430). Es folgt das Gebet (V. 431—458), dann die Befreiung selbst, welche sehr kunstvoll sich in Strophe (V. 459—485), Antistrophe (V. 486—507) und Epode (V. 508—519) gliedert; die Epode wird durch vier — diesmal iambische — Tetrameter eingeleitet. Die Zwischenscene schliefst mit einem Gespräche zwischen Hermes und Trygaios (V. 520—552); dann kommt eine weitere Partie in trochaeischen Tetrametern (V. 553—581), die zu umfangreich ist, als dafs wir sie nicht zu der Parodos rechnen sollten. Sie besteht aus folgenden drei Teilen: dem Katakeleusmos[1]) (V. 553 f.), dem Epirrhema (V. 556—570) und dem Pnigos (V. 571—581).

Nun erst beginnt der andere Teil der Parodos. Der Aufforderung des Trygaios gemäfs singt der Chor ein Loblied auf Eirene; das ist die Antode (V. 582—600), die auch insofern das Gegenstück zur Ode bildet, als in ihr dasjenige als vollbracht gepriesen wird, was dort erst ersehnt worden ist. Es folgt der Antikatakeleusmos (V. 601 f.); der Chor fordert Hermes auf, ihm die Schicksale Eirenes zu erzählen. Der Doppelsinn, den diese Aufforderung sowie das ganze, als Antwort dienende Antepirrhema (V. 603—650) enthält, ist bereits im ersten Abschnitte erläutert worden. An das Antepirrhema schliefst sich das kurze Antipnigos (V. 651—656), mit dem die Parodos endet. Ihr Schema ist — da das Epirrhema der Ode vorhergeht, dagegen das Antepirrhema der Antode folgt — baab, oder, wenn man die Ode und das Epirrhema berücksichtigt, die zugleich mit der Zwischenscene zwischen Ode und Antode eingeschoben sind, baa'b'ab. Jedenfalls bildet diese

---

1) Im Texte enthält der Katakeleusmos drei Verse, was gegen alle Analogie ist. Dem Übel läfst sich leicht abhelfen, wenn man V. 555 eine andere Stelle anweist, z. B. zwischen V. 568 und 569, wo er sich dann folgendermafsen in den Zusammenhang bringen liefse:

ἀλλὰ πᾶς χώρει προθύμως εἰς ἀγρὸν παιωνίcας·
ὡς ἔγωγ' ἤδη 'πιθυμῶ καὐτὸς ἐλθεῖν εἰς ἀγρὸν
καὶ τριαινοῦν τῇ δικέλλῃ διὰ χρόνου τὸ γῄδιον.

Parodos das Gegenstück zur zweiten Parodos der 'Acharner',
deren Schema *abba* war.

F. Die 'Vögel' V. 268—399. Die Composition dieser um-
fangreichen Parodos ist überaus kunstlos: die epirrhematische
Gliederung erscheint in ihr so gut wie aufgegeben. Ob dieses
nun mit der Beschaffenheit des Chores zusammenhängt, dessen
unstete Vogelnatur ein strenges Schema nicht zuliefs, ob mit
der Sonderstellung der Komoedie überhaupt, der einzigen
Märchenkomoedie, die wir besitzen, das mag unentschieden
bleiben. Hier handelt es sich darum, die Tatsache festzustellen.
    Leicht erkennbare Gliederungspuncte für das Auge bildet
die Ode (V. 327—335), die Antode (V. 343—351) und das
Pnigos (V. 387—399). Letzteres schliefst die ganze Parodos
ab. Schon dieser Umstand macht es uns deutlich, dafs sie
nicht aus zwei sich entsprechenden, sondern aus einem einzigen, fortlaufenden Epirrhema besteht. Einen analogen Fall
hatten wir in der Parodos der 'Ritter'; in der Tat bildete
dort das Epirrhema, das mit dem Pnigos schlofs, einen Teil
für sich, ein ἁπλοῦν, das aufserhalb der Symmetrie stand.
Allerdings liefs sich dort wenigstens der Anfang der Parodos
symmetrisch in Epirrhema und Antepirrhema einteilen, und
so wäre die Möglichkeit immerhin vorhanden, dafs auch die
Parodos der 'Vögel' eine solche Gliederung in ihrem Anfang
zuliefse. Auch will ich niemand von Versuchen in dieser Richtung abschrecken: ich mufs jedoch gestehen, dafs sie bei mir
erfolglos geblieben sind. Ich vermag in der Parodos der
'Vögel' nur ein einziges Epirrhema zu erkennen, das ziemlich
regellos durch die beiden Oden unterbrochen ist und mit einem
Pnigos schliefst. Dafs trotzdem dieses Epirrhema vollkommen
den strengen Gesetzen entspricht, denen alle Epirrhemen unterworfen sind, das wird der Leser im zweiten Teile finden
(B, IV, § 2).
    Nach diesen Beispielen der Freiheit und Willkür tut es
wohl, zur festen Ordnung der epirrhematischen Composition
zurückzukehren. Einer solchen begegnen wir in der Parodos der
    G. 'Lysistrate' V. 254—385. Sie zerfällt von selbst in
vier Teile: den ersten (V. 254—285), den zweiten (V. 286—318),
die Nebenparodos (V. 319—349) und den dritten Teil der

Hauptparodos, ein ἁπλοῦν (V. 350—386). Zuerst marschiert der Chor der Greise allein in die Orchestra herein. Die Parodos beginnt mit einem Kommation (V. 254 f.), das an einen Choreuten gerichtet ist; es folgt die Ode[1] (V. 256—265), die dem Unwillen des Chors über den Handstreich der Frauen Ausdruck verleiht; daran schliefst sich das Epirrhema (V. 266—270), das zum rüstigen Vorwärtsschreiten auffordert und zugleich einen Teil des Anschlags kund giebt. Die Antode (V. 271—280) schwelgt in seligen Erinnerungen an die Vorzeit; im Gegensatz dazu wird im Antepirrhema (V. 281 —285) der energische Entschlufs für die nächste Gegenwart nachdrücklich wiederholt. Damit ist die *erste Syzygie* beschlossen, der Chor hat einen Teil des Weges bis zur Akropolis zurückgelegt. Es bleibt nur noch die kleine Halde übrig, τὸ ciμόv. Diese wird in der *zweiten Syzygie* überwunden. Die Sorge der Choreuten ist geteilt zwischen den zwei Holzscheiten, die sie auf der rechten Schulter, und den Kohlen in dem Topf, den sie in der linken Hand tragen; erstere drücken zu sehr, letztere drohen zu verlöschen. Mit den ersteren beschäftigt sich vornehmlich die Ode (V. 286—295), mit den letzteren die Antode (V. 296—305). Rätselhaft ist der iambische Tetrameter V. 306.[2] Einen Kriegsrat enthält das Epirrhema (V. 307—312), es wird beschlossen, zunächst die Last niederzulegen. Das geschieht im Antepirrhema (V. 313—318); erst entledigt man sich des Topfes, dann der Scheite; zum

---

1) Die sechs Schlufsverse der Ode sehen einem iambischen Pnigos sehr ähnlich, nur dafs dem katalektischen Dimeter ein Ithyphallicus angefügt ist. Trotzdem möchte ich diese Partie nicht Pnigos nennen; man müfste dann die beiden dikatalektischen Tetrameter, mit denen sie beginnt, zum Epirrhema schlagen, und es würde das Pnigos in das Epirrhema eingeschoben worden sein, was unnatürlich ist und jeder Analogie entbehrt. — 2) Er steht aufserhalb der Symmetrie, mag man ihn nun zu den folgenden Epirrhemen oder zu den vorhergehenden Oden schlagen. Im ersteren Falle müfste man vor V. 313 den Ausfall eines Verses annehmen (s. d. zweiten Teil Cap. IV § 2), im letzteren den Vers nach V. 295 wiederholen (ähnlich wie den Vers ὕπαϛ' ὦ παῖ, ὕπαϛε in der Parodos der 'Wespen'). Einen ähnlichen Vers haben wir auch Vög. 1323. Wir gehen wohl am sichersten, wenn wir einfach die Tatsache solcher wilder Ranken constatieren.

Schlusse wird Nike um Beistand zum bevorstehenden Unternehmen angerufen.

Wie in den 'Wespen', also enthält auch hier die *Nebenparodos* nur das Odenpaar. Nachdem die Greise an der Propylaentreppe sichs bequem gemacht haben, erscheint in fliegender Hast der Chor der Frauen von der Stadt her, Wasserkrüge auf dem Kopf, den Belagerten Entsatz zu bringen. Wie in der Hauptparodos, also macht auch hier ein distichisches Kommation den Anfang. Grofse Unruhe spricht sich in der Ode (V. 321—334) aus; der Chor fürchtet, weil er den Flammenschein sieht, mit seiner Hilfe zu spät zu erscheinen, wie sehr er auch geeilt hat, dem drohenden Unglück zuvorzukommen. Doch scheint er bald erkannt zu haben, dafs die Gefahr noch nicht so unmittelbar bevorstehe; mit gröfserer Ruhe schildert er in der Antode (V. 335—349) die Veranlassung seines Kommens und wendet sich im Gebet an Athena, sie möchte dem Unternehmen günstig sein und im Falle der Not selber als Hydrophore in den Kampf eingreifen.

Wie die Nebenparodos zu Ende ist, hat auch der Frauenchor in unmittelbarer Nähe des Männerchores Platz genommen: den Conflict, der unvermeidlich geworden ist, hat der *dritte Teil der Hauptparodos* zum Gegenstande. Es ist diesmal keine Syzygie, sondern ein ἁπλοῦν, ein langes Epirrhema (V. 350—381), das in ein kleines Pnigos (V. 382—386) ausläuft.[1]) Gegenseitige Entrüstung; die Drohungen gehen bald in Schmähungen über; der Männerchor macht Anstalten, seine Drohungen zu verwirklichen, doch kommt ihm der Frauenchor zuvor. Der wachsenden Hitze des Streites entspricht die Form; die geordnete Distichomythie geht bald in Stichomythie, diese in Antilabe über.

Ein Gegenstück zu diesem Teile der Parodos ist die gewöhnlich[2]), ohne allen besonderen Grund übrigens als Kordax

---

1) Man könnte zwar durch einen Teilungsstrich nach V. 365 die ganze Partie in ein Epirrhema und ein Antepirrhema teilen; in diesem Falle würde aber das Antepirrhema ein Pnigos haben, das Epirrhema nicht, was unwahrscheinlich ist; s. das im Texte zu der Parodos der 'Vögel' gesagte. — 2) CMuff üb. d. Vortrag der chorischen Partien bei Aristophanes S 129 ff.

aufgefafste *trochaeische Partie* V. 1014—1042. Sie zerfällt metrisch in zwei Teile; das Versmafs der ersten ist der trochaeische Tetrameter, dessen dritte Dipodie durch einen scheinbaren[1]) Paion vertreten wird (V. 1014—1035); dasjenige des
zweiten der reine trochaeische Tetrameter. In letzterem sind
sieben Verse verfafst; der erste von ihnen (V. 1036) gehört
indessen nicht nur dem Inhalte nach, sondern, wie wir weiterhin sehen werden, auch aus Compositionsgründen der vorhergehenden Partie als Schlufsvers an; somit bleiben für den
zweiten Teil nur die VV. 1037—1042 übrig. Über die Stellung dieser Verse innerhalb der Composition können keine
Zweifel obwalten; es sind ja zwei Tristichen, das eine ganz
vom Männerchor, das andere ganz vom Frauenchor gesprochen,
der gleiche Anfang (ἀλλὰ . . .) betont die Gegenüberstellung
noch mehr — kurz, wir haben es offenbar mit einem Epirrhemation zu tun. Die ganze Partie, die ihm vorausgeht,
werden wir bis auf weiteres als Epirrhema fassen müssen.

H. Die 'Thesmophoriazusen' haben keine Parodos.

Es hat nämlich die Behandlung der sieben ersten Parodoi
zu dem Resultate geführt — und die drei letzten werden es
nur bestätigen — dafs die Epirrhemen ein unumgänglicher
Bestandteil der Parodos sind. Der Oden kann sie eher entbehren — dafür sind die 'Ritter' ein Beispiel; diese sind eine

---

1) Ich sage 'scheinbar', denn in Wirklichkeit ist dieser Vers ein
trochaeischer Tetrameter mit Binnenkatalexis im fünften Fufse

$$\overset{\prime\prime}{\smile} \cup \_ \circleddash \quad \measuredangle \cup \_ \cup \quad \overset{\prime\prime}{\_} \| \widehat{\circleddash} \cup \quad \measuredangle \cup \_$$

So fafst ihn einzig richtig HSchmidt (Antike Compositionslehre S. 302)
auf. Wenn dagegen WChrist (Metrik S. 407), der selbst einen unaus-
sprechlichen trochaeisch-paeonischen Vers (in einer stichischen Composition!) statuiert, bemerkt, dafs die Synkope sich nur in geraden Fufsen
trochaeischer Verse nachweisen liefse, so braucht er nur an seine eigenen
Worte (Die rhythmische Continuität der griechischen Chorgesänge cap. II,
1 in Abh. d. Ak. d. Wften zu München phil. Cl. XIV 3. Abt. 1878
S. 13) erinnert zu werden. Der Leser sei auf den Choliambus, auf Verse
wie Lys. 658 ff., 682 ff., 781 ff., 805 ff. Ach. 1159, 1171 verwiesen. Cf.
JRichter, proll. zur 'Pax' S. 50. Was es mit dem zweiten Grunde
WChrists — dafs es nur bei seiner Analyse einen Sinn habe, wenn die
Mehrzahl der fraglichen Verse eine Caesur nach dem vierten Fufs hat
- für eine Bewandtnis hat, ist mir unerfindlich. Wo soll ein trochaeischer Tetrameter sonst seine Caesur haben, als nach dem vierten Fufse?

angenehme Beigabe, nichts weiter; die Epirrhemen aber sind die
Marschcompositionen, ohne welche der Chor nicht marschieren,
also die Orchestra nicht betreten kann. Und Epirrhemen, überhaupt Tetrameter finden wir in der Partie, die gewöhnlich für
die Parodos der 'Thesmophoriazusen' angesehen wird, nicht.[1])
Wie war aber die Parodos der 'Kalligeneia' beschaffen?
Und wie sollte die Parodos der 'Nesteia' werden? Ich denke,
es hat des Hinweises auf die Mangelhaftigkeit der erhaltenen
Parodos nicht erst bedurft, um den Leser von der Unaufführ-
barkeit, also der Unvollendetheit der 'Thesmophoriazusen' zu
überzeugen, so dafs diese Fragen wohl berechtigt erscheinen.
Um sie, soweit es geht, zu beantworten, mufs an die Beschaffenheit des Chores erinnert werden, wie sich dieselbe
nach der Untersuchung im ersten Abschnitte herausgestellt
hat. Es ist gezeigt worden, dafs in der 'Kalligeneia' das
ganze Stück hindurch — wie in der 'Lysistrate' — Antichorie
bestand; den einen Halbchor bildeten die Thesmophoriazusen,
den anderen die Musen und Chariten zusammengenommen.[2])
Also mufs aufser der Hauptparodos noch eine Nebenparodos
angenommen werden. Letztere ist uns, wie es scheint, vollständig, wenn auch im verdorbenen Zustande im Musenchor
erhalten, der jetzt den Prolog der 'Thesmophoriazusen' auf so
rätselhafte Weise unterbricht; da, wie wir gesehen haben, die
Nebenparodos der Epirrhemen sehr wohl entbehren kann, so
vermissen wir nichts. Ein Umstand könnte uns Bedenken
einflöfsen: wir sind es bisher so gewöhnt, dafs der lyrische

---

1) RWestphal freilich sieht sich genötigt — um seine Idee, dafs
die Parabase das zweite unter den Chorika der Komoedie ist (Prolegg.
zu Aeschylus' Tragoedien S. 30 ff.), folgerecht durchzuführen — das Chorikon V. 655 ff. für die Parodos zu erklären (wo der Chor schon seit
V. 295 auf der Bühne ist!). Diese Idee hängt wieder mit einer anderen
Idee zusammen, wonach bei Aristophanes wie bei Aischylos die Tetras
der Chorika das Gerippe des Dramas bildet, und diese ist ein directer
Ausflufs des alten Aberglaubens, dafs die Komoedie das Compositionsschema der Tragoedie entlehnt habe. Tantum relligio ... — 2) Ähnlich mufs der Chor in den 'Musen' des Phrynichos beschaffen gewesen
sein; die Musen allein waren in ihrer kanonischen Neunzahl für einen
Halbchor zu wenig, und es lag nichts näher, als die drei fehlenden Posten
durch die Chariten auszufüllen.

Teil der Parodos keine ἁπλᾶ zuläfst, dafs dem Odenpaar keine Epode folgt; das Musengebet ist aber nicht zweiteilig, sondern fünfteilig, dem allgemeinen Gebetschema entsprechend, so dafs ein Teil jedenfalls aufserhalb der Symmetrie steht. Das scheint darauf hinzudeuten, dafs wir bei der Reconstruction der Kalligeneiaparodos mit dem geläufigen Schema der epirrhematischen Composition nicht auskommen. Und das ist nur natürlich. Der festliche Einzug des Chores in der 'Kalligeneia' mufste notwendigerweise der Frauenprocession an den Thesmophorien nachgebildet werden, und diese hatte mit dem bacchischen Komos nichts zu tun. Der Cultus der thesmophorischen Gottheiten, Demeter und Kore, verlangte andere Festgebräuche. Wir würden nun auf alle nähere Kenntnis von der 'Kalligeneia'-Parodos verzichten müssen, wenn uns ein demetrischer Festzug nicht in der Parodos einer anderen Komoedie ziemlich vollständig erhalten wäre. Wir meinen die Parodos

I. der 'Frösche' V. 324—459. Hier ist es zunächst notwendig, sich über die Zusammensetzung des Chores zu verständigen. Dafs er aus Männern und Frauen bestand, geht aus V. 157 hervor, wo Herakles dem Dionysos sagt, er würde sehen

θιάσους εὐδαίμονας
ἀνδρῶν γυναικῶν, καὶ κρότον χειρῶν πολύν,

und das würden die μεμυημένοι sein. Betont man den Plural θιάσους, so folgt schon daraus die Alternative: Antichorie oder Nebenchor. Aber das könnte manchem zu pedantisch erscheinen. — Wenn ferner die Sänger von V. 409 eine Spielgenossin mit dem τιτθίον προκύψαν necken, so verlangt dieses gleichfalls wenigstens Antichorie. Entscheidend ist aber V. 440 ff., wo ein Koryphaios sagt

χωρεῖτε
νῦν ἱερὸν ἀνὰ κύκλον θεᾶς, ἀνθοφόρον ἀν' ἄλσος
παίζοντες οἷς μετουσία θεοφιλοῦς ἑορτῆς.
ἐγὼ δὲ σὺν ταῖσιν κόραις εἶμι καὶ γυναιξίν,
οὗ παννυχίζουσιν θεᾷ φέγγος ἱερὸν οἴσων.[1]

---

1) Wie man die beiden letzten Verse Dionysos geben kann (WDin-

Ein Teil des Gesamtchores soll sich also in den Festhain begeben, der andere, und zwar der Chor der Mädchen und Frauen, anderswohin. Welchen von den beiden Festplätzen man sich auf der Orchestra zu denken hat, ist damit noch nicht gesagt; da aber im folgenden der Chor auf der Orchestra mit ἄνδρες angeredet wird (V. 597), so ist es klar, dafs der Männerchor zurückgeblieben ist, der Frauenchor sich entfernt hat.[1]

Damit ist aber auch die Anwesenheit eines Nebenchors für die Parodos bewiesen. Nebenchor, nicht Antichorie; denn im letzteren Falle würde der weibliche Halbchor die Orchestra nicht verlassen dürfen. Doch sind beide Erscheinungen für die Composition der Parodos von gleichem Einflusse; beide

---

dorf), versteht vielleicht ein anderer. Meine Ansicht ist auch diejenige NWeckleins Phil. 1877, S. 221 ff. — 1) RArnoldt (Chorpartien S. 146 ff.) will auch hier von einem Nebenchor nichts wissen; dafs die Frauen und Mädchen weggehen, leugnet er trotz V. 442 f. ganz und gar, denn er weifs (S. 155), *dafs auch der Wespenchor mit der Versicherung (V. 240 ff) einzieht, er befinde sich auf dem Wege um über Laches noch in der Frühe Gericht zu halten; und nichtsdestoweniger verläfst er nicht seine Stelle, sondern verweilt den ganzen Tag hindurch und länger vor dem Hause des Philokleon. In gleicher Weise wird der Chor der Vögel (448 ff.) nach Hause entlassen — und entfernt sich trotzdem nicht. Ebenso wird im Frieden der Chor der Landleute (550 ff.) aufs Land zurückgeschickt und geriert sich gleich darauf wie ein abziehender — allein er führt sein Vorhaben nicht aus und bleibt bis zum Ende des Stückes in der Orchestra.* Ad 1: der Wespenchor führt sein ursprüngliches Vorhaben nicht aus, weil er sich mittlerweile — durch den Agon — von der Nichtigkeit des Heliastentums hat überzeugen lassen. Ad 2: die drei Verse 448 —450 geben die Handschriften dem Peithetairos, der sie natürlich nicht an die Vögel, sondern, der Aufforderung des Epops (V. 435 ff.) gemäfs, in scherzhafter Parodie des amtlichen Stiles an sein eigenes, aus Euelpides bestehendes Heer richtet; hierauf begeben sich die beiden in den Dickicht und kehren waffenlos zurück (Cf. FWieseler, Advv. in Aesch. Prom. et Ar. Av. 36). Ad 3: der Chor kommt dem Befehle des Trygaios pünktlich nach, indem er die Bühne verläfst und sich zur Orchestra zurückbegiebt. RArnoldt wird sich demnach nach anderen Beweisen für die Ungereimtheit der altattischen Komoedie umsehen müssen. — Seine eigene Einteilung des Chors, sowie die FVFritzsches, darf ich wohl übergehen; sie zu widerlegen würde einen ebenso leichten, wie unerquicklichen Schattenkampf abgeben.

machen eine Nebenparodos notwendig. Eine solche dürfen wir also unter den Gesängen der Parodos suchen.

Die Parodos zerfällt in einen odischen, einen epirrhematischen und noch einen odischen Teil. Der erste besteht nur aus Ode (V. 323—336) und Antode (V. 340—353); der zweite aus achtzehn Tetrametern, die keine weitere Gliederung zulassen; der dritte und mannichfaltigste aus einem antistrophischen Embaterion (V. 372—381), einem antistrophischen Hymnos an Demeter (V. 384—393), einem monostrophischen, oder, wenn man will, epodischen Hymnos auf Iakchos (V. 396 —413), einem monostrophischen Gephyrismos (V. 426—439) und einem antistrophischen Abzugsliede (V. 447—459). Wer diesen Liedercomplex dem Inhalte nach betrachtet, wird leicht zur Erkenntnis gelangen, daſs er in seiner Gesamtheit nicht von demselben Chor gesungen werden konnte.

Der eleusinischen Gottheiten gab es drei, Demeter, Kore und Iakchos. Der erste Gesang gilt Iakchos; es folgt ein längeres Epirrhema, dann ein Embaterion, welches an Kore gerichtet ist. Hierauf beginnt die ἑτέρα ὕμνων ἰδέα, der Preisgesang an Demeter; endlich wird auch der jugendliche Begleiter derselben, Iakchos angerufen. Was hier zunächst auffällt, ist die Zweizahl der an Iakchos gerichteten Gesänge; V. 395 wird der Chor aufgefordert ihn anzurufen, und man hat durchaus den Eindruck, als ob das jetzt zum ersten Mal geschähe; und doch war er bereits durch das erste Lied geladen. Diese Eigentümlichkeit erklärt sich jedoch leicht, wenn man sie mit der nachgewiesenen Anwesenheit eines Nebenchores in Zusammenhang bringt. Dem Hauptchore wird dann das eine, dem Nebenchore das andere Iakchoslied zufallen. Über die Verteilung kann kein Zweifel sein; da das zweite Iakchoslied im Munde von Frauen (wegen V. 409 ff.) nicht wohl denkbar ist, müssen wir dasselbe, und mit ihm den ganzen Liedercomplex jenseits des Epirrhemas dem Hauptchor zuteilen; die beiden Strophen diesseits des Epirrhemas werden daher auf die Rolle des Nebenchores kommen und die Nebenparodos bilden.[1]) Hätten wir in unserer Parodos —

1) Die Worte der Antode γόνυ πάλλεται γερόντων, ἀποσείονται δὲ

10*

was nicht die Absicht des Dichters gewesen sein kann — eine vollständige Nachbildung der Mystenprocession, so würden wir zweifelsohne einen doppelten Liedercyclus lesen; erst sang der Frauenchor, nach einigen einleitenden Worten des Sprechers, seine drei Lieder an Kore, Demeter und Iakchos ab, nachher kamen die einleitenden Worte des anderen Koryphaios und wiederum je ein Hymnos an Kore, Demeter und Iakchos seitens des Männerchores. So hat man sich den Vorgang hinter der Bühne während des Prologes zu denken. Dionysos und Xanthias treffen aber die Mysten, während die Procession bereits in vollem Gange und der erste Liedercyclus bis auf das Lied an Iakchos abgesungen ist.

Den Mystenumgang als Parodos zu verwenden war ohne Zweifel ein sehr glücklicher Gedanke; nur mufste dann das Schema der epirrhematischen Composition aufgegeben werden. In der Tat würden alle Versuche, unsere Parodos in dieses Schema einzuzwängen, erfolglos ein. Die tetrametrische Partie ist kein Epirrhema im Sinne der epirrhematischen Composition, nicht einmal als ἁπλοῦν, da sie das Gesetz der Eurythmie nicht anerkennt[1]); auch die Demeterlieder hängen enger zusammen, als für ein Odenpaar erlaubt ist, wie denn auch der Katakeleusmos in dieser Form (V. 382 f.) unstatthaft ist. Und nun gar das zweite Iakchoslied mit seinen drei Strophen!

Wir haben es also mit einer besonderen, dem Culte der eleusinischen Gottheiten eigentümlichen Compositionsweise zu tun. Nichts liegt näher als die Annahme, dafs auch die Parodos der 'Kalligeneia' ihr nachgebildet war. Natürlich mit Freiheiten, wie denn überhaupt von allen aristophanischen Parodoi keine in allen Puncten der anderen gleicht. Das

---

λύπας χρονίους δ᾿ ὀςτῶν παλαιῶν ἐνιαυτοὺς ἱερᾶς ὑπὸ τιμᾶς (der Text nach TKock) dürfen uns an dieser Auffassung nicht irre machen. Mit ihnen meint der Chor keineswegs sich selbst, vielmehr giebt er sich für die χοροποιὸς ἥβα (V. 353) aus, der angeführte Satz ist aber ein gemütlicher Spott des Frauenchors auf den sicher etwas ungefügen Tanz des nachfolgenden Chors der Greise, 'sogar dem grauen Biedermann wird's wieder jung zu Sinne' — ein Spott, der auch zur richtigen Zeit, im zweiten Iakchosliede, mit dem τιτθίον προκύψαν vergolten wird. Den Spott haben auch GWelcker und FRitschl herausgefühlt; s. ORibbeck, Friedrich Ritschl II 548. — 1) s. u. B, IV, § 2.

Gebet der Musen mag als Nebenparodos die Folge der Gesänge eröffnet haben; an seiner monostrophischen Gestalt
werden wir uns nicht mehr stofsen, ebensowenig an dem epodischen fünften Teil; dafs die Verse zwischen der Sprecherin
und dem Chor verteilt sind, darf uns auch nicht mehr befremden, da wir der Notwendigkeit überhoben sind, für diese
Erscheinung innerhalb der epirrhematischen Composition eine
Analogie zu suchen. Jetzt wird es genügen, beispielshalber
auf das Amoibaion der Kassandra und des Chores im 'Agamemnon' (V. 1114 ff.) zu verweisen. Nun mufste ein Epirrhema
kommen, welches, nach dem der 'Frösche' zu urteilen, viele
politische Anspielungen enthielt, die im J. 411 nicht mehr zeit-
gemäfs waren; kein Wunder daher, dafs wir es in unseren
'Thesmophoriazusen' nicht mehr vorfinden. Dann erst kamen
die Lieder der Hauptparodos, von denen uns nur das Gebet
der Thesmophoriazusen erhalten ist.

Die Anlage dieser Arbeit bringt es mit sich, dafs manche § 4.
excursähnliche Untersuchungen an gewissen Stellen eingeschaltet werden müssen, nicht weil sie dort gerade am notwendig-
sten sind, sondern weil sie dort den Zusammenhang am
wenigsten stören. Für die Darstellungen des zweiten Teiles
ist es erforderlich, dafs wir über die **Einheitlichkeit der**
'Frösche' zu einer klaren Einsicht gelangen, und da eine
Gelegenheit, diese Frage zu behandeln, sich nicht wieder darbieten wird, so mag die Untersuchung hier an die Parodos
angeknüpft werden.

Dafs die 'Frösche' 405 am Lenaeenfeste aufgeführt worden sind, ist bekannt; ebenso die Notiz der Hypothesis οὕτω
δὲ ἐθαυμάσθη διὰ τὴν ἐν αὐτῷ παράβασιν, ὥστε καὶ ἀνεδιδάχθη,
ὥς φησι Δικαίαρχος. Die Wiederaufführung der Komoedie
ist also bezeugt, aber auch nichts weiter; weder die Zeit, noch
die Art und Weise derselben. Dafs der Forschungseifer der
Neuzeit sich an einer so unbestimmten Angabe nicht genügen
liefs, ist durchaus begreiflich und erfreulich; weniger zu loben
ist es aber, dafs die meisten Gelehrten die Lücken der Überlieferung durch Intuition ergänzen zu können glaubten. Oder
ist es etwa nicht Intuition zu nennen, wenn mehr oder minder
alle von einer unveränderten Aufführung des Dramas spre-

chen und FVFritzsche und JRichter sogar bestimmt zu wissen vorgeben, dafs die Wiederaufführung gleich am folgenden Tage stattfand.[1]) Wenn man sich schon auf das ctevoλecχεῖν verlegen will, so möge man doch darüber nachdenken, wie Dikaiarchos es erfahren haben mag, dafs die 'Frösche' wiederholt worden sind. Offenbar aus den Didaskalien; konnte aber die Wiederaufführung in den Didaskalien verzeichnet gewesen sein, wenn sie am selben Feste, und gar am folgenden Tage stattfand? Doch will ich darauf kein Gewicht legen, und ebensowenig auf den anderen Umstand, dafs eine unveränderte Wiederaufführung in der ganzen Geschichte der altattischen Komoedie etwas Unerhörtes, die Wiederaufführung umgearbeiteter Dramen dagegen etwas ganz Gewöhnliches ist; das eine mufs aber verlangt werden, dafs Gründe mit Gründen und nicht mit subjectiven Gefühlen und nervösen Launen bekämpft werden.

Für uns bilden beide Fragen nur eine. Da die 'Frösche' nach der Schlacht bei Aigospotamos begreiflicherweise nicht wiederholt werden konnten, so haben wir zwischen den Lenaeen und den Dionysien des Jahres 405 zu wählen. Die

---

1) Litteraturnachweise bei JStanger (üb. Umarbtg. einiger aristophanischer Komoedien S. 6 ff.); nachzutragen wären etwa FRitschl Opp. V S. 268 f. und ERohde Rh. M. 38, 290. Auch AMeineke spricht (VA 168; 177 f.) von einer duplex recensio, ohne sich jedoch darüber zu erklären, ob nach seiner Meinung beide von Aristophanes herrühren oder nicht. Bei V. 608 f. scheint mir übrigens — um dies beiläufig zu bemerken — die Dittographie nicht nachweisbar; nichts liegt näher als die Annahme, Aiakos habe zuerst zwei Sklaven die Festnehmung des Xanthias aufgetragen, und als dieser Widerstand leistete, drei weitere gerufen. JRichter (Pax; proll. c. 7) macht folgenden Unterschied: ἀναδιδάσκειν — unveränderte Wiederaufführung; διορθοῦν — leichte Änderung einiger Stellen; διασκευάζειν — gründliches Umarbeiten. Damit trifft er jedoch nicht das Richtige; ἀναδιδάσκειν ist der allgemeine Ausdruck, der sowohl die unveränderte Wiederholung, wie die Diorthose, wie die Diaskeue in sich schließen konnte. So sagt auch die sechste Hypothesis der 'Wolken' διεσκεύασται δὲ ἐπὶ μέρους ὡς δὴ ἀναδιδάξαι αὐτὸ τοῦ ποιητοῦ προθυμηθέντος. Dafs siegreiche Stücke nicht umgearbeitet werden konnten, ist auch nur eine Behauptung; die 'Acharner' trugen den Sieg davon, und wer kann sagen, ob die ersten 'Thesmophoriazusen' und die erste 'Eirene' nicht ebenfalls preisgekrönt waren.

Wiederaufführung an den Lenaeen war nur möglich, wenn das
Stück unverändert wiederholt werden sollte; ist daran geändert worden, so konnte die Wiederholung nur an den Dionysien stattfinden. Unsere Entscheidung wird vom Zustande
des erhaltenen Stückes abhängen.

Spuren einer Diorthose im Stücke selbst hat zuerst
WDindorf finden wollen; nachdem jedoch FThiersch dagegen
gesprochen hat und FRitschl ihm beigetreten ist, hat niemand
mehr die Meinung WDindorfs teilen mögen. In neuerer Zeit
hat sie JStanger wieder aufgenommen und mit einer Anzahl
Gründe zu bekräftigen gesucht, von deren Mehrzahl leider
zugestanden werden mufs, dafs sie wenig überzeugend sind.[1]
Stichhaltig erscheint mir folgender. Schol. Plat. p. 330
Bekker giebt die Notiz: Μέλητος τραγῳδίας φαῦλος ποιητής,
Θρᾷξ γένος, ὡς 'Αριστοφάνης Βατράχοις.[2]) In der erhaltenen
Komoedie findet sich nichts, was dieser Nachricht zur Grundlage dienen könnte. Allerdings wäre auch hier die Ausflucht
möglich, der Scholiast hätte etwa den 'Gerytades' gemeint,
der dem Stoffe nach mit den 'Fröschen' eine grofse Verwandtschaft hatte und dessen Haupthelden Meletos, Sannyrion und
Kinesias waren; viel Wahrscheinlichkeit hat sie nicht. Aber
gehen wir auf das erhaltene Stück ein.

---

1) Wenn GWelcker (Aesch. Tril. S. 426) frgm. 678 K auf die
'Frösche' zurückführt, so ist das doch auch nur Intuition; dafs die
VV. 117—136 unseres Stückes nicht hineingehören, ist eine unerwiesene
Behauptung; bei der aesthetischen Feuerprobe, die St. mit unserem
Stücke vornimmt, würden die wenigsten aristophanischen Komoedien
Stand halten, da ihre εὐτράπελος παιδιά ganz anderen Gesetzen unterworfen ist; die Handlung, die St. für seine Mittelscene verlangt, war gar
nicht darstellbar, da sie im Inneren des Palastes, also hinter der Bühnen-
wand spielte; höchstens kann zugegeben werden, dafs die Erzählung
des Aiakos (V. 757 ff.) in der ursprünglichen Anlage etwas ausführlicher
war und namentlich auch für V. 1469 f. die Grundlage bildete; dafs nach
dem Schol. zu V. 606 einige Grammatiker die Rolle des Aiakos dem
Pluton geben — diese Ansicht teilt auch der Vf. der zweiten Hypothesis — bezieht sich doch nur darauf, dafs den namenlosen Kerberoswächter
die einen Aiakos, die anderen Pluton nannten, beide ohne Grund, da er
nirgends genannt ist (s. EHiller in Herm. VIII S. 442 ff.); die Ansicht
endlich, Aristophanes habe sein Stück für die zweite Aufführung selbst
verballhornt, ist geradezu abschreckend. Vgl. ESchinck, de duplici Ar.
Ran. rec. in der Gratulationsschrift an GBernhardy. — 2) JStanger S. 9.

V. 146 ff. zählt Herakles die Verbrecher auf, welche im
Schlamme der Unterwelt ihre Strafe abbüfsen. Es sind deren
gar viele:

> εἴ που ξένον τις ἠδίκηϲε πώποτε,
> ἢ παῖδα βινῶν τἀργύριον ὑφείλετο,
> ἢ μητέρ᾽ ἠλόηϲεν, ἢ πατρὸς γνάθον
> ἐπάταξεν, ἢ ᾽πίορκον ὅρκον ὤμοϲεν,   150
> ἢ Μορϲίμου τις ῥῆϲιν ἐξεγράψατο.
> ΔΙΟ. νὴ τοὺς θεούς, ἐχρῆν γε πρὸς τούτοιϲι κεἰ
>   τὴν πυρρίχην τις ἔμαθε τὴν Κινηϲίου.[1])

Dafs die Verehrer des frostigen Tragoeden Morsimos denjenigen, die so greuliche Verbrechen begangen haben, gleich-
gestellt werden, ist spafshaft genug; aber der verspätete Einfall des Dionysos aus derselben Sphaere nimmt sich unendlich
matt und kläglich aus. Daher hat AvLeutsch crassa Minerva
den V. 151 als unecht entfernt, als ob es jemals einem Späteren hätte einfallen können, den toten Morsimos anzugreifen.
FRitschl[2]) stellte ihn nach V. 153, so dafs Dionysos selbst
aus seiner Sphaere zwei Candidaten für den Unterweltschlamm
vorschlägt. Aber der zweite ist entschieden von Überflufs
und hinkt unangenehm nach; und wenn Aristophanes von
Byzanz die Verse 151 und 153 (den V. 152 kennt er nicht

---

1) Wer mit der Technik des aristophanischen Dialogs vertraut ist,
wird leicht einsehen, dafs die V. 147—150 unmöglich von derselben
Person können gesprochen worden sein. Die pathetische Ausdrucks-
weise wechselt mit der gemeinen ab (wie Plut. 190 ff.), daher sind die
Verse zwischen Herakles und Xanthias (nicht Dionysos, dem AvVelsen
V. 149 giebt) folgendermafsen zu verteilen: Herakles εἴ που ξένον τις
ἠδίκηϲε πώποτε. Xanthias ἢ παῖδα βινῶν τἀργύριον ὑφείλετο. Her.
ἢ μητέρ᾽ ἠλόηϲεν. Xanth. ἢ πατρὸς γνάθον ἐπάταξεν. Her. ἢ ᾽πίορκον
ὅρκον ὤμοϲεν. (V. 149 hatten schon ANauck [Arist. Byz. fgm.] dem Dionysos, AvLeutsch [Philol. Spplm. 1 136] und RSchenkl [Zft. f. öst. Gymn.
28, 101] dem Xanthias gegeben. — 2) Rh. M. 23, 508 ff. Das dort angeführte Material über Sigma und Antisigma glaube ich mit Recht für
meine Ansicht verwerten zu können; die Homerstelle spricht entschieden
für Dittographie, nicht für Umstellung, und es ist nicht wahrscheinlich,
dafs dasselbe Zeichen beim selben Aristophanes v. B. zweierlei habe bedeuten können. Gemeint ist in beiden Fällen das ἀντίϲιγμα περιεϲτιγ-
μένον; cf. Sueton. ed. AReifferscheidt S. 140, 142.

und schreibt V. 153 ἢ πυρρ . . .) mit Sigma und Antisigma
versah, so folgt daraus wohl, dafs nach seiner Meinung jeder
dieser Verse einzeln trefflich war, beide aber einander aus-
schlossen, kurz, dafs er den einen für eine Dittographie hielt.
Das ist das erste Anzeichen einer doppelten Ausgabe.

Eigentlich ist das auch selbstverständlich. Solche ἀπροc-
δόκητα zünden nur wenn sie zum ersten Male gehört werden;
eine Wiederholung macht sie langweilig. Sogar in den modernen Komoedien pflegen Schauspieler von Geist von Zeit zu
Zeit Witze, die durch den Gebrauch stumpf geworden sind,
mit frischen Pointen zu versehen; um wie viel mehr im Altertum, wo die theatralischen Genüsse um soviel seltener waren
und daher um so viel grössere Teilnahme erweckten. Wenn
auch nur der Strahl der Komik von Morsimos auf Kinesias
gelenkt wurde — auch das war schon Abwechselung und bot
neuen Stoff zum Lachen.

Ein zweites Indicium bietet die Scene, wo Dionysos und
Xanthias umschichtig vom Sklaven Plutons Schläge bekommen.
Die Abmachung πληγὴν παρὰ πληγὴν ἑκάτερον wird anfangs
eingehalten; V. 645 bekommt Xanthias seinen Hieb, V. 647
Dionysos, V. 649 Xanthias, V. 653 Dionysos, V. 657 Xanthias, V. 659 Dionysos, V. 664 aber wieder Dionysos; Xanthias wird diesmal ausgelassen, was um so ungerechter ist,
da der Vorschlag τὰς λαγόνας cπόδει von ihm selbst herrührt.
Aus diesem Grunde hat TKock nach V. 663[1]) eine Lücke angenommen, damit die Wirksamkeit des von Xanthias empfoh-
lenen Mittels, wie billig, an diesem zuerst erprobt werde. Mit
dieser Annahme würde dem einen Übel abgeholfen sein, nicht
aber einem anderen. Denn als ein Übel mufs es betrachtet
werden, wenn Dionysos das Kunstmittel, den von ihm als
Schmerzseufzer gebrauchten Namen eines Gottes auf die Reminiscenz einer Dichterstelle zurückzuführen, zweimal hintereinander anwendet (Ἄπολλον V. 659 und Πόcειδον V. 664).[2])
Hier haben wir eine regelrechte Dittographie vor uns; wir

---

1) Weniger plausibel AvVelsen nach V. 661, wobei Xanthias die
Bastonade auf den Bauch nicht durchmachen würde. — 2) Unmöglich
kann ich NWecklein beistimmen, der (Phil. 1877, 221 ff.) den Ausruf
Πόcειδον dem Xanthias giebt.

werden daher nicht eine Lücke annehmen, sondern entweder
V. 659—661 oder V. 664—667 in die erste Bearbeitung verweisen müssen. Tun wir das, so wird — und das ist die
Probe meiner Hypothese — alsbald die eurythmische Gliederung der ganzen Prügelscene klar.

a.

ΘΕΡ. ἤδη 'πάταξά c'. ΞΑΝ. οὐ μὰ Δί', οὐκ ἐμοὶ δοκεῖς. 645
ΘΕΡ. ἀλλ' εἶμ' ἐπὶ τόνδε καὶ πατάξω. ΔΙΟ. πηνίκα;
ΘΕΡ. καὶ δὴ 'πάταξα. ΔΙΟ. κᾆτα πῶς οὐκ ἔπταρον;
ΘΕΡ. οὐκ οἶδα. τουδὶ δ' αὖθις ἀποπειράσομαι.

b.

ΞΑΝ. οὔκουν ἀνύσεις; ἰατταταῖ ἰατταταῖ.
ΘΕΡ. μῶν ὠδυνήθης; ΞΑΝ. οὐ μὰ Δί', ἀλλ' ἐφρόντισα 650
ὁπόθ' Ἡράκλεια τὰν Διομείοις γίγνεται.
ΘΕΡ. ἄνθρωπος ἱερός. δεῦρο πάλιν βαδιστέον.

b'.

ΔΙΟ. ἰοὺ ἰού. ΘΕΡ. τί ἔστιν; ΔΙΟ. ἱππέας ὁρῶ.
ΘΕΡ. τί δῆτα κλάεις; ΔΙΟ. κρομμύων ὀσφραίνομαι.
ΘΕΡ. ἐπεὶ προτιμᾷς γ' οὐδέν; ΔΙΟ. οὐδέν μοι μέλει. 655
ΘΕΡ. βαδιστέον τἄρ' ἐστὶν ἐπὶ τονδὶ πάλιν. 656

c.

ΞΑΝ. οὐδὲν ποιεῖς γάρ, ἀλλὰ τὰς λαγόνας cπόδει.[1]) 662
ΘΕΡ. μὰ τὸν Δί', ἀλλ' ἤδη πάρεχε τὴν γαστέρα. 663
ΞΑΝ. οἴμοι. ΘΕΡ. τί ἔςτι. ΞΑΝ. τὴν ἄκανθαν ἔξελε. 657
ΘΕΡ. τί τὸ πρᾶγμα τουτί; δεῦρο πάλιν βαδιστέον. 658

c'.

ΔΙΟ. Ἄπολλον ... ὅς που Δῆλον ἢ Πυθῶν' ἔχεις — 659
ΞΑΝ. ἤλγηcεν, οὐκ ἤκουσας; ΔΙΟ. οὐκ ἔγωγ', ἐπεὶ 660
ἴαμβον Ἱππώνακτος ἀνεμιμνησκόμην. 661
⟨ΘΕΡ. κοὐκ ὠδυνήθης; ΔΙΟ. οὐ μὰ Δί', οὐδ' ἐφρόντισα.⟩[2])

---

1) Die Umstellung der VV. 662 ff. empfiehlt sich selbst, schon wegen
des V. 657; wann will sich Xanthias den Dorn in den Fuſs getreten
haben? Von V. 645 an liegt er still da; wäre es vorher geschehen, so
würde das οἴμοι schon V. 645 passend gewesen sein; und V. 657 müſste
der verspätete Seufzer das Mifstrauen des Dieners erwecken, und wäre derselbe auch noch so beschränkt. Meine Umstellung schafft für diese Fiction
eine natürliche Grundlage. — 2) Die kleine Lücke nach V. 661 kann
sich jeder nach Belieben ausfüllen.

d.

ΘΕΡ. οὔτοι μὰ τὴν Δήμητρα δύναμαί πω μαθεῖν 668
ὁπότερος ὑμῶν ἐcτι θεός. ἀλλ᾽ εἴcιτον, 669
ὁ δεcπότης γὰρ αὐτὸς ὑμᾶς γνώcεται 670
χἠ Φερcέφατθ᾽, ἅτ᾽ ὄντε κἀκείνω θεώ.

Einen wichtigen Beweis enthält auch das Chorlied V. 1251
—1260. Dafs der zweite Teil die genaue Wiederholung des
ersten ist, haben schon andere gesehen; man hat deswegen
den zweiten Teil eingeklammert, also wohl für unecht erklären
wollen[1]); und doch kommt in diesem zweiten Teil der prächtige
Ausdruck τὸν βακχεῖον ἄνακτα als Ehrenbezeichnung für Aischylos vor, den doch niemand gern dem Aristophanes wird absprechen mögen. Überhaupt würde es schwer fallen, zu bestimmen, welcher von den beiden Teilen poesievoller sei; sie sind
beide des Aristophanes würdig, und da wir von einer doppelten
Aufführung der Komoedie wissen, so müfste man sich wahrlich Zwang antun, um die vorliegende offenbare Dittographie
mit ihr nicht in Zusammenhang zu bringen.

Auch die VV. 1431—1433 gehören hieher. Auf die Frage
des Dionysos konnte Aischylos ebensogut mit V. 1431 und 33,
als mit V. 1432 und 33 antworten (acc. c. inf. von γνώμην
ἔχεις abhängig); an sich ist keine Lesart der anderen vorzu-
ziehen, die Auskunft FVFritzsches durch TKock genügend
widerlegt; der Meinung dieses letzteren, V. 1432 sei vielleicht
aus einem anderen Zusammenhange hierher übertragen worden,
klingt nicht recht überzeugend. Die Dittographie scheint mir
evident, und die doppelte Aufführung das natürlichste Mittel,
sie zu erklären.

Dagegen scheint die Textesverwirrung V. 1435—1466 mit
der doppelten Aufführung in keinem Zusammenhang zu stehen;
wenngleich mir auch hier die conservative Kritik JStangers
viel sympathischer ist, als der herostratische Eifer, mit dem
die Herausgeber die schönsten Einfälle dem Dichter absprechen.
Doch gehört die Frage nicht hieher.[2])

---

1) Die Auskunft AvVelsens, zwischen den ersten und den zweiten
Teil die VV. 1261—63 einzuschalten, macht das Übel nicht geringer und
enthält einen starken Verstofs gegen die chorische Technik der Komoedie.
— 2) Blofs bezüglich der V. 1449 f. möchte ich bemerken, dafs sie leicht

Endlich ist auch die Annahme einer doppelten Recension allein im stande, das Rätsel zu lösen, das der Schlufs des Dramas enthält. Pluton fordert den Chor auf, dem scheidenden Aischylos mit den heiligen Fackeln voranzuleuchten

τοῖϲιν τούτου τοῦτον μέλεϲιν
καὶ μολπαῖϲιν κελαδοῦντεϲ.

Statt dessen singt der Chor sechs Hexameter, welche mit keinem der aeschyleischen Lieder etwas zu tun haben.[1]) Was wir uns nach den Worten Plutons zu denken haben, ist klar; sowie die Parodos der Komoedie in die Compositionsweise der Tragoedie hinüberschlug, so sollte auch das Exodion tragisch werden; dazu stimmt die absolut unkomodische anapaestische Wechselrede mit gehäufter Katalexis sehr wohl. Würde nun der Text der Komoedie mit V. 1527 schliefsen, so würden wir genau wissen, dafs der Chor als Exodion eine Auswahl aeschyleischer Propompenlieder gesungen habe, die als aeschyleisch in den Text des Dramas nicht aufgenommen worden seien. Also sind es nur die VV. 1528 ff., die störend sind; was liegt demnach näher als die Annahme, dafs sie einen anderen Abschlufs zur Voraussetzung haben, mithin aus einer anderen Recension stammen als die VV. 1500—1527?

Als Resultat der Untersuchung würde sich demnach ergeben, dafs die 'Frösche' an den Dionysien 405 wiederholt worden sind, dafs sie zu diesem Zwecke zwar keine Diaskeue, aber doch eine Diorthose erlitten haben, die, ohne den Plan

---

gerettet werden können, wenn man beherzigt, dafs die Worte ϲωθείημεν ἄν in V. 1448 als Dittographie der V. 1450 folgenden ϲωζοίμεθ' ἄν zu tilgen sind. Auf die Frage des Dionysos antwortet Euripides mit der blofsen Protasis, wie V. 1437 f., 1440 f., 1443 f., und Aischylos V. 1463 ff. So entsteht V. 1448 eine Lücke _ ◡ _ ◡ _, die leicht so ausgefüllt werden kann, dafs die VV. 1449 f. sich bequem anschliefsen; also etwa

τούτοιϲι χρηϲαίμεϲθα.   ΔΙΟ. πῶϲ;   ΕΥΡ. ὀρθῶϲ, ἐπεί . . .

— 1) TKock meint freilich, die drei ersten Verse könnten in einem der verlorenen Dramen mutatis mutandis gestanden sein; doch würde auch das nicht befriedigen, da der Ausdruck μέλη καὶ μολπαὶ doch etwas ganz anderes erwarten läfst, als drei Hexameter. Der Einfall RArnoldts (die Chorpartien bei Aristophanes 123), dafs die Zuschauer sich die versprochenen Lieder hinzuzudenken hätten, empfiehlt sich selbst.

des Dramas im Wesentlichen zu berühren, doch an einigen Einzelheiten geändert hat, so dafs die Komoedie bei der Wiederaufführung des Reizes der Neuheit nicht ganz entbehrte.

Und jetzt zurück zu den Parodoi.

K. Die 'Ekklesiazusen' V. 285—519. Genau wie in den §5. 'Acharnern' ist auch hier die Parodos durch eine längere Zwischenscene (V. 311—477) unterbrochen, während deren die Orchestra leer ist. Wir unterscheiden demnach die erste (V. 285—310) und die zweite Parodos (V. 478—519).

Die *erste Parodos* beginnt mit einem Epirrhema (V. 285 —288), das des Antepirrhemas entbehrt, ohne dafs man deswegen auf den Ausfall eines solchen nach V. 299 zu schliefsen berechtigt wäre; die Parodos fügt sich zwar im übrigen sehr gut in das Schema der epirrhematischen Composition ein, aber andererseits ist auch der Umstand zu beherzigen, dafs unsere Komoedie ins vierte Jahrhundert gehört, wo die poetischen Formen teils geschwunden, teils im Schwinden begriffen waren. Es folgt die Ode (V. 289—299) und gleich darauf die Antode (V. 300—310). Mit dem letzten Vers der Antode ist der Chor wieder von der Orchestra verschwunden.

Nach der Zwischenscene betritt er sie von neuem. Die *zweite Parodos* besteht aus dem Prooimion (V. 478—482), der Ode (V. 483—488), dem Epirrhema (V. 489—492), der Antode (V. 493—499) und dem Antepirrhema (V. 500—503). Es folgt eine kleine Anrede der Praxagora an den Chor, die in gewöhnlichen Trimetern abgefafst ist (V. 504—513); daran schliefst sich das Epirrhemation (V. 514—519), zwei Tristichen, von denen das eine von dem Chor, das andere von Praxagora gesprochen wird. Auffallend an diesem Epirrhemation ist auch, dafs es aus anapaestischen Tetrametern besteht, während das embaterische Versmafs der ganzen Parodos iambisch ist.

L. Der 'Plutos' V. 253—321. Diese Parodos, die einzige gröfsere Chorpartie in der ganzen Komoedie, legt ebenfalls vom Verfall aller Formen Zeugnis ab. Was den tieferen Grund dieses Verfalls anbelangt, so mufs ich den Leser auf den zweiten Teil vertrösten; dort wird ihm klar werden, warum die sonst recht übersichtliche Parodos sich den Gesetzen der

Symmetrie entzieht und nur ein einziges ἁπλοῦν (V. 253—289) darbietet, warum zu den beiden Antoden, die auf die Rolle des Chors fallen (V. 296—301 und V. 309—315) die Oden nicht gleichfalls vom Chor, sondern von einem Schauspieler, Karion, gesungen werden. Dieser Karion singt auch die Epode (V. 316—321). Im übrigen ist zu bemerken, dafs unser ἁπλοῦν sich dem Gesetze der Eurythmie fügt, die Parodos daher, trotz ihrer Dürftigkeit, der epirrhematischen Composition angehört.

Auch dem Inhalte nach sind die Oden auffallend; sie haben mit dem Drama selbst nichts zu tun, sind durchaus intermezzoartig. So müssen wir uns wohl auch die Chorlieder denken, welche die übrigen Pausen des Stückes ausfüllten.

§ 6.   Hiermit sind alle erhaltenen Parodoi in den Kreis der Betrachtung gezogen. Die Zusammenstellung wird wohl genügt haben, um den Ausspruch KOMüllers[1]) über die komischen Parodoi in sein directes Gegenteil umzukehren. Nun wird es am Platze sein, eine Classification derselben zu versuchen.

Der erste und bequemste Gesichtspunct, der sich darbietet, ist zweifellos der *metrische*. Je nach dem embaterischen Versmafs können wir folgende drei Klassen unterscheiden:[2])

1) trochaeische Parodoi. Hieher gehören: 'Acharner' I und II, 'Ritter', 'Wespen' III, 'Eirene', 'Vögel' und 'Lysistrate' (Binnenparodos).

2) iambische Parodoi. Hieher gehören: 'Wespen' I, 'Lysistrate' I, II u. III, 'Ekklesiazusen' I u. II und 'Plutos'.

3) anapaestische Parodoi. Hieher gehören: 'Wolken' I und II, 'Wespen' II, 'Frösche' und wahrscheinlich 'Thesmophoriazusen'.

Bei den Agonen waren nur die beiden letzteren Versmafse in Gebrauch, die Anwendung der Trochaeen war auf die Mesoden beschränkt. Diese Einschränkung ist natürlich nicht zufällig, sondern die notwendige Folge der verschiedenen Ethe der genannten Metra. Der trochaeische Tetrameter ist das Versmafs des Laufes und Tanzes, der iambische dasjenige der

---

1) Gr. Literaturg. II² 208 *dieser Chor* (der Komoedie) *singt einziehend die Parodos, welche indes nirgends die Ausdehnung und kunstreiche Form hat, wie in vielen Tragoedien.* — 2) Die römischen Zahlen beziehen sich auf die einzelnen Teile der Parodos.

Eile, der anapaestische dasjenige des feierlichen Processions-
schrittes. Nirgends kommt dieser Unterschied besser zur Geltung, als in der so überaus kunstreichen Parodos der 'Wespen'.
Der erste Teil ist in Iamben geschrieben; der Chor hat es
eilig, er will so rasch als möglich den Bestimmungsort erreichen und braucht vorläufig auf niemand Rücksicht zu nehmen. So gelangt er zum Hause des Philokleon. Die beiden
Oden haben die Aufmerksamkeit des Alten erweckt, er bittet
sie, ihm bei der Flucht behilflich zu sein; das Versmafs
schlägt um, und während die Musik pianissimo spielt, schleicht
der Chor leise und langsam von der Orchestra auf die Bühne
dicht vors Haus selbst; zur selben Zeit läfst sich der Alte
sacht am Seile herunter. Das ist der zweite, anapaestische
Teil. Aber alle Vorsicht ist umsonst: Bdelykleon wacht auf,
weckt die Sklaven, diese erfüllen die Bühne und fangen den
Flüchtling auf, und nun schlägt das Versmafs zum zweiten
Mal um; der ganze folgende Tumult ist in Trochaeen geschrieben.
Die Sklaven greifen die Choreuten an und treiben sie in wilder
Flucht von der Bühne zur Orchestra zurück.

Ein zweites Einteilungsprincip können die *Gliederungsschemen* abgeben. Bezeichnen wir den gesungenen Teil mit *a*,
den gesprochenen — also die Stichoi nebst den cucτήματα ἐξ
ὁμοίων — mit *b*, so ist das Schema der epirrhematischen
Composition, wie es uns in den Agonen erschienen ist, *abab*.
Von den Parodoi sind 'Wespen' II und III, 'Lysistrate' 1 und
'Ekklesiazusen' II so componiert; auch 'Wolken' II gehören
einigermafsen hieher.

Eine sehr geringe Modification dieses Schemas würde es
abgeben, wenn umgekehrt in beiden Hälften der gesprochene
Teil dem gesungenen voranginge, *baba*. Zwar in den Agonen
ist auch diese Modification nicht möglich, ohne dafs die durch
den langen Gebrauch feststehende Bedeutung der einzelnen
Teile, namentlich die kanonische Stellung des Katakeleusmos
in der Mitte zwischen Ode und Epirrhema wesentlich verschoben würde. Für die Parodos jedoch, wo Stoff und Form
sich gegenseitig nicht so streng bedingen, hatte es damit keine
Not; es war dennoch weder die Zweiteiligkeit, noch der Parallelismus der Hälften, die beiden wesentlichen Merkmale der

epirrhematischen Composition im strengen Sinne aufgegeben. Im Gegenteil, diese Form war für die Parodos noch viel geeigneter, als die erstgenannte, da die Sache selbst es erforderte, dafs der Chor erst in die Orchestra einmarschierte, ehe er seine Oden absang.[1]) Daher begegnen wir ihr in der Parodos nicht selten; 'Acharner' I, 'Wolken' I, 'Ekklesiazusen' I[2]) sind so componiert, auch 'Ritter' kann hieherbezogen werden — die einzige Parodos, die keine Oden hat —, und von der Parodos der 'Vögel' läfst sich soviel sagen, dafs ihr wenigstens dieselbe Compositionsidee zu Grunde liegt.

Eine bedeutendere Abweichung ergab sich, wenn an Stelle der parallelen Anordnung die chiastische trat; doch macht es das Gekünstelte dieser Form begreiflich, dafs sie nur selten vorkommt. Die beiden darnach möglichen Compositionsschemen sind jedes durch eine Parodos vertreten; *abba* durch 'Acharner' II, *baab* durch 'Eirene'; letztere hat noch andere Freiheiten aufzuweisen, von denen oben die Rede war.

Es bleiben noch die beiden Permutationen *aabb* und *bbaa*. Diese ist einmal vertreten, durch 'Wespen' I; wenn jene sich in den erhaltenen Parodoi gar nicht vorfindet, so ist das vielleicht nur Zufall; wenigstens läfst sich nicht angeben, warum die eine unnatürlicher sein sollte als die andere. Beide bedeuten die gröfste Freiheit, die innerhalb der epirrhematischen Composition möglich ist; auch wird 'Wespen' I dadurch einigermafsen entschuldigt, dafs es nur der erste Teil der Parodos ist.

Aufserhalb der epirrhematischen Composition steht die Parodos der 'Frösche', was, wie bereits gesagt worden ist, seinen besonderen Grund hat. Auch die 'Thesmophoriazusen' gehörten höchst wahrscheinlich hieher.

Ein weiterer Gesichtspunct ergiebt sich aus der Betrachtung des *Personals*. Es ist oben dargelegt worden, dafs in den Epirrhemen der Agone — mit Ausschlufs der Kata-

---

1) Daher fängt die Gesamtparodos auch nicht mit der Ode an. In den 'Wespen' ist erst der zweite und dritte Teil der Parodos nach dem Schema *abab* componiert, in den 'Acharnern' ebenfalls erst der zweite Teil nach dem Schema *abba*, und in der 'Lysistrate' und den 'Ekklesiazusen' beginnt die Parodos mit einem Prooimion. — 2) Nämlich wenn man den Ausfall des Antepirrhemas annimmt, s. oben S. 157.

keleusmoi — die Schauspieler allein das Wort führten, der Chor dagegen den stummen, wenn auch nicht teilnahmlosen Zuschauer spielte. In den Parodoi muſs das umgekehrte Verhältnis für das natürliche und ursprüngliche angesehen werden. Denn wenn wir beherzigen, daſs die ältesten Komoedien keinen Prolog hatten — eine Annahme, die wir mit weit besseren Beweisen stützen können, als mit der Analogie der Tragoedie, — daſs also die Bühne leer war, während der Chor in die Orchestra einzog, so können wir nur annehmen, daſs die Parodos in ihrem ganzen Umfange — wie bis in die spätesten Zeiten die Parabase — vom Chore vorgetragen wurde. Hätten nun die Hellenen das Gemüt gehabt, mit dem Herkommen auf einmal zu brechen, so würde die Einführung des Prologes zur unmittelbaren Folge die Beteiligung der Agonisten an der Parodos gehabt haben müssen. Das ist jedoch nur teilweise geschehen; 'Acharner' I, 'Wespen' I, 'Lysistrate' I, II und III, 'Thesmophoriazusen' (?), 'Frösche'[1]), 'Ekklesiazusen' I und II gehören dem Chore allein, und es ist interessant, zu betrachten, durch welche Kunstmittel der Dichter es zuwege gebracht hat, Agonisten und Choreuten bei einer Handlung, die doch beide in gleicher Weise interessierte, getrennt zu halten. In den 'Acharnern' weiſs der Held sehr gut um die bevorstehende Ankunft der Acharner; er erklärt aber im voraus, daſs sie ihm gleichgültig seien, und begiebt sich in sein Haus, um die Vorbereitungen zum Phallophorenumzug zu treffen; gerade während dieser Vorbereitungen trifft der Chor ein. In den 'Wespen' wird von den drei Agonisten der eine zwangsweise ins Haus eingeschlossen, die beiden anderen schlafen ein. In der 'Lysistrate' haben wir dasselbe Motiv, wie in den 'Acharnern'; Kalonike bemerkt, daſs der Männerchor alsbald eintreffen werde; Lysistrate erwidert, das sei ihr gleichgültig, und begiebt sich auf die Akropolis. In den 'Fröschen' hat es der Dichter verstanden, für die Parodos des Chors eine kleine Nebenhandlung zu schaffen, welcher

---

1) Dionysos und Xanthias sind bis V. 413 nur Zuschauer des Umzuges, die zwar hin und wieder etwas für sich dreinreden, ohne aber von den Choreuten berücksichtigt zu werden.

gegenüber die Agonisten so gut wie gleichgültig bleiben konnten. In den 'Ekklesiazusen' ist der Chor überhaupt ein Anhängsel.

Das natürliche war jedenfalls, dafs der Chor sogleich bei seinem Erscheinen zu den Agonisten in Beziehung trat; das geschieht in 'Acharner' II, 'Ritter', 'Wolken' II, 'Wespen' II und III, 'Eirene', 'Vögel', 'Plutos'. Dagegen würde der Charakter der Parodos verloren gehen, wenn die Agonisten in den Epirrhemen — wie in den Agonen — allein das Wort führten. Es ist dies auch nur ein einziges Mal geschehen — in 'Wolken' I — und dort hat es seinen Grund darin, dafs die Wolken während des ersten Teiles der Parodos teilweise noch hinter der Bühne sind.

§ 7.   Es ist wiederholt die Frage aufgeworfen worden, ob der Chor in der Parodos die Bühne betreten habe, oder nicht; die Antwort darauf ist bei Verschiedenen verschieden ausgefallen; auch hiebei hat das Vorurteil von der Analogie der Tragoedie vielfach störend eingegriffen. Da die Haupttendenz dieser Arbeit dahin geht, dafs die Komoedie zunächst nur aus sich selber zu erklären ist, so gehört eine Untersuchung wie die angedeutete um so mehr in ihren Bereich.

Als feststehend wird angenommen, dafs der Chor durch die Eisodos zunächst die Orchestra betritt; dies ist von vorn herein überaus plausibel, und wird zum Überflusse durch Wolk. 326 und Vög. 596 bestätigt. Es kann sich also nur darum handeln, ob der Chor während der ganzen Parodos auf der Orchestra bleibt, oder von der Orchestra aus die Bühne betritt und nachher zur Orchestra zurückkehrt.[1)]

Um mit den 'Acharnern' anzufangen, so läfst nichts darauf schliefsen, dafs die Choreuten sich irgend einmal auf der Bühne befunden hätten. Der erste Teil der Parodos ist gerade grofs genug, um die Orchestra von der einen Eisodos bis zur anderen zu durchwandern und wieder zu verschwinden;

1) Ein urkundliches Zeugnis für das Erscheinen des Chors auf der Bühne haben wir höchst wahrscheinlich in den Worten des Pollux (IV, 127) εἰcελθόντες δὲ κατὰ τὴν ὀρχήcτραν ἐπὶ τὴν cκηνὴν ἀναβαίνουcι διὰ κλιμάκων (cf. JSommerbrodt, Scaenica 119); ohne dafs es deshalb nötig oder auch nur möglich wäre, diese Worte mit GHermann (de re scaenica in Aeschyli Orestea 7) nach § 109 umzustellen. Auf die confusen Notizen der Scholiasten ist natürlich nicht viel zu geben.

im anderen Teil werfen die Choreuten mit Steinen nach Dikaiopolis, müssen sich also in einer gewissen Entfernung von
ihm befinden. Auf ganz festem Boden stehen wir in den
'*Rittern*'; dafs vierundzwanzig berittene [1]) Männer über die
Treppen zur Bühne emporsprengen sollten, ist an sich ein
abenteuerlicher Gedanke; aufserdem sehen wir aus dem Texte,
dafs die Choreuten den Agonisten zurufen, Kleon die Wege
zu versperren; sie hätten es wohl selber getan, wenn sie auf
der Bühne gewesen wären. Auch für die '*Wolken*' können
wir getrost dasselbe annehmen; der Chor spielt eine durchaus
passive, beschauliche Rolle, ganz wie in der späteren Tragoedie;
nichts läfst seine Anwesenheit auf der Bühne voraussetzen oder
wünschen. — Anders die folgenden Stücke.

Wie die Evolutionen des Chors in den '*Wespen*' allen Anzeichen nach gedacht werden müssen, ist oben angedeutet
worden. Blofs der erste Teil der Parodos spielt auf der Orchestra; der zweite begleitet den leisen Einzug auf die Bühne;
der dritte den stürmischen Rückzug zur Orchestra. Aus dem
Texte ersehen wir mit Deutlichkeit das eine, dafs der Chor
sich im dritten Teil auf der Bühne befindet. Seine Waffen sind
nicht Steine, wie in den '*Acharnern*', sondern Griffel, und
das setzt einen Kampf aus der Nähe voraus; ein solcher findet
auch V. 456—460 wirklich statt; der Vers
παῖε, παῖ᾽, ὦ Ξανθία, τοὺς cφῆκας ἀπὸ τῆς οἰκίας
giebt mit der wünschenswertesten Genauigkeit die derzeitigen
Stationen des Chores an. [2])

Da also für die '*Wespen*' notwendig eine ἄνοδος des
Chores auf die Bühne angenommen werden mufs, so liegt gar
kein Grund vor, sie für die '*Eirene*' von vornherein zu verwerfen. [3]) Wenn also V. 426 f. allerdings nach dem Ende

---

1) Dafs sie beritten waren, folgt nicht blofs aus dem Titel der Komoedie, sondern viel zwingender aus den Ausdrücken ἐλᾶτε, κονιορτός,
die Demosthenes von ihnen gebraucht. Ob sie freilich alle Chorpartien,
namentlich die Parabasen vom Pferde herab vorgetragen haben, ist eine
andere Frage. — 2) Das hat schon JRichter (proll. S. 70) mit Recht bemerkt. — 3) Das tut JRichter (proll. 33 ff.) und nimmt an, dafs nur der
panhellenische Nebenchor die Bühne bestieg, der Hauptchor in der Orchestra zurückblieb und von dort aus die Steine von der Höhle Eirenes
abwälzte. Aber der Nebenchor, oder vielmehr die Nebenchöre bestanden

11*

des ersten Epirrhemas, der besänftigte Hermes zu den Choreuten sagt

ὑμέτερον ἐντεῦθεν ἔργον, ὦνδρες. ἀλλὰ ταῖς ἅμαις
εἰςιόντες ὡς τάχιςτα τοὺς λίθους ἀφέλκετε [1])

und diese ihre Bereitwilligkeit zu erkennen geben, so werden
wir am allernatürlichsten uns die Sache so zurechtlegen, dafs
der Chor in den folgenden drei Tetrametern die Orchestra
verläfst und die Bühne besteigt. Ob er freilich auch das
Episkenion erklimmt, welches Trygaios nur mit Hilfe seines
Käfers hat erreichen können, ist eine andere Frage, deren Behandlung uns hier zu weit führen würde. Auf der Bühne bleibt
er V. 428—550; da befiehlt Hermes wieder

ἴθι νυν, ἄνειπε τοὺς γεωργοὺς ἀπιέναι

nämlich εἰς ἀγρόν, wie weiter erklärt wird, und alsbald beginnen die Tetrameter von neuem. Das ist offenbar so zu
verstehen, dafs der Chor von der Bühne in die Orchestra
zurückkehren soll [2]), von wo er im folgenden der Einweihung
Eirenes und der Hochzeit des Trygaios mit Opora beiwohnt.
Mit V. 581 mag die Rückkehr zur Orchestra vollendet gewesen
sein, so dafs durch das ganze zweite Epirrhema der Chor sich
bereits auf der Orchestra befand.

Das lange Epirrhema in der Parodos der 'Vögel' zerfällt in
zwei Hälften; die erste (V. 268—320) enthält den Aufmarsch
der Vögel in die Orchestra, die zweite die Vorbereitung zum

---

aus Lakonern, Argeiern, Megarern, Boiotiern, die Leute dagegen, die
V. 426 f. sagen, sind reine Athener und sicher dieselben, die auch die
übrige Parodos vorgetragen haben. — 1) TKock (Verisimilia Fl. Jb.
Suppl. 6, S. 206 ff.) will allerdings ändern (εἶα πάντες), weil εἰςιόντες
nicht ἀνιοντ. noch προςιοντ. bedeuten könne und der Chor auch nicht
den Palast des Zeus betritt. Doch sehe ich nicht ein, warum der Eingang von der Orchestra in den bedeckten Bühnenraum nicht ebenfalls
εἴςοδος genannt werden könne. — 2) Sicher nicht mit RArnoldt so, dafs
der Chor dem Befehle aufs Land zurückzukehren — also überhaupt das
Theater zu verlassen — nicht nachkäme (Chorpartien S. 155). Wenn
man dem Dichter selber keinen Glauben schenkt, so möchte ich doch
wissen, was für eine Grundlage uns für unsere Forschung zurückbleibt.
Meine Ansicht steht derjenigen REngers (Rh. M. 9, 573; Fl. Jb. 70, 409;
77, 310) nahe.

Angriff (V. 321—354), den Angriff selbst (V. 355—370) und den Rückzug.[1]) Da auch die Vögel nicht mit Wurfgeschossen versehen sind, und daher ihre Feinde nur aus der Nähe angreifen können, so müssen sie sich wohl um V. 355 auf der Bühne befinden.

In der 'Lysistrate' können wir genau die Stelle angeben, wo der Chor die Orchestra verläfst und die Bühne betritt; es ist V. 286 nach dem Schlufs der ersten Syzygie und beim Beginn des zweiten Odenpaares

ἀλλ' αὐτὸ γάρ μοι τῆς ὁδοῦ
λοιπόν ἐcτι χωρίον
τὸ πρὸς πόλιν, τὸ cιμόν, οἳ cπουδὴν ἔχω.

Da man nicht annehmen wird, dafs die Orchestra selbst landschaftlich decoriert war, so wird man sich unter dem cιμόν nichts anderes als den Bühnenraum denken können. Der Frauenchor bleibt natürlich auch nicht auf der Orchestra, der Wassergufs geht auf der Bühne vor sich.

Wann der Chor diese verläfst, läfst sich nicht mit derselben Bestimmtheit sagen. Am ehesten möchte man geneigt sein, die Rückkehr in die Prooden der Agonenoden zu verlegen[2]), so dafs mit V. 471—475 die Männer, mit V. 467—470 + 539 f. die Frauen die Kathodos zur Orchestra bewerkstelligen würden. Im anderen Falle müfste man annehmen, dafs der Chor nicht nur den ganzen Agon, sondern auch die ganze Parabase hindurch auf der Bühne verweilt habe, und erst V. 1014 ff. zur Orchestra zurückgekehrt sei; was zwar bei einem Stücke wie die 'Lysistrate', die der Seltsamkeiten so viele enthält, nicht geradezu unmöglich ist, aber doch nicht leichten Herzens geglaubt werden kann.

In den 'Thesmophoriazusen' stehen wir wieder auf so schwankem Boden, dafs ein Vorgehen nur mit äufserster Vorsicht erlaubt ist. Bezüglich der 'Kalligeneia' schweigen wir jetzt; da sie zeitlich zwischen den 'Rittern' und den 'Wolken' steht, wird der Chor in ihr ebensowenig die Bühne betreten

---

1) Die Gründe dieser Einteilung werden zur rechten Zeit dargelegt werden. — 2) s. oben S. 14 A. 2.

haben, wie in diesen beiden Komoedien. Hier soll der Versuch gemacht werden, den Absichten des Dichters für die Parodos der 'Nesteia' nachzuspüren.

Die 'Thesmophoriazusen' werden gewöhnlich für eines der sinnvollsten, und, was die Motivierung und Entwickelung der Handlung, die dramatische Oekonomie im modernen Sinne des Wortes anbelangt, geradezu für das vollendetste Stück des Aristophanes gehalten. Dem Verfasser liegt es fern, an diesem Glauben irgendwie rütteln zu wollen; dafs der ganze Dialog, soweit er auf die Mitwirkung der Musik keinen Anspruch macht, in seiner Neubearbeitung nahezu vollendet ist, soll daher ausdrücklich zugestanden werden. Aber ebenso fest mufs die Behauptung aufrecht erhalten werden, dafs uns von sämtlichen Musiktexten, namentlich von den Chorliedern, nur die Rudimente erhalten sind. Das wird insgemein zugegeben werden können; soviel ich weifs, hat sich noch niemand für die Chorpartien der 'Thesmophoriazusen' enthusiasmiert.

Wir sahen, dafs von der Parodos der 'Kalligeneia' der erste Teil, das Gebet der Musen, in den Prolog versprengt worden ist; ob es Absicht des Dichters war, ihn dort zu belassen, erscheint mir trotz V. 40 f., 99 f. und 130 ff. noch fraglich.[1]) Der zweite Teil, die Parodos der Thesmophoriazusen füllt die Lücke aus, die 'zwischen dem Prolog und den Frauenreden klafft. Da aber letztere auch nur dazu ausersehen waren, entweder — als Proagon — den Agon vorzubereiten, oder durch einen solchen ersetzt zu werden, so müssen wir den ganzen Abschnitt zwischen dem Weggang des Euripides bis zum Auftreten des Kleisthenes als ein weites Trümmerfeld betrachten, aus dem nur hin und wieder einzelne ausgearbeitete, aber ungeordnet umherliegende Bauglieder emporragen. Als ein solches Bauglied, wenn auch als ein stark beschädigtes, erscheint das Thesmophoriazusengebet aus der 'Kalligeneia';

---

1) Die Einfügung der arrhythmischen Worte ξὺν ἐλευθέρᾳ πατρίδι, die auf die Vertreibung der 400 hinzudeuten scheinen, machen allerdings die Annahme wahrscheinlich, dafs der Dichter sich mit der Absicht getragen hat, das Musengebet dem neuen Drama anzupassen; ausgeführt hat er sie aber nicht, und es läfst sich nicht absehen, wie er sie hat ausführen wollen.

das andere dagegen müssen wir als einen unvollendeten, roh
behauenen Block auffassen. Wie das eine sowie das andere
in der 'Nesteia' verwendet werden sollte, ob es überhaupt im
Plane des Dichters lag, beide in das neue Drama aufzunehmen,
darüber läfst sich nichts Bestimmtes sagen. Nur das eine
möchte ich behaupten, dafs das neue Gebet auf keinen Fall
als Parodos verwendet werden konnte, da die einleitenden
Worte der Sprecherin in iambischen Trimetern verfafst sind.

Läfst sich also auf dem genannten Trümmerfelde kein
einziges Bauglied entdecken, von dem wir annehmen könnten,
dafs es zur Parodos der 'Nesteia' verwendet werden sollte, so
finden wir etwas weiter einen Chorgesang und eine Scene, die
beide nicht anderswo als unter dem Begriffe 'Parodos' unter-
gebracht werden können. Ich meine den Chorgesang V. 655
—688 und die folgende Scene. Natürlich darf nicht geglaubt
werden, dafs damit der erste Teil der Parodos ans Tageslicht
gefördert sei; die Anwesenheit des Chors auf der Orchestra
wird darin bereits vorausgesetzt. Aber den zweiten oder den
dritten Teil haben wir jedenfalls vor uns.

Man erinnere sich der 'Wespen'; auf den iambischen Teil
folgte der anapaestische, auf diesen der trochaeische. Der
iambische Teil der 'Nesteia' ist nicht ausgeführt worden; vom
anapaestischen sind noch die VV. 655—658 — vielleicht die
Sphragis — erhalten. Es folgt der trochaeische und zwar
zuerst das Epirrhema [1]) (V. 659—664) mit dem Pnigos
(V. 665 f.)

> πανταχῆ δὴ ῥῖψον ὄμμα,
> καὶ τὰ τῇδε καὶ τὰ δεῦρο
> πάντ' ἀνασκόπει καλῶς.

Das übrige enthält wohl die Ode, schwerlich auch die Antode.

---

1) V. 663 ist sicher ein verstümmelter Tetrameter und kann etwa
so ergänzt werden:

> εἴα νυν ἴχνευε καὶ μάτευε ταχὺ πάντ' ἐν κύκλῳ,

wobei sich das Homoioteleuton gar nicht übel ausnehmen würde. Die
Ergänzung von TBergk entfernt sich zu sehr von der Überlieferung.
REnger und AvVelsen construieren schon von V. 663 an Dimeter; dann
würden wir aber — wegen der Binnenkatalexis — kein Pnigos, sondern
eine Ode erhalten, wie in 'Ekklesiazusen' II.

Was uns vorliegt, ist nur ein Entwurf, der obendrein von den Abschreibern bis zur Unverständlichkeit verstümmelt worden ist. Die Arrhythmie ist hier vollständig; nur hin und wieder — häufig zu Anfang, spärlicher zum Schluſs — hört man anapaestischen Rhythmus heraus.

Dieses trochaeische Epirrhema begleitet nun — und das ist der Grund, warum ich es hier besprechen mufs — die Anodos des Chors auf die Bühne. Die Absicht wird bereits in der anapaestischen Sphragis kundgegeben. Wenn der Chor sich dort willens erklärt, zu

Ζητεῖν, εἴ που κάλλος τις ἀνὴρ ἐϲελήλυθε,

so muſs er, um seinen Vorsatz auszuführen, die Bühne betreten, denn dort war Mnesilochos eingedrungen. Man wird daher am besten die Pnyx von der Orchestra, die Skenai aber und die Diodoi von der Bühne verstehen. War aber der Chor während des trochaeischen Teiles auf der Bühne, so ist die Beziehung des letzteren zur Parodos erwiesen; denn dafs der Chor aufserhalb der Parodos die Bühne betreten habe, ist bis auf weiteres undenkbar.

Mit V. 687 f. sollte vielleicht das Antepirrhema beginnen. Es folgen einige iambische Trimeter, welche die Telephosepisode einleiten; mit V. 702 f. beginnen die Trochaeen von neuem, und zwar mit einer Art Katakeleusmos, zu dem wir den Antikatakeleusmos mit Leichtigkeit in V. 726 f. wiederfinden. Somit müssen die VV. 702—725 die volle Hälfte einer Syzygie begreifen. Wir unterscheiden darin leicht das Epirrhema (V. 702—706) und die Ode (V. 707—725), in welcher ebenfalls der anapaestische Rhythmus anfangs ziemlich rein herausklingt, nachher sich trübt und zuletzt in wüster Arrhythmie untergeht.[1])

---

1) Nach meiner Annahme würde demnach der trochaeische Teil zwei Syzygien umfassen, von denen nur die ersten Hälften zur Ausführung gekommen wären. Mit der verlockenden Ansicht GHermanns, der zwischen der Ode V. 667 ff. und der Ode V. 707 ff. antistrophische Responsion herstellen möchte, kann ich mich deswegen nicht einverstanden erklären, weil — abgesehen von der Schwierigkeit, diese Responsion durchzuführen — die beiden Teile, die sich darnach entsprechen würden, durchaus heterogener Natur sind.

Der Zwang, auch diese Syzygie unter der Parodos einzubegreifen, folgt aus der Tatsache, dafs Tetrameter stets — abgesehen von den Agonistenparodoi, worüber später — auf eine Marschbewegung des Chors schliefsen lassen, wie dieselbe nur in den drei Cardinalteilen der Komoedie vorkommt; die Beschaffenheit aber gerade unserer Tetrameter hat — namentlich was die gleiche Betätigung des Chors und der Agonisten anbelangt, — mit derjenigen der übrigen Parodoi eine ebenso unverkennbare Verwandtschaft wie sie von derjenigen der Agone und Parabasen abweicht.

Die Parodos der 'Nesteia' würde demnach, gleich derjenigen der 'Wespen' und der 'Eirene', zu den ausgedehntesten gehört haben. Die Scenen, welche zwischen dem Thesmophoriazusengebet und dem soeben besprochenen Chorgesang liegen, würden Einschiebsel geworden sein, wozu ebenfalls die 'Eirene' Analogien darbietet. Wo freilich der Agon bei der neuen Anordnung seinen Platz gefunden haben würde, ist schwer zu sagen; auch würde eine eingehendere Behandlung dieser Frage, da es sich um ein nie aufgeführtes Stück handelt, ziemlich unfruchtbar werden. Wir gehen daher zu den 'Fröschen' über.

In der Parodos der '*Frösche*' läfst ebenfalls alles auf eine Betretung der Bühne seitens des Chores schliefsen. Dafs die Anapaeste V. 354 ff. von der Orchestra aus gesprochen worden sind, wird niemand leugnen; wenn es also nach dem Schlufs der Anapaeste im Embaterion heifst

χώρει νυν πᾶς ἀνδρείως
εἰς τοὺς εὐανθεῖς κόλπους κτλ.,

so mufs unter diesen κόλποι ein anderer Ort, als die Orchestra gemeint sein, und unter diesem Orte kann, da der Chor daselbst die folgenden Lieder singt, nur die Bühne verstanden werden. Von dem Embaterion an befindet sich also der Chor auf der Bühne[1]) und bleibt dort bis V. 440. Hier sagt der Hierophant wiederum

---

1) So findet auch die Schwierigkeit, die V. 414 f. darbieten, eine ungezwungene Lösung. TKock bemerkt dazu '*Dafs Dionysos und Xanthias ... an dem Chortanz in der Orchestra sollten Teil genommen*

χωρεῖτε

νῦν ἱερὸν ἀνὰ κύκλον θεᾶς.

Dafs unter dem κύκλος die Orchestra zu verstehen sei, erhellt aus dem Zusammenhang, sowie aus der Bedeutung des Wortes κύκλος. Der Chor wird somit aufgefordert, die Bühne zu verlassen und sich zur Orchestra zurückzubegeben. Er tut es im zweiten und letzten Embaterion

χωρῶμεν ἐς πολυρρόδους
λειμῶνας ἀνθεμώδεις κτλ.

und befindet sich von nun an wieder auf der Orchestra. Die γεφυρισμοί sind die letzten der Bühnenlieder, sie sind dicht bei der Treppe, welche die Orchestra mit der Bühne verband, gesungen worden; diese Treppe versah somit die Stelle der Kephisosbrücke.

In den '*Ekklesiazusen*' liegt wiederum gar kein Anzeichen vor, das auf eine Anodos schliefsen liefse; das erste Mal scheint der Chor nur einmal die Orchestra zu durchschreiten, das andere Mal zieht er ein und stellt sich auf. Auch im '*Plutos*' verrät nichts, dafs der Chor die Orchestra verlassen hätte.

Rücksichtlich der Parodos zerfallen somit die Komoedien des Aristophanes chronologisch in drei Perioden. Die erste Periode umfafst die Zeit bis 422 und die drei Dramen 'Acharner', 'Ritter' und 'Wolken'. Die Parodos bedeutet hier noch einfach den Einzug des Chores in die Orchestra, die er während des ganzen Stückes nicht verläfst. Die zweite Periode, die Blütezeit der attischen Komoedie, ist auch die Zeit der reichsten Entwickelung der Parodos; sie umfafst die Jahre 422—405 und die sechs Dramen 'Wespen', 'Eirene', 'Vögel', 'Lysistrate', 'Thesmophoriazusen' ('Nesteia') und 'Frösche'. Das

---

haben, ist undenkbar; dafs sie die Marschbewegung des Chors ihrerseits auf der Bühne mitgemacht hätten, wohl möglich, ohne jedoch den Worten des Dichters zu entsprechen'. Ist aber der Chor gleichfalls auf der Bühne, so schwinden alle Bedenken. — Dafs übrigens der φιλακόλουθος Dionysos ist und nicht Xanthias hat AvVelsen z. d. St. mit Recht gegen AvLeutsch und TKock bemerkt. Dionysos meint, dafs unter dem angerufenen Iakchos, den die Zeit des Aristophanes schon mit dem Bakchos identificierte, er selbst zu verstehen sei, und erklärt sich bereit, der Bitte συμπρόπεμπέ με Folge zu leisten.

Gepränge in der Ausstattung des Chores bedurfte zu seiner Entfaltung eines weiteren Raumes; die Orchestra wurde überschritten, mit der Parodos verband sich regelmäfsig eine Anodos auf die Bühne und eine Kathodos zurück zur Orchestra. Dies gestattete eine gröfsere Ausdehnung der Parodos selbst, die nun einen grofsen Teil der Handlung zu begreifen pflegte. Dazu gesellte sich nicht selten die Vermehrung des Chores durch einen Nebenchor ('Wespen', 'Eirene', 'Frösche'), der nur für die Parodos da war und nach dem Schlusse derselben unter einem passenden Vorwand abzutreten hatte. — Die dritte Periode umfafste die Zeit von 405 an; aus ihr sind uns die 'Ekklesiazusen' und der 'Plutos' erhalten. Die zunehmende Dürftigkeit der Choregien zwang die Dichter, an die Leistungen des Chors bescheidenere Anforderungen zu stellen; die Parodos überdauerte zwar den Fall der übrigen Chorpartien, aber sie wurde auf die Einfachheit der alten Zeiten reduciert; die Anodos blieb fortan weg.

Ehe wir die Parodos verlassen, empfiehlt es sich, ihre §8. einzelnen Teile einer kurzen Musterung zu unterwerfen. Da die Zugehörigkeit der ganzen Form zur epirrhematischen Composition hinlänglich durch das Gesagte erwiesen ist, brauchen die Benennungen Ode und Antode, Epirrhema und Antepirrhema nicht erst einer Rechtfertigung; die beiden letzten boten sich von selbst dar als willkommene Namen für Glieder, die noch keinen Namen hatten; die beiden ersteren ersetzten die geläufigeren Namen Strophe und Antistrophe; wir werden auch weiterhin den Ausdruck Ode immer im Zusammenhang mit der epirrhematischen, Strophe im Zusammenhang mit der epeisodischen Composition brauchen. Die beiden anderen notwendigen Teile des Agons, das Pnigos und den Katakeleusmos, finden wir in der Parodos nur als facultative wieder. Ein trochaeisches Pnigos hatten wir in den 'Rittern', wo es dem ἁπλοῦν, das auf die Epirrhemen folgt, zum Abschlusse dient; ein anapaestisches in 'Wespen' II, nach dem Epirrhema; drei trochaeische in der 'Eirene' nach jedem Epirrhema; ein trochaeisches in den 'Vögeln'; ein iambisches endlich in 'Lysistrate' III, nach dem ἁπλοῦν. Noch seltener ist der Katakeleusmos, und das ist natürlich; sein Begriff ist mit dem des

Agons so verwachsen, dafs er auch dort, wo er in der Parodos vorkommt, als ein ihr ursprünglich fremdes, von dem
Agon herübergetragenes Glied erscheint. In denjenigen Parodoi, die ganz vom Chor vorgetragen werden, konnte er ohnehin nicht vorkommen, und wir haben gesehen, dafs diese Form
die ursprüngliche war. Aber auch in den übrigen war er
nicht am Platze, wo die Unterhaltung gleichmäfsig von Chor
und Agonisten geführt wird, wie in 'Wespen' II, oder wo der
Chor den Inhalt dessen, was die Agonisten in der Parodos
sprachen, nicht zu bestimmen hatte, wie in den 'Vögeln'. Alles
in allem kenne ich nur eine Parodos, in der die Katakeleusmoi
mit Sicherheit nachzuweisen wären; und das ist die Parodos
der 'Eirene'.[1])   Den drei Epirrhemen entsprechen drei Katakeleusmoi: V. 299 f.; V. 553 f. und V. 601 f.; auch die zwei
Tetrameter des Trygaios V. 383 f., welche die Zwischenode,
und die zwei des Hermes V. 426, welche die Anodos vor-
bereiten, dürfen mit Recht hiehergezogen werden.[2])

Von den drei facultativen Bestandteilen des Agons fanden
wir die Mesoden bezw. Prooden und das Epirrhemation auch
in der Parodos wieder; die Mesoden in 'Wespen' II (336 f.,
338, 340 f., 367 f., 369, 371 f.)[3]), die Prooden vielleicht in

---

1) Deren Antepirrhema ohnehin von ENesemann (de episodiis Aristophaneis S. 51) als eine Art Agon betrachtet wird. Mit Unrecht; denn
weder ist der trochaeische Tetrameter ein agonistisches Versmafs, noch
darf eine Partie, in welcher der Chor redet, als Agon angesehen werden.
— 2) Als Katakeleusmoi, aber nicht in unserem Sinne des Wortes, können auch Fr. 382 f. und 395 f., eventuell auch 441 f. und 444 f. (wenn
man nämlich von den beiden Verspaaren, wie billig, das eine dem Sprecher des Männerchors, das andere dem Sprecher des Frauenchors giebt)
aufgefafst werden. Aber die folgenden Lieder richten sich im Versmafs
nicht nach ihnen; also auch darin Abweichung von der epirrhematischen
Composition. — 3) Als Charakteristicum der mesodischen Tetrameter ist
oben angegeben worden, dafs sie im Versmafs mit den Epirrhemen nicht
übereinstimmen dürfen. Diese Regel wird bestätigt durch den zweiten
Teil der Wespenparodos; die Epirrhemen sind anapaestisch, die Mesoden
trochaeisch. Daraus geht aber auch hervor, dafs ich Recht hatte, als
ich oben für die 'Wespen' III nicht eine Unterbrechung der Oden durch
Mesoden, sondern vielmehr eine Unterbrechung der Epirrhemen durch
versprengte lyrische Partien annahm; im ersten Fall würden die Mesoden
im Versmafs mit den Epirrhemen identisch sein.

'Lysistrate' I[1]), das Epirrhemation in 'Acharner' I, 'Lysistrate' (Binnenparodos) und 'Ekklesiazusen' II. Das letztere, allerdings, mit einer kleinen Modification; während im Agon das Epirrhemation im Versmaße des gewöhnlichen Dialogs geschrieben ist, richtet es sich in der Parodos nach den Epirrhemen; nur in 'Ekklesiazusen' II, wo das Epirrhemation von den Epirrhemen durch eingeschobene Trimeter der Praxagora getrennt ist, hat es sein besonderes, anapaestisches Versmaß. Der Regel nach gehören beide Tristichen des Epirrhemations dem Chore, ebenso wie sie im Agon den Agonisten gehören; eine Ausnahme macht wiederum das Epirrhemation der 'Ekklesiazusen', das auf Praxagora und den Chor verteilt ist.[2])

Der Parodos eigentümlich sind die Glieder, welche oben einfach ἁπλᾶ genannt worden sind. In der Parabase kanonisch, sind sie hier facultativ, und es ist sehr wahrscheinlich, dafs sie von dort herübergenommen sind, ebenso wie die Katakeleusmoi vom Agon. Wo das ἁπλοῦν heterorrhythmisch ist, wie in 'Acharner' II, können wir es Kommation nennen; meistens jedoch stimmt es im Versmaß mit den Epirrhemen überein und ist nur daran zu erkennen, dafs es aufserhalb der Symmetrie steht. Da bei der Besprechung der einzelnen Parodoi die vorkommenden ἁπλᾶ bezeichnet worden sind, kann diesmal von einer Aufzählung dieser wenig interessanten Glieder abgesehen werden.

Es erübrigt uns noch, ehe wir zur Parabase übergehen, § 9. gewisse tetrametrische Partien zu berücksichtigen, die zwar mit der Parodos des jeweiligen Stückes nichts zu tun haben, deren Besprechung aber an die der Parodos am schicklichsten angeknüpft werden kann. Es kommt nämlich vor, dafs die Erscheinung irgend eines bedeutenden Agonisten oder auch eines Parachoregems von Marschmusik begleitet wird; in solchen Fällen schlägt auch das Metrum um und der Trimeter

---

1) Wenn man nämlich die zwei dikatalektischen Tetrameter, die jeder Ode voraufgehen (V. 256 f.—270 f.) als solche auffassen will, wozu allerdings kein Zwang vorliegt. — 2) Diese Annahme hat ihren guten Grund, s. darüber B, I § 4.

wird durch einen embaterischen Vers — in den erhaltenen
Beispielen regelmäfsig durch den anapaestischen Tetrameter —
ersetzt. In der Tragoedie vertritt bekanntlich der anapaestische
Dimeter seine Stelle, und in der Komoedie finden wir in der
Exodos der 'Wespen' und der 'Frösche' diesen Brauch der
Tragoedie befolgt.

Das erste, zugleich das bedeutendste Beispiel einer solchen
Agonistenparodos findet sich unmittelbar nach der Nebenparabase der 'Ritter' (V. 1316—1334). Sie begleitet den Einzug des verjüngten Demos auf die Bühne. Die Gliederung
dieser Partie ist überaus einfach. Die ersten drei Verse, welche
die Meldung des Agorakritos an den Chor enthalten, wird man
gut tun, von den übrigen abzusondern und, analog den fünf
ersten Versen (des Demosthenes) in der Parodos, als Prooimion
aufzufassen.[1]) Das übrige ist ein einheitliches Epirrhema. Die
volle Hälfte dient dazu, den Chor und die Zuschauer auf die
Erscheinung des Demos vorzubereiten; erst V. 1326 geht
das Tor der Propylaeen auf und Demos erscheint an der
Schwelle, um während der übrigen Hälfte in die Bühne herab-
zusteigen.

In den 'Vögeln' (V. 658 -660) wird das Hervortreten der
Nachtigall durch Marschmusik begleitet Wie im ersten Beispiele, also beginnt auch hier die Musik viel früher, als die
Person, der zu Ehren sie spielt, sich zeigt. Nur dafs hier
die Tetrameter sehr bald wieder in Trimeter übergehen. Dafs
damit auch die Musik aufhörte, ist nicht denkbar; V. 667 zeigt
sich ja erst die Nachtigall. Vielmehr wird anzunehmen sein,
dafs sie bis V. 675 weiterging, ohne dafs der Dialog auf sie
Rücksicht nahm.

Dasselbe wird wohl auch für V. 1073 f. der 'Lysistrate'
angenommen werden müssen. Die Anapaeste begleiten den
Einzug der lakonischen Gesandten auf die Bühne. Dafs die
ganze Musik nur acht Tacte enthalten habe, ist schwer denkbar; es wird daher zwischen V. 1073 und dem folgenden
eine Pause anzunehmen sein, welche durch Musik ausgefüllt
wurde.

---

1) Der Grund wird unten (B, IV § 2) angegeben werden.

Von derselben 'Lysistrate' gehören auch noch die VV. 1108 —1111 hieher, vier anapaestische Tetrameter, mit welchen der Chor die eintretende Lysistrate begrüfste.

Wenn das Lieblingsthema der Aristophaniker, die Para- § 10. base, hier nur ganz kurz behandelt wird, so hat das zwei Gründe. Die Verteilung ihrer einzelnen Glieder unter die Choreuten, die sonst das weite Disputationsfeld darzustellen pflegt, sowie die Vortragsweise mufsten der Anlage dieser Arbeit gemäfs in den zweiten Teil verwiesen werden; ebenso werden Reflexionen über den mutmafslichen Ursprung der Parabase ferngehalten werden, da ich hier zwar eine Vorarbeit für die Geschichte der altattischen Komoedie, nicht aber diese selbst zu geben beabsichtige. So bleibt für den Schlufs dieses Capitels nur weniges, darunter sehr wenig Umstrittenes nach.

Was eine Parabase sei, darüber ist man eigentlich noch nicht einig. Die einen möchten ziemlich alles, was der Chor spricht, für Parabasen ausgeben und zählen z. B. in den 'Vögeln' nicht weniger als fünf Parabasen; andere halten sich an die Grundbedeutung des Wortes 'Parabase' und können consequenterweise in keinem Stücke mehr als eine, in einigen aber ('Lysistrate', 'Frösche', 'Ekklesiazusen') gar keine finden.

Nach meiner Ansicht ist es von vorn herein verfehlt, von der Grundbedeutung des fraglichen Wortes auszugehen. Nichts beweist uns, dafs die Partien, von denen die Rede sein wird, von Alters her den Namen Parabase trugen; nichts beweist uns, dafs sie überhaupt einen Namen hatten. Vielmehr wird es sich empfehlen, zunächst alle Gedichte zu untersuchen, die, ohne Agon oder Parodos zu sein, jene bedeutsame Vereinigung von Oden und Tetrametern aufweisen, und ihre gemeinsamen Merkmale festzustellen. Ob diese im Begriffe 'Parabase' aufgehen, ob nicht — das wird dabei ganz gleichgültig sein; den Namen werden wir schon der Bequemlichkeit wegen beibehalten.

Ebenfalls der Bequemlichkeit wegen sei hier das Schema der Parabase vorausgeschickt, teils nach alten Grammatikern und Scholiasten, teils mit Anticipation der folgenden Ergebnisse.

I. ʿΑΠΛΑ.

a. Kommation
freie Metra
b. Parabase
Tetrameter, meist anapaestische
c. Pnigos
anapaestische Dimeter.

II. Epirrhematische Syzygie.

a. Ode   *a′* Antode
freie Metra
b. Epirrhema   *b′* Antepirrhema
trochaeische Tetrameter
c. Pnigos   *c′* Antipnigos
trochaeische Dimeter.

Eine vollständige Parabase, die alle neun Bestandteile enthielte, giebt es freilich nicht; die erhaltenen zeigen folgende Composition.

A. ʿAcharner', *Hauptparabase* V. 626—718. Das Kommation besteht aus zwei anapaestischen Tetrametern, unterscheidet sich also von der folgenden Parabase i. e. S. metrisch gar nicht, dem Sinne nach aber insofern, als darin die ἀνάπαιϲτοι angekündigt werden. In der Parabase i. e. S. hebt der Dichter in Anknüpfung an die Anklage seiner Gegner, als ob er den Staat verunglimpft habe, seine Verdienste um denselben in halb scherzhaftem, halb ernsthaftem Tone hervor. Das Pnigos drückt die Zuversicht des Dichters gegenüber künftigen Ränken Kleons aus. In der epirrhematischen Syzygie kehrt der Chor zu seiner Rolle zurück. In der Ode wird die Acharnermuse angerufen; im Epirrhema beklagt sich der Chor über die harte Behandlung, die seinen Altersgenossen in Athen zu Teile wird; die Antode führt den Gedanken in lyrischer Erregtheit weiter; das Antepirrhema gedenkt eines einzelnen, besonders bezeichnenden Falles, der Verurteilung des alten Thukydides. — Es fehlen somit dieser Parabase die Pnige der epirrhematischen Syzygie.

B. *Nebenparabase* V. 971—999. Die Ode (V. 971—977) beglückwünscht den Dikaiopolis zu den vielen Freuden, die ihm der Frieden geschenkt hat. Das Epirrhema (V. 979—987) drückt den Abscheu des Chores vor dem Kriege aus, der ihm schon soviel Unheil gebracht hat. Die Antode wendet sich wieder zu Dikaiopolis, der drinnen im Hause im Vorgenusse der leckeren Mahlzeit schwelgt; im Anschlufs daran wird die Friedensgöttin Διαλλαγή angerufen. Das Antepirrhema verweilt, im Gegensatz zum Epirrhema, beim schönen Bilde der künftigen Friedensseligkeit. — Wir vermissen sonach die ἁπλᾶ und die Pnige; die Stelle der letzteren vertreten die Verse 987 und 999. Die Epirrhemen haben nämlich paeonisches Metrum, und da die Oden gleichfalls paeonisch sind, so könnte man sich geneigt fühlen, alles als ein einziges Stasimon zu betrachten.[1]) Nun wiederholt sich aber dieselbe Erscheinung in der Nebenparabase der 'Wespen' (H), und da dort die Ode trochaeisch ist, so kann die Selbständigkeit der Epirrhemen nicht zweifelhaft sein. Hier wie dort enthalten nun die Epirrhemen je acht paeonische und einen trochaeischen Tetrameter, der sich sowohl metrisch, wie auch eurythmisch[2]) von den acht paeonischen Tetrametern absondert. Es ist daher wohl möglich, dafs er in zwei Dimeter zu schreiben und als kleines Pnigos zu betrachten ist.[3])

C. 'Ritter'. *Hauptparabase* V. 498—610. Kommation: anapaestische Dimeter mit Binnenkatalexis.[4]) Der Chor wünscht dem Wursthändler zu seinem Vorhaben Glück und bittet das Publicum um Aufmerksamkeit für die Anapaeste. Parabase i. e. S.: Der Chor belehrt im Namen des Dichters das Publicum, warum dieser nicht schon früher unter seinem eigenen Namen Komoedien aufgeführt habe; im Pnigos bittet er um Beifall für das gegenwärtige Stück. Ode: die Ritter fühlen sich wieder als Ritter und rufen ihren Schutzgott Poseidon Hippios

---

1) Das tut CAgthe (a. O. 69), und zwar wegen des paeonischen Metrums; da er aber in Wesp. 1275 ff. die Epirrhemen gelten läfst, so könnte man mutmafsen, er habe dieselben trochaeisch gelesen. REnger (Rh. M. 1856, 119) hat die Epirrhemen richtig erkannt. — 2) S. B, IV § 1. — 3) Ebenso in der Binnenparodos der 'Lysistrate', s. o. S. 143. — 4) AMeineke freilich sucht die Binnenkatalexis zu entfernen, indem er die Dimeter 503—506 durch Nachdichtung mit den folgenden Tetrametern vereinigt; ohne Not, da die Binnenkatalexis nicht in allen Hypermetra, sondern nur in den Pnige verpönt ist.

ZIELINSKI, die Gliederung der altattischen Komoedie. 12

an. Epirrhema: die Vorfahren werden gepriesen im Gegensatz zu den Zeitgenossen, bei denen Eigennutz den Patriotismus überwiege. Antode: die Stadtgöttin Athena wird angerufen. Antepirrhema: der Chor preist die Tüchtigkeit seiner Rosse. — Auch dieser Parabase fehlen nur die beiden Pnige der Syzygie.

D. *Nebenparabase* V. 1264—1315. Die Ode bietet das erste Beispiel des ἀπροσδόκητον, das fortan für die parabatischen Oden ein beliebtes Effectmittel wird. Vom Preise der Ritter springt der Chor unvermutet auf Lysistratos und Thumantis, die Hungerleider über. Das Epirrhema geifselt die unnatürliche Verworfenheit des Ariphrades. In der Antode wird im Gegensatz zur Ode die unerhörte Gefräfsigkeit des Kleonymos verhöhnt. Das Antepirrhema schildert die fingierte Ratssitzung der Trieren, die mit einem Mifstrauensvotum für Hyperbolos schliefst. — Es fehlen die ἁπλᾶ und die Pnige.

E. 'Wolken'. *Hauptparabase* V. 510—626. Im Kommation — Anapaeste und Choriamben[1]) — wird Strepsiades verabschiedet und zu seiner Lernbegierde beglückwünscht. In der Parabase i. e. S. beklagt sich der Dichter über die schlechte Aufnahme, die den ersten 'Wolken' zu Teile geworden war. Die Ode enthält ein Gebet an vier Götter, Zeus, Poseidon, Aither und Helios, die als Naturmächte in engster Beziehung zu den Wolken stehen. Im Epirrhema drücken die Wolken ihren Unmut darüber aus, dafs Kleon trotz ihrer Mifsbilligung zum Feldherrn gewählt worden war. In der Antode werden vier weitere Gottheiten, Apollon, Artemis, Athena und Dionysos angerufen. Im Antepirrhema richten die Wolken den Grufs der Selene an die Athener und Bundesgenossen aus nebst der Klage über die Kalenderverwirrung. — Es fehlen alle Pnige, auch dasjenige des ersten Teiles, wohl eine Folge des ungewöhnlichen Metrums der Parabase i. e. S. (Eupolideen).

F. *Nebenparabase* V. 1113—1130. Erhalten ist — aufser V. 1113 f., einem dikatalektischen Tetrameter, der zum Kom-

---

1) Auch in diesem Wechsel des Versmafses wollte man den Einflufs der Diaskeue wahrnehmen; aber der Umschlag des Rhythmus kommt im Kommation auch sonst noch vor; cf. G, J.

mation gehört haben mag — nur ein Epirrhema, in dem
die Wolken die Zuschauer um Zuerkennung des ersten Preises
bitten und für den anderen Fall allerhand Strafen in Aussicht stellen. Dafs an der Verstümmelung dieser Parabase die
Diaskeue schuld ist, wird allgemein anerkannt.

G. 'Wespen'. *Hauptparabase* V. 1009—1121. Im Kommation — Anapaeste und Trochaeen — werden die Agonisten
verabschiedet, der Chor wendet sich ans Publicum. In der
Parabase i. e. S. hebt der Dichter in Hinblick auf die unfreundliche Aufnahme seiner 'Wolken' seine Verdienste um den
Staat hervor. Im Pnigos wird dem Publicum für die Folgezeit ein besserer Geschmack gewünscht. In der Ode reden
die Greise sich selber an; trotz seines Alters hofft der Chor noch
im Tanze für sich einstehen zu können. Das Epirrhema belehrt das Publicum, was es mit der Wespengestalt des Chores
für eine Bewandtnis habe; sie hätten die Perser einmal tüchtig
aus dem Lande hinausgestochen. Die Antode schwelgt in
seliger Erinnerung an jene tatenlustige Zeit. Das Antepirrhema setzt die Betrachtungen über die Wespennatur der
Heliasten fort. Die Parabase ist somit bis auf die Pnige der
Syzygie vollständig.

H. *Nebenparabase* V. 1265—1291. Die Ode verhöhnt den
Hungerleider Amynias, das Epirrhema die genialen Söhne
des Automenes; die Antode ist ausgefallen, mit ihr auch, wie
es scheint, der erste Vers des Antepirrhemas, welches eine
interessante Notiz über den Conflict zwischen Kleon und
Aristophanes enthält. Von der Form dieser Parabase war zu
B die Rede.

J. 'Eirene'. *Hauptparabase* V. 729—818. Das Kommation
hat zum Inhalt den üblichen Abschied vom Agonisten und die
Wendung zu den Zuschauern; es besteht aus vier anapaestischen und einem trochaeischen Tetrameter. Die Parabase
i. e. S. feiert wie gewöhnlich die Verdienste des Dichters um
die Bühne und die Stadt; daher, heifst es im Pnigos, ist
ihm auch diesmal der Sieg zuzusprechen. Die Oden beginnen sehr feierlich, lenken aber dann ἀπροϲδοκήτωϲ auf Karkinos und Melanthios ein. Die Epirrhemen mit ihren Pnige
sind ausgeblieben.

12*

K. *Nebenparabase* V. 1127—1190. Das ganze ist ein Idyll.
Die Freude am flammenden Herde schildert die Ode; im Epirrhema wird ein ländlicher Schmaus nach der Aussaat, während es draufsen regnet, beschrieben; die Beschreibung setzt
das Pnigos fort. Die Antode versetzt uns in den Hoch-
sommer, wo die Grille zirpt und die Trauben reifen; in über-
raschender Weise springt das Antepirrhema auf den nun
glücklich beendeten Krieg und dessen Plagen über und gedenkt
der perfiden Taxiarchen, denen noch im Antipnigos ihr Unrecht vorgehalten wird. — Die Parabase bietet das einzige
Beispiel einer vollständigen Syzygie; die ἁπλᾶ fehlen.

L. 'Vögel'. *Hauptparabase* V. 676—800. Das Kommation
begrüfst die erschienene Nachtigall, die Flötenbläserin des
Stückes. In der Parabase i. e. S. werden, abweichend vom
Herkommen, die persönlichen Verhältnisse des Dichters gar
nicht berührt; sie enthält die Ornithogonie. Im Pnigos wer-
den den Menschen allerhand Wohltaten verheifsen, wenn sie
die neuen Götter anerkennen. In der Ode wird die Muse des
Waldes angerufen, die den Singvögeln ihre Weisen eingiebt;
das Epirrhema schildert die vielen Freuden des geflügelten
Daseins. Die Antode preist das Lied, das die Schwäne dem
Apollon gesungen haben; im Antepirrhema setzt sich der
Gedanke des Epirrhemas fort.

M. *Nebenparabase* V. 1058—1070. Die Ode spricht im
Hinblick auf die vorangegangenen Scenen die Zuversicht aus,
dafs die allgemeine Anerkennung des neuen Regiments nur
noch Frage der Zeit ist; im Epirrhema werden einige Feinde
der Vögel ihrerseits für vogelfrei erklärt; die Antode preist
das selige Leben der Vögel, im Antepirrhema werden die Zuschauer gemahnt, den Sieg ja dem gegenwärtigen Chore zuzusprechen.

N. 'Lysistrate' V. 614—705. Dieses Gedicht wird nur
von RWestphal als Parabase anerkannt; alle übrigen — es
müfste mir denn eine und die andere Meinungsäufserung entgangen sein — haben sich dagegen erklärt und meinen, die
'Lysistrate' hätte keine Parabase, und die zu besprechende
Scene keinen Namen; eine Parabase könne sie nicht genannt
werden, da sie eigentümlich componiert sei und ein παραβαίνειν

überhaupt nicht stattfinde. — In dieser Arbeit werden unfruchtbare Controversen principiell vermieden; ich will daher gestehen, daſs wir eigentlich keine Parabase vor uns haben, sondern zwei gekuppelte epirrhematische Syzygien, die an die Stelle einer Parabase getreten sind, wobei aus $aa'bb'aa'bb'$ das Schema $ababa'b'a'b'$ geworden ist; da dieser Ausdruck aber etwas unbequem ist, so werden wir statt seiner nach wie vor den kürzeren Namen 'Parabase' brauchen. Wie der Dichter dazu gekommen ist, durch einen Querschnitt die Zahl der Glieder zu verdoppeln, davon wird unten die Rede sein; hier möchte ich bemerken, daſs wir an der vorliegenden Scene sehr schön erkennen können, wie der Agon einer Urkomoedie, wo es noch keine Schauspieler gab, ausgesehen haben mag.

Erste Syzygie V. 614—657. Ode und Epirrhema gehört den Männern, Antode und Antepirrhema den Weibern an. Die Ode beginnt mit zwei kommationartigen proodischen Tetrametern, denen zwei in der Antode entsprechen; sie enthalten die Aufforderung an den Chor, die Obergewänder abzulegen: hierauf spricht der argwöhnische Männerchor die Befürchtung aus, der Handstreich der Frauen möge einen Verrat an die Lakoner zum Zwecke haben. Das Epirrhema enthält die Begründung dieses Verdachtes. Dem Inhalte nach streng abgesondert stehen die beiden letzten Verse des Epirrhemas; während im übrigen die Auseinandersetzung des Chors mit an die Zuschauer gerichtet ist, wendet er sich hier ausschlieſslich an sein Gegenüber mit einer ziemlich brutalen Drohung. Diese Sonderstellung wiederholt sich in den übrigen drei Epirrhemen. In der Antode betonen die Frauen ihre Berechtigung, der Stadt Ratschläge zu erteilen; was wiederum das Antepirrhema begründet.

Zweite Syzygie V. 658—705. Die proodischen Tetrameter sind hier ausgeblieben. In der Ode wird der Chor aufgefordert, trotz seines Alters den Neuerungen mannhaften Widerstand zu leisten; im Epirrhema werden die Zukunftspläne der Frauen beschrieben, die sich möglicherweise an die Einnahme der Akropolis knüpfen. Die Antode antwortet zunächst auf die Drohung, die in den letzten Worten der Männer enthalten war; im Epirrhema wird der schlechte Charakter derselben geschildert, die nicht einmal mit den Nachbarn Frieden halten können.

Der Parabase fehlen die ἁπλᾶ und die Pnige.

O. 'Thesmophoriazusen' V. 785—845. Das Kommation besteht nur aus einem anapaestischen Tetrameter.[1]) Die Parabase i. e. S. stellt sich inhaltlich der Parabase der 'Vögel' an die Seite; hier wie dort redet der Chor zu den Zuschauern seiner Rolle gemäfs, nicht in Vertretung des Dichters. Hier speciell wird der Vorzug des weiblichen Geschlechtes vor dem männlichen nachgewiesen. Das Pnigos vervollständigt die Beweisführung. Von der epirrhematischen Syzygie ist nur das eine Epirrhema vorhanden, das den Ausfall auf Hyperbolos enthält; da für die 'Thesmophoriazusen' nicht die Entschuldigung gelten kann, die wir für die 'Ekklesiazusen' anführen werden, so ist diese Mangelhaftigkeit ein neuer Beweis dafür, dafs die 'Nesteia' nicht vollendet worden ist.

P. 'Frösche' V. 675—737. Die Ode beginnt nach alter Weise mit dem Anrufe der Muse und endet mit der Verhöhnung des Kleophon; das berühmte Epirrhema rät den Bürgern, den Schuldigen Amnestie zu geben. Die Antode ist gegen Kleigenes gerichtet; im Antepirrhema wird die Rückkehr zur früheren Politik empfohlen, als noch die 'Guten' alles galten. — Wir haben somit nur die Syzygie vor uns, die bis auf die Pnige vollständig ist. Einige wollten von den ἁπλᾶ wenigstens die Parabase i. e. S. in V. 354 ff. entdecken, allein wie sollte sich diese in die Parodos verirrt haben? und wo bleibt dann das Pnigos, das bei der anapaestischen Parabase ebensowenig fehlen darf, wie bei den Agonen?

Q. 'Ekklesiazusen' V. 1155—1162. Eigentlich nur ein halbes Epirrhema. Wir durften es hieherziehen, da es inhaltlich den Epirrhemen F und M verwandt ist.

§ 11.   Über die vorstehende Aufzählung bin ich selbstverständlich dem Leser Rechenschaft schuldig. Gemeinsame Merkmale lassen sich in den genannten Gedichten nicht auffinden; so

---

1) Gewöhnlich wird das Hypermetron des Mnesilochos (V. 776 ff.) als das Kommation aufgefafst, ohne Grund. Wenn Ach. 626 f. Kommation ist, so ist es unser V. 785 ebenfalls.

hat z. B. *J* mit *F* gar nichts gemein. Unter solchen Umständen liefs sich nur ein Weg einschlagen. Ich mufste von einer Parabase ausgehen, der dieser Name schon von den Alten gegeben war, z. B. von *A*, das sieben Glieder aufwies, und dann sehen, wo diese Glieder wiederkehrten. Manchmal kehrten sie vollzählig wieder; hie und da nur einige von ihnen, da hatten wir unvollständige Parabasen anzuerkennen. Natürlich durfte die Consequenz nicht zu weit getrieben werden; ein Odenpaar werden wir nicht für eine verstümmelte Parabase halten, da die parabatischen Oden sich in keiner Weise von den parodischen, agonischen und andern unterscheiden. Wo aber ein Odenpaar verbunden mit den ἁπλᾶ auftritt — wie in *J* — da war diese Bezeichnung erlaubt. In *K* begegnete uns eine Parabase ohne ἁπλᾶ, dafür aber mit πνίγη; consequenterweise mufsten wir auch hier annehmen, dafs diese zwei neuen Glieder regelrechte Bestandteile der Parabase seien, die sich darnach auf neun Glieder stellt. Damit war das Schema der Idealparabase vervollständigt, darein sich alle erhaltenen Parabasen ohne Widerstreben fügten.

Für die historische Entwickelung der Parabase hat RWestphal[1]) mit gutem Recht drei Perioden angenommen. Die erste begreift die sechs ersten unter den erhaltenen Komoedien des Dichters. In jedem Stück begegnen uns zwei Parabasen, eine Hauptparabase mit ἁπλᾶ und eine Nebenparabase, aus einer blofsen Syzygie bestehend. Die zweite Periode reicht von 414—404 und umfafst drei Komoedien; hier treffen wir nur je eine Parabase an, und auch diese mehr oder minder verstümmelt. Die dritte Periode endlich ist die der parabasenlosen Komoedie.

Diese dritte Periode, die uns die 'Ekklesiazusen' und der 'Plutos' veranschaulicht, war auch für den Agon und die Parodos die Zeit des Verfalls; für den Agon, insofern die einteiligen Agone hieher gehören; für die Parodos, insofern der Chor hier wiederum auf die Orchestra beschränkt worden ist. Im übrigen halten freilich die drei Grundbestandteile der ionischen Komoedie nicht gleichen Schritt mit einander. Wäh-

---

1) Proll. z. Aesch. 31 ff.

rend der Agon und die Parabase uns gleich von Anfang an in ihrer vollendeten Gestalt entgegentreten, sehen wir die Parodos sich erst bilden; zwischen ihrer einfachen Inscenierung in den 'Acharnern' und dem bunten Scenengefüge in den 'Wespen' liegt ein grofser Schritt. Andererseits war es wiederum die Parabase, die zuerst von den dreien verkümmerte und unterging; während der Agon und die Parodos noch in voller Blüte stehen — in der 'Lysistrate', den 'Fröschen' — erscheint die Parabase wesentlich eingeschränkt; während Agon und Parodos, wenn auch verkürzt, ein noch recht kräftiges Leben führen — in den 'Ekklesiazusen' und dem 'Plutos' — treffen wir von der Parabase kaum noch eine Spur, und bald auch diese nicht mehr an.

An dieser Stelle werden einige vielleicht eine aesthetische 'Würdigung' der Parabase erwarten, und ich mufs mich immerhin darüber aussprechen, warum ich keine zu geben im Stande bin. Suchen wir uns einerseits des Eindruckes bewufst zu werden, den solche Parabasen auf uns machen, fragen wir uns, wie wir es dem Dichter danken würden, der sie zu erneuern unternähme, so kann die Antwort nicht zweifelhaft sein. Wir empfinden sie entschieden als etwas Fremdes, als ein Ding, dessen Existenzberechtigung an dieser Stelle wir nicht recht einsehen. Weder läfst sich behaupten, dafs sie technische Notwendigkeit hervorgerufen hätte; mit Decorationswechsel — falls ein solcher überhaupt anzunehmen ist — fallen sie meistenteils nicht zusammen, und für etwaigen Costümwechsel der Schauspieler genügte ein einfaches Chorlied. Noch kann man annehmen, sie hätten dazu gedient, längere Zeitintervalle zu überbrücken; wenigstens würde die inductive Probe nicht stimmen, und überhaupt scheint die ionische Komoedie 'ob Raum und Zeit erhaben' gewesen zu sein. Endlich würde man auch nicht mit der Entschuldigung auskommen, die Parabasen hätten den Zweck gehabt, dem Zuschauer eine kleine Erholung zu gewähren; liest man nur die Parabasen an, ihre Anfangsworte wie νῦν αὖτε λέω πρόϲχετε τον νοῦν, so merkt man, dafs der Dichter nicht entfernt daran gedacht hat, seinen Zuschauern eine Ruhepause zu gestatten. — Könnten wir andererseits einen Zeitgenossen des Aristophanes fragen, wie

ihm die Parabase zusagt, so würden wir voraussichtlich die
Antwort zu hören bekommen, welche die Herzogin von Oli-
varez auf die Frage der Königin giebt, wie ihr die Über-
siedlung nach Madrid zusage. Seit er sich zu erinnern weifs,
hat es immer Parabasen gegeben; nach der aesthetischen Berechtigung eines Dinges, das uns zur Gewohnheit geworden
ist, pflegen wir nicht zu fragen.

Aber damals wenigstens, als die Komoedie sich bildete,
mufs die Parabase ihre aesthetische Berechtigung gehabt haben.
Freilich; und obgleich die Frage die Geschichte der Komoedie
berührt und als solche aufserhalb der Grenzen dieser Untersuchung liegt, will ich doch auf eine Tatsache hinweisen, die
sich mir aus der Composition selber zu ergeben scheint. Im
folgenden sind die tetrametrischen Partien der einzelnen Komoedien zusammengestellt

'Acharner'	'Ritter'	'Wolken'
204 ff. Parodos	242 ff. Parodos	263 ff. Parodos
593 ff. [Agon]	303 ff. Nebenagon	510 ff. Parabase
625 ff. Parabase	498 ff. Parabase	949 ff. Agon
971 ff. Nebenparab.	756 ff. Hauptagon	1113 ff. Nebenparab.
	1263 ff. Nebenparab.	1345 ff. Nebenagon

'Wespen'	'Eirene'	'Vögel'
230 ff. Parodos	299 ff. Parodos	268 ff. Parodos
526 ff. Agon	729 ff. Parabase	451 ff. Agon
1009 ff. Parabase	1127 ff. Nebenparab.	676 ff. Parabase
1265 ff. Nebenparab.		1058 ff. Nebenparab.

'Lysistrate'	'Thesmophoria-zusen'	'Frösche'	'Ekklesiazu-sen'
253 ff. Parodos	295 ff. Parodos	324 ff. Parodos	285 ff. Parodos
467 ff. Agon	531 ff. Agon	675 ff. Parabase	571 ff. Agon
614 ff. Parabase	785 ff. Parabase	895 ff. Agon	1155 ff. Parabase.

Beherzigt man nun, dafs die trimetrischen Partien anerkanntermafsen jüngeren Ursprungs sind, und dafs naturgemäfs
Agon und Parabase in der Urkomoedie nur je einmal vertreten waren, so stellt sich nach der Mehrzahl der angeführten Beispiele die Aufeinanderfolge der Glieder in der drei-
geteilten Urkomoedie also heraus: Parodos — Agon — Para-

base. Es ist demnach die Parabase ihrer ursprünglichen Bedeutung und Bestimmung nach nicht sowohl ein Zwischen-
act, als vielmehr der Epilog der Komoedie.

Unter dieser Voraussetzung erklärt sich manches. So
vor allen Dingen der Umstand, dafs der Dichter in der Parabase von seinen persönlichen Verhältnissen spricht, sein
Stück der Teilnahme des Publicums empfiehlt. Das konnte
er verständigerweise nur an zwei Stellen tun, entweder zu
Anfang des Stückes, im Prolog, oder zum Schlufs, im Epilog;
so haben wir es bei Plautus, bei Shakespeare. Ferner die Gebete
an die Götter, die ihren kanonischen Platz in den Oden haben;
auch diese haben nur zu Anfang oder zu Ende der Komoedie
einen Sinn. Sodann das παραβαίνειν des Chores, das ebenfalls auf eine beendete Handlung hinweist. Endlich — und
das ist meiner Meinung nach wichtig — das ἀποδῦναι der
Choreuten, das Ablegen der Obergewänder und — wo solche
vorhanden waren — der Costüme, worauf die Beteiligten
wiederum gewöhnliche Bürger waren. Das ist schlechterdings
nicht anders zu erklären. Wäre es des Tanzes wegen geschehen, so würden wir es auch sonst erwähnt finden, wo der
Chor sich zum Tanze anschickt; hätte dabei ferner die Erwägung obgewaltet, dafs der Chor in der Parabase an der
Handlung nicht mehr beteiligt ist und daher nicht mehr im
Costüm reden darf, so würden wir dem ἀποδῦναι dort sicher
nicht begegnen, wo der Chor in der Handlung bleibt, also vor
allen Dingen nicht in der 'Lysistrate'. War dagegen die Parabase ursprünglich Schlufs der Komoedie, so begreift sich
das ἀποδῦναι leicht; die Handlung ist zu Ende, die Costüme
überflüssig. In den Zeiten der aristophanischen Komoedie
freilich, als sich bereits ein ganzer zweiter Teil an den tetrametrischen Urkern ankrystallisiert hatte, war das ἀποδῦναι
nur störend, und nur das Herkommen war daran Schuld, dafs
es noch beibehalten wurde.

Vor allem aber ist zu betonen: wird die Parabase als der
Epilog der ionischen Komoedie aufgefafst, so schwindet jedes
aesthetische Bedenken ihr gegenüber. Damit habe ich mich
der Pflicht entbunden, ihr Vorhandensein in der aristophanischen Komoedie vom aesthetischen Standpuncte zu rechtfer-

tigen. Aristophanes selbst scheint sie als etwas Fremdes empfunden zu haben; die wunderliche Parabase der 'Lysistrate'
erscheint mir als ein Versuch, sie den veränderten Verhältnissen anzupassen. Und als die Dürftigkeit der Ausstattung
eine Reduction der tetrametrischen Partien verlangte, da war
es die Parabase, die er zuerst aufgab.

Durch die eben begründete Hypothese über die Stellung § 12.
der Parabase in der ursprünglichen Komoedie wird auch noch
ein anderer Umstand erklärt — dafs nämlich die aristophanische Komoedie für die Exodos keine kanonische Form
aufweist. An das letzte Stasimon, oder auch an die Nebenparabase schliefst sich zunächst eine Scene in Trimetern,
welche in lyrische Versmafse oder in Tetrameter ausläuft.
Doch ist das nur ein ganz allgemeines Schema; im übrigen
sind die Freiheiten sehr grofs.

In den 'Acharnern' beginnt die Exodos mit V. 1174,
der confusen Erzählung des Dieners von der Verwundung des
Lamachos (V. 1174—1189). Hierauf erscheint Lamachos selbst
und es beginnt ein Zwiegesang. Die Symmetrie erscheint hin
und wieder gestört, doch darf nicht gezweifelt werden, dafs
sie beabsichtigt war und daher wiederherzustellen ist. Im
ersten Strophenpaar stimmen je die drei ersten Verse, auch
1195 mit 1201, wenn man das μοι tilgt; dann haben wir
rhythmische Responsion ($\cup$ _ $\cup$ _ _ = $\cup$ _ $\cup$ _ $\circ$ _), die bei Aristophanes gestattet ist. V. 1202 und 1203 ist (mit TBergk)
umzustellen. Dann haben wir folgende Strophenpaare: b) 1205 f.;
c) 1207—1209; d) 1210 f. (mit TBergk.); e) 1212 f. (mit
TBergk); f) 1214 f. = 1216 f.; g) 1218 f. = 1220 f.; h) 1222 f.
= 1224 f. Nach dieser lyrischen Partie folgen sechs iambische Tetrameter, die sich auf Lamachos, Dikaiopolis und den
Chor verteilen; den Beschlufs macht der Chor mit einem
kleinen iambischen Pnigos. Der Wortlaut des letzteren ἀλλ᾽
ἐψόμεcθα cὴν χάριν | τήνελλα καλλίνικος ἄ- | δοντές cε καὶ τὸν
ἀcκόν läfst uns vermuten, dafs die Exodos damit noch nicht
zu Ende war; warum sind die vom Chor in Aussicht gestell-
ten Lieder mit τήνελλα καλλίνικος nicht in den Text aufgenommen? Ich denke, weil sie nicht von Aristophanes selber
gedichtet, sondern fremdes Eigentum und vom Dichter — in

loyalster Weise natürlich — herübergenommen waren, etwa wie die ἐμβόλιμα der späteren Tragoedie. Am nächsten liegt es, hier an das ᾽Αρχιλόχου μέλος φωνᾶεν ᾽Ολυμπίᾳ zu denken. Nun ist diese Form mit nichten der Exodos eigentümlich. Bei Aristophanes begegnen wir ihr noch in Zwischenscenen zweimal. Erstens in der Scene, welche die Parodos der ᾽Vögel᾽ mit dem Agon verknüpft (V. 400—450); sie wird eingeleitet durch ein μέλος des Chors (V. 400—405), dann folgt ein Amoibaion zwischen dem Chorführer und dem Kuckuck, genau ebenso componiert wie das Amoibaion in der Exodos der ᾽Acharner᾽ (V. 406—431), den Schlufs macht ein iambisches Pnigos des Chores, das sich auch metrisch mit dem obenangeführten Pnigos der Acharnerexodos deckt (λέγειν, λέγειν κέλευέ μοι, | κλύων γὰρ ὧν cύ μοι λέγεις | λόγων ἀνεπτέρωμαι); erst dann beginnen die Trimeter, die in den ᾽Acharnern᾽ die Exodos einleiten (V. 435—450). Zum zweiten Mal finden wir diese Composition in den ᾽Ekklesiazusen᾽ V. 877 ff., hier durch das naive Bekenntnis eingeleitet

κεἰ γὰρ δι᾽ ὄχλου τοῦτ᾽ ἐcτὶ τοῖς θεωμένοις

ὅμως ἔχει τερπνόν τι καὶ κωμῳδικόν.

Nach einer trimetrischen Einleitung singen erst die Alte und das Mädchen ein Amoibaion, dann der Jüngling und die Alte, dann der Jüngling und das Mädchen.

In den ᾽Rittern᾽ haben wir in der Exodos nur Trimeter; doch wird hier wohl mit Recht angenommen, dafs der Schlufs der Komoedie verstümmelt sei.

In den ᾽Wolken᾽ kommt nach den Trimetern noch ein anapaestischer Tetrameter. Auch hier wird nach der Analogie der ᾽Acharner᾽ anzunehmen sein, dafs der Chor beim Abzug irgend einen alten beliebten Hymnos, etwa Παλλάδα περcέπολιν δεινάν gesungen habe.

In den ᾽Wespen᾽ besteht die Exodos aus einer trimetrischen Partie (V. 1474—1515), welche ein anapaestisches Hypermetron des Philokleon und Xanthias einschliefst, und dem eigentlichen Exodion des Chors, durch zwei anapaestische Tetrameter eingeleitet (V. 1516 f.).

Hier haben wir also die Annahme nicht nötig, der Dichter habe fremde Abzugslieder singen lassen, und ebensowenig in

der 'Eirene'. Die Exodos ist sehr lang; bis V. 1304 gehen
die Trimeter, es folgt ein kleines Amoibaion zwischen Trygaios und dem Chorführer, das nur aus einem Strophenpaar
besteht, hierauf anapaestische Tetrameter des Trygaios, die mit
einem Pnigos schliefsen, endlich das Exodion selber, ein Hymenaios.

Ebenso in den 'Vögeln' von V. 1706 an. Bis V. 1719
geht die trimetrische Partie; es folgt ein arrhythmisches Kommation (bis V. 1725), dann ein anapaestisches Hypermetron,
daran sich das erste Exodion, ein Hymenaios schliefst (bis
V. 1742). Durch das Anthypermetron (bis V. 1747) wird das
zweite Exodion eingeleitet, ein Preislied auf den Donnerkeil
des Zeus; worauf die Begrüfsung der Vögel durch Peithetairos
und die Antwort des Chores folgt. Damit ist die Exodos beendet, wir vermissen nichts.

Schwieriger ist die Auffassung der 'Lysistrate'-Exodos.
Dafs sie verstümmelt ist, unterliegt wohl keinem Zweifel,
viel kann aber nicht zu Grunde gegangen sein. Mit V. 1316
sind wir bereits bei den Tetrametern angelangt, also soweit
wie Vög. 1755; drei Tetrameter lesen wir, vom vierten nur
das Wort τὰν πάμμαχον; ergänzen wir uns die fehlenden Füfse
und fügen noch etwa zwei Tetrameter des Athenerchors hinzu,
so ist die Exodos fertig. Die drei Lieder V. 1247 ff., 1279 ff.
und 1296 ff. sind demnach die Exodia.

In den 'Thesmophoriazusen' fehlen die Exodia. Auf
die trimetrische Partie folgt eine anapaestische, die sich am
wahrscheinlichsten auf zwei Tetrameter verteilt

ἀλλὰ πέπαιςται μετρίως ἡμῖν· ὡς ὥρα δή 'ςτι βαδίζειν.

τὼ Θεςμοφόρω δ' ἡμῖν ἀγαθὴν τούτων χάριν ἀνταποδοῖτον.
Des Dichters Meinung war also, dafs der Chor einen bekannten
Hymnos auf die thesmophorischen Göttinnen als Exodion
singen sollte.

Von den 'Fröschen' war oben die Rede. Auch hier
fehlen die Exodia; es sollten aber, der Absicht des Dichters
gemäfs, Propompenlieder des Aischylos gesungen werden.

Dagegen finden wir ein selbständiges Exodion in den
'Ekklesiazusen'. Die vier Verse, die auf die Parabase folgen
(1164—1167), sind deutlich als trochaeische Tetrameter zu er-

kennen; daran schliefst sich das μέλος μελλοδειπνικόν mit den üblichen Juchzern des Chors.

Im 'Plutos' dagegen sollten wiederum fremde Lieder als Exodia gesungen werden; das beweist der zweite von den beiden anapaestischen Tetrametern, mit denen das Stück schliefst . . . δεῖ γὰρ κατόπιν τούτων ᾄδοντας ἕπεσθαι.

Wir können nach dem Gesagten in der Entwickelung der Exodos drei Perioden unterscheiden. In der ersten (bis 423) hat der Dichter keine Exodia geliefert, sondern der Chor sang beliebte Hymnen als solche. In der zweiten, der Blüteperiode, wurden die Exodia vom Dichter gedichtet und componiert (422—413); in der dritten endlich kehrte man zum alten Herkommen zurück. Der Leser wird sich erinnern, dafs auch für die Parodos ein ähnlicher Entwickelungsgang nachgewiesen worden ist, auch dort begann die Blütezeit mit den 'Wespen', aber freilich dauerte sie viel länger, während andererseits die Exodos in den 'Ekklesiazusen' eine seltsame Nachblüte erlebt hat.

Übrigens hat diese Besprechung zur Genüge gelehrt, dafs von einer kanonischen Form der Exodos, wie wir dieselbe für die Parodos, den Agon und die Parabase anerkennen, nicht die Rede sein kann. Nur die Langverse sind für die Exodos charakteristisch und ziemlich stehend; nach dem Versmafs derselben können wir die Exodoi einteilen in

1) anapaestische: 'Wolken', 'Wespen', 'Eirene', 'Thesmophoriazusen', 'Plutos'.

2) iambische: 'Acharner', 'Vögel', 'Lysistrate'.

3) trochaeische: 'Ekklesiazusen'.[1]

4) dactylische: 'Frösche' (?).

Eine Zusammenstellung dieser Verteilung mit den Versmafsen der Parodoi würde uns absolut nichts lehren; Parodos und Exodos sind von einander völlig unabhängig.

---

[1] Diese seltene Verwendung des trochaeischen Tetrameters ist in der Abneigung der Alten gegen den Schlufstanz des Chors begründet, welche der Schol. zu Wesp. 1536 bezeugt: εἰσέρχεται ὁ χορὸς ὀρχούμενος, οὐδαμῶς δὲ ἐξέρχεται. Aufser den 'Wespen' bilden auch noch die 'Ekklesiazusen' eine Ausnahme; hier ist sogar der Tanz zu bestimmen, wenn anders CGCobet mit seiner Coniectur ὑπαποκινεῖν (für ὑπανακινεῖν) Recht hat. Über den ἀπόκινος, eine ὄρχησις φορτική, cf. Schol. zu Ritt. 20; Athen. 14, 629 C; Poll. IV, 101.

Dritter Abschnitt.

Syzygien und Epeisodia.

Im Vorstehenden haben die drei Grundpfeiler, auf welchen § 1. die ionische Komoedie ruht, ihre Besprechung gefunden, soweit dieselbe im Rahmen des gegenwärtigen ersten Teiles liegt. Es ist gezeigt worden, daſs alle drei demselben Stile angehören, daſs ihre Formen sich aus derselben Grundidee — der Idee der epirrhematischen Composition — entwickelt haben. Nichts berechtigt uns, dem einen dieser drei Hauptteile ein höheres Alter als den beiden anderen beizulegen; aber alle Anzeichen deuten darauf, daſs alle drei zusammengenommen den Urkern der ionischen Komoedie gebildet haben.

Es ist nur zu natürlich, daſs die übrigen Teile, die das Masswerk der entwickelten Komoedie bilden, sowie sie sich diesen drei Hauptgliedern ankrystallisierten, dieselbe Formation wie diese annehmen muſsten: ähnlich wie der Spitzbogen die gothische Architectur bis in ihre kleinsten Gebilde beherrscht, auch wo lediglich das Stilgefühl, nicht die structive Notwendigkeit ihn verlangt. Wir sind daher berechtigt, in den kleineren Dialogpartien der Komoedie dasselbe Schema der epirrhematischen Composition verkörpert zu erwarten, nach welchem auch die Parodos, der Agon und die Parabase componiert sind.

Aber selbstverständlich nicht über die Grenzen der Möglichkeit hinaus.

Vielleicht eine der spätesten Partien der ionischen Komoedie ist der Prolog. Daſs wir ihn in manchem Stücke — so in den 'Wespen' — bequem vermissen können, ohne daſs die Verständlichkeit groſse Einbuſse erlitte, ist für dieses Urteil allerdings nicht maſsgebend; auch nicht die Analogie der

Tragoedie, welcher er bekanntlich erst in verhältnismäfsig später Zeit unentbehrlich wurde. Wir brauchen zu solchen Reflexionen nicht unsere Zuflucht zu nehmen; wir wissen, dafs Kratinos[1]) seine 'Hirten' mit einem 'Dithyrambos', wie Hesychios sagt, also jedenfalls mit einer chorischen Partie begonnen hat. Die 'Hirten' mögen immerhin zu den früheren Komoedien des Dichters gehören; der Umstand, dafs erst der Komiker des perikleischen Zeitalters den Prolog eingeführt hat, zeugt hinlänglich für dessen späten Ursprung.

Den Prolog den Gesetzen der epirrhematischen Composition anzubequemen war natürlich nicht möglich. Das Wesen der letzteren beruht in der wechselnden Mitwirkung des Chores, also gerade desjenigen Elementes, welches dem Prologe fehlte. Wir sehen daher in ihm die gröfste Freiheit walten; seine Form ist ebenso ungebunden wie sein Inhalt, und so vielen Torturen man auch seinen Text unterwerfen mag — er hat die schlimmsten überstanden —, so wird es doch unmöglich sein, ihn in feste Gliederungsschemen einzuschnüren. Wir geben ihn daher frei.

Aber auch die Dialogpartien, welche zwischen die Kernbestandteile der Komoedie eingestreut sind und welche man mifsbräuchlich 'Epeisodia' zu nennen pflegt, fügen sich ihrer Natur nach nur widerstrebend dem Schema der epirrhematischen Composition ein, so dafs es uns durchaus nicht Wunder nehmen dürfte, wenn wir sie in ihnen gar nicht wiederfänden; um so mehr spricht die Tatsache, dafs wir sie in ihnen oft genug wiederfinden, für die Zähigkeit, mit welcher die Komoedie an der einmal gefundenen, herkömmlich und lieb gewordenen Norm festhielt. Es verlohnt sich wohl zu untersuchen, unter welchen Bedingungen es tunlich war, ohne die Gesetze des Schönen zu verletzen, das Schema der epirrhematischen Composition für die Dialogpartien beizubehalten.

Wir haben gesehen, dafs für die epirrhematische Composition zwei Momente charakteristisch waren — die Zweiteilung und der Parallelismus. So wie die Antode der Form nach der Ode, das Antepirrhema dem Epirrhema entsprach,

---

1) Frgm. 18 K.

so mufste auch dem Inhalte nach die eine Hälfte der Syzygie
eine Beziehung auf die andere haben. Es mufste demnach der
Stoff selbst zweigeteilt sein, wenn er geeignet sein sollte,
nach dem Muster der epirrhematischen Composition behandelt
zu werden. Dieser Forderung entspricht am allervollkommen-
sten der Agon, dessen Inhalt der Natur der Sache gemäfs sich
mit Leichtigkeit auf zwei Hälften verteilte; die Parabase fügte
sich ebenfalls recht zwanglos drein, indem beide Epirrhemen
zwei verschiedene Gegenstände behandeln, die mit demselben
Rechte als Seitenstücke aufgefafst werden können, wie nur
irgend ein Wandbilderpaar der antiken Malerei; in der Parodos
endlich stand es dem Dichter jederzeit frei, den fürs gewöhnliche ziemlich allgemeinen Inhalt — Reflexionen und Ermahnungen — symmetrisch auf beide Hälften zu verteilen.

Wenden wir die Gesetze der epirrhematischen Composition
auf die Dialogpartien an, so bleibt jede Ode eine Ode, jedes
Epirrhema aber wird zu einer Scene; eine epirrhematische
Syzygie im Dialog wird demnach zwei symmetrisch gruppierte,
parallele Scenen begreifen. Man mufs zugeben, dafs dieses
Princip im höchsten Grade undramatisch ist; und wenn auch
Fälle vorkommen mögen, wo die Handlung selbst sich in
zwei parallele Actionen spaltet — so im 'Wallenstein' die
Unterredung Octavios mit Isolani einerseits und mit Buttler
andererseits —, so sind das doch immer Ausnahmefälle, die
dem ganzen Drama ihr Gepräge noch lange nicht aufdrücken.
Es kam denn, was kommen mufste; die epirrhematische Composition wurde in gewissen Fällen aufgegeben, in anderen
beibehalten, ohne dafs ihrer Forderung bezüglich des Parallelismus im Inhalte Genüge geleistet worden wäre; oft genug
freilich sehen wir sie und ihre Gesetze in aller Strenge
durchgeführt.

Der epirrhematischen ist die epeisodische Composition
entgegengesetzt. Diese ist von jedem Zwange frei; gesprochene
Teile — Epeisodia — wechseln mit gesungenen — Stasima —
ab, jedes Epeisodion ist ein selbständiges Ganzes, das jeder
Gliederung entbehrt, jedes Stasimon ist in sich abgeschlossen,
indem die Strophen und Epoden in bestimmter Anzahl ohne
Unterbrechung aufeinander folgen. Wenn von den Epeisodien

ZIELINSKI, die Gliederung der altattischen Komoedie.   13

Prologos und Exodos abgesondert werden, weil dem ersteren kein Chorlied vorangeht, dem letzteren — gewöhnlich — keines folgt, und ebenso von den Stasima die Parodos, weil sie das erste Chorlied ist, so ist das ein ziemlich müfsiges Spiel mit Namen; tatsächlich sind Prolog und Exodos ebensolche Epeisodia, wie die anderen auch, und in der ausgebildeten Tragoedie wird man kaum einen Unterschied zwischen der Parodos und den übrigen Stasima finden. Eben ihrer Freiheit wegen war die epeisodische Composition im höchsten Grade dramatisch; kein Wunder, dafs auch die Komoedie der Lockung, sie anzuwenden, nicht widerstehen konnte.

Wir werden die epeisodische Composition in der Komoedie überall dort anerkennen, wo auf eine Dialogpartie ein vollständiges Chorikon folgt, bestehend aus Strophe und Antistrophe, die sich ohne Unterbrechung aneinander schliefsen. Der Dialogpartie den Namen Epeisodion, dem Chorikon den Namen Stasimon zu geben, schien mir ganz unbedenklich, so wohl mir auch die religiöse Scheu vieler, besonders dem Namen Stasimon gegenüber bekannt ist. Wem es nicht pafst, der möge dafür den vorsichtigeren Namen 'Chorikon' einsetzen und sich auch ferner über die naive Frage, 'ob es in der Komoedie auch Stasima gebe', abquälen.

Die Dialogpartien dagegen, die mit keinem Stasimon grenzen, sondern zwei Syzygien auseinanderhalten, habe ich nicht Epeisodia, sondern Zwischenscenen genannt, nicht als ob der Name 'Epeisodion' ihrem Wesen nicht entspräche, sondern weil mir eine Scheidung der Begriffe rätlich erschien.

Im folgenden wird der Versuch gemacht werden, sämtliche Komoedien des Aristophanes in ihre Bestandteile zu zerlegen. Das Vorhaben ist nichts weniger als neu[1]); wohl aber der Gesichtspunct, von dem aus hier seine Durchführung unternommen werden soll. Früher, als man noch keine Compositionsweise aufser der epeisodischen kannte, bot die Zerlegung so unüberwindliche Schwierigkeiten, dafs

---

1) Zu vergleichen sind aufser den Ausgaben der einzelnen Stücke (namentlich denen von TKock) RWestphal, Proll. z. Aeschylus' Tragoedien S. 30 ff.; ENesemann de episodiis Aristophaneis; CAgthe, die Parabase und die Zwischenakte der griechischen Komoedie.

besonnene Forscher — wie TKock[1]) — es für geradezu unmöglich
erklärten, die Einteilung, wie der Dichter sie gedacht hat,
wiederherzustellen. Von dem Standpuncte aus, der hier eingenommen wird, wird dieses, hoffentlich, möglich sein. Der
Leser wird überall unverrückbare Grenzsteine vor sich sehen;
nirgends wird die trostlose Frage an ihn herantreten, ob es
nicht zweckmäfsig sei, den Abschnitt enger oder weiter zu
fassen. Allerdings wird die Mannichfaltigkeit der ionischen
Komoedie bedeutsam mit der strengen Einfachheit der dorischen Tragoedie contrastieren, ähnlich wie der Tempel der
Athena Polias in seiner lachenden Pracht von dem ernst
würdigen Parthenon absticht.

Wir beginnen der überlieferten Reihenfolge entsprechend § 2.
mit den 'Acharnern'. Bis V. 203 geht der Prolog; es
folgt V. 204—346 die Parodos, deren beide Teile von ein-
ander durch die erste Zwischenscene (V. 242—279) ge-
schieden sind. Diese Zwischenscene enthält die phallische
Procession des Dikaiopolis und bildet insofern eine directe
Fortsetzung des Prologs, als der Chor der Handlung nicht
beiwohnt, sondern sich für die Agonisten, wie für die
Zuschauer unsichtbar im Verstecke hält. Mit V. 346 ist die
Parodos zu Ende, der Chor hat seinen ständigen Platz in der
Orchestra eingenommen, und es beginnt die erste Syzygie
(V. 347—392, und zwar: Epirrhema V. 347—357, Ode
V. 358—365, Antepirrhema V. 366—384, Antode V. 385—392;
das Schema ist somit baba). Der Parallelismus ist in der
strengsten Form durchgeführt; beide Epirrhemen enthalten je
einen ununterbrochenen Monolog des Dikaiopolis, der noch
zwischen dem kühnen Entschlusse, den Kopf über dem Hackeblock zu reden, und der Furcht vor dem möglichen schlimmen
Ausgange seiner Tat schwankt. Auch die Oden sind einander durchaus parallel; in beiden spricht sich die Ungeduld
und die Neugier der Choreuten aus. Zugleich wird die Unzulänglichkeit der epirrhematischen Composition für die Entwickelung der Handlung klar; wir können uns das Epirrhema
mit der Ode vollständig wegdenken, ohne dafs die Dramatik

---

1) Ausg. d. 'Ritter' S. 31**.

irgend eine Einbufse erlitte. — Die vom Chore gewährte
Bitte des Dikaiopolis, sich als Bettler verkleiden zu dürfen,
bildet den Übergang zur zweiten Syzygie (V. 393—571,
und zwar: *Epirrhema V.* 393—489, *Ode V.* 490—495, *Antepirrhema V.* 496—565, *Antode V.* 566—571, also *baba*).[1]) In
dieser ist freilich von jenem Parallelismus nicht viel mehr
übrig. Das Epirrhema enthält die Scene vor dem Hause des
Euripides und besteht in einem sehr lebhaften Dialog; das
Antepirrhema bildet die bekannte Rhesis des Dikaiopolis vor
den Choreuten, die ununterbrochen ist, so dafs nur zum
Schlusse durch den Zank der Halbchöre etwas Abwechselung
in den Dialog hineinkommt. Über die Scenen, die jetzt
kommen, ist im ersten Abschnitte das Notwendige gesagt
worden. In der aufgeführten Komoedie folgte auf die zweite
Syzygie die zweite Zwischenscene, welche den Proagon
enthielt; von ihr ist uns etwa die erste Hälfte in V. 572—592
erhalten. V. 593—619 ist eine Einlage, die jedenfalls in den
Proagon verarbeitet werden sollte. Von dem Agon der aufgeführten Komoedie ist nur das Epirrhemation übrig geblieben
(V. 620—625). Dem Agon schliefst sich unmittelbar die
Parabase an (V. 625—718). Was jenseits liegt, spielt ge-
raume Zeit später. Der Frieden hat sich befestigt, mit ihm
ist die Zeit der Tafelfreuden zurückgekehrt. Zuerst meldet
sich ein Megarer mit seiner angeblichen Ware, die Sache
läuft aber vorläufig auf einen plumpen Megarerscherz hinaus;
dieser Teil der Komoedie läfst sich denn auch durchaus do-
risch an. Die epirrhematische Composition ist aufgegeben,
der Handel mit dem Megarer bildet den Inhalt des ersten
Epeisodions (V. 719—835), welchem ganz regulär das
erste Stasimon (V. 836—859) folgt, das monostrophisch
gebildet ist und aus vier Strophen besteht. Nach dem Megarer kommt ein Boiotier, und diesmal hat es mit dem Handel
seine Richtigkeit; dieser selbst ist Gegenstand des zweiten

---

1) Dafs V. 490—495 = V. 566—571, also nicht V. 569 dochmisch
— wie noch CMuff (üb. d. Vortrag d. chor. Part. S. 36), AvBamberg
(Lit. Ctbl. 1874, S. 1193 ff.) u. a. wollen —, sondern vielmehr V. 568 iambisch gemessen werden mufs, hat HSchmidt (Antike Compositionslehre
a. s. St.) richtig eingesehen. S. oben 57 A. 1.

Epeisodions (V. 860—970). Die Einmischung eines Syko-
phanten, der geziemend abgestraft wird, giebt zu einem lyrischen Intermezzo Gelegenheit, einem Amoibaion (V. 929—951),
welches — ganz den Freiheiten der epeisodischen Composition
entsprechend[1]) — sich ins zweite Epeisodion hineindrängt.
Es zerfällt in Strophe und Antistrophe; aufserdem ist jede
Strophe eurythmisch gegliedert nach dem Schema 4. 4. 1. 1. 4.
Am Schlusse des Epeisodions verlassen die beteiligten Agonisten die Bühne, und es folgt die Nebenparabase (V.
971—999). Die Handlung wird wieder eröffnet durch die
dritte Syzygie (V. 1000—1068, und zwar: *Prooimion* V.
1000—1007, *Ode* V. 1008—1017, *Epirrhema* V. 1018—1036,
Antode V. 1037—1046, *Antepirrhema* V. 1047—1068; das
Schema ist also *abab*), welche allen Forderungen entspricht,
die wir an eine Syzygie stellen können. Sie beginnt mit einem
Prooimion von acht Versen, was eine in der epirrhematischen
Composition durchaus erlaubte Freiheit ist. Die Oden sind
amoebaeisch auf den Chor und Dikaiopolis verteilt; die beiden
Scenen, welche die Epirrhemen bilden, sind im besten Sinne
Gegenstücke zu einander, in der einen ist es der ruinierte
Landmann, in der anderen das hochzeitfeiernde Brautpaar,
welches an dem Frieden teilnehmen möchte. Der erste wird
abschlägig beschieden, dem letzteren — wenigstens der Braut —
wird der Wunsch gewährt. So kann die gegenwärtige Syzygie
in jeder Beziehung ein Musterstück für die Anwendung der
epirrhematischen Composition auf den Dialog abgeben. —
Zwischen V. 1068 und 1069 würden wir ein Chorlied erwarten;
wenigstens tritt hier der Wendepunct der Handlung ein, wo
sie sich von ihrer behaglichen Ruhe aufrafft und zum Schlusse
eilt. Das dramatische Moment tritt in den Vordergrund, und
mit ihm die epeisodische Compositionsweise, mit einem tragisch
klingenden Distichon des Chores beginnt das dritte Epeisodion (V. 1069 — 1142). Lamachos wird zum Kriege, Dikaiopolis zum Schmause abberufen. Das folgende zweite
Stasimon (V. 1143—1173) besteht aus Strophe und Anti-

---

1) Über die Amoibaia bei Aischylos, bei dem sie, gerade wie hier,
die Epeisodia unterbrechen, nicht voneinander trennen, s. RWestphal
Proll. z. Aesch., S. 126 ff.

strophe; ihm ist in echt tragischer Weise ein anapaestisches
Hypermetron vorangeschickt, welches die abgehenden Agonisten geleitet. Mit V. 1174 beginnt die Exodos.
Weit weniger mannigfaltig ist die Composition der
'Ritter'. Bis V. 241 erstreckt sich der Prolog, V. 242—302
ist die Parodos, deren letzter Teil, ein ἁπλοῦν, zugleich der
Proagon ist. Es schliefst sich an der Nebenagon (V.
303—466, oder — wenn man V. 461—466 als Epirrhemation
nicht anerkennen will — 303—460), dessen Epirrhemation sich
zur ersten (und einzigen) Zwischenscene (V. 467—497)
erweitert; die Agonisten verlassen das Feld, und es beginnt
die Parabase (V. 498—610). Bis hierher war der Trimeter-
dialog seit dem Prolog noch gar nicht zur Entfaltung gekommen; erst jetzt tut er es in der ersten (und einzigen)
Syzygie (V. 611—755, und zwar: *Prooimion V.* 611—615,
Ode V. 616—623, *Epirrhema V.* 624—682, *Antode V.* 683—690,
Antepirrhema V. 691—755; das Schema ist also *abab*), welche
hinsichtlich der Form — des Compositionsschemas und des
Prooimions — vollkommen der dritten Syzygie der 'Acharner'
entspricht, hinsichtlich der Oekonomie des Inhalts aber in der
zweiten Syzygie desselben Dramas ihre Analogie hat. Auch
hier findet kein Parallelismus statt; das Epirrhema wird ganz
ausgefüllt durch die Rhesis des Agorakritos, der die Erfolge,
die er im Buleuterion errungen hat, dem Chore meldet; das
Antepirrhema, zugleich Proagon, enthält einen lebhaften Zank
zwischen Agorakritos und dem heimgekehrten Kleon, der
endlich durch die Autorität des herbeigerufenen Demos einen
ruhigeren Verlauf bekommt. — Es folgt der Hauptagon (V.
756—940), mit dem die epirrhematische Composition des
Dialoges für diese Komoedie ihren Höhepunct und zugleich
ihren Endpunct erreicht. Was nun kommt, ist epeisodisch
componiert. Das erste Epeisodion umfafst die VV. 941—972;
es ist eine Art Prolog und handelt blofs von den Vorbereitungen. Das erste Stasimon (V. 973—996), das der Freude
des Chors über die bevorstehende Niederlage Kleons Ausdruck
verleiht, besteht aus Strophe und Antistrophe, oder auch aus
sechs kleinen Strophen. Das zweite Epeisodion (V. 997—
1110) enthält den Agon der Wahrsprüche, der, wie zu erwarten

war, zu Gunsten des Agorakritos entschieden wird. Es wird
beschlossen, in einem dritten und letzten Turnier den Demos
um die Wette zu füttern. Während die Agonisten ihre Vorbereitungen dazu treffen, singt der Chor amoebaeisch mit Demos
das zweite Stasimon (V. 1111—1150), das aus Strophe
und Antistrophe, oder auch aus vier Strophen besteht, die
sich abwechselnd auf den Chor und Demos verteilen. Die
Wettfütterung geht im dritten Epeisodion (V. 1151—1262)
vor sich; Kleon wird vollständig geschlagen und tritt endgültig von der Bühne ab. Während unsichtbar für die Zuschauer die Handlung sich fortsetzt und Demos von Agorakritos verjüngt wird, singt der Chor die Nebenparabase
(V. 1263—1315). An diese schliefst sich die Parodos des
Demos (V. 1316—1334), welche die Exodos einleitet.

Eine Analyse der 'Wolken' kann natürlich nur auf be-
dingte Zuverlässigkeit Anspruch machen. Bis V. 261 geht
der Prolog; V. 263—477 umfafst die aus zwei Syzygien be-
stehende Parodos, in welche der Agon der ersten 'Wolken'
verquickt ist; zwischen ihr und der Parabase liegen nur die
wenigen Trimeter V. 478—509, die wir bequem als die erste
Zwischenscene auffassen können; sie schliefst damit, dafs
Sokrates sich mit Strepsiades zur Fortsetzung des Unterrichtes
ins Haus hinein begiebt. Dann beginnt die Parabase (V.
510—626). Die nun folgende erste Syzygie (V. 626—813,
und zwar Epirrhema V. 626—669, Ode V. 700—706, Antepirrhema V. 707—804, Antode V. 805—813; das Schema ist
also baba) ist diejenige Scene, wo alte und neue Elemente am
verwirrendsten durcheinander gemengt sind. Es ist gezeigt
worden, dafs die beiden Oden, welche das Schlafmotiv und den
ungünstigen Ausgang des Unterrichtes voraussetzen, der späteren Fassung angehören. Dafs nun die beiden Scenen sich
zur epirrhematischen Composition vorzüglich eignen, mufs zugegeben werden; in beiden wird Strepsiades durch Sokrates
unterrichtet, in beiden nimmt der Unterricht, nach der Wendung, die ihm die Diaskeue gegeben hat, für Strepsiades
einen ungünstigen Verlauf. Die Scene V. 814—888 hat keine
Chorlieder, die zu ihr gehörten; doch ist daran nur ihre Unfertigkeit schuld. Dafs zwischen ihr und dem folgenden

Proagon ein Chorikon notwendig ist, hat man längst eingesehen; die Agonisten, welche die Rollen des Sokrates und Strepsiades spielten, brauchten Zeit, um sich umzukleiden und als die zwei Sprecher wieder zu erscheinen; somit entsteht zwischen V. 888 und 889 eine Lücke, die nur durch ein Chorlied passend ausgefüllt werden kann. Was sollte es nun für ein Chorlied werden? Ein Stasimon? Das ist, wie wir weiter sehen werden, nach der jetzigen Anlage des Stückes nicht wahrscheinlich, wir könnten nur ein epirrhematisches Chorikon erwarten, eine Ode oder eine Antode. Welche von beiden sollte es nun werden? Und wo ist dann das entsprechende Chorlied zu suchen? Nach einigen[1]) soll hier der Platz für die Ode gewesen sein, und die Antode sollte zwischen V. 1104 und 1105 kommen; allein dann wäre die Ode von der Antode durch den ganzen Agon getrennt, was absolut unmöglich ist. Vielmehr muſs, da mit V. 889 der Proagon beginnt, das zwischen V. 888 und 889 vermifste Chorikon als die Antode angesehen werden, und die Ode kann nirgendwo anders gedacht werden als nach V. 865. Somit wäre die Scene V. 814—888 als die zweite Syzygie erkannt, und zwar würde V. 814—865 das *Epirrhema*, V. 866—888 das *Antepirrhema* geworden sein, und auf das Epirrhema würde die Ode, auf das Antepirrhema die Antode folgen nach dem Schema *baba*. Das Epirrhema würde die Unterredung des Strepsiades mit Pheidippides, das Antepirrhema mit Sokrates enthalten. — Die VV. 889—948 umfassen den Proagon, der eine eigene Bildung hat; ihm folgt der Hauptagon (V. 949—1104). Wären nun die VV. 1105—1112 hier am Platze, so müfsten wir zwischen V. 1104 und 1105 noch eine Lücke für ein Chorlied annehmen, und damit kämen wir in arge Verlegenheit; doch ist es längst anerkannt, dafs sie ans Ende der zweiten Syzygie gehören, deren Antepirrhema auch etwas zu kurz geraten ist. V. 1110, wo Sokrates aufgefordert wird, die eine Backe des Pheidippides für die μείζω πράγματα abzurichten, steht in unverkennbarem Zusammenhang mit V. 876, wo Sokrates für seine Mühe ein Talent verlangt; beide Züge sind der ursprünglichen Anlage des Stückes fremd. Ohne

---

1) FVFritzsche de fab. retr. I, 10.

weiteres lassen sich freilich die zehn Verse in die zweite Syzygie nicht einschieben; Strepsiades wird, über die Zumutung,
ein Talent zu zahlen, erschrocken, mit Sokrates gehandelt
haben, worauf ihm dieser das Ultimatum V. 1105 f. stellte.
Wir haben demnach zwei Fassungen vor uns:

$$866-875; \frac{877-885;}{876;\ldots\,1105-1110;}\ 886-888;\ 1111\,\text{f.}$$

Beide Fassungen gehören natürlich der Diaskeue an; darin
liegt nichts Unwahrscheinliches, da diese bezeugtermafsen (Schol.
zu V. 591) zu verschiedenen Zeiten erfolgt ist. — Auf den
Hauptagon folgte somit unmittelbar die Nebenparabase
(V. 1113—1130).[1]) Zwischen dieser und dem Nebenagon liegen
zwei gröfsere Dialogstücke (V. 1131—1302 und 1321—1344),
die durch ein Stasimon geschieden sind. Von diesen Dialog-
stücken bildet das zweite eine abgeschlossene Scene, den Proagon des folgenden Nebenagons; das erste dagegen zerfällt
von selbst in drei verschiedene Scenen, nämlich 1) V. 1131—1213
Strepsiades holt Pheidippides ab und begiebt sich mit ihm ins
Haus hinein, 2) V. 1214—1258 der Gläubiger Pasias wird
ausgetrieben, 3) V. 1259—1302 der Gläubiger Amynias wird
ausgetrieben. Die zwei letzten Scenen bilden nun ganz offenbar eine Syzygie, so dafs Pasias ins Epirrhema, Amynias ins
Antepirrhema gehört. Es fragt sich nur, ob diese Syzygie
nach dem Schema *abab* oder *baba* componiert war. Wäre das
letztere der Fall gewesen, so müfste das Chorikon 1303—1320 die
Antode sein; das ist aber nicht denkbar, da es bereits aus Strophe
und Antistrophe besteht, somit ein Stasimon ist. Also müssen
wir das Schema *abab* heranziehen; darnach würde zwischen
V. 1213 und 1214 die Ode, zwischen V. 1258 und 1259 die
Antode anzusetzen sein. Wir erhalten also folgende Gliederung:
V. 1131—1213 dritte Zwischenscene; V. 1214—1302
dritte Syzygie; V. 1303—1320 erstes Stasimon; V.
1321—1344 erstes Epeisodion; V. 1345—1451 Nebenagon; V. 1452 ff. Exodos.

In den 'Wespen' geht der Prolog bis V. 229. Von V. 230

---

1) Wohl möglich, dafs V. 1114 χωρεῖτε νῦν. οἶμαι δέ coι ταῦτα
μεταμελήcειν zur Sphragis des Hauptagons ausgearbeitet werden sollte.
Cf. übrigens oben S. 178.

bis V. 525 erstreckt sich die reichgegliederte Parodos, die
nur an einer Stelle, V. 317—333 unterbrochen wird, wo eine
Monodie des Philokleon den ersten Teil vom zweiten trennt.
An die Parodos schliefst sich unmittelbar der Agon (V. 526—728).
Dann kommt eine sehr sonderbare Scene, die in ihrer Composition ganz vereinzelt dasteht. Wir müssen sie trotzdem
als die erste Syzygie (V. 729—1008) auffassen. Dem Epirrhema (V. 760—862) entspricht das Antepirrhema (V. 891—
1008); aber jede Ode ist für sich eine kleine Syzygie. Nun
könnte man einwenden, da die Ode der Antode metrisch nicht
entspricht, so wäre es besser, jede von ihnen als ein Stasimon
aufzufassen und die folgenden Scenen als Epeisodia. Wenn
nur die von mir Oden benannten Gesänge nicht auch sonst
eine unverkennbare Beziehung aufeinander hätten! Prüfen
wir einmal die Ode. Sie ist dem Sinne nach mit der Sphragis
des Agons unzertrennlich verknüpft; diese besteht aus vier
anapaestischen Tetrametern, wir bezeichnen sie vorläufig mit *s*.
Es folgt ein iambisches Lied des Chores, *a*; darauf ein anapaestisches Hypermetron des Bdelykleon, *b*; darauf noch ein
iambisches Lied des Chores, das dem ersten antistrophisch
entspricht, *a*; endlich ein anapaestisches Hypermetron des
Philokleon, *b*. Das Schema der Ode ist also *sabab*. Die Antode beginnt mit einem anapaestischen Hypermetron des Chorführers, *b*; es folgt ein iambisches Lied des Chors, *c*; darauf
vier anapaestische Tetrameter des Bdelykleon, *s*; darauf ein anapaestisches Hypermetron des Bdelykleon, *b*; endlich ein iambisches Lied des Chors, *c*. Wir haben demnach die Entsprechung

$$sabab = bcsbc.$$

Nun sind aber auch die Teile *aa* und *cc* einander deutlich
verwandt. Der erste Vers ist bei allen gleich und ebenso die
drei letzten

729. 743. ⏑ _ ⏑ _ ⏑ _ ⏑ _ ⏑ _ ⏑ _ = ⏑ _ ⏑ _ ⏑ _ ⏑ _ ⏑ _ ⏑ _ 868. 885.

Es weichen also blofs die mittleren Verse ab; auch hier ist der Rhythmus gleich, nur an Masse ist die Ode der Antode überlegen. Sollte diese Übereinstimmung zufällig sein? Dazu kommt, dafs die beiden Scenen, welche wir darnach als Epirrhemen zu fassen hätten, auch dem Inhalte nach zusammenhängen; die erste enthält die Vorbereitungen zum Hundeprocesse, die zweite den Hundeprocefs selbst. Unter diesen Umständen halte ich es nicht für erlaubt, das kunstvolle Gefüge, das uns der Dichter bietet, in vereinzelte Stasima und Epeisodia zu zerbröckeln. Vielmehr haben wir zu bedenken, dafs auch die Parodos dieses Stückes bei weitem die mannichfaltigste unter allen ist, dafs es also kein Wunder ist, wenn auch die übrigen Glieder des Dramas etwas compliciert sind.[1] — Es folgt die Parabase (V. 1009—1121). Dann treten Philokleon und Bdelykleon wieder aus dem Hause heraus, und der erste wird festlich gekleidet und unterwiesen, wie er sich beim Schmause zu benehmen hat; die Unterweisungen bilden den Inhalt des ersten Epeisodions (V. 1121—1264). Wir wären allerdings gezwungen, diese Scene als einfache Zwischenscene aufzufassen, wenn die Überlieferung, die mit V. 1265 die Nebenparabase folgen läfst, im Rechte wäre. Es kann jedoch nicht zweifelhaft sein, dafs diese Nebenparabase (V. 1265—1291) und das erste Stasimon (V. 1450—1473) durch ein Versehen ihren Platz vertauscht haben. Es folgt nämlich — nach der Überlieferung — auf die Nebenparabase das zweite Epeisodion (V. 1292—1449), in welchem der Alte lärmend und tobend vom Schmause heimkehrt. Nun bemerkt JStanger[2]

---

1) Gröfsere Verderbnisse müfsten in dieser Syzygie angenommen werden, wenn JStanger (üb. Umarbeitung einiger Aristoph. Kom. S. 54 f.) mit seinen Einwänden gegen V. 798 cf. 805 f. und V.811 cf. 860 Recht hätte. Aber ich kann an diesen Stellen keine Schwierigkeiten entdecken· Bdelykleon hatte dem Vater Feuer zum Wärmen (V. 773) und φακῆ versprochen (V. 777); darauf geht ταῦθ᾽ in V. 798 und πάνθ᾽ ὅσαπερ ἔφασκον V. 805 f.; er bringt ihm aber noch mehr, die ἀμίς und den Hahn. Unter dem πῦρ mufs jedenfalls ein Topf mit glühenden Kohlen verstanden werden, wie ihn die Greise in der 'Lysistrate' in den Händen tragen und wie er noch jetzt in Italien an kalten Tagen zum Wärmen benutzt wird; an diesem Feuer kann natürlich nicht geopfert werden, daher wird V. 860 flammendes Opferfeuer verlangt. — 2) a. O. S. 48 ff.

mit Recht, dafs der Chor im Stasimon auf den bevorstehenden
Umschwung in der Sinnesart des Philokleon hinweist: Ζηλῶ τε
τῆς εὐτυχίας τὸν πρέςβυν, οἳ μετέςτη ξηρῶν τρόπων καὶ βιοτῆς·
ἕτερα δὲ νῦν ἀντιμαθὼν ἢ μέγα τι μεταπεςεῖται ἐπὶ τὸ τρυφᾶν
καὶ μαλακόν. Wie ist aber diese Prophezeiung, die im Futurum
μεταπεςεῖται liegt, gerechtfertigt, wenn die Scene, die sie vor-
herverkündet, bereits vorausgegangen ist? das τρυφᾶν hat der
Alte während des Schmauses und nach dem Schmause in reichem Mafse bereits geübt. Auch die Antistrophe pafst nicht
in den Zusammenhang; das Lob, das Bdelykleon gespendet
wird, kommt hier sehr verspätet. Daraus aber auf eine Überarbeitung zu schliefsen, wie JStanger es tut, während wir
sonst nichts von einer solchen wissen, scheint mir übereilt;
die Schwierigkeit wird gehoben, wenn wir das Stasimon an
die Stelle der Nebenparabase versetzen.[1]) Damit entfernen wir
zugleich einen anderen Anstofs; es ist ganz wider das Herkommen, dafs die Nebenparabase gleich nach der Hauptparabase, nur durch eine Zwischenscene von ihr geschieden, kommt.
— Wir hätten damit alles geordnet: denn mit V. 1474 beginnt
die Exodos.

Wir gehen zur 'Eirene' über. Der Prolog geht bis
V. 298, wo er ohne Satzende in die Parodos (V. 299—656)
übergeht. Diese ist in ihrer Gesamtheit noch umfangreicher
als die der 'Wespen', aber der Grund dieses Umfanges liegt
nicht in der Gliederung, sondern in den vielen iambischen
Dialogscenen, welche die Parodos unterbrechen. V. 361—382
ist die erste Zwischenscene; hierauf wiederholt sich, von
zwei Tetrametern eingeleitet, die Ode der Parodos; dann kommt

---

1) Den übrigen Gründen, die JStanger (a. O. S. 50 ff.) für seine
Hypothese ins Feld führt, kann ich nicht beipflichten. V. 1326 braucht
durchaus nicht eine Parodie, geschweige denn eine Parodie nach V. 308
der 'Troerinnen' zu sein, da die Redensart oft genug wiederkehrt; die
Aussage des Scholiasten allein kann, da sie durch keine namhafte Autorität gestützt ist, an sich noch keinen Beweisgrund abgeben. V. 1160
scheint allerdings V. 1006 der 'Herakliden' zur Voraussetzung zu haben,
doch steht die Aufführungszeit der letzteren lange nicht fest genug, um
beweiskräftig zu sein; ja die der JStanger'schen entgegengesetzte Ansicht,
wonach die Aufführung vor 422 fällt, hat weitaus die gröfsere Gewähr
(cf. UvWilamowitz Anal. Eurip. S. 151).

V. 400—425 die zweite Zwischenscene. Warum die Ode wiederholt ist, während doch die Antode erst viel später kommt,
läfst sich ohne Kenntnis der begleitenden Musik nicht sagen;
mir scheint der Grund der zu sein, dafs der Dichter dem ganzen Gefüge V. 346—425 das Aussehen einer Syzygie geben
wollte (*V.* 346—360 *Ode,* *V.* 361—382 *Epirrhema,* *V.* 383—399
Antode, V. 400—425 *Antepirrhema*; Schema *abab*). Darnach
würde die Ode V. 346—360 eine doppelte Function haben,
einerseits als Ode der Parodos, andererseits als Ode der dialogischen Syzygie; ein Verhältnis, das sich graphisch also
darstellen läfst:

Eine ähnliche Rolle | b | a | a b | spielen nach meiner
obigen Annahme die | c | | VV. 725—728 der
'Wespen', indem sie | a | | einerseits die Sphragis
des Agons, anderer- | c | | seits einen Teil der
Ode der ersten Syzygie darstellen; und es ist in der Tat
nicht abzusehen, warum ein Verhältnis, das in der Architectur das allergewöhnlichste ist — man denke nur an die
Kreuzung von Langschiff und Querschiff — nicht auch in
der so architectonisch gebauten antiken Musik sich vorfinden
sollte. Übrigens ist niemand angehalten, an dieses Verhältnis
zu glauben; wer es nicht will, für den werden die beiden Scenen
— die übrigens in jeder Beziehung Parallelscenen sind —
Zwischenscenen und die wiederholte Ode eine wilde Ranke
bleiben. Es folgt (V. 426—430) die kleine Anodos, die wir
zur Parodos schlagen müssen, hierauf (V. 431—458) die erste
(dritte) Zwischenscene, die sich zur Syzygie wie eine Art
Epode verhält; die Erlaubnis, Eirene zu befreien, ist endgültig
gegeben, und nun kann zur Befreiung selbst geschritten werden. Dies geschieht in der zweiten (ersten) Syzygie (V. 459
—507, und zwar: *V.* 459—472 *Ode, V.* 473—485 *Epirrhema,*
V. 486—499 *Antode, V.* 500—507 *Antepirrhema*; Schema *abab*).
In den Oden wird an den Seilen gezogen, in den Epirrhemen
darüber geredet, warum der Block nicht nachgeben will; so
sind diese gleichfalls im besten Sinne Parallelscenen. Der
äufserste Anlauf wird in der zweiten (vierten) Zwischenscene genommen (V. 508—552), die sich zur vorhergehenden
Syzygie genau ebenso verhält, wie die erste Zwischenscene

zur ersten Syzygie, nämlich als eine Art Epode. Sie besteht
aus vier iambischen Tetrametern (Sphragis der Syzygie?)
(V. 508—511), einem lyrischen Teil (V. 512—519) und einem
iambischen Dialog (V. 520—552). Damit ist die Einlage zu
Ende, die Parodos nimmt einen geregelten Verlauf bis zu ihrem
Schlusse V. 656, und nur eine Scene — die dritte (fünfte)
Zwischenscene (V. 657—728) — trennt sie von der Parabase (V. 729—818). — Auf die Parabase folgt die dritte (zweite)
Syzygie (V. 819—922, und zwar V. 819—855 Epirrhema,
V. 856—867 Ode, V. 868—908 Antepirrhema, V. 909—922 Ant-
ode; Schema baba). Im Epirrhema wird Opora, im Antepirrhema
Theoria versorgt, die Scenen sind somit parallel; das Odenpaar enthält Lobsprüche an Trygaios seitens des Chors. Die
heilige Handlung selbst wird in der vierten (dritten) Syzygie vollzogen (V. 922—1038, und zwar: V. 922—938 Epirrhema, V. 939—955 Ode, V. 956—1022 Antepirrhema, V. 1022
—1038 Antode; das Schema ist baba), und zwar enthält das
Epirrhema, wie so oft, die Vorbereitungen zum Opfer, das
Antepirrhema das Opfer selbst. Dieses letztere ist, was sonst
in der epirrhematischen Composition nicht leicht vorkommt,
durch ein langes anapaestisches Gebet (V. 974—1015) in zwei
Teile zerrissen. Das Odenpaar enthält wieder Lobpreisungen
des Trygaios. In der vierten (sechsten) Zwischenscene
(V. 1039—1126) wird der Schluß des Opfers und die Austreibung des Propheten Hierokles beschrieben. Nun beginnt
die Nebenparabase (V. 1127—1190); was nach ihr kommt,
können wir als Exodos fassen.

Der Prolog der 'Vögel' geht bis V. 267; hier beginnt die
Parodos, die sich bis V. 399 erstreckt. Die erste Zwischenscene, oder der Proagon (V. 400—450) hat eine eigentümliche Bildung; sie besteht aus einem kleinen anapaestischen
Chorlied, einem lyrisch-iambischen Gespräche zwischen dem
Chor und dem Kuckuck und einen gewöhnlichen trimetrischen
Dialog. — Wir haben also ein weiteres Beispiel von lyrisch
anhebenden Zwischenscenen (siehe die beiden epodischen Zwischenscenen in der Parodos der 'Eirene'). — Es folgt der
Agon (V. 451—628 + 637 f.), dem sich die zweite Zwischenscene (V. 629—675) anschließt; diese zweite Zwischen-

scene beginnt ebenfalls mit einem kleinen aufserhalb der
Symmetrie stehenden Chorlied. Nach ihr kommt die Parabase (V. 676—800), dann die erste Syzygie (V. 801—902,
und zwar: *V.* 801—850 *Epirrhema*, *V.* 851—858 *Ode*, *V.* 859—894
Antepirrhema, *V.* 895—902 *Antode*; das Schema ist *baba*).
Genau wie in der vierten Syzygie der 'Eirene' enthält das
Epirrhema die Vorbereitungen zum Opfer, das Antepirrhema
das Gebet, und die dritte Zwischenscene (V. 903—1057)
das Opfer selbst, das auch hier durch unberufene Störenfriede
in einem fort unterbrochen wird. Nach der Nebenparabase
(V. 1058—1117) wird die Handlung wiedereröffnet durch die
zweite Syzygie (V. 1118—1266, und zwar: K 1118—1187
Epirrhema, *V.* 1188—1195 *Ode*, *V.* 1196—1261 *Antepirrhema*,
V. 1262—1266 *Antode*; das Schema ist *baba*), welche das Abenteuer mit Iris zum Gegenstande hat. Im Epirrhema treten
die beiden Boten auf, von denen der zweite vom Eindringen
eines unbekannten geflügelten Gottes berichtet; im Antepirrhema
wird dieser selbst eingefangen und verhört. Im ersten Epeisodion (V. 1269—1314) kehrt der Bote zurück, der an die
Menschen gesandt war, und berichtet von der grofsartigen
Wirkung, welche die neue Kunde bei ihnen geübt hat; das
Selbstgefühl, welches diese Botschaft beim Chore erweckt,
schafft sich im ersten Stasimon (V. 1313—1334) Ausdruck.
Was der Bote vorausverkündet hat, trifft im zweiten Epeisodion (V. 1335—1469) ein; zuerst melden sich zwei un-
geratene Söhne[1]), dann Kinesias, endlich ein Sykophant; es
wird aber nur der erste von den ungeratenen Söhnen aufgenommen, die übrigen weggeschickt. Im zweiten Stasimon
werden Kleonymos und 'Orestes' verspottet; es ist dies das

---

1) Die Scene wird erst dann verständlich, wenn man zwei Πατρα-
λοῖαι, einen älteren und einen jüngeren annimmt. Der jüngere tritt zuerst
auf; er ist noch unmündig, und es ist ihm nur darum zu tun, seine Rauf-
lust an dem Vater auszulassen; auf ihn findet das Gesetz Anwendung,
dafs derjenige für tapfer zu halten ist, ὃς ἂν πεπλήγῃ τὸν πατέρα νεοτ-
τὸς ὤν. Der andere, der sich erst V. 1351 meldet, möchte vor allen
Dingen der Vaterpflege, die ihm zu kostspielig ist, überhoben sein; das
geht aber im Vogelreiche nicht, denn das Gesetz befiehlt: ἐπὴν ὁ πατὴρ
ὁ πελαργὸς ἐκπετηcίμους πάντας ποιήcῃ τοὺς πελαργιδῆς τρέφων, δεῖ

erste Beispiel von aufserparabatischen Liedern, die mit der
Handlung in keinem Zusammenhange stehen. Zur selben Ka-
tegorie gehören auch die beiden Oden der folgenden dritten
Syzygie (V. 1494—1705, und zwar: *Epirrhema V.* 1494—1552,
Ode V. 1553—1564, *Antepirrhema V.* 1565—1693, *Antode
V.* 1694—1705; das Schema ist *baba*). Ihr Gegenstand ist
die Verhandlung mit den Göttern; im Epirrhema tritt Pro-
metheus auf und schildert die Notlage im Olymp; im Antepir-
rhema langt die Gesandtschaft selber an. Was jenseits der
Antode liegt, gehört zur Exodos.

Die VV. 1—254 der 'Lysistrate' umfassen den Prolog;
bis V. 386 reicht die Parodos, welche durch die erste Zwischenscene (V. 387—466), oder den Proagon, von dem Agon
(V. 467—613) getrennt wird. Unmittelbar an den Agon schliefst
sich die Parabase (V. 614—705). Auf diese folgt das erste
Epeisodion (V. 706—780), in welchem die Frauen, der frei-
willigen Haft müde, sich unter allerhand Vorwänden wegzu-
stehlen versuchen, aber endlich doch von Lysistrate zurück-
gehalten werden. Das erste Stasimon (V. 781—828) enthält
die beiden Lieder von Melanion und Timon. Im zweiten
Epeisodion (V. 829—1013) spielt sich die Scene zwischen
Kinesias und Myrrhine ab; während der erstere in tragischen
Klaganapaesten sein Leid ausschüttet, langt der spartanische
Herold an; es wird verabredet, beiderseits Gesandte zu wählen.
V. 1014—1042 Binnenparodos, welche hier die Stelle der
Nebenparabase vertritt. Ohne Zwischenscene schliefst sich ihr
das zweite Stasimon an (V. 1043—1071), zwei Scherzlieder

τοὺς νεοττοὺς τὸν πατέρα πάλιν τρέφειν. Zuletzt befriedigt aber Peithetairos das Verlangen beider; der ältere wird in einen Waisenvogel verwandelt — als solcher braucht er sich natürlich um den Vater nicht zu
kümmern — dem jüngern (man beachte das παῖς ἦν V. 1363) wird geraten, in Thrakien Kriegsdienste zu nehmen und seinen Kampfesmut
lieber an den Feinden Athens auszulassen. — Wer mit dieser Annahme
nicht einverstanden ist, der wird den Nachweis zu führen haben, erstens,
dafs die beiden Gesetze V. 1349 f. und 1355 ff. sich auf dasselbe Object
angewendet nicht widersprechen, zweitens, wie es möglich ist, dafs derselbe Mensch erst in einen Waisenvogel verwandelt wird, und dann nach
Thrakien in die Kriegsdienste geschickt wird. Auch das col δέ V. 1362
findet nur auf Grund meiner Annahme eine natürliche Erklärung.

des vereinigten Chores enthaltend. Es folgt das dritte Epeisodion (V. 1071—1188), in welchem der Frieden endgültig
geschlossen wird; hierauf verlassen sämtliche Anwesenden die
Bühne und begeben sich zum Schmause in die Akropolis. Der
Chor singt das dritte Stasimon (V. 1189—1215), das an
Inhalt und Form dem zweiten gleicht. Nachdem es zu Ende
ist, kommen die Schmausenden zurück, und es wird unter Spiel
und Tanz die Exodos abgehalten.

Dafs in den 'Thesmophoriazusen' die Gliederung sehr
undurchsichtig sein mufs, versteht sich leicht; da die Chorlieder
so gut wie gar nicht ausgeführt sind, gehen uns die aller-
sichersten Handhaben verloren. Beim folgenden Versuche haben
wir natürlich nur die 'Nesteia' im Sinn. Der Prolog reicht
bis V. 294; von da bis V. 727 reichen die Spuren der Parodos. In diese Parodos hinein, die, wie bereits bemerkt, mehr-
teilig werden sollte, sind nun mehrere iambische Scenen
verarbeitet, so dafs das Ganze das Aussehen der 'Eirene'-
Parodos hat. An erster Stelle sind die Reden der ersten
Frau und des Mnesilochos zu nennen, die nebst der Vor-
meldung der Heroldin die erste Syzygie bilden (V. 371—530,
und zwar: *Epirrhema* V. 372—432, *Ode* V. 433—442, *Antepirrhema* V. 466—519, *Antode* V. 520—530; Schema: *baba*). Als-
dann erhalten wir aber ein seltsames Einschiebsel — die Rede
der zweiten Frau, samt dem ihr folgenden Chorlied. Was hat
der Dichter mit dieser sonderbaren, die Symmetrie störenden
Einlage bezweckt? Es ist hier zu betonen, dafs es sich um
ein werdendes Drama handelt, dessen Gebilde wir nicht als
mafsgebend anerkennen können, von dem wir vielmehr annehmen müssen, dafs es sich gereift den Gesetzen der Kunst an-
bequemt haben würde. Betrachten wir nun das Chorlied der
zweiten Rede, so erweist es sich, dafs es in Rhythmus und
Anlage den Chorliedern der Syzygie gleich, nur viel kürzer
ist als jene. Ebenso ist aber auch die Rede der zweiten Frau
kürzer, als die nahezu gleichen Reden der ersten Frau und
des Mnesilochos. Das scheint doch darauf hinzuweisen, dafs
Rede und Chorlied uns in einer Art Auszug vorliegen[1]), dafs

---

1) Das ergiebt sich auch, wenn man die Rede mit dem folgenden
Chorlied vergleicht. Nach den Worten des Chores müfste man schliefsen,

sie früher — in der 'Kalligeneia'? — etwa den gleichen Umfang mit den Reden und Chorliedern der Syzygie hatten.
Halten wir einstweilen an dieser Hypothese — denn mehr
soll es nicht sein — fest, so ergiebt sich folgender Ausweg.
Ursprünglich ging dem Agon, welcher, wie billig, die Rede
des Mnesilochos enthält, eine Syzygie voran, deren Epirrhemen
die Reden zweier Frauen, der Kallilexia und der Kranzverkäuferin, bildeten. Bei der Diaskeue, die auch den Agon
anders gestalten sollte, zog es der Dichter vor, die Rede des
Mnesilochos in die Syzygie hineinzuarbeiten; die Rede der
Kranzverkäuferin mufste ihr weichen. Im fertigen Drama wäre
sie wohl ganz weggeblieben. — Von der agonartigen
Scene V. 531—573 ist schon die Rede gewesen. Die letzte
der in die Parodos eingeschobenen Zwischenscenen ist
V. 574—654, die Ankunft des Kleisthenes und die Entlarvung
des Mnesilochos. Von da geht die Parodos weiter bis zu ihrem
Schlufs, nur dafs, wie gezeigt worden ist, die Antepirrhemen
verstümmelt sind. Zwischen der Parodos und der Parabase
finden wir nur eine Zwischenscene (V. 728—784) — die
Entlarvung der Mika. Jenseits der Parabase (V. 785—845)
finden wir im ganzen drei Scenen, von denen wir die beiden
ersten, so wie sie dastehen, als Epeisodien auffassen müssen.
Die dritte Scene bildet die Exodos.

Ein leichteres Spiel haben wir in den 'Fröschen'. Bis
V. 323 geht der Prolog: von da bis V. 459 die Parodos.
Die ersten Abenteuer des Dionysos in der Unterwelt bilden
den Inhalt der ersten Syzygie (V. 460—604, und zwar:
V. 460—533 *Epirrhema*; V. 534—548 *Ode*; V. 549—589 *Antepirrhema*; V. 590—604 *Antode*; Schema: *baba*). Das Epirrhema enthält die Scene mit dem Hüter des Kerberos, den
Kleidertausch, die Scene mit der Magd der Persephone, den
zweiten Kleidertausch; das Antepirrhema die Scene mit den
Brodweibern und den dritten Kleidertausch; die Oden enthalten
je ein Amoibaion des Chores mit dem jeweiligen Herakles.

---

dafs die Rede viel überzeugender und zwingender als die vorige gewesen
sei; statt dessen nimmt sie sich neben ihr ziemlich zwerghaft aus. Auch
für sich betrachtet erscheint sie abgerissen und verkümmert.

Die Syzygie wird durch die erste Zwischenscene (V. 605
—674), welche die Prügelprobe zum Gegenstande hat, von der
Parabase (V. 675—737) getrennt. Die anderthalbhundert
Verse, welche zwischen der Parabase und dem Agon liegen,
gliedern sich wie folgt: I Dialog (—V.814), I Chorlied (—829),
II Dialog (—874), II Chorlied (—884), III Dialog (—894).
Der Dialog I enthält die Unterredung des Unterweltssklaven
mit Xanthias, worin die Veranlassung des Streites zwischen
Aischylos und Euripides auseinandergesetzt wird; der Dialog II
die Unterredung zwischen den beiden letzteren, den Proagon.
Von den Chorliedern kann das erste recht wohl als Stasimon
betrachtet werden, nicht aber das zweite. Wir haben somit
die Wahl zwischen zwei Möglichkeiten. Entweder fassen wir
die Scene V. 738—884 als Syzygie und nehmen an, dafs der
Verfall der epirrhematischen Composition auch das Band zwischen Ode und Antode gelockert habe; oder wir gliedern das
Ganze in zwei Epeisodien, in deren Mitte das Stasimon
V. 814—829 stehen würde. Beide Annahmen sind bedenklich, die
zweite gewifs vorsichtiger; doch lassen wir die Sache einstweilen dahingestellt. —V. 895—1098 erstreckt sich der Agon.
Ihm folgt das Chorlied V. 1099—1118, welches aus Strophe
und Antistrophe besteht und alle Anlagen eines Stasimons hat;
ein ganz ungewöhnlicher Fall, dafs ein Stasimon sich ohne
voraufgehendes Epeisodion an das Epirrhema einer Syzygie,
und dazu noch eines Agons schliefst. Aber noch seltsamer
ist das, was kommt. Dem Stasimon folgt die Scene, wo die
Gegner gegenseitig ihre Prologe durchhecheln (—V.1250); hierauf
ein Chorlied (—V.1260); hierauf die Scene, wo die μέλη durch-
genommen werden (—V. 1369); hierauf noch ein Chorlied
(—V. 1377); hierauf die Wägeprobe und die Ratschläge an
Athen (—V. 1481); endlich ein Stasimon, das der Exodos unmittelbar vorhergeht. Die Schwierigkeit besteht nun darin,
dafs von den Chorliedern, welche in der Mitte liegen (V. 1256
—1260 und V. 1370—1377) keines dem anderen entspricht,
noch auch für sich ein Stasimon bildet. Als Tatsache hingenommen würde das für den Verfall nicht blofs der epirrhematischen, sondern auch der komodischen Composition überhaupt sprechen. Andererseits kann aber auch gemutmafst

14*

werden, dafs durch die Diaskeue manches in der ursprünglichen Ordnung gestört worden ist. Ich werde weiter unten auf diese Frage zurückkommen; einstweilen begnüge ich mich, auf die Schwierigkeit hingewiesen zu haben. In den 'Ekklesiazusen' sind die meisten Chorpartien bekanntlich nur durch Fugen im Texte und das eingeschobene Wörtchen χοροῦ angedeutet, so dafs die Beschaffenheit jedes einzelnen Chorikons nicht bestimmt werden kann. Bis V. 284 reicht der Prolog; V. 285—310 ist die erste Parodos, von der zweiten (V. 478—519) durch eine Zwischenscene getrennt. Eine weitere Zwischenscene trennt die zweite Parodos vom Agon (V. 571—709), der in seiner Bildung die epirrhematische Composition gänzlich verläugnet hat, ohne sich doch der epeisodischen anzuschliefsen. Von nun an beginnen die Epeisodia und gehen bis zu Ende durch. Das erste — eigentlich nur eine Zwischenscene, denn nach V. 729 würde bei einer Komoedie alten Stiles die Parabase folgen — geht bis V. 729; das zweite — der Streit des καταθείς und des μὴ καταθείς — bis V. 876; das dritte — der Jüngling und die drei alten Weiber — bis V. 1111; das übrige ist die Exodos, in die sich die Nebenparabase V. 1155—1162 hineingedrängt hat, während sie eigentlich in die Lücke zwischen V. 1111 und 1112 gehören sollte.

Ebenso kurz können wir uns beim 'Plutos' fassen. V. 1—252 ist der Prolog, V. 253—321 die Parodos. Die Begegnung mit Blepsidemos (V. 322—414) bildet das erste, der erste Streit mit Penia (V. 415—486) das zweite Epeisodion; diese beiden hätten in einer Komoedie der guten Zeit sicher eine Syzygie gebildet. Es folgt der Agon (V. 487—626). Die Meldung des Karion an die Hausfrau füllt das dritte (V. 627—770), die Rückkehr des Plutos das vierte Epeisodion aus; im fünften wird der gerechte Mann bewillkommt und der Sykophant verhöhnt (V. 771—958); das sechste enthält das Wiedersehen der alten Jungfer mit dem Jüngling (V. 959—1096); das siebente die Aufnahme des Hermes (V. 1097 — 1170). Das übrige ist Exodos.

Die folgende Tabelle wird die Übersicht erleichtern: § 3.

1. 'Acharner'.

1—203 Prolog	625—718 Parabase
204—241 Parodos I (*baba*)	719—835 Epeisodion I
242—279 Zwischenscene I	836—859 Stasimon I
280—346 Parodos II (*abba*)	860—970 Epeisodion II
347—392 Syzygie I (*baba*)	971—999 Nebenparabase
393—571 Syzygie II (*baba*)	1000—1068 Syzygie III (*pabab*)
572—592 Zwischenscene II (Pro-	1069—1142 Epeisodion III
agon)	1143—1173 Stasimon II
(. . .—624 Agon)	1174 ff. Exodos.

2. 'Ritter'.

1—241 Prolog	941—972 Epeisodion I
242—302 Parodos (*bbc*)	973—996 Stasimon I
303—460 Nebenagon	997—1110 Epeisodion II
461—497 Zwischenscene	1111—1150 Stasimon II
498—610 Parabase	1151—1262 Epeisodion III
611—755 Syzygie (*pabab*)	1263—1315 Nebenparabase
756—940 Agon	1316 ff. Exodos.

3. 'Wolken'.

1—262 Prolog	949—1104 Agon
263—477 Parodos (*babacc*)	1113—1130 Nebenparabase
478—509 Zwischenscene I	1131—1213 Zwischenscene III
510—626 Parabase	1214—1302 Syzygie III* (*abab*)
627—813 Syzygie I (*baba*)	1303—1320 Stasimon I
814—888 Syzygie II* (*baba*)	1321—1344 Epeisodion I
889—948 Zwischenscene II (Pro-	1345—1451 Nebenagon
agon)	1452 ff. Exodos.

4. 'Wespen'.

1—229 Prolog	1009—1121 Parabase
230—525 Parodos (*bbaa*; *abab*;	1122—1264 Epeisodion I
abab)	1450—1473 Stasimon
526—728 Agon	1292—1449 Epeisodion II
729—1008 Syzygie (*abab*)	1265—1291 Nebenparabase
1474 ff. Exodos.	

5. 'Eirene'.

1—298 Prolog	459—507 Syzygie II (*abab*)
299 . . . Parodos (*ba* . . .)	508—552 Zwischenscene II
346—425 Syzygie I (. . *bab*)	. . . 656 Parodos (. . *ab*)
426—458 Zwischenscene I	657—728 Zwischenscene III

729—818 Parabase   1039—1126 Zwischenscene IV
819—921 Syzygie III (baba)   1127—1190 Nebenparabase
922—1038 Syzygie IV (baba)   1191 ff. Exodos.

6. 'Vögel'.

1—267 Prolog   903—1057 Zwischenscene III
268—399 Parodos   1058—1117 Nebenparabase
400—450 Zwischenscene I (Pro-   1118—1268 Syzygie II (baba)
    agon)   1269—1312 Epeisodion I
451—628 Agon   1313—1334 Stasimon I
629—675 Zwischenscene II   1335—1469 Epeisodion II
676—800 Parabase   1470—1493 Stasimon II
801—902 Syzygie I (baba)   1494—1705 Syzygie III (baba)
                1706 ff. Exodos.

7. 'Lysistrate'.

1—254 Prolog   781—828 Stasimon I
255—386 Parodos   829—1013 Epeisodion II
387—466 Zwischenscene I (Pro-   1014—1042 Binnenparodos (Neben-
    agon)   parabase)
467—613 Agon   1043—1071 Stasimon II
614—705 Parabase   1072—1188 Epeisodion III
706—780 Epeisodion I   1189—1215 Stasimon III
                1216 ff. Exodos.

8. 'Thesmophoriazusen'.

1—294 Prolog   728—784 Zwischenscene II
295—371 Parodos I   785—845 Parabase
372—530 Syzygie I (baba)   846—946 Epeisodion I
531—573 Agon   947—1000 Stasimon I
574—654 Zwischenscene I   1001—1135 Epeisodion II
655—688 Parodos II   1136—1159 Stasimon II
689—727 Parodos III   1160 ff. Exodos.

9. 'Frösche'.

1—323 Prolog   895—1097 Agon
324—459 Parodos   1098—1118 Stasimon II
460—604 Syzygie I (baba)   1119—1250 Epeisodion III
605—674 Zwischenscene I   1251—1260 Stasimon III?
675—737 Parabase   1261—1369 Epeisodion IV
738—813 Epeisodion I   1370—1377 Stasimon IV?
814—829 Stasimon I   1378—1481 Epeisodion V
830—894 Epeisodion II (Proagon) 1482—1499 Stasimon V
                1500 ff. Exodos.

10. 'Ekklesiazusen'.

1—284 Prolog	710—729 Zwischenscene II
285—310 Parodos I	(Parabase)
311—427 Zwischenscene I	730—876 Epeisodion I
428—519 Parodos II	(Stasimon I)
520—570 Zwischenscene II (Pro-	877—1111 Epeisodion II
agon)	(Stasimon II)
571—709 Agon	1112 ff. Exodos.

11. 'Plutos'.

1—252 Prolog	(Stasimon II)
253—321 Parodos	802—958 Epeisodion III
322—486 Zwischenscene I	(Stasimon III)
487—626 Agon	959—1096 Epeisodion IV
(Parabase)	(Stasimon IV)
627—770 Epeisodion I	1097—1170 Epeisodion V
(Stasimon I)	(Stasimon V)
771—801 Epeisodion II	1171 ff. Exodos.

Noch deutlicher wird die Eigentümlichkeit der komodischen Composition in die Augen springen, wenn der Leser die angeheftete lithographische Tafel beachtet. Es wird hoffentlich nicht viel Mühe kosten, sich mit den dort angewandten graphischen Hilfsmitteln vertraut zu machen. Die drei Farben bedeuten die drei verschiedenen Compositionsweisen der antiken Poesie, nämlich die stichische Composition (grün), die strophische (rot) und die cucτήματα ἐξ ὁμοίων (violett). Innerhalb der stichischen Composition sind wieder die Trimeter von den Langversen durch die geringere Höhe der Farbenzeile unterschieden; die lyrischen Partien, sowie die Hypermetra hatten sich dabei nach den cτίχοι des betreffenden Abschnitts zu richten. Die Länge jedes Abschnitts in der Farbenzeile befindet sich in stetem Verhältnis zu seiner Verszahl; zur Controle dienen die Gradlinien, welche die Tafel horizontal in Abschnitte zu 32 mm = 200 V. einteilen. Die senkrechte Lage der Striche deutet an, dafs die entsprechenden Partien sich aufserhalb der Symmetrie befinden, während das antistrophische Verhältnis durch die Neigung der Striche gegen einander dargestellt ist. Damit war die Möglichkeit gegeben, eine Syzygie auf den ersten Blick dem Auge kenntlich zu machen.

Von den aristophanischen Komoedien sind sieben auf diese Art illustriert worden. Bei den 'Ekklesiazusen' und dem 'Plutos' liefs die Kunstlosigkeit der Composition das Bedürfnis einer graphischen Darstellung kaum aufkommen; bei den 'Wolken' dagegen und den 'Thesmophoriazusen', deren Composition durch die διασκευή dermafsen verdunkelt ist, würde ein farbiges Schema von keinem Wert sein. Dafür sind der Vergleichung halber drei Tragoedien herangezogen, welche chronologisch drei verschiedene Entwickelungsperioden der tragischen Kunst vertreten: die 'Perser', die 'Antigone' und die 'Bakchen'.

§ 4. Schon ein flüchtiger Blick auf die Tabellen läfst uns folgenden Grundsatz für die Composition des Dialoges gewinnen: Epeisodia kommen nur in der zweiten Hälfte des Dramas vor, die auf die Parabase folgt. Die dorischen Formen durften sich also in den Urkern der ionischen Komoedie nicht hineindrängen; insofern blieb sich die aristophanische Komoedie ihres Ursprungs bewufst.

Zwischenscenen freilich kommen vor, doch hat ihr Vorkommen seinen guten technischen Grund. Denken wir uns eine Komoedie alten Stiles, wo auf die Parodos der Agon, auf den Agon die Parabase folgte. Nach welchem Schema die Parodos auch componiert sein mochte, immer fiel ihr letzter Teil — als Antode oder Antepirrhema — dem Chore zu; der Agon begann mit der Ode, also wieder mit einer Leistung des Chors. Zur Zeit der rein chorischen Komoedie freilich war eine so unaufhörliche Inanspruchnahme des Chors nicht zu vermeiden; aber einerseits werden die Komoedien damals nicht so ausgedehnt gewesen sein, andererseits läfst sich wohl annehmen, dafs den Vortragenden eine Ruhepause gestattet war. Als nun die Schauspieler herangezogen wurden, lag es nahe, diese Ruhepause durch einen Dialog auszufüllen. So entstand der Proagon, vielleicht die früheste unter den trimetrischen Dialogpartien. Auch nahm er sofort inhaltlich seine fortan kanonische Stellung in der Composition der Komoedie ein; darüber ist seines Ortes das Nötige gesagt. Für diese Verwendung der Zwischenscene bietet uns die 'Lysistrate' ein gutes Beispiel.

Dieser Ausweg war freilich nicht der einzige. Blieb man

bei der alten Sitte, wonach die Epirrhemen der Parodos mit
unter die Leistungen des Chores gehörten, so konnte man
doch, ohne den tetrametrischen Fluſs zu unterbrechen, eine
unter die Schauspieler verteilte Scene einschalten. Das war
der Ursprung der parodischen ἁπλᾶ. Als Beispiel mögen die
'Ritter' dienen. Daſs dieses ἁπλοῦν zugleich Proagon war,
verstand sich von selbst.

Einfacher ließ sich die Schwierigkeit lösen, wenn man
die genannte Sitte überhaupt aufgab und die Epirrhemen der
Parodos den Schauspielern überwies. In einem solchen Falle
durfte der Agon unmittelbar auf die Parodos folgen. Als
Beispiel führe ich die 'Wespen' an. Auch hier hatte natürlich das Antepirrhema zugleich die Functionen des Proagons
zu übernehmen.

Endlich konnte man auch eine trimetrische Syzygie einschalten; nur war in einem solchen Falle das Schema *abab*
nicht zu verwenden, indem dann doch zwei Chorleistungen zu-
sammengestoſsen sein würden. Das ist der Grund, warum uns
unter den trimetrischen Syzygien das Schema *baba* so oft begegnet. Allerdings war damit die Schwierigkeit nur aufgeschoben,
nicht gelöst; zuletzt hätte doch die Antode der Syzygie mit
der Ode des Agons zusammenstoſsen müssen, daher denn hier
wieder eine Zwischenscene als Proagon notwendig war. Ein
Beispiel liefern uns die 'Acharner'.

Von allen diesen Auskunftsmitteln war die Zwischenscene
streitlos das bequemste. Das tetrametrische ἁπλοῦν und das
proagonenhafte Antepirrhema boten nur den Choreuten Erholung, nicht auch den Flötenbläsern, welche die Tetrameter
zu begleiten hatten. Es gehören daher solche Leistungen, wie
in den 'Rittern' — wo die Auleten über 400 V. — oder in
den 'Wespen' — wo sie an die 500 V. hintereinander zu
blasen hatten — zu den Ausnahmen.

Diese Erwägung war sicher auch maſsgebend, wenn zwischen dem Agon und der Parabase eine Zwischenscene wünschenswert erschien. Die letzte Partie des Agons war das
Antipnigos, das wohl vom Augenblicke an, wo Schauspieler
in der Komoedie zu wirken begannen, diesen letzteren anheim-
fiel; denn die kurze Sphragis kam nicht in Betracht. Der

Chor konnte also nichts dagegen haben, wenn auf den Agon unmittelbar die Parabase folgte; aber für die Flötenbläser war es unbequem. Diesem Umstand verdankt das Epirrhemation seine Entstehung, eine kurze trimetrische Partie, während deren der Aulet nur gerade verschnaufen konnte. Wie dann das Epirrhemation zu einer Zwischenscene sich erweitern liefs, davon geben die 'Ritter' einen Begriff.

Eine Function der Zwischenscene ist mit dem Gesagten gekennzeichnet. Damit finden weitaus die meisten Zwischenscenen ihre Erklärung; denn dafs auch solche, wie Wolk. III — wo die Nebenparabase sonst mit einer Syzygie *abab* zusammenstofsen würde — hierhergehören, wird jeder leicht zugeben.

Nachdem aber die Zwischenscene sich einmal ihren Platz mitten in der ionischen Komoedie erobert hatte, lag es nahe, sie auch dort zu verwenden, wo nicht sowohl technische Bedürfnisse mafsgebend waren, als vielmehr der Wunsch, die dramatische Handlung ein gutes Stück vorwärts zu bringen. Dazu eignete sich — da die Epeisodia in diesem Teil der Komoedie einmal verpönt waren — keine Form so gut, wie gerade die Zwischenscene. Aus diesem Grunde finden wir sie zwischen der ersten und zweiten Parodos der 'Acharner', sowie innerhalb der Parodos der 'Eirene' verwendet.

Was die Form der Zwischenscenen anbelangt, so lassen sich bestimmte Gesetze darüber nicht aufstellen. Der Flufs der Trimeter konnte beliebig durch Ausrufe extra versum, sowie durch lyrische Einlagen unterbrochen werden. Eine besondere Berücksichtigung verdienen diejenigen Zwischenscenen, die mit einer gesungenen Partie des Chores anheben; sie machen durchaus den Eindruck halbierter Syzygien. Darunter begreife ich folgende: 'Eirene' Zw. II, 'Vögel' Zw. I, II. Sie sind nach dem Schema *ab* componiert; kehrte man dasselbe um, liefs die chorische Partie auf die dialogische folgen, so war die Kunstform geschaffen, die man für die Exodos brauchte.

Den Zwischenscenen am nächsten stehen die Epeisodia, in denen ebenfalls lyrische Einschaltungen in jeder Form erlaubt sind. Strenger sind die Dialoge der Syzygien componiert;

dafs sie durch lyrische Partien des Chores unterbrochen würden, oder auch nur durch Mele der Schauspieler, kommt — εἰ μὴ λημῶ κολοκύνταις — überhaupt nicht vor. Die scheinbare Ausnahme Wolk. 707 ff. stört uns nicht, da sie nachweislich aus der ersten Recension herübergenommen ist; Eir. 974 ff. ist auch unverfänglich, da solche Recitative der ψιλὴ λέξις am nächsten stehen; noch weniger Bedenken erregt Vög. 865 ff., ein Gebet in Prosa, oder Vög. 1661 das Gesetz in Prosa. Und das sind die einzigen nicht trimetrischen Einlagen in den Syzygien. Nun möge man folgendes Register danebenhalten, darein ich die lyrischen Einlagen in den Zwischenscenen und Epeisodia aufgenommen habe (Prologe eingeschlossen).

'Acharner'	Zw.	I. Der Phallophorengesang.
„	Epeis.	II. Das Amoibaion zwischen dem Chor, Dikaiopolis und dem Thebaner.
'Ritter'	Prol.	Der Orakelspruch (Hexameter).
„	Epeis.	III. Die Orakelsprüche des Kleon und Agorakritos.
'Wolken'	Zw.	III. Die Freudenlieder des Strepsiades.
'Wespen'	Epeis.	I. Philokleon übt sich die Skolien ein.
„	Epeis.	II. Philokleons Lieder auf dem Heimweg.
„	Exod.	Das Hypermetron des Philokleon und Xanthias.
'Eirene'	Prol.	Hypermetron des Trygaios auf dem Käfer; Trygaios und die Töchter; Trygaios fährt gen Himmel.
„	Zw.	III. Die Orakelsprüche des Hierokles.
„	Exod.	Die Lieder der Kinder.
'Vögel'	Zw.	III. Die lyrischen Citate des Dichterlings; die Sprüche des Orakelverkäufers.
„	Epeis.	II. Die Lieder des ungeratenen Sohnes, des Kinesias, des Sykophanten.
'Lysistrate'	Epeis.	I. Der Orakelspruch.
„	Epeis.	II. Das Hypermetron des Kinesias und des Chors.
„	Epeis.	III. Der Grufs an Lysistrate.

'Thesm.' Prol. Das Hypermetron des Dieners: [der Musenchor].

„ Epeis. II. Mnesilochos als Andromeda.

'Frösche' Prol. Der Chor der Frösche.

„ Zw. I. Das Citat des Dionysos.

„ Zw. II. Das Gebet an die Musen.

„ Epeis. III. Die Mele des Aischylos und Euripides.

Die folgenden zwei Stücke berücksichtigen wir hier nicht, da die Gliederung in ihnen auf Hypothese beruht. — Eine solche Ausnahmestellung der Syzygien unter den trimetrischen Dialogpartien ist wohlbegründet und durchaus dem Geiste der epirrhematischen Composition entsprechend; die Musik war auf die Oden beschränkt, da sie sonst das Gliederungsprincip undurchsichtig gemacht hätte.

Im übrigen mache ich noch auf die durchaus eigene Compositionsform aufmerksam, welche jede Komoedie aufweist. In den 'Acharnern' erscheint die Masse in lauter kleine Einzelteile zersplittert; im Gegensatz dazu sind die 'Wespen' aus wenigen, aber gewaltigen Quadersteinen aufgebaut; die 'Eirene' zieht unsere Aufmerksamkeit auf sich, da sie neben vielen Syzygien kein einziges Epeisodion aufweist; die 'Lysistrate' dagegen bekennt sich nur durch ihre drei grofsen Grundscenen zur epirrhematischen Composition, die Ornamente sind epeisodischen Stils. Eine Geschichte der Gliederung an der Hand dieser Schemen zu schreiben dünkt mich überflüssig; die Tabellen werden deutlich genug zu demjenigen reden, der sie mit Sorgfalt prüft.

Nun eine kurze Schlufsbetrachtung.

Welche Erwägungen waren für den Dichter mafsgebend bei der Frage, ob er einem gegebenen Dialog die Form einer Syzygie oder eines Epeisodions bezw. einer Zwischenscene geben sollte? Um darüber zur Einsicht zu gelangen, müssen wir den inductiven Weg einschlagen.

Die erhaltenen Syzygien zerfallen inhaltlich in zwei Gruppen.

Erste Gruppe. Die Epirrhemen sind Parallelscenen. Dahin gehören:

Ach. I	⎧ Epirrh.: Monolog des Dikaiopolis. ⎩ Antep.: Monolog des Dikaiopolis.
Ach. III	⎧ Epirrh.: Dikaiopolis und der Landmann. ⎩ Antep.: Dikaiopolis und die Hochzeitsleute.
Wolk. I	⎧ Epirrh.: Strepsiades wird unterrichtet. ⎩ Antep.: Strepsiades wird unterrichtet.
Wolk. II*	⎧ Epirrh.: Strepsiades und Pheidippides. ⎩ Antep.: Strepsiades und Sokrates.
Wolk. III*	⎧ Epirrh.: Pasias wird ausgetrieben. ⎩ Antep.: Amynias wird ausgetrieben.
Eir. I	⎧ Epirrh.: Trygaios und Hermes. ⎩ Antep.: Trygaios und Hermes. [gezankt.
Eir. II	⎧ Epirrh.: Lamachos und die Argeer werden aus- ⎨ Antep.: Die Megarer und die Athener werden ⎩ ausgezankt.
Eir. III	⎧ Epirrh.: Opora wird versorgt. ⎩ Antep.: Theoria wird versorgt.
Thesm.	⎧ Epirrh.: Die Rede der ersten Frau. ⎩ Antep.: Die Rede des Mnesilochos.
Fr.	⎧ Epirrh.: Das Abenteuer mit 'Aiakos' und der Magd. ⎩ Antep.: Das Abenteuer mit den Brodweibern.

Die Gruppe ist also ziemlich zahlreich. Enthält sie nun alle
paarweise parallelen Scenen? — Es wären noch folgende nachzutragen:

Ach.	⎧ Epeis. I Der Handel mit dem Megarer. ⎩ Epeis. II Der Handel mit dem Boiotier.
Ritt.	⎧ Epeis. II Der Agon der Wahrsprüche. ⎩ Epeis. III Die Wettfütterung.
Thesm.	⎧ Epeis. I Mnesilochos als Helena. ⎩ Epeis. II Mnesilochos als Andromeda.
Fr.	⎧ Epeis. II Die Musterung der Prologe. ⎩ Epeis. III Die Musterung der Mele.

Schönere Parallelscenen lassen sich kaum denken, warum
hat der Dichter sie nicht paarweise zu Syzygien vereinigt?
Weil, wie wir eben sahen, die Epirrhemen der Syzygien durch
keine lyrischen Einlagen unterbrochen werden durften. Deswegen war Thesm. Epeis. II (Monodie der Andromeda) und

Fr. Epeis. III (Mele) in einer Syzygie überhaupt nicht zu gebrauchen; Ritt. Epeis. II nur wenn die hexametrischen Orakelsprüche wegfielen, wodurch die Scene jede Bedeutung eingebüfst haben würde; in Ach. Ep. II hätte Aristophanes auf das hübsche Amoibaion verzichten müssen, was ihm nicht passen mochte.

Zweite Gruppe. Das Antepirrhema enthält einen Fortschritt der Handlung dem Epirrhema gegenüber, jedoch so, dafs in beiden die Handlung einen gemeinsamen Gegenstand hat, der uns die Syzygie im Verhältnis zu den umgebenden Scenen als etwas Einheitliches empfinden läfst. Dahin gehören:

Ach. II	Dikaiopolis löst sein Versprechen ein	Epirrh.: Dik. verkleidet sich. Antep.: Rede des Dik.
Ritt.[1])	Die Ratssitzung und ihre Folgen	Epirrh.: Agor. berichtet über die Sitzung. Antep.: Kleons Wut gegen Agor.
Wesp.	Hausgericht des Philokleon	Epirrh.: Vorbereitungen und Einweihung. Antep.: Hundeprocefs.
Eir. IV	Einweihung der Eirene	Epirrh.: Vorbereitungen z. Opfer. Antep.: Gebet.
Vög. I	Stiftung des neuen Cultus	Epirrh.: Vorbereitungen z. Opfer. Antep.: Gebet.
Vög. II	Abenteuer mit Iris	Epirrh.: Bericht des Vogels über den Eindringling. Antep.: Iris wird verhört.
Vög. III	Verhandlungen mit den Göttern	Epirrh.: Botschaft des Prometheus. Antep.: Unterredung mit den Gesandten.

Damit dürfte das Verzeichnis der einschlägigen Stellen erschöpft sein.

Wir können somit sagen, dafs der Dichter die epirrhematische Composition mit Vorliebe dort verwandte, wo die Zweiteilung des Stoffes sie irgend zuliefs. Wo er es doch

1) Entfernt sich am allerweitesten vom verlangten Inhaltsschema.

nicht tat, obgleich diese Vorbedingung gegeben war, da hinderten
ihn Gründe technischer Natur daran.

Dafs sich die Epeisodia und Zwischenscenen gar sehr von §5.
den Epirrhemen der Syzygien unterscheiden, ist aus dem
Vorstehenden ersichtlich; wir könnten in vielen Fällen auch
ohne seine Umgebung zu kennen es einem gegebenen Dialog
ansehen, dafs er ein Epeisodion ist und nur ein solches
sein kann. Dagegen mufs eingestanden werden, dafs sich
die Oden der Stasima in ihrer Composition von den epirrhematischen Oden gar nicht unterscheiden. Ein schlagendes
Beispiel liefert uns Vög. Stas. II verglichen mit den Oden
der dritten Syzygie ebendaselbst. Unter solchen Umständen
könnte man auf den Gedanken verfallen, alle Stasima als
Oden von Syzygien aufzufassen, die nach dem Schema *baab*
componiert wären. Glücklicherweise ist dieser Ausweg, der
die Begriffe aufs neue verwirren würde, fast in allen Fällen
durch die Gliederung der Komoedie versperrt; so z. B. läfst
sich gleich Vög. Stas. II nicht als das Odenpaar einer Syzygie
auffassen, da dann das Antepirrhema fehlen würde.

Wie für die epirrhematische Composition die Komoedie,
so ist für die epeisodische die Tragoedie unsere Quelle. In
den voraufgehenden Abschnitten hatten wir gar keine Gelegenheit, die Tragoedie zur Vergleichung heranzuziehen; für
den Agon und die Parabase fand sich in ihr überhaupt kein
Analogon, für die Parodos nur dem Namen nach eines. Die
Composition des trimetrischen Dialogs dagegen hat man sich
längst gewöhnt als ein Eigentum der Tragoedie zu betrachten,
das die Komoedie ihr entlehnt hätte; es wird also am Platze
sein, hier auf die Gliederung der Tragoedie einen Blick zu
werfen. Allerdings nicht in der Weise, dafs wir etwa sämtliche dreiunddreifsig Tragoedien analysierten; das wäre zwar,
wie mich dünkt, auch nach den Arbeiten von RWestphal,
RArnoldt, CMuff und OHense gar sehr vonnöten, aber doch
nicht an dieser Stelle. Ich werde mich vielmehr begnügen,
das uns zunächst Interessierende herauszugreifen, und die
tragische Composition im allgemeinen als bekannt voraussetzen.

Was zunächst die Epeisodia anbelangt, so ist ihre Composition in der Tragoedie sowohl wie in der Komoedie die

gleiche. Hier wie dort finden sich Unterbrechungen des trimetrischen Flusses durch Ausrufe extra versum, durch anapaestische Hypermetra des Chores oder der Agonisten, sowie durch melische Einlagen. Anders die Stasima. Während wir in der Tragoedie darunter fürs gewöhnliche einen ausgedehnteren Complex von Strophenpaaren und Epoden verstehen, umfassen die Stasima der Komoedie nie mehr als ein Strophenpaar und nie gesellt sich zu den Strophen eine Epode. Worin der Grund dieser Verschiedenheit zu suchen ist, läfst sich leicht finden: die Ausführung der Epeisodia lag den Schauspielern, die der Stasima dem Chore ob; nun waren die Schauspieler für Tragoedie und Komoedie die gleichen, der Chor dagegen verschieden.

Das Hauptinteresse aber, welches die Tragoedien für uns haben, besteht darin, dafs auch in ihnen die epirrhematische Composition ein Plätzchen gefunden hat; allerdings ist ihre Rolle dort noch viel unbedeutender, als die Rolle der epeisodischen Composition in der Komoedie.

Warum die epirrhematische Composition in dem Sinne wie wir sie bei Aristophanes erkannt haben, nämlich als Hauptgliederungsprincip, für die Tragoedie nicht zu brauchen war, ist teils — soweit es den Inhalt betrifft — gesagt worden, teils wird es — soweit die chorische Technik von Einflufs war — dem Leser bei der Lectüre des zweiten Teiles einleuchten. Damit ist jedoch die Möglichkeit nicht ausgeschlossen, dafs sie — wenigstens ihr äufseres Schema — hin und wieder vorkommen sollte, an solchen Stellen, wo der Inhalt einen Parallelismus gestattete. Aber da die epeisodische Composition das Gliederungsprincip blieb, mufste die epirrhematische sich bequemen, dem einen von den beiden einzig zugelassenen Gebilden, dem Epeisodion oder dem Stasimon[1]) ihr Gepräge zu geben. Und beides ist geschehen.

J. Die Syzygie als Stasimon. Wurde in einer Syzygie der epirrhematische Teil auf ein Minimum reduciert,

---

1) Wie der Leser sieht, gebrauche ich den Namen Stasimon im allerweitesten Sinne. Ich würde es mir freilich nicht gestatten, wenn diese Verwendung mifsbräuchlich wäre; das ist sie aber meiner Überzeugung nach keineswegs. Doch gehört das nicht hieher.

so dafs die Oden dem Umfange wie der Bedeutung nach das
überwiegende Element bildeten, so war eine Kunstform geschaffen, die sich als Stasimon sehr wohl verwenden liefs.
Hiebei sind wiederum fünf Variationen möglich.

1. *Erste Variation.* Die Oden der Syzygie werden durch
lyrische Strophen, die Epirrhemen durch anapaestische Hypermetra gebildet; sowohl die lyrischen Strophen wie auch die
anapaestischen Hypermetra werden vom Chore vorgetragen.
Diese Variation entspricht mutatis mutandis der Syzygie in
der Parabase und der älteren Parodos; denn bekanntlich unterscheiden sich die anapaestischen Hypermetra von den lyrischen
Strophen in der Tragoedie ebenso, wie in der Komoedie die
tetrametrischen Partien von den Oden. Hieher gehört die
Parodos der 'Antigone'.

V. 100 Ἀκτὶς ἀελίοιο, κάλλιστον . . . . . Ode ⎫
„ 110 ὅς ἐφ' ἁμετέρᾳ γᾷ Πολυνείκους . Epirrhema ⎪ Erste
„ 117 στὰς δ' ὑπὲρ μελάθρων φονώσαισιν Antode ⎬ Sy-
„ 127 Ζεὺς γὰρ μεγάλης γλώσσης κόμπους Antepirrhema ⎭ zygie.

V. 136 Ἀντιτύπᾳ δ' ἐπὶ γᾷ πέσε . . . . . Ode ⎫
„ 141 ἑπτὰ λοχαγοὶ γὰρ ἐφ' ἑπτὰ πύλαις Epirrhema ⎪ Zweite
„ 148 ἀλλὰ γὰρ ἁ μεγαλώνυμος . . . . Antode ⎬ Sy-
„ 155 ἀλλ' ὅδε γὰρ δὴ βασιλεὺς χώρας Antepirrhema ⎭ zygie.

Ein zweites Beispiel liefert der Threnos des 'Agamemnon'; ein drittes der Threnos der 'Choephoren'. Doch
werden diese Beispiele, da sie nur teilweise hieher gehören,
erst unten ihre Besprechung finden.

2. *Zweite Variation.* Die Epirrhemen werden durch anapaestische Hypermetra gebildet, die aber von einem Schauspieler vorgetragen werden. Diese Variation entspricht der
Syzygie im Agon und in der jüngeren Parodos der Komoedie.
Hieher gehört die Parodos des 'Prometheus'.

V. 128 ΧΟΡ. Μηδὲν φοβηθῇς· φιλία . . . Ode ⎫
„ 136 ΠΡΟ. αἰαῖ, αἰαῖ, τῆς πολυτέκνου . Epirrhema ⎪ Erste
„ 144 ΧΟΡ. λεύσσω, Προμηθεῦ· φοβερά. Antode ⎬ Sy-
„ 152 ΠΡΟ. εἰ γάρ μ' ὑπὸ γῆν νέρθεν δ' Antepirrhema ⎭ zygie.

ZIELINSKI, die Gliederung der altattischen Komoedie. 15

V. 159 ΧΟΡ. Τίς ὧδε τλησικάρδιος . . . . Ode
„ 167 ΠΡΟ. ἦ μὴν ἔτ᾽ ἐμοῦ, καίπερ Epirrhema
„ 178 ΧΟΡ. cὺ μὲν θρασύς τε καὶ πικραῖς Antode
„ 186 ΠΡΟ. οἶδ᾽ ὅτι τραχὺς καὶ παρ᾽ ἑαυτῷ Antepirrhema

Zweite Syzygie.

Ferner die lange Chorpartie in der Exodos der 'Eumeniden', nur dafs hier das Antepirrhema der dritten Syzygie nicht durch ein Hypermetron, sondern durch Trimeter gebildet wird.

V. 916 ΧΟΡ. Δέξομαι Παλλάδος ξυνοικίαν Ode
„ 927 ΑΘ. τάδ᾽ ἐγὼ προφρόνως τοῖςδε Epirrhema
„ 938 ΧΟΡ. δενδροπήμων δὲ μὴ πνέοι Antode
„ 949 ΑΘ. ἦ τάδ᾽ ἀκούετε, πόλεως. . . . Antepirrhema

Erste Syzygie.

V. 956 ΧΟΡ. Ἀνδροκμῆτας δ᾽ ἀώρους . . Ode
„ 968 ΑΘ. τάδε τοι χώρα τῇ μῇ προφρόνως Epirrhema
„ 976 ΧΟΡ. τὰν δ᾽ ἄπληστον κακῶν . . . Antode
„ 988 ΑΘ. ἀρα φρονοῦca γλώccηc ἀγαθῆς Antepirrhema

Zweite Syzygie.

V. 996 ΧΟΡ. Χαίρετε, χαίρετ᾽ ἐν αἰcιμίαιcι Ode
„ 1003 ΑΘ. χαίρετε χὐμεῖς· προτέραν δ᾽ Epirrhema
„ 1014 ΧΟΡ. χαίρετε, χαίρετε δ᾽ αὖθις . . Antode
„ 1021 ΑΘ. αἰνῶ τε μύθους τῶνδε τῶν . Antepirrhema

Dritte Syzygie.

Der Leser möge nicht glauben, dafs ich ihn über die Schwierigkeit, welche die dritte Syzygie bietet, hinwegtäuschen will. Ich führe die Syzygien hier an, wie sie sich ohne weiteres dem Auge darstellen; zu einer kritischen Behandlung derselben fehlen uns teilweise noch die Mittel.

Dann auch der letzte Teil der Parodos, oder wenn man will, der erste Kommos des 'Aias'.

V. 221 ΧΟΡ. Οἵαν ἔδειξας ἀνέρος . . . . . Ode
„ 233 ΤΕΚ. ὤμοι, κεῖθεν, κεῖθεν ἄρ᾽ ἡμῖν Epirrhema
„ 244 ΧΟΡ. ὥρα τιν᾽ ἤδη κρᾶτα . . . . . Antode
„ 257 ΤΕΚ. οὐκέτι· λαμπρᾶς γὰρ ἄτερ. . Antepirrhema

Syzygie.

Sodann die Parodos des 'Philoktet' in ihrem ersten Teil.

V. 135 ΧΟΡ. Τί χρή, τί χρή με δέcποτ᾽. . Ode
„ 144 ΝΕΟ. νῦν μὲν ἴcως γὰρ τόπον. . . Epirrhema
„ 150 ΧΟΡ. μέλον πάλαι μέλημα . . . . . Antode
„ 159 ΝΕΟ. οἴκουμὲν ὁρᾷς τόνδ᾽ ἀμφίθυρον Antepirrhema

Syzygie.

Ferner die Parodos des 'Oidipus auf Kolonos' in ihrem ersten Teile:

V. 117 XOP. Ὄρα· τίς ἄρ' ἦν· ποῦ ναίει Ode   ⎫
  „ 138 ΟΙΔ. ὅδ' ἐκεῖνος ἐγώ· φωνῆ γὰρ ὁρῶ Epirrhema ⎬ Sy-
  „ 150 XOP. ἐ ἡ ἀλαῶν ὀμμάτων . . . . . . Antode   ⎪ zygie.
  „ 170 ΟΙΔ. θύγατερ, ποῖ τις φροντίδος ἔλθῃ Antepirrhema ⎭

Dann das vierte Stasimon der 'Alkestis'; hier sind die Oden der ersten Syzygie kommatisch zwischen Admet und dem Chor verteilt.

V. 861 ΑΔΜ. Στυγναὶ πρόσοδοι, στυγναὶ δ' Epirrhema   ⎫
  „ 872 XOP. πρόβα, πρόβα· βᾶθι κεῦθος Ode   ⎬ Erste
  „ 878 ΑΔΜ. ἔμνησας ὅ μου φρένας ἥλκωσεν Antepirrhema ⎪ Sy-
  „ 889 XOP. τύχα, τύχα δυσπάλαιστος ἥκει Antode   ⎭ zygie.

V. 895 ΑΔΜ. Ὦ μακρὰ πένθη λυπαί τε φίλων Epirrhema ⎫
  „ 903 XOP. ἐμοί τις ἦν . . . . Ode   ⎬ Zweite
  „ 911 ΑΔΜ. ὦ σχῆμα δόμου, πῶς εἰσέλθω Antepirrhema ⎪ Sy-
  „ 926 XOP. παρ' εὐτυχῆ . . . . Antode   ⎭ zygie.

Auch dürfen wir den Threnos aus dem 'Agamemnon' (V. 1448 ff.), so verderbt er auch ist, nicht übergehen. Folgen wir der Überlieferung[1]), so sind folgende Syzygien zu unterscheiden:

---

1) Und GHerrmann. Auf die sonstigen Versuche, diese Partie zu ordnen, kann ich hier unmöglich eingehen; doch mufs ich jene auch von NWecklein (Technik u. Vortrag der Chorgesänge des Aeschylos S. 230) gebilligte Idee besprechen, die — ein philologisches Curiosum — drei verschiedene Väter hat (GSchneider, AKirchhoff und UvWilamowitz). Darnach fiele die vierte Syzygie weg, V. 1455—1461 wäre als Ephymnion nach V. 1474, V. 1537—1550 als Ephymnion nach V. 1566 zu wiederholen, wie denn auch die zweite Syzygie in V. 1489—1496 = 1513—1520 ein Ephymnion hat. Für unsere Zwecke ist der eine Vorschlag so gut wie der andere; trotzdem kann ich meine Scrupeln gegen den letzterwähnten Trikaranos nicht unterdrücken. Ephymnien werden vom ganzen Chor gesungen, Hypermetra vom Koryphaios. Nun sind V. 1455—1458 und 1537—1546 sicher Hypermetra; also können sie keine Ephymnien gebildet haben. Etwas anderes ist V. 1489—1496 = 1513—1520. Die Strophen heben zwar anapaestisch an, doch ist 1489—1493 keine Hypermetron, da die Schlufskatalexis fehlt. Sonst müfsten wir eine fünfte Syzygie statuieren.

15*

V. 1448 XOP. Φεῦ, τίς ἂν ἐν τάχει . . . . Ode

   V. 1455 XOP.'Ἰὼ,ἰὼ παράνους � Epir-
   „ 1458 XOP. νῦν δὲ τελείαν rhema   *Erste Sy-zygie.*
   „ 1459 XOP. ἡ πολύμναστον . Ode
   „ 1462 KAY. μηδὲνθανάτου μοῖρανἐπεύχου   Epirrhema
   „ 1468 XOP. δαῖμον, ὃς ἐμπίτνεις. . . . Antode
   „ 1475 KAY. νῦν δ' ὤρθωσας στόματος . .   Antepirrhema   *Vierte Sy-zygie*

   . . . .

V. 1481 XOP. Ἡ μέγαν οἴκοις τοῖσδε . . . .   Ode
   „ 1497 KAY. αὐχεῖς εἶναι τόδε τοὔργον ἐμόν   Epirrhema   *Zweite Sy-zygie.*
   „ 1505 XOP. ὡς μὲν ἀναίτιος εἶ . . . . . .   Antode
   „ 1523 KAY. οὐδὲ γὰρ οὗτος δολίαν ἄτην   Antepirrhema

V. 1530 XOP. Ἀμηχανῶ φροντίδος στερηθείς   Ode

   V. 1537 XOP. ἰὼ γᾶ γᾶ. . . ⎰ Antepir-
   „ 1541 XOP. τίς ὁ θάψων νιν ⎱ rhema   *Dritte Sy-zygie.*
   „ 1547 XOP. τίς δ' ἐπιτύμβιος Antode

   „ 1551 KAY. οὔσε προσήκει τὸ μέλημα λέγειν   Epirrhema
   „ 1560 XOP. ὄνειδος ἥκει τόδ' ἄντ' ὀνείδους   Antode
   „ 1567 KAY. ἐς τόνδ' ἀνέβης ξὺν ἀληθείᾳ. Antepirrhema

Noch kunstvoller ist der Threnos der 'Choephoroi', V. 306—422. Sein Schema läfst sich aus dem Schema der epirrhematischen Composition folgendermafsen herleiten. Man denke sich das Syzygienpaar *baba* und *dcdc* ineinandergeflochten, sodafs daraus ein ganzes *badabcdc* entsteht, aufserdem umgebe man jede Ode mit zwei einander entsprechenden lyrischen Strophen; es wird sich daraus das Schema unseres Threnos entwickeln:

baaa daʹaaʹ bγeγ dγeγ.

Die epirrhematische Composition konnte aus diesem verschlungenen Strophensystem recht gut herausempfunden werden, da nur die Teile *aacc* vom vollen Chor vorgetragen wurden. — Mit solchen Gebilden verglichen nimmt sich die Wespensyzygie noch recht unschuldig aus.

Noch sei die Parodos der 'Medea' erwähnt, deren Composition durch anantistrophische Chorpartien getrübt ist.

3. *Dritte Variation.* Die metrische Form ist derjenigen der beiden ersten Variationen analog; doch werden diesmal die Epirrhemen vom Chor, die Oden vom Agonisten gesprochen. In der Komoedie findet diese Verteilung keine Analogie (über Vög. 851 ff. s. unten B. II, § 4). Hieher gehört der Threnos der 'Antigone' V. 801 ff. Der ganze Complex besteht aus zwei Syzygien, die durch ein anantistrophisches Hypermetron geschieden und von einer anantistrophischen Ode beschlossen werden.

V. 801 XOP. Νῦν δ' ἤδη 'γὼ καὐτὸς . Epirrhema
„ 806 ANT. ὁρᾶτέ μ', ὦ γᾶς πατρίας . Ode
„ 817 XOP. οὐκοῦν κλεινὴ καὶ ἔπαινον Antepirrhema
„ 823 ANT. ἤκουϲα δὴ λυγροτάταν . . Antode

}

Erste Sy-zygie.

V. 834 XOP. Ἀλλὰ θεός τοι καὶ θεογεννής ἁπλοῦν

V. 838 ANT. Οἴμοι γελῶμαι. τί με, πρός Ode
„ 853 XOP. προβᾶϲ' ἐπ' ἔϲχατον . . . (Epirrhema)
„ 857 ANT. ἔψαυϲας ἀλγεινοτάτας . . Antode
„ 860 XOP. ϲέβειν μὲν εὐϲέβειά τις . (Antepirrhema)

}

(Zweite Sy-zygie.)

V. 876 ANT. Ἄκλαυτος, ἄφιλος . . . . Epode.

Die zweite Syzygie entfernt sich am allerweitesten von den vorbesprochenen; die Hypermetra sind hier iambisch mit binnenkatalektischem Schlußvers. Sie bildet somit den Übergang von den Syzygien zu den amoebaeischen Stasima, deren Behandlung nicht in den Rahmen unserer Untersuchung gehört.

4. *Vierte Variation.* Auch hier kein Unterschied in der metrischen Form; doch werden die Oden sowohl wie die Epirrhemen von Agonisten vorgetragen. Hieher gehört das zweite Stasimon der 'Andromache' in seinem letzten Teile, V. 501—544.

V. 501 ANΔP. Ἄδ' ἐγὼ χέρας αἱματηράς Ode
„ 515 MEN. ἴθ' ὑποχθόνιοι καὶ γὰρ . . Epirrhema
„ 523 ANΔP. ὦ πόϲις, πόϲις, εἴθε ϲάν . Antode
„ 537 MEN. τί με προϲπίτνεις; ἁλίαν . Antepirrhema

}

Sy-zygie.

5. *Fünfte Variation.* Die Epirrhemen werden durch gewöhn-

liche Trimeter gebildet, die von einem oder mehreren Schauspielern vorgetragen werden. Hieher gehören:

I 'Sieben' V. 203—244. Chor: Eteokles.

$$\alpha : 3 = \alpha : 3; \ \beta : 3 = \beta : 3; \ \gamma : 3 = \gamma : 3.$$

II 'Sieben' V. 686—711. Chor: Eteokles.

$$\alpha : 3 = \alpha : 3; \ \beta : 3 = \beta : 3.$$

III 'Perser' V. 257—289. Chor: Bote.

$$\alpha : 2 = \alpha : 2; \ \beta : 2 = \beta : 2; \ \gamma : 2 = \gamma.$$

IV Aisch. 'Schutzflehende' V. 346—417. Chor: König.

$$\alpha : 5 = \alpha : 5; \ \beta : 5 = \beta : 5; \ \gamma : 5 = \gamma.$$

V Aisch. 'Schutzflehende' V. 734—761. Chor: Danaos.

$$\alpha : 2 = \alpha : 2; \ \beta : 2 = \beta : 2.$$

VI 'Oidipus auf Kolonos' V.1447—49. Chor: Oidipus, Antigone.[1])

$$\alpha : 5 = \alpha : 5; \ \beta : 5 = \beta.$$

Von diesen sechs Beispielen weisen drei das Antepirrhema der letzten Syzygie nicht auf; womit Pers. 694—702 ($\alpha : 3$ tr. Tetr. = α) verglichen werden kann. In anderen Fällen sind die Oden auch noch mesodisch durch eingelegte Trimeter der Agonisten gegliedert:

VII Sophokles 'Elektra' V.1398—1441. Chor: Elektra, Orestes.

$$9 : \beta : 4 : \beta' : 2 : \beta'' = 6 : \beta : 3 : \beta' : 2 : \beta''.$$

VIII 'Aias' V. 879—973. Chor: Tekmessa.

$$\alpha : 9 : \alpha' : 4 : \alpha'' : 10 = \alpha : 9 : \alpha' : 4 : \alpha'' : 13$$

IX 'König Oidipus' V. 649—706. Chor: Oidipus, Kreon, Iokaste.

$$\alpha : 1 : \alpha' : 2 : \alpha'' : 9 = \alpha : 1 : \alpha' : 2 : \alpha'' : 9.$$

Auch können umgekehrt dem Schauspieler die Oden, dem Chor die Trimeter gegeben werden.

X 'Agamemnon' V. 1073—1118. Kassandra: Chor.

$$\alpha : 2 = \alpha : 2; \ \beta : 2 = \beta : 2; \ \gamma : 2 = \gamma : 2; \ \delta : 2 = \delta : 2.$$

XI 'Aias' V. 348—429. Aias: Chor, (Tekmessa).

$$\alpha : 2 = \alpha : 2; \ \beta : 4 : \beta' : 2 = \beta : 4 : \beta' : 2; \ \gamma : 2 = \gamma : 2.$$

XII 'Herakliden' V. 73—110. Chor, Iolaos, Kopreus.[2])

$$2 : \alpha : 2 : 2 : \alpha' : 2 : \alpha'' : 2 : \alpha''' = 2 : \alpha : 2 : 2 : \alpha' : 2 : \alpha'' : 2.$$

---

1) In weiterem Sinne gehört hieher auch Eum. 117 ff. : $\alpha : 2 = \alpha : 2$; $\beta : 2 = \beta : 2$. Die Trimeter spricht Klytaimnestra, $\alpha\alpha$ sind durch μυγμοί, $\beta\beta$ durch ὠγμοί ersetzt. — 2) Nach der in der Hauptsache überein-

II. **Die Syzygie als Epeisodion.** Wurde im Gegenteil das odische Element gegen das epirrhematische zurückgesetzt, so entstand ein Gebilde, das bei der Freiheit der epeisodischen Composition an einer beliebigen Stelle des Dialogs eingeschaltet werden konnte. Übrigens sind solche Syzygien keineswegs häufig.

Das glänzendste Beispiel bietet das zweite Epeisodion der 'Sieben gegen Theben', jener berühmte Dialog, der die sieben Redepaare des Boten und des Eteokles enthält (V. 369 —719). Schon der Anfang mutet uns sehr wohlbekannt an. Es reden die beiden Halbchorführerinnen mit einander.

HMIX. A.

ὅ τοι κατόπτης, ὡς ἐμοὶ δοκεῖ, στρατοῦ
πευθώ τιν' ἡμῖν, ὦ φίλαι, νέαν φέρει,
σπουδῇ διώκων πομπίμους χνόας ποδοῖν.

HMIX. B.

καὶ μὴν ἄναξ ὅδ' αὐτὸς Οἰδίπου τόκος,
ὥστ' ἀρτίκολλον ἀγγέλου λόγον μαθεῖν·
σπουδὴ δὲ καὶ τοῦδ' οὐκ ἀπαρτίζει πόδα.

Es folgt sogleich das Epirrhema, die lange Rede des Boten. Diese Verbindung der beiden Tristichen mit der epirrhematischen Composition, ihre Gegenüberstellung, der Parallelismus, der im gleichen Anfang und Ende jedes dritten Verses (σπουδῇ ... ποδοῖν—σπουδὴ ... πόδα) seinen Ausdruck findet — alles das beweist deutlich, dafs wir es mit einem Epirrhemation zu tun haben. — Was folgt, gliedert sich folgendermafsen.

V. 375 ΑΓΓ. Λέγοιμ' ἂν εἰδώς	} Epirrhema			
„ 397 ΕΤ. κόςμον μὲν ἀνδρός				
„ 417 ΧΟΡ. τὸν ἀμόν νυν ἀντίπαλον . . .	Ode		Erste Sy-	
„ 422 ΑΓΓ. τούτῳ μὲν οὕτως	} Antepirrhema		zygie.	
„ 437 ΕΤ. καὶ τῷδε κέρδει				
„ 452 ΧΟΡ. ὄλοιθ' ὅς πόλει	Antode			

stimmenden Verteilung von AKirchhoff und ANauck. Über andere Versuche cf. RArnoldt, die chorische Technik des Euripides S. 138 ff.

V. 457 ΑΓΓ. Καὶ μὴν τὸν ἐντεῦθεν . . . . ⎫
„ 472 ΕΤ.   πέμποιμ' ἄν ἤδη . . . . . . ⎬ Epirrhema ⎫
„ 481 ΧΟΡ. ἐπεύχομαι τῷ μέν. . . . . . Ode   ⎪ Zweite
„ 485 ΑΓΓ. τέταρτος ἄλλος . . . . ⎫   ⎬ Sy-
„ 501 ΕΤ.   πρῶτον μὲν "Ογκα . . . . . ⎬ Antepirrhema ⎪ zygie.
„ 521 ΧΟΡ. πέποιθα τὸν Ζηνός . . . . . Antode   ⎭

V. 526 ΑΓΓ. Οὕτως γένοιτο . . . . ⎫
„ 551 ΕΤ.   εἰ γὰρ τύχοιεν . . . . ⎬ Epirrhema ⎫
„ 563 ΧΟΡ. ἱκνεῖται λόγος . . . . Ode   ⎪ Dritte
„ 568 ΑΓΓ. ἐκτὸν λέγοιμ' ἄν . . . . ⎫   ⎬ Sy-
„ 597 ΕΤ.   φεῦ τοῦ ξυναλλάccοντος . . . ⎬ Antepirrhema ⎪ zygie.
„ 626 ΧΟΡ. κλύοντες θεοί . . . . Antode   ⎭

V. 631 ΑΓΓ. Τὸν ἕβδομον δὴ . . . . ⎫
„ 653 ΕΤ.   ὦ θεομανές τε . . . . ⎬ Zwischenscene.
„ 677 ΧΟΡ. μὴ φίλτατ' ἀνδρῶν . . . . ⎭

Einen so starren Parallelismus hatten wir selbst in den
strengsten Agonen der Komoedie nicht. Der Gedankengang
ist rein schematisch; jedes Epirrhema hat die Beschreibung
eines der sieben gegnerischen und eines der sieben heimi-
schen Feldherrn zum Gegenstande; diese Beschreibung gliedert
sich wiederum in die Beschreibung des Mannes und die Beschreibung seines Schildzeichens.

Weniger auffallend, aber immerhin bemerkenswert ist die
Syzygie im vierten Epeisodion des 'Agamemnon'
V. 1407—1447. Die Epirrhemen werden von Klytaimnestra
vorgetragen.

V. 1407 ΧΟΡ. Τί κακόν, ὦ γύναι . . . . Ode   ⎫
„ 1412 ΚΛΥ. νῦν μὲν δικάζεις . . . . . Epirrhema ⎬ Syzygie.
„ 1426 ΧΟΡ. μεγαλόμητις εἶ . . . . . . Antode   ⎪
„ 1431 ΚΛΥ. καὶ τήνδ' ἀκούεις . . . . Antepirrhema ⎭

In beiden Epirrhemen verantwortet sich Klytaimnestra vor
dem Chore wegen des Mordes an Agamemnon, der Parallelismus ist streng eingehalten.

Ähnlich sind die zwei Syzygien im ersten Teile der
Exodos der 'Eumeniden' (V. 778—915).

V. 778 XOP. Ἰὼ θεοὶ νεώτεροι . . . . . Ode ⎱
„ 794 AΘ. ἐμοὶ πίθεσθε . . . . Epirrhema   Erste
„ 808 XOP. ἰὼ θεοὶ νεώτεροι . . . . . Antode   Syzygie.
„ 824 AΘ. οὐκ ἔστ' ἄτιμοι . . . . . . Antepirrhema ⎰

V. 837 XOP. Ἐμὲ παθεῖν τάδε, φεῦ . . Ode ⎱
„ 847 AΘ. ὀργὰς ξυνοίσω . . . . . . Epirrhema   Zweite
„ 870 XOP. ἐμὲ παθεῖν τάδε, φεῦ. . . Antode   Syzygie.
„ 881 AΘ. οὗτοι καμοῦμαι . . . . . . Antepirrhema ⎰

Die Antoden sind blofse Wiederholungen der Oden, eine
selbst bei Aischylos singuläre Erscheinung. Die Epirrhemen
trägt Athena vor; ins letzte Antepirrhema ist ein Gespräch
zwischen ihr und dem Chor eingelegt. Doch ist es ungewifs,
ob darin eine Überbelastung des Antepirrhemas zu sehen ist;
die Lücke im Epirrhema macht die Entscheidung unsicher.

Ähnlich, wenn auch kürzer ist die Exodos der 'Antigone' (V. 261 ff.). Man könnte freilich diese Exodos auch zur
fünften Variation der ersten Gruppe rechnen (α : 12 : α : 11;
β : 5 : β' : 2 = β : 5 : β'). Auch werden die Oden von Kreon,
die Epirrhemen von ihm, dem Chor und dem Boten vorgetragen.

Umfassender ist die Syzygie im ersten Epeisodion des
'Philoktetes'. Die Epirrhemen enthalten Gespräche zwischen
Neoptolemos und Philoktetes; insofern ist wenigstens der Par-
allelismus gewahrt.

V. 220 ΦΙΛ. Ἰὼ ξένοι, τίνες ποτ' ἐς γῆν Epirrhema ⎱
„ 393 XOP. ὀρεστέρα παμβῶτι Γᾶ . . . Ode   ⎰ Syzygie.
„ 403 ΦΙΛ. ἔχοντες, ὡς ἔοικε . . . . . Antepirrhema ⎱
„ 507 XOP. οἴκτειρ' ἄναξ· πολλῶν. . . Antode ⎰

Sehr merkwürdig ist ferner die Syzygie im zweiten Epeisodion des 'Oidipus auf Kolonos'. Sie ist nach dem Schema
baba componiert, und auf die Antode folgen vier trochaeische
Tetrameter des mittlerweile herbeigeeilten Theseus. Sie sondern sich vom folgenden trimetrischen Dialog sehr scharf ab;
ich denke, es wird — da Sophokles sonst in der Verwendung
der Tetrameter sehr sparsam ist — nicht zu kühn sein, sie
als die Sphragis der Syzygie zu betrachten.

V. 800 KP. Πότερα νομίζεις . . . . . . Epirrhema

„ 833 ΟΙΔ. ἰὼ πόλις. ΧΟΡ. τί δρᾷς·. Ode

„ 844 ΑΝΤ. ἀφέλκομαι δύστηνος . . . . Antepirrhema ⟩ Syzygie.

„ 876 ΟΙΔ. ἰὼ τάλας. ΧΟΡ. ὅсον . . . Antode

„ 887 ΘΗС. τίς ποθ' ἡ βοή . . . . . . Sphragis

Die Handlung ist die Entführung Antigones; die Oden selber
sind mesodisch von Trimetern unterbrochen nach dem Schema
α:5:α′ = α:5:α′.

Bei Euripides findet sich keine Syzygie. Aber eine entfernte Ähnlichkeit mit einer solchen hat das erste und zweite
Epeisodion des 'Hippolytos'.

V. 362 ΧΟΡ. Ἄιες ὦ, ἔκλυες ὦ . . . . . Ode

„ 372 ΦΑΙΔ. Τροιζήνιαι γυναῖκες . . . . Epirrhema

„ 525 ΧΟΡ.· Ἔρως, Ἔρως. . . . Str. α

„ 535   „   ἄλλως, ἄλλως . . . Ant. α ⎱ Stasimon   ⟩ Syzygie

„ 545   „   τὰν μὲν Οἰχαλίᾳ . . Str. β ⎰

„ 555   „   ὦ Θήβας ἱερόν. . . Ant. β

„ 565 ΦΑΙΔ. σιγήσατ' ὦ γυναῖκες . . . . Antepirrhema

„ 669 ΦΑΙΔ. τάλανες ὦ κακοτυχεῖς . . . Antode

Hier ist alles anomal; selbst die Oden werden nicht beide
vom Chor gesungen.

§ 6.　Wir sind nunmehr mit dem anatomischen Teil unserer
Aufgabe zu Ende. Der Gliederbau der altattischen Komoedie
ist bis in seine kleinsten Wirbel und Knorpel aufgenommen
und verzeichnet. Ehe wir von den Functionen dieses Körpers,
als er noch am Leben war, ein Bild zu gewinnen versuchen,
erscheint es geraten, die Frage nach seinem Sinne, seiner
Seele zu beantworten — wofern deren Beantwortung im Be-
reiche der Möglichkeit liegt.

Die Tragoedie ist epeisodisch, die Komoedie epirrhematisch componiert; das steht hoffentlich fest. Daneben finden
sich in der Tragoedie Syzygien, in der Komoedie Epeisodia;
wo kommen diese her? Die einfachste, flachste Antwort würde
lauten: die Komoedie hat der Tragoedie die Epeisodia, die
Tragoedie der Komoedie die Syzygien entlehnt. Damit ist
jedoch gar nichts erklärt; die tragischen Syzygien würden
ebensowenig in der Komoedie, wie die komischen Epeisodia

und Stasima in der Tragoedie am Platze sein, beides aus
guten Gründen, weil nämlich das Material, der Chor in beiden
Kunstgattungen verschieden war. Darüber verweise ich auf
den folgenden Abschnitt; einstweilen genüge die Behauptung.
Ferner aber läfst sich durchaus nicht sagen, dafs etwa die
epirrhematische Composition sich besonders gut für die Komoedie, die epeisodische für die Tragoedie eignete; wer das
etwa behaupten und am 'Oidipus' und an der 'Eirene' vordemon-
strieren wollte, würde Ursache und Wirkung verwechseln.

Ich habe wiederholt im Laufe der Untersuchung die Komoedie, wie sie uns bei Aristophanes vorliegt, die ionische
Komoedie genannt; es ist Zeit, dem Leser über diesen Ausdruck Rechenschaft zu geben. Ich will ihn aber vorher um
Nachsicht gebeten haben, wenn ihm die folgenden Seiten nicht
in jeder Hinsicht zusagen; es kann nicht meine Absicht sein,
hier eine Geschichte der altattischen Komoedie wie sichs gehört zu geben, sondern nur einige Betrachtungen, zu denen
die vorstehenden Untersuchungen die Veranlassung gaben; deshalb tritt meine Hypothese nicht mit den Schutz- und Trutz-
waffen eines gelehrten Apparates bewehrt auf.

Dem attischen Volke ist von der Geschichte die Mission
auferlegt worden, zwischen Aeolodoris und Ias zu vermitteln. Die Ankömmlinge minyeischer, boeotischer, ionischer
Abkunft schlossen sich weder gegen einander, noch gegen
die Ursassen ab, weder die Geschichte noch die Sage weifs
von einer gewaltsamen Unterjochung des Landes, beide nur von
einer friedlichen Zusammensiedelung. Zwar der Antagonismus
mit dem ausgesprochen dorischen Peloponnes veranlafste die
Athener, ihre ionischen Elemente zu betonen; man darf aber
annehmen, dafs sie sich ebensogut Aeolier oder gar Dorier
genannt hätten, wenn zwischen ihnen und Ionien dauernde
Feindschaft bestanden hätte. Ihre Sprache kann weder zu
den ionischen noch zu den aeolodorischen Dialekten gezählt
werden, sie hält die Mitte zwischen der Weichheit der ersteren
und der Knappheit der letzteren. Der dorische und der ionische Baustil fanden auf der Akropolis von Athen einen neutralen, für beide gleich gastfreien Boden; neben dem dorischen
Parthenon steht der ionische Erechtheustempel, und in den

Propylaeen sehen wir beide Stile zu einem Ganzen vereinigt. Dafs in der Sculptur die Sache sich ähnlich verhält, läfst sich schon jetzt ahnen, wenn auch im einzelnen vieles zweifelhaft bleibt. Für die Sprache und bildende Kunst ist der grundlegende Unterschied zwischen Doris und Ias allgemein anerkannt; nicht also für die Musik und die Poesie. Daran ist zweifelsohne der gröfsere Synkretismus schuld, der sich auf diesen beiden Gebieten in der historischen Zeit eingestellt hat. Die Sprache ist an den Wohnort des Stammes gebunden, die Bauwerke bleiben, wo sie aufgerichtet sind, auch die Statuen verändern nicht leicht ihren Aufstellungsort; das Lied dagegen wandert mit seinem unstäten Sänger, und bald auch ohne ihn. Trotzdem läfst sich auch hier ein durchgreifender Dualismus wahrnehmen, und deutliche Spuren weisen auf den Apolloncultus nach der einen, auf den Dionysoscultus nach der anderen Seite hin, die beiden Hauptgötter des dorischen und ionischen Stammes.

Von der dorischen und ionischen Harmonie, von den dorischen und 'ionischen' Tacten, endlich von den dorischen und ionischen Strophen wird unten die Rede sein; hier möchte ich auf den Unterschied zwischen der dorischen Cithermusik und der ionischen Flötenmusik hinweisen. Die Beziehungen sind auch hier unverkennbar; die Cither ist ebensosehr das Instrument des Apollon, wie die Flöte dasjenige des bacchischen Komos; der Kitharode Terpander gehört dem aeolischen Lesbos und dem dorischen Sparta an, der Aulet Olympos dem ionisch-phrygischen Asien.

Der Aulos war von Anfang an ein selbständiges, die Cither ein dienendes Instrument; sowie diese nur mit Mühe zu etwas anderem zu verwenden war, als die Stimme des Sängers zu unterstützen, so vertrug sich der erste nur schwer mit dem Gesange, es sei denn, dafs er die zweite Stimme übernahm. Und da der Natur der Sache gemäfs sich keiner selber zur Flöte begleiten kann, und doch gerade die Einsamkeit zum Spiel am meisten einlud, so war für ein 'Lied zur Flöte' nur die Form möglich, dafs der Sänger sich erst praeludierte und dann ohne Begleitung sein Lied sang. So haben

wir uns zweifelsohne die Hirtenlieder vorzustellen, bei denen
die Syrinx die Flöte vertrat. Der Kitharode dagegen durfte
ungehindert ein Lied an das andere reihen; zu einer Ab-
wechslung mit unbegleitetem Gesang war keine Nötigung
vorhanden.

Traten nun zwei zusammen um ihre Lieder zu singen
und die Flöte zu spielen, so war die amoebaeische Form die
natürlichste; nachdem der eine praeludiert und gesungen hatte,
tat der zweite dasselbe; so konnte sich der eine immer während des Spieles und Gesanges des anderen erholen. War
damit, wie so oft, ein Wettstreit bezweckt, so bildete je ein
und ein Abschnitt ein Ganzes. Dieses Ganze ist nun die Urform der Syzygie; das Spiel des einen entspricht der Ode,
sein Gesang — der von vorn herein unbegleitete Gesang ist
wohl immer recitativartig — dem Epirrhema, das Spiel des
anderen der Antode, sein Gesang dem Antepirrhema; dem
Schiedsrichter konnte wohl auch einmal einfallen, sein Urteil
in gebundener Rede vorzutragen; damit war die Sphragis geschaffen. Natürlicher, denk' ich, läfst sich der Ursprung der
epirrhematischen Composition nicht erklären.

Zwischen dieser Urform und einem Agon der aristophanischen Komoedie liegt freilich eine grofse Kluft; sie einigermafsen zu überbrücken, dazu könnten uns einige sehr eigentümliche Volkslieder dienen. Vielleicht das merkwürdigste ist der
Phallophorengesang bei Aristophanes (Ach. 263 ff.).

> Φαλῆς, ἑταῖρε Βακχίου ....
> ἕκτῳ ϲ' ἔτει προϲεῖπον ἐϲ
> τὸν δῆμον ἐλθὼν ἄϲμενοϲ,
> ϲπονδὰϲ ποιηϲάμενοϲ ἐμαυ-
> τῷ, πραγμάτων τε καὶ μαχῶν
> καὶ Λαμάχων ἀπαλλαγείϲ.
> πολλῷ γὰρ ἔϲθ' ἥδιον, ὦ Φαλῆϲ, Φαλῆϲ,
> κλέπτουϲαν εὑρόνθ' ὡρικὴν ὑληφόρον,
> τὴν Ϲτρυμοδώρου Θρᾷτταν ἐκ τοῦ Φελλέωϲ
> μέϲην λαβόντ', ἄραντα, κατα-
> βαλόντα καταγιγαρτίϲαι.
> Φαλῆϲ, Φαλῆϲ,

ἐὰν μεθ᾿ ἡμῶν ξυμπίῃς, ἐκ κραιπάλης
ἕωθεν εἰρήνης ῥοφήσεις τρύβλιον·
ἡ δ᾿ ἀσπὶς ἐν τῷ φεψάλῳ κρεμήσεται.

Das Lied ist wohl unvollständig, da der Chor unmittelbar
nach dem letzten Verse mit Steinen in die Orchestra einstürmt;
sonst würden den Trimetern noch ein paar Dimeter folgen.
Höchst merkwürdig sind nun die beiden Tristichen, welche
die Dimeter unterbrechen; es macht in der Tat beim Vor-
lesen den Eindruck, als ob gesungene Teile mit gesprochenen
abwechselten. Die gesprochenen erinnern dann auffallend an
das Epirrhematiou, mit dessen fast kanonischer Stellung in
der Komoedie es doch auch eine Bewandtnis haben muſs.[1]
— Nun steht dieses Lied keineswegs vereinzelt da; sehr ähnlich
componiert ist das Chelidonizontenlied (TBergk PLG. III, S. 671).

ἦλθ᾿ ἦλθε χελιδών....
παλάθαν cὺ προκύκλει
ἐκ πίονος οἴκου,
οἴνου τε δέπαcτρον,

---

1) Es sei mir gestattet, an diese Worte eine kleine Untersuchung
über das Epirrhemation anzuknüpfen, die sonst nirgends unterzu-
bringen ist. Wir fanden diesen Embryo einer epirrhematischen Syzygie
an folgenden Stellen: I. nach der Parodos: 1) Ach. 234 ff. (oben S. 128);
2) Ekkl. 514 ff. (S. 157); 3) Lys. 1037 ff. (Binnenparodos; S. 143), II. nach
dem Agon: 4) Ach. 620 ff. (S. 59); 5) Ritt. 461 ff. (S. 28); 6) Lys.
608 ff. (S. 16); 7) Plut. 619 ff. (S. 30), III. vor einer trimetrischen Syzygie: 8) 'Sieben g. Th.' S. 227. Die beiden charakteristischen Eigenschaften dieser durch ihre Stellung unzweideutig gekennzeichneten
Kunstform waren, erstens, die Tristichie, zweitens, der Parallelismus.
Letzterer hing natürlich mit der Antichorie, überhaupt mit dem Gegengesang
zusammen; wo ein solcher nicht stattfindet, findet auch kein Parallelismus statt (Nr. 7); daher vermissen wir ihn auch im ausgeschriebenen
Phallophorengesang, wo Dikaiopolis beide Tristicha singt. Wohl finden
wir ihn aber im Hymenaeus, der uns mit seinem Doppelchore ein ziemlich vollkommenes Beispiel eines epirrhematisch componierten Liedes liefert.
Das Ephymnion Ὑμὴν ὦ Ὑμέναιε, von den Halbchören abwechselnd
gesungen, vertritt die Oden; der eigentliche, auf die Halbchöre — d. h.
deren Sprecher — verteilte Text stellt die Epirrhemen dar. Am deut-
lichsten haben wir dieses Verhältnis bei dem von Catull übersetzten
Hymenaeus der Sappho, der aus vier Syzygien und zwei ἁπλᾶ besteht.
Nachstehend möge die zweite Syzygie folgen:

τυρῶν τε κάνυστρον·
καὶ πύρνα χελιδών,
καὶ λεκιθίταν
οὐκ* ἀπωθεῖται
τί δή; πότερ᾽ ἀπίωμες, ἢ λαβώμεθα;
εἰ μέν τι δώσεις· εἰ δὲ μή, οὐχ ἑστήξομεν,
ἢ τὰν θύραν φέρωμες, ἢ θοὐπέρθυρον,

		Sprecherin.	
		Hespere, qui caelo fertur crudelior ignis?	
Halbchor *der* *Jungfrauen.*	*Epir-* *rhema.*	Qui natam possis complexu avellere matris, Complexu matris retinentem avellere natam Et iuveni ardenti castam donare puellam. Quid faciunt hostes capta crudelius urbe?	
		Chor.	
	Ode.	Hymen o Hymenaee, Hymen ades, o Hymenaee.	
		Sprecher.	
		Hespere, qui caelo lucet iocundior ignis?	
Halbchor *der* *Jünglinge.*	*Ant-* *epir-* *rhema.*	Qui desponsa tua firmes conubia flamma, Quae pepigere viri, pepigerunt ante parentes Nec iunxere prius, quam se tuus extulit ardor. Quid datur a divis felici optatius hora?	
		Chor.	
	Antode.	Hymen o Hymenaee, Hymen ades, o Hymenaee.	

Man beachte den strengen Parallelismus. — Was die Tristichie anbelangt, so finden wir sie gleichfalls in einer sehr altertümlichen Form des Volksgesangs wieder — im Threnos. Ein glänzendes Beispiel hiefür ist der Threnos der Hekabe und Helena um Hektor — der Threnos der Andromache ist ein ἁπλοῦν — Il. XXIV 747 ff.; er bildet eine epirrhema-tische Syzygie, deren Oden der γόος ἀλίαστος der Weiber vertritt, und zwar besteht jedes Epirrhema aus einer Perikope (über diesen Ausdruck cf. unten B, IV, § 1) = 4 tristichischen Strophen (die VV. 769 f. halte ich mit RWestphal, Prol. z. Aesch. 16 u a. für eine evidente Interpolation). Auch der Parallelismus ist da; Hekabe singt

Ἕκτορ, ἐμῷ θυμῷ παίδων πολὺ φίλτατε πάντων,
ἦ μέν μοι ζωός . . . .

Helena singt

Ἕκτορ, ἐμῷ θυμῷ δαέρων πολὺ φίλτατε πάντων,
ἦ μέν μοι πόσις . . . .

Interessant aber ist die Tristichie. Die Terzine hat etwas Anomales, und eben durch diese Anomalie — um mit Aristoteles zu reden — steigert sie den Eindruck von Lust und Leid. Wir finden sie wieder bei dem

ἢ τὰν γυναῖκα τὰν ἔcω καθημέναν·
μικρὰ μέν ἐcτι, ῥᾳδίως μιν οἴcομεν.
ἂν δὲ φέρῃς τι,
μέγα δή τι φέροιο.
ἄνοιγ᾽, ἄνοιγε τὰν θύραν χελιδόνι·
οὐ γὰρ γέροντές ἐcμεν, ἀλλὰ παιδία.

Auch dieses Lied scheint nicht vollständig erhalten zu sein.
Die gesprochenen Teile haben hier noch einen anderen Unterschied vor den gesungenen; während diese ein für alle Mal
festgestellt scheinen und vor jedem Hause gesungen werden
konnten, tragen jene den Stempel der Improvisation; nicht
jeder Hauswirt wird die Gabe verweigern, nicht in jedem
Hause sitzt ein Weib drinnen, so klein, dafs selbst Knaben
sie forttragen können. Sind aber die gesprochenen Verse im-
provisiert, so ist es klar, dafs sie nicht der Chor, sondern ein
einzelner Knabe, vermutlich der Vorsänger gesprochen hat.
Und das ist dasselbe Verhältnis, wie es uns auch in der epirrhematischen Composition begegnet. Dafs im Phallophorengesang Dikaiopolis allein singt, liegt daran, dafs er bei seiner
Pompe den ganzen Chor vertritt.

Als drittes Beispiel liefse sich die pseudohomerische 'Eire-
sione' anführen; leider ist diese am Schlusse verstümmelt.

Es ist demnach wahrscheinlich, dafs sich die epirrhematische Composition aus dem Flötenspiele entwickelt hat,
und damit ist zugleich ihr ionischer Ursprung wahrscheinlich
gemacht. Wichtig ist aber, dafs Aristophanes selber die Richtung, der er huldigte, in bewufstem Gegensatz gegen die
Richtung seiner Gegner als die einheimische bezeichnete.
(Wesp. 1022)

οὐκ ἀλλοτρίων, ἀλλ᾽ οἰκείων Μουcῶν cτόμαθ᾽ ἡνιοχήcας.

Seine eigene Richtung besteht nun, wie gesagt, aus zwei Ele-

---

einzigen Volke, das seit den Griechen die Totenklage gepflegt hat —
bei den Corsen, deren trochaeische voceri aus lauter dreizeiligen (oder,
den Tetrameter in zwei Dimeter getrennt, sechszeiligen), dreifach ge-
reimten Strophen bestehen. Beispiele genug hat Tommaseo in seinen
Canti corsi (Bd. II der Canti popolari) gesammelt, und FGregorovius (Cor-
sica II, 52 ff.) hat eine Anzahl ins Deutsche übersetzt.

menten, dem märchenhaften und dem persönlich-politischen. Schöpfer der Märchenkomoedie ist — das Wort 'Schöpfer' im antiken Sinne verstanden — Magnes. Alles was wir über den Charakter seiner Komoedien wissen, ist in den Versen des Aristophanes enthalten (Ritt. 522 f.)

πάcαc δ' ὑμῖν φωνὰc ἱεὶc καὶ ψάλλων καὶ πτερυγίζων
καὶ λυδίζων καὶ ψηνίζων καὶ βαπτόμενοc βατραχείοιc . . .

Es muſs betont werden, daſs Aristophanes hier die Musik des Magnes meint, nicht etwa die Ausstattung des Chores; die Worte πάcαc φωνὰc ἱεὶc gestatten nur die verlangte Interpretation. Magnes ahmte also in seiner Musik Vogelgesang und Wespensummen und Froschgequak (?) nach, lieſs hin und wieder seine Lieder auf dem Barbiton begleiten und componierte in der lydischen Tonart — kurz, er war durch und durch ein ionischer Musiker. Die mimetische Musik scheint bei ihm eine Ausbildung erlangt zu haben, die nur mit Hilfe des Aulos möglich war. Und daſs auch der Inhalt seiner Komoedien phantastisch war, das wird durch die Erwähnung des Vogelgesanges und des Wespengesummes klar.

Seine Nachfolger waren Krates und Pherekrates. Die beiden scheinen — von der ionischen Richtung — die Märchenkomoedie ausschlieſslich cultiviert zu haben, ohne jede Beimischung des persönlichen Elementes; denn, daſs die erhaltenen Fragmente so überaus zahm sind, ist sicher kein Zufall; das kann die Vergleichung mit den Bruchstücken des Kratinos und Eupolis lehren.

Kratinos war es, der in unmittelbarem Anschluſs an Archilochos das persönlich-politische Element in die Komoedie einführte. Seine erste Komoedie scheinen die 'Archilochoi' gewesen zu sein, eine Antrittskomoedie im besten Sinne des Wortes. Es verlohnt sich der Mühe, etwas auf den Inhalt derselben einzugehen. Nach der gewöhnlichen Meinung hätte die Komoedie den Wettstreit Homers, Hesiods und anderer enthalten, der Chor hätte aus *personatis Archilochis, i. e. censoribus acerbissimis* bestanden, daneben wäre Archilochos selber aufgetreten. Allerdings scheint Homer aufgetreten zu sein (cf. Fgm. 2 K.), aber der Inhalt der Komoedie war ein anderer. Sehr kostbar ist Fgm. 6.

εἶδες τὴν Θαcίαν ἅλμην οἷ᾽ ἄττα βαῦζει,
ὡς εὖ καὶ ταχέως ἀπετίcατο καὶ παραχρῆμα·
οὐ μέν τοι παρὰ κωφὸν ὁ τυφλὸς ἔοικε λαλῆcαι.

Die 'thasische Brühe' ist anerkanntermafsen Archilochos; er hat seinem Gegner eine schlagende Antwort gegeben und der Zeuge sagt lobend 'wahrlich, der Blinde scheint zu keinem Tauben geredet zu haben'. Also der 'nicht Taube' ist Archilochos; wer ist aber 'der Blinde', sein Gegner? ich denke — da die Anwesenheit Homers einmal bezeugt ist — kein anderer als eben der 'blinde Sänger'. Der Wettstreit des Archilochos mit Homer war demnach der Inhalt der 'Archilochoi'; hier haben wir das nachweislich älteste Beispiel jener Zusammenstellung der beiden Väter der griechischen Poesie; zugleich das älteste Beispiel jener Unterweltskomoedien, von deren Inscenierung uns die 'Frösche' einen Begriff geben. Dafs der Wettstreit ein litterarischer war und mit dem Siege des Archilochos endete, sehen wir leicht ein; ebenso, dafs Archilochos hier statt des Kratinos steht. Aber wen vertritt Homer? Offenbar die dem Kratinos feindliche, die nichtionische Richtung der Komoedie, die mythologische und ethisch-sociale Komoedie, für deren Archeget der Dichter der Odyssee und des Margites mit demselben Rechte gelten konnte, wie Archilochos für den der persönlich-politischen Komoedie.

Diese nichtionische Richtung wird nun auch wohl dieselbe sein, die Aristophanes im Sinne hatte, als er nicht fremde, sondern heimische Musen zu zügeln behauptete.[1]) Sie ist sicher dieselbe; denn an anderen Stellen drückt sich der Dichter deutlicher aus, er spricht vom 'kauenden Herakles', von 'Herakles, der um sein Mahl betrogen wird', vom geprügelten und getrösteten Sklaven, von Fackelzügen und ἰοὺ-Rufen, vom 'Nüssewerfen', von gepäcktragenden Sklaven — kurz, vom ganzen Haushalt der mythologischen und ethisch-socialen Komoedie, die sich sonst auf der Bühne breit zu machen pflegte und von ihm mit Schimpf und Schande ausgetrieben worden sei — letzteres wird natürlich nicht allzuwörtlich zu nehmen sein.

---

1) Ebenso möchte ich Eupolis Fgm. 357 K deuten.

Er nennt eine solche Komoedie einmal 'einen aus Megara gestohlenen Schwank'. Und da auch sonst von einer 'megarischen Komoedie' die Rede ist, so nahm man früher treuherzig an, auf der Bühne von Megara wäre tatsächlich diese Gattung der Komoedie im Schwange gewesen; zumal uns ausdrücklich überliefert wird, mit dem Megarer Susarion wäre die Komoedie nach dem attischen Ikaria gewandert. Zuerst hat UvWilamowitz[1]) diese ganze Überlieferung zu verdächtigen gesucht, und wie es scheint mit Erfolg. Die megarische Komoedie ist nichts als eine Fiction, die der freundnachbarlichen Gesinnung der Athener verdankt wird; *sie wird nicht in Megara gespielt, sie spielt in Megara.*

Es könnte den Anschein haben, als ginge uns diese ganze Frage hier nichts an. Aber da ich einmal von einer fremdländischen Richtung gesprochen habe, die auf der attischen Bühne cultiviert worden sei, da ich dem ionischen Stile der Komoedie einen — vorläufig — nichtionischen gegenübergestellt habe, muß ich auch nachweisen können, wo er hergekommen sei. Man könnte freilich sagen, aus Syrakus[2]); die Komoedie Epicharms deckt sich ja ziemlich mit der nichtionischen Richtung der attischen Komoedie. Dagegen muß ich aber einwenden, daß wir in diesem Falle bei Aristophanes Spuren einer Bekanntschaft mit Epicharm finden würden. Tatsächlich wird der Name Epicharms vor Plato überhaupt nicht erwähnt; und da wir von Plato wissen, daß er zuerst die Mimen Sophrons nach Athen gebracht hat[3]), so liegt nichts näher als die Vermutung, daß er auch den Komoedien Epicharms denselben Dienst erwiesen habe. Jedenfalls halte ich es nicht für erlaubt, einem solchen Holzweg zu Liebe die breite Strafse der Überlieferung zu verlassen. Diese Strafse ist aber durch UvWilamowitz gesperrt worden; untersuchen wir also die Schranken.

'Zwischen Megara und Athen bestanden ewige Reibereien; der Megarer war dem Athener die Verkörperung der ver-

---

1) Herm. IX, 319 ff. — 2) Diese Annahme erfreut sich auch einiger Beliebtheit; THasper macht sogar den Krates zu einem Schauspieler Epicharms (de Crat. et Pherecr. 10). — 3) Suid.; Diog. 3, 18.

16*

schlagenen Gemeinheit; ein schlechter, gemeiner Witz konnte
sehr wohl ein Megarerwitz, eine aus solchen Witzen be-
stehende Komoedie sehr wohl eine megarische Komoedie
heifsen'. Das will ich zugeben, wenn mir auch nicht recht
eingeht, wie sich bei allen Reibereien der Begriff 'Berliner
Posse' ohne die positive Grundlage des Wallner-Theaters hätte
entwickeln können. 'Susarion und seine Wanderung nach
Ikaria beruht auf reiner Erfindung, denn Aristoteles weifs
nichts davon, und *dem Aristoteles vindiciere ich in litterarhisto-
rischen Tatsachen einfach die Unfehlbarkeit*. Ich nicht; es wäre
doch schlimm, wenn wir alle Nachrichten, die auf Eratosthenes, Didymus u. a. zurückgehen, blofs deswegen verwerfen
müfsten, weil Aristoteles von ihnen nichts gewufst hat, — selbst
wenn wir nachweisen könnten, dafs er sie tatsächlich nicht
wufste, und nicht etwa blofs verschwieg. Ich werde deswegen
nicht an die Existenz des Susarion, des Sohnes Philins aus
Tripodiskos glauben, ebensowenig freilich sie einfach verwerfen;
ich halte diese Überlieferung für eine Wandersage, wie soviele
andere; 'Susarion bringt die Komoedie von Megara nach Ikaria'
klingt ebenso wie 'Oxylos führt die Aetoler von Aetolien nach
Elis'. Endlich 'Aristoteles spricht zwar von den Ansprüchen
der Megarer auf die Komoedie, aber er selber glaubt nicht
daran'. Dafs er daran nicht glaubt steht bei ihm weder in
noch zwischen den Zeilen zu lesen; uns genügt aber, dafs die
Ansprüche der Megarer zur Zeit des Aristoteles bestanden.
Nach UvWilamowitz müsste man annehmen, Athen hätte
Megara zum Schimpf eine Komoedie angedichtet, und die Megarer
hätten darin einen Stolz der Vaterstadt erblickt; da mufs ich
aber gestehen, dafs ich an die Realität eines so spafshaften
Sachverhältnisses nicht recht glauben kann.

Ich bleibe beim alten. Die megarische Komoedie hat
existiert, sie hat sich nach Attika hinüberverzweigt und dort
jene nichtionische Richtung der Komoedie erzeugt, die ich
jetzt nicht anstehe die dorische Komoedie zu nennen. Auf
der Bühne des Dionysostheaters, sowie oben auf der Akropolis,
traf der dorische Stil mit dem ionischen zusammen.

Ist nun die Annahme zu kühn, dafs eben diesem dorischen
Stil der Komoedie die epeisodische Composition entstammt,

die für die handelnde Komoedie, wie die dorische es von Anfang an gewesen ist, die einzig mögliche war? Dafs die
ionische Komoedie, sowie sie sich im Inhalt von der dorischen
beeinflussen liefs (cf. Herakles in den 'Vögeln' u. a.) ohne
doch ihre Eigenart als persönlich-politische Komoedie oder
Märchenkomoedie deshalb aufzugeben — dafs sie auch hin
und wieder ihre Formen entlehnte, ohne doch im Grofsen auf
ihre angestammte Form, die epirrhematische Composition zu
verzichten?

Müfsten wir nun nicht, um die Syzygien in der Tragoedie
zu erklären, eine ionische Tragoedie annehmen? Ich sage, ja
— aber blofs um zu zeigen, dafs ich mir dieses Einwandes
bewufst bin. Diese Annahme zu begründen, ist hier nicht der
Ort; es würde uns viel zu weit führen.

ZWEITER TEIL.

DAS MOMENT DER CHOREUTIK.

Erster Abschnitt.

Die Antichorie.

Es läfst sich keineswegs behaupten, dafs das philologische §1.
Publicum den Fragen, über welche dieser Abschnitt sowie die
drei folgenden handeln, ein besonderes Interesse entgegen-
brächte; man pflegt sie, wenn es auch nicht ausgesprochen
wird, im Stillen als solche zu betrachten, bei denen 'nichts
herauskommt'. Auch ist diese Überzeugung viel zu fest einge-
wurzelt, als dafs der Verfasser mit der blofsen Behauptung, dafs
ihm wenigstens denn doch für dieses und jenes eine praecisere
Antwort, für anderes zum mindesten eine gröfsere Klarstellung
möglich erscheine, viel dagegen ausrichten könnte. Es scheint
mir daher notwendig, zuvörderst den Grund zu nennen, warum
ich an der Erledigung solcher längst aufgegebenen Fragen
noch nicht verzweifle.

Dieser Grund ist in der genauen Abgrenzung der zu
durchforschenden Wissenssphaere enthalten. Bei den Arbeiten
meiner Vorgänger — denen gegenüber mir übrigens, das will
ich ein für allemal erklärt haben, jede Überhebung fern liegt
— mufs über das Zuviel oder über das Zuwenig geklagt werden. Es ist zuviel, wenn die Komoedie mit der Tragoedie
zusammen einer wissenschaftlichen Prüfung unterworfen wird;
die Ergebnisse des ersten Teiles dieser Schrift zeigen deutlich
genug, warum dieses Verfahren nur zu Trugschlüssen und
Confusion führen kann. Andererseits ist es aber auch verfehlt,
von den vier Fragen, welche zusammengenommen die Physio-
logie der altattischen Komoedie bilden, eine beliebige herauszugreifen und isoliert zu behandeln, auch wenn man die
übrigen noch so competenten Bearbeitern überlassen zu haben
glaubt. Davon gar nicht zu reden, dafs mancher seine

Meisterschaft in der gröfstmöglichen Beschränkung zeigen
will und sich bescheidet, beispielsweise über den Chor der
'Schutzflehenden' zu schreiben. Dieses Verfahren hat auch
einen hübschen Namen; man nennt es 'Bausteine zusammen-
tragen'. Schade nur, dafs solche Bausteine zu einander nicht
passen und den Bauplatz in lästiger Weise beengen, so dafs der
Baumeister mit dem Ausscheiden, Ordnen und Zurechtbehauen
derselben weit mehr Kraft und Zeit verliert, als wenn er sie auf
eigene Hand aus den Steinbrüchen der Tradition zu holen gehabt hätte. Das wird man von den vorliegenden Untersuchungen
nicht sagen können; es sind nicht vereinzelte Blöcke, die dem
Baumeister zur Verfügung gestellt werden, sondern ein ganzer
wohlgefügter Gewölbeunterbau, dessen einzelne Quadern sich
gegenseitig stützen und tragen.

§ 2.   Nach dieser Erklärung dürfen wir der ersten der zu er-
ledigenden Fragen näher treten. Welche Glieder des
Chores haben die Chorgesänge vorgetragen? An sich
sind auf diese Frage ebensoviele Antworten möglich, als die
Anzahl der Chorglieder — Koryphaios, Halbchorführer, Stoi-
chosführer (Kraspediten), Zygonführer, Einzelchoreuten, Zyga,
Stoichoi, Hemichorien und Gesamtchor — Combinationen gestattet.

An die Mitwirkung von Einzelchoreuten hat, teilweise
an GHermann[1]) sich anlehnend, RArnoldt[2]) gedacht. Ihre Beteiligung nimmt er an — ich behalte meine Nomenclatur bei
— in der ganzen Parodos der 'Acharner' (V. 204—346),
'Wespen' (V. 230—487), 'Vögel' (V. 310—450) und 'Lysistrate' (V. 254—386), der halben Parodos der 'Eirene' (V. 301
—519), der zweiten Parodos der 'Thesmophoriazusen' (V. 655
—727) und 'Ekklesiazusen' (V. 478—503), der Parodos und
dem Nebenagon der 'Ritter' (V. 247—497) und der Parabase
der 'Lysistrate' (V. 614—705). Die Frage einer nochmaligen

---

1) De choro Vesparum. Das Nötige über und gegen diese Schrift
hat- RArnoldt (Chorpartien S. 1 ff.) gesagt. — 2) In drei kleineren Ab-
handlungen; zuletzt zusammenfassend: 'die Chorpartien bei Aristophanes
scenisch erläutert'. — Nur in einem Fall (Fr. 397—413) läfst er die
Zyga paarweise auftreten; doch ist dieser Fall bereits durch das S. 145 ff.
Gesagte erledigt.

Prüfung zu unterwerfen ist hier um so mehr angezeigt, als die Resultate RArnoldts eine gerechte Würdigung noch nicht erfahren haben.[1])

Die Annahme, dafs die Choreuten bei Aristophanes einzeln zum Vortrage gekommen seien, beruht — das lehrt die Geschichte der Frage — vor allen Dingen auf der Analogie der aeschyleischen Chorgesänge. Bei Aischylos ist die Erscheinung durch GHermann, FBamberger u. a. als Princip sicher erwiesen, und da der Ansicht, dafs die Komoedie Nachbeterin der Tragoedie gewesen sei, noch niemand entgegengetreten war, so lag es nahe, auch bei ihr den Einzelvortrag wenigstens als wahrscheinlich vorauszusetzen. Für uns ist freilich gerade diese Analogie eine schlechte Empfehlung, falls es mir gelungen ist, durch das Dargelegte den Leser von der Ureigentümlichkeit der komodischen Composition zu überzeugen. Doch möchte ich durch Überbelastung der einzelnen Pfeiler mein Gebäude nicht gefährden; lassen wir einstweilen die Analogie der Tragoedie gelten. Bei Aischylos kommt der wechselnde Einzelvortrag — das hat NWecklein[2]) für mich wenigstens überzeugend dargetan — nur in nichtantistrophischen Chorgesängen vor. Das findet nun bei Aristophanes keine Analogie; die von RArnoldt herangezogenen Stellen sind — die wenigen ἁπλᾶ ausgenommen — alle antistrophisch.

Doch hat der Senker der aeschyleischen Tragoedie in dem fremden Boden der aristophanischen Komoedie mittlerweile starke Wurzeln gefafst; wir nehmen ihm nichts an Lebens-

---

1) Weder die Abfertigung bei CMuff (üb. d. Vortrag der chorischen Partien b. Aristophanes S. 121 ff.), noch die kurze Anerkennung LC. 1874 Sp. 175, noch die etwas farblose Besprechung von WChrist (Teilung des Chors im attischen Drama, passim) kann dafür gelten. Auch die eingehendere Recension von NWecklein (Zft. f. Gymn. w. 1873) geht zu wenig ins Einzelne. Übrigens hat CMuff später (die chorische Technik des Sophokles S. 14 ff.) seine Opposition aufgegeben und die Aufstellungen RArnoldts in ihrem ganzen Umfange zu den seinigen gemacht. — 2) Über die Technik und den Vortrag der Chorgesänge des Aeschylus, Fl. Jb. Suppl. 13, 215 ff. Seine Aufstellungen, soweit sie mit der hier angeregten Frage zusammenhängen, gegen CMuff, Fl. JB. 1883, in Schutz zu nehmen, dünkt mich unnötig, da das Ganze für uns nur eine secundäre Bedeutung hat.

kraft, wenn wir ihn vom Mutterbaume abschneiden. Betrachten
wir also diese Wurzeln.

Allen genannten Scenen ist, meint RArnoldt, *durchgängig
der Charakter höchster Aufregung des Chors und tätiger Teilnahme an den Vorgängen auf der Bühne gemeinsam; einem solchen
Charakter scheint es am meisten zu entsprechen, wenn jeder Choreut einzeln seinen Gefühlen Worte zu leihen Gelegenheit findet.*
Das würde freilich der höchste Naturalismus verlangen. Warum
sollen wir aber von vornherein über die andere, idealisierende
Auffassung den Stab brechen, wonach der Chor, ein vierund-
zwanzigfach zurückgestrahltes Spiegelbild einer einzigen Person,
von einerlei Gefühlen beseelt, in einerlei Worten und Tönen
seine Seele ergiefst? Nach experimentellen Dramen würden
wir ohnehin bei den Alten umsonst suchen; solche dulden den
Chor überhaupt nicht. Aber wir kommen bei Gelegenheit eines
Beweises ad hominem noch darauf zurück.

Weiter. *Aufforderungen, Anreden, Befehle, Fragen — oft
mit Namennennung — sprechen, wo sie vorkommen, gegen die
Annahme eines Gesamtvortrags.* — Das gebe ich von Herzen zu.
Wer z. B. glaubt — und es giebt solche[1]) — dafs Verse wie

ὦ Cτρυμόδωρε Κονθυλεῦ, βέλτιστε cυνδικαcτῶν
Χαρινάδης ἆρ' ἔcτι που 'νταῦθ' ἢ Χάβης ὁ Φλυεύς;

vom Gesamtchor vorgetragen worden seien, darunter also auch
von Strymodoros, Charinades und Chabes, so dafs ersterer sich
selbst nach seinen Kameraden, letztere einen Kameraden nach
sich selbst fragen würden — den mufs ich ersuchen, noch
mehr Beispiele beizubringen, die das Absurdum zum Gesetz der
altattischen Komoedie erheben, und dann mit dem manum de
tabula das gute Beispiel zu geben; denn Absurda sind kein
Gegenstand wissenschaftlicher Forschung. Aber das beweist
noch nicht den wechselnden Einzelvortrag aller Choreuten.
RWestphal z. B. nimmt für solche Fälle den Vortrag des Koryphaios an.

Nun kommt aber die ἱερὰ ἄγκυρα RArnoldts. *Die Auf-*

---

1) JRichter, Vespae, proll. S. 64 f. Auch hier spukt natürlich die
unselige aristotelische Definition der Parodos.

forderungen, mit denen die Choreuten sich zu eiligem Erscheinen und Marsche anfeuern, wiederholen sich innerhalb weniger Verse so oft, dafs sie unmöglich von ein und derselben Person können ausgegangen sein, weder vom ganzen Chore, noch vom Chorführer allein.[1]) Unmöglich, in der Tat? Wenn der Führer einer Compagnie in schnellem Marsche, wobei begreiflicherweise bald der eine, bald der andere zurückbleibt, die Lässigen immer wieder zu gröfserer Eile antreibt — was können wir darin sonderbar, geschweige denn 'unmöglich' finden? Was RArnoldt an der Wespenparodos auffällt, gilt in gleicher Weise von den VV. 242 ff. der 'Ritter'

ἄνδρες ἱππῆς, παραγένεςθε· νῦν ὁ καιρός· ὦ Cίμων,
ὦ Παναίτι᾽, οὐκ ἐλᾶτε πρὸς τὸ δεξιὸν κέρας;
ἄνδρες ἐγγύς· ἀλλ᾽ ἀμύνου, κἀπαναςτρέφου πάλιν.
ὁ κονιορτὸς δῆλος αὐτῶν ὡς ὁμοῦ προςκειμένων.
ἀλλ᾽ ἀμύνου καὶ δίωκε καὶ τροπὴν αὐτοῦ ποιοῦ.

Auch hier haben wir innerhalb weniger Verse der Wiederholungen genug; und doch steht selbst RArnoldt nicht an, sie dem einzigen Demosthenes zu geben. — Anderwärts legt RArnoldt auf Wiederholungen des ganzen Gedankens Gewicht[2]); so sollen sich in 'Wespen' III die beiden Gedanken 'du bist ein Tyrann!' und 'wir werden dich schon strafen', in 'Acharner' II 'du hast dich mit den Lakonern verbündet!' und 'du sollst uns büfsen!' wiederholen. Auch das macht den Vortrag durch eine Person unmöglich. Seltsamer Schlufs! in wieviel Teile sollen wir denn den alten Strepsiades zerlegen, der im Nebenagon und dessen Proagon doch auch nur denselben Gedanken τὸν πατέρα τύπτεις! unzählige Mal variiert, oder den Probulen mit seinem immer wiederholten δεινόν γε λέγεις? — Was endlich die von RArnoldt betonten Gedankensprünge anbelangt, so weisen deren z. B. die ῥήςεις des Dikaiopolis die

---

1) S. 7, mit besonderer Bezugnahme auf die Parodos der 'Wespen'. — 2) Anderswo (die chorische Technik des Euripides S. 140) sagt RArnoldt freilich: *die wiederholte Einschärfung aber des bedeutsamsten Gedankens am Schlufs kann auch im Munde derselben Person nicht befremden.* Oder sollte der Nachdruck auf *am Schlufs* liegen? Dann möchte ich nach der Logik fragen.

Fülle auf. Eins scheint er mir aber mit Recht hervorzuheben; dieselbe Person, welche die auf S. 252 ausgeschriebene Frage an Strymodoros gerichtet hat, kann nicht zugleich die Antwort πάρεcθ', ὃ δὴ λοιπόν γ' ἔτ' ἔcτιν ·gesprochen haben; an dieser Stelle ist deutlich eine Commissur zu erkennen, die ich oben zur Scheidung des Epirrhemas vom Antepirrhema benutzt habe.

Doch liegt es mir fern, eine Arbeit wie die RArnoldts mit dem Gesagten abgefertigt haben zu wollen. Er hat Anrecht darauf, dafs vor allen Dingen seine Resultate geprüft werden.

RArnoldt teilt jede der oben genannten Partien in 24 bezw. 48 ('Wespen', 'Eirene') oder 12 ('Lysistrate'-Parodos, 'Thesmophoriazusen', 'Ekklesiazusen') Kommata ein, die der einfachen, oder doppelten, oder halben Anzahl der Choreuten entspricht. Dabei ergiebt sich die auffallende Erscheinung, dafs die metrische Gliederung der Partien bald der Gliederung des Chors nach Zyga, bald der nach Stoichoi entspricht. So hat von den 4 metrischen Teilen von 'Wespen' I jedes 6 Kommata, ganz 'Acharner' II (abg. vom Kommation) 20 Kommata, von denen je vier auf die Oden kommen. In der Tat ein seltsames Zusammentreffen — wenn es nur ungezwungen wäre! Das ist es aber in den seltensten Fällen, und auch da ist nur soviel wahr, dafs bei den amoebaeischen Oden der Chor bald 3 (also mit der Antode zusammen 6 = Stoichos) bald 4 (= Zygon) mal zur Sprache kommt, was in dem geringen Umfang jener Oden seinen natürlichen Grund hat. Die übrigen Fälle lassen sich in zwei Rubriken unterbringen. Zur ersten gehören die nichtamoebaeischen Oden und Epirrhemen; da ist die Einteilung willkürlich, da alle Kriterien zu einer rationellen Scheidung der Kommata fehlen. Symmetrie der Kommata wird nicht verlangt; dafs ein Komma erst mit dem Verse abschliefse, auch nicht (Ach. 324); es bleibt — die Interpunction, und der äufserst schwanke Begriff 'Sinnesabschnitt'.[1]) Was

---

1) Wie viel Sinnesabschnitte bilden z. B. die Worte des Chores (Wesp. 309 ff.) ἀπαπαῖ, φεῦ, ἀπαπαῖ, φεῦ, μὰ Δί' οὐκ ἔγωγε νῦν οἶδ' ὁπόθεν γε δεῖπνον ἔcται? Bei RArnoldt zwei. Warum nicht drei, oder vier, oder fünf?

hindert uns nun, z. B. den ersten Abschnitt von 'Wespen' I statt in 6 vielmehr in 7, 8, 9 oder 10 Kommata (V. 230, 231, 232, 233, 235, 240, 241, 242, 244 b, 246) zu zerlegen? Die Unwahrscheinlichkeit würde um nichts gröfser werden. — Zur zweiten Rubrik gehören die amoebaeischen Epirrhemen. Hier würde sich ein ganz sicheres Kriterion finden, da die Partie des Chors durch das Dreinreden der Agonisten gegliedert ist; aber mit dieser Gliederung kann RArnoldt nichts anfangen. So haben die Epirrhemen von 'Wespen' III zehn Kommata; RArnoldt kann aber nur sechs brauchen. Also giebt er das erste dem Bdelykleon (V. 416)

ὠγαθοί, τὸ πρᾶγμ᾽ ἀκούσατ᾽, ἀλλὰ μὴ κεκράγατε
νὴ Δί᾽ ἐς τὸν οὐρανόν τ᾽, ὡς τόνδ᾽ ἐγὼ οὐ μεθήσομαι.[1]

Aber sollte es RArnoldt wirklich entgangen sein, dafs der Gebrauch von νὴ Δία in negativen Sätzen absolut ungriechisch ist? Und damit ist auch blofs ein Komma weggeschafft; es bleiben noch drei überzählige. Diese giebt RArnoldt dem Koryphaios, der sie *aufser der Reihe* spricht. Meinetwegen; aber kann unter solchen Umständen die Rede sein von jenem *sicheren Anhalt* jener *rücksichtslosen Controle, welche nur die Zahl und die Berechnung zu bieten im Stande ist*, und auf welche sich RArnoldt S. 29 nicht wenig zu Gute tut? — In den Epirrhemen von 'Acharner' II haben wir zehn Kommata des Chors, wir brauchen aber zwölf. Daher spaltet RArnoldt das Distichon V. 333 f. in zwei Kommata und giebt damit das einzige Kriterion auf — die Gliederung durch die Zwischenreden des Agonisten. Nun wäre nur noch eins notwendig; RArnoldt giebt V. 324 μηδαμῶς, ὠχαρνικοί dem Chor, so dafs jetzt ein Komma gar unter drei Choreuten verteilt wird.[2]

---

1) Bei der Gelegenheit möchte ich bemerken, dafs JRichter mit vollem Recht den Handschriften folgt und den ersten Vers Bdelykleon, den zweiten dem Chor giebt. Die anderen nehmen am Worte μεθήσομαι Anstofs; weil es Bdelykleon ist, in dessen Gewalt sich der Alte befindet, deshalb kann der Chor das Wort 'unmöglich' gebrauchen. Aber man vergleiche doch nur Fr. 850, wo Euripides das Wort gebraucht, obgleich der Thron im Besitz des Aischylos ist; man sieht daraus, dafs μεθίεσθαι überhaupt 'aufgeben' bedeutet. Zur Wendung vgl. auch Ach. 340. —
2) Eine unnötige Gewaltsamkeit; warum spaltet RArnoldt nicht lieber

Jetzt ist die ganze zweite Parodos mit Ausnahme des Kommations unter fünf Zyga verteilt; wer sprach das Kommation? Nach RArnoldt das erste Zygon, das schon die erste Parodos vorgetragen hatte, so dafs dieses ganz allein zweimal zu Worte kommt. — In den 'Rittern' machte es die grofse Confusion der Personenverteilung RArnoldt sehr leicht, für seinen Chor soviel Kommata auszusuchen, als er gerade brauchte, und das übrige Demosthenes zu geben; wenn ich oben Recht hatte mit meinem Nachweise, dafs der Chor in den Epirrhemen der Agone nicht reden darf, so ist damit auch RArnoldts Verteilung widerlegt. — In der 'Eirene' haben wir neun Kommata im Epirrhema — RArnoldt macht daraus zwölf; die erste und zweite Ode lassen sich — wenn man das Gesetz aufgiebt, wonach in antistrophischen Partien Personenwechsel an derselben Stelle stattzufinden pflegt[1]) — in je 6 Kommata zerstückeln; damit ist der erste Turnus fertig. Der zweite ist leicht herzustellen, da man ja das ὤ εἶα εἶα εἶα πᾶς ad libitum fortgesetzt denken kann; an der Überlieferung findet die Verteilung auch hier keine Stütze. — In den 'Vögeln' haben wir bis zu den Oden sieben Kommata des Chors; wir brauchen blofs sechs, daher werden jetzt, im Gegensatz zum früheren Verfahren, zwei Kommata (V. 322 u. 323 b) einem Choreuten gegeben. Die beiden Oden nebst den anhängenden Tetrametern werden unter die Choreuten des folgenden Stoichos verteilt. Dem dritten Stoichos müfste die Tetrameterscene V. 364—385 angehören; es sind fünf Kommata, aus denen RArnoldt nach der üblichen Methode sechs macht, nun bleibt nur noch ein Stoichos und die erste Zwischenscene V. 400—450. Aber es finden sich darin zwölf Kommata; RArnoldt läfst daher wieder den Koryphaios aufser der Reihe sprechen. — In der 'Lysistrate' II[2]) haben wir 34 (richtiger 35) Kommata, 17 auf jeden Halbchor; RArnoldt kann diese Zahl nicht brauchen, er

---

das Distichon 311 f. in zwei Kommata? — 1) Allerdings erleidet dies von FBamberger für Aischylos aufgestellte Gesetz bei Aristophanes eine Einschränkung 'wenn andere Personen dazwischenreden'. Hat auch diese Einschränkung an Aischylos eine Analogie? — 2) Wo RArnoldt obendrein den Fehler begeht, dafs er V. 350 f. zur Nebenparodos zieht, während sie metrisch zum Folgenden gehören.

läfst je die 6 ersten Choreuten einander ablösen und giebt
alles Folgende den sechsten. — Von der 'Nesteia' schweige
ich lieber; dafs RArnoldt selbst dort seine Verteilung durchführt, ist vielleicht am meisten geeignet, seine Methode in
Mifscredit zu bringen.[1])

Ich glaube gewissenhaft genug auf die Gründe RArnoldts
eingegangen zu sein und in keiner Weise mein *philologisches
Gewissen verhärtet* zu haben, trotzdem kann ich nicht umhin,
mein Endurteil in den Worten zusammenzufassen: von einem
wechselnden Einzelvortrag der Choreuten mufs gänzlich abgesehen werden. Haben wir das zu bedauern? es ist immer
traurig, wenn der Schatz, den einer gefunden zu haben glaubt,
sich am Sonnenlicht als ein Aschenhaufen erweist. Aber in
unserem Falle, denke ich, können wir uns trösten; an dem
Schatz ist nichts verloren.

Denn nun kann es herausgesagt werden: es ist eine unerträgliche, automatenhafte Action, die RArnoldt dem aristophanischen Chor aufbürden wollte. Wohl darf man zugeben
dafs es nichts Auffallendes wäre, wenn der Chor in der Parodos seiner Aufregung einzeln, nicht unisono oder durch den

---

1) Von sonstigen Bedenken, die sich gegen mehrere Gebilde
RArnoldts erheben, ist im Texte noch nicht die Rede gewesen. Man
betrachte nur das Gespräch der Alten mit den Knaben Wesp. 248 ff.
'Vater, nimm dich vor dem Kot in Acht.' — 'So nimm einen Stroh-
halm und tu' ein wenig den Docht heraus!' — 'Nein, ich will es lieber
mit dem Finger tun.' — 'Was fällt dir denn ein, du Schlingel!' —
'Wenn ihr uns noch einmal mit Fäusten tractiert, so löschen wir die
Lampen aus und laufen weg.' Nach RArnoldt sind es drei verschiedene
Knaben und zwei verschiedene Greise, die nach einander reden. Ebenso
im folgenden Gespräch V. 291 ff. Dagegen hat sich schon WChrist
(Teilung des Chors S. 176 ff.) mit Recht erklärt. — In der Parabase der
'Lysistrate' stehen die Halbchöre, 6 Mann hoch, einander gegenüber;
der sechste Greis sagt

αὐτὸ γάρ μοι γίγνεται
τῆς θεοῖς ἐχθρᾶς πατάξαι τῆςδε γραὸς τὴν γνάθον.

Es wird ihm geantwortet

οὐκ ἄρ' εἰςιόντα c' οἴκαδ' ἡ τεκοῦςα γνώςεται.

Wer spricht das? — doch wohl sein Vis-à-vis, die sechste Alte, deren
Backe er bedroht hat? Nein! die erste, vom anderen Ende.

ZIELINSKI, die Gliederung der altattischen Komoedie. 17

Mund des Koryphaios Luft machte; aber in diesem Falle —
wie möglicherweise in den 'Vögeln' — wäre ein regelloses,
wirres Durcheinander am Platze, nicht aber die langweilige
Ordnung RArnoldts, wonach sie, wie die Schulbuben, der eine
nach dem anderen auftreten und ihr Sprüchlein hersagen.

JRichter, der sonst vom Einzelvortrag nichts hält, läfst
sichs doch nicht nehmen, ihn wenigstens einmal zu statuieren,
Eir. 114 ff.; die Töchter des Trygaios singen erst vereint ein
Lied, dann richten sie nacheinander je eine Frage an ihren
Vater. Ich denke, wenn die Interpreten sich die Mühe geben
wollten, nach guter serapionischer Regel die Sachen erst 'anzuschauen', die sie dem Leser berichten, — man würde leichter
über manche Frage ins Reine kommen. Trygaios, auf seinem
Käfer wie auf einem Moquierstuhl sitzend und seinen sieben
vorlauten Töchtern nach einander Rede stehend.... Διόνυϲε,
πίνειϲ οἶνον οὐκ ἀνθοϲμίαν. Mit Recht erklärt sich RArnoldt
(S. 168) dagegen.

Dafs die Behandlung der Frage bei WChrist[1]) einen
wesentlichen Fortschritt gegenüber RArnoldt darstelle, läfst
sich nicht behaupten. Im Gegensatz zur strengen Consequenz,
mit der RArnoldt seine Gesetze in allen homogenen Compositionen durchführt, sehen wir bei WChrist den willkürlichsten
Eklekticismus walten. Einerseits läfst die Teilbarkeit der Verszahl einiger Parabasen i. e. S. durch 6 an den Vortrag durch
Zyga oder deren Vormänner (diese Alternative läfst WChrist
immer offen) denken[2]); andererseits stehen viele Parabasen
dem entgegen; ebenso läfst der Umstand, dafs viele parabatische Oden (durchgeführt an den 'Wolken') aus vier Perikopen bestehen, sowie dafs alle parabatischen Epirrhemen aus
$4 \times n$ Versen bestehen, den Gedanken aufkommen, dafs bei
deren Vortrag die Stoichoi in Anspruch genommen waren[3]);

---

1) Teilung des Chors im attischen Drama, in: Abh. d. Akad. d.
Wftn. zu München XIV, (1877) S. 159 ff.; zusammengefafst: Metrik[2]
S. 663 ff. — 2) a. O. S. 164 ff. Übrigens sind es nur drei Parabasen,
welche diese Teilbarkeit aufweisen, nämlich 'Acharner' (6×6), 'Ritter'
(6×6) und 'Eirene' (7×6) und auch diese nur dann, wenn man die Dimeter der Pnige in Tetrameter schreibt, was doch höchste Willkür ist.
— 3) a. O. S. 163, 209 ff.

dem stehen andere Oden entgegen sowie die Tatsache, dafs
die eurythmischen Strophen der Epirrhemen noch keine Sinnesabschnitte bilden; indessen mag doch in voraristophanischer
Zeit der Vortrag κατὰ cτοίχους üblich gewesen sein, und selbst
von den aristophanischen Komoedien mag z. B. die 'Eirene' [1])
also vorgetragen worden sein. Von Irrtümern hält sich WChrist
viel freier, als RArnoldt; oft trifft er das Wahre; im allgemeinen
aber drängt sich einem, der die beiden Arbeiten vergleicht,
die Überzeugung auf, dafs es zwischen Wahr und Falsch ein
Mittelding giebt, das viel schlimmer ist als dieses.

Die Arbeiten RWestphals sind gerade für unseren Abschnitt wenig ergiebig gewesen. Indem ich mir vorbehalte,
seine Ansichten sowie diejenigen der anderen Gelehrten gehörigen Ortes nachzutragen, lasse ich die positive Darstellung
folgen.

Es ist von FBamberger [2]) für den Vortrag der Chorgesänge § 3.
das Gesetz aufgestellt worden: *commos, qui colloquii saepe
partes habent, vel propterea a singulis choreutis cantatos esse pro-
babile est, quod abhorret a simplicitatis studio, quo tantopere ex-
celluerunt Graeci, universi chori concentum unius actoris colloquio
obstrepere.* Die Begründung entwaffnet jeden Widerspruch;
wenn ihr RArnoldt (S. 115) beipflichtet, so ist das psychologisch begreiflich; es wundert mich aber, dafs er daneben
noch ein anderes Gesetz aufstellt, das sich mit Beibehaltung
meiner Nomenclatur also ausdrücken läfst: in den Agonen
werden die Oden vom Gesamtchor, die Katakeleusmoi vom
Chorführer vorgetragen. Denn in einem Puncte collidieren
die beiden Gesetze aufs heftigste mit einander, nämlich in der
erhaltenen Ode des Agons der ersten 'Wolken' V. 457—477.[3])
In der Ode verhandelt der Chor mit Strepsiades; sie müfste
also nach dem FBamberger'schen Gesetz dem Chorführer gegeben werden; aber ihr folgt ein Katakeleusmos, also gehört
sie in den RArnoldt'schen Fall B, der eben alle agonischen

---

1) S. 164 ff., hier namentlich weil die Epirrhemen dialogischen
Charakter haben. Aber das Gespräch wird ja doch blofs referiert! —
2) Opusc. S. 4. - 3) Übrigens gehören alle durch Mesoden unterbrochenen
Oden dahin, und streng genommen alle Oden, da sie doch auch Anreden
an die Schauspieler enthalten.

17*

Oden umfafst. Das zweite Gesetz nimmt auf die Metra, den
Übergang aus der lyrischen in die epische Composition Rücksicht; das Gesetz FBambergers, das ihm widerspricht, wirft
alles durcheinander. Befreien wir uns also von ihm.

Zum Ersatz möchte ich ein anderes Gesetz aufstellen, das
sich hoffentlich stichhaltig erweisen wird: wenn an irgend
einer Stelle einer Chorpartie der Chor durch einen Agonisten
vertreten werden kann, so kann man sicher folgern, dafs diese
Stelle nicht für den Vortrag durch den Gesamtchor, sondern
für den Vortrag durch einen Choreuten bestimmt war. Mit
anderen Worten: der Choreut kann sich durch einen
Agonisten vertreten lassen, der Gesamtchor nie.

Die Wirksamkeit dieses Gesetzes erstreckt sich nach zwei
Seiten hin.

Zunächst ist es gültig für Chorgesänge, die in antistro-
phischem Verhältnis zu einander stehen. Als Beispiel mögen
die Gephyrismoi der Fröscheparodos dienen. Sie bestehen aus
vier Strophen zu sechs Versen[1]), die sich folgendermafsen unter
die Sänger verteilen

$$\text{I}\begin{cases}\text{Chor}\\\text{Chor}\end{cases}\quad\text{II}\begin{cases}\text{Chor}\\\text{Chor}\end{cases}\quad\text{III}\begin{cases}\text{Chor}\\\text{Dionysos}\end{cases}\quad\text{IV}\begin{cases}\text{Chor}\\\text{Dionysos, Xanthias.}\end{cases}$$

In der zweiten Strophenhälfte tritt für den Chor Dionysos[2]) ein; also war mindestens diese Partie nicht Leistung
des Gesamtchors. Da es jedoch absurd wäre, anzunehmen,
dafs die eine Hälfte der Strophe vom Gesamtchor, die andere
metrisch identische von Solostimmen vorgetragen worden wäre,
so werden wir mit Recht die Gephyrismoi überhaupt Einzelchoreuten in den Mund legen. Der Gesamtchor mag sich an
Ephymnien beteiligt haben, die vielleicht aus blofsen Interjectionen bestanden und daher in den Text nicht aufgenommen
wurden.[3])

---

1) Oder auch aus zwei Strophen zu zwölf, oder acht zu drei Versen;
das Resultat bleibt dasselbe. — 2) Man darf das nicht so auffassen, als
ob Dionysos den Chorgesang unterbreche. Erstens bleibt ja Dionysos
in derselben Melodie; und zweitens ist das Spottlied auf Kallias dem
Sinne nach beendet. — 3) Hiemit trete ich der ganz principlosen

Dies zur Erklärung meines Gesetzes; doch wird der Leser mit Recht nach seiner Begründung fragen. Diese ist im Geiste der antistrophischen Responsion enthalten, die empfindlich gestört sein würde, wenn einem immerhin unisonen Chorgesang in der Antistrophe eine Einzelstimme entspräche. Das wäre aber nicht alles; die Ungleichmäfsigkeit in der Stimmenzahl würde notwendigerweise eine andere zur Folge haben müssen. Eine Choralmelodie eignet sich nicht zum Einzelvortrag, eine Monodie nicht zum Choralgesang; im ersten Fall würde die kunstlose Einfachheit sich unerträglich nüchtern ausnehmen, im anderen Falle die reiche Rhythmisierung den Eindruck des Verworrenen machen. Das war den Alten ebenso wohlbekannt wie uns.[1])

Ein weiteres Beispiel. Ach. 929—939 == 940—951 ist fünfteilig und gliedert sich eurythmisch und symmetrisch wie folgt:

Chor . . . . . . 4.	=	4. Chor
Dikaiopolis . . 4.	=	4. Dikaiopolis
Chor . . . . . . 1.	=	1. Chor
Dikaiopolis . . 1.	=	1. Boiotier
Dikaiopolis . . 4.	=	4. Chor.

Im fünften Teile wird demnach Dikaiopolis durch den Chor vertreten; ein deutliches Anzeichen, dafs wir auch hier keinen vollen Chorgesang, sondern Solostimmen vor uns haben.[2]) Sehr lehrreich ist der Vergleich dieses Amoibaions mit

---

Verteilung RArnoldts (S. 159), der je die eine Strophenhälfte dem Koryphaios, die andere dem Gesamtchor giebt, allerdings entgegen; doch darf ich behaupten, dafs meine Annahme naturgemäfser ist. Wir werden in die Urzeit der Komoedie, in die Zeit der Improvisationen versetzt; improvisieren kann aber nur ein Einzelner, nicht der Chor. — Die Spielereien von FVFritzsche (z. d. St.), REnger (Fl. Jb. 77 S. 311) und ArVelsen übergehe ich. — 1) Aristot. probl. XIX, 15 fragt, warum die Dithyramben, als sie mimetisch wurden, die antistrophische Composition aufgaben: αἴτιον δὲ ὅτι τὸ παλαιὸν οἱ ἐλεύθεροι ἐχόρευον αὐτοί· πολλοὺς οὖν ἀγωνιστικῶς ᾄδειν χαλεπὸν ἦν, ὥστε ἐναρμόνια μέλη ἐνῇδον· μεταβάλλειν γὰρ πολλὰς μεταβολὰς τῷ ἑνὶ ῥᾷον ἢ τοῖς πολλοῖς, καὶ τῷ ἀγωνιστῇ ἢ τοῖς τὸ ἦθος φυλάσσουσιν· διὸ ἁπλούστερα ἐποίουν αὐτοῖς τὰ μέλη, ἡ δὲ ἀντίστροφος ἁπλοῦν· ἀριθμὸς γάρ ἐστι καὶ ἑνὶ μετρεῖται. — 2) Das nimmt auch RArnoldt (a. O. S. 119) an, allerdings auf Grund des FBamberger-

Ach. 1008—1017 = 1037—1046, oder Eir. 856—867 =
909—921, oder Vög. 1313—1322 = 1325—1334, wo aufs
strengste dem Chorgesang der Chorgesang, der Solostimme
die Solostimme (Dikaiopolis oder Trygaios oder Peithetairos)
entspricht. Der Umstand, dafs im Amoibaion Wesp. 863 ff.
der Vers 868, der dem V. 885 des Chores entspricht, in den
Handschriften Bdelykleon gegeben wird, könnte uns veranlassen, auch hier Einzelvortrag zu statuieren; doch dürfte es
geratener sein, den fraglichen Vers mit WDindorf[1]) dem Chor
zu geben. Auch Eir. 346 ff. = 385 ff. = 582 ff. darf uns
V. 389, den Trygaios spricht, nicht verleiten, die Oden einem
Einzelchoreuten zu geben; die Antode zu 346 ff. ist 582 ff.
und nur mit bedeutenden Variationen kehrt das Metrum in
385 ff. wieder. Eir. 459—472 = 486—499 ist die Entsprechung genau, wenn man[2]) nur berücksichtigt, dafs in den ersten
Zeilen das antwortende ὦ εἶα dem Chor gehört. Dagegen
haben wir Vög. 406 ff. ein Amoibaion, in dem jeder Frage
des Chors die Antwort des Kuckucks antistrophisch entspricht[3]);
es ist also ein Choreut, der mit dem Kuckuck verhandelt.

Doch ist das blofs die eine Seite der Wirksamkeit meines
Gesetzes. Die andere ist die historische.

Ich darf den Grundgedanken, mit dem meine Abhandlung
steht und fällt, — die Idee der epirrhematischen Composition
als des gemeinsamen Princips, das mit geringen Modificationen
in den drei Hauptgebilden der ionischen Komoedie als Parodos, als Agon, als Parabase wiederkehrt — wohl als erwiesen
betrachten. Welche Erscheinungsform dieser Idee haben wir
aber als die älteste zu betrachten? Und was lehren uns die
Modificationen, die sie im Laufe der Zeiten in den beiden
anderen erlitten hat?

Dafs der Chor den Urkern der Komoedie wie der Tragoedie gebildet hat — das steht fest, und damit ist auch das
höhere Alter der Parabase über der aristophanischen Form

---

schen Gesetzes, das ihn zwingt, auch für die folgenden Chorika Einzelvortrag zu statuieren. — 1) und JRichter, dessen Verteilung hier übrigens
ganz willkürlich ist. — 2) mit JRichter. Auch gegen die Verteilung ItAr-
noldts (S. 66 f.) würde sich, abgesehen von den Einzelchoreuten, nichts
einwenden lassen. — 3) Nach TKocks einzig richtiger Verteilung.

des Agons[1]), das höhere Alter der rein chorischen Parodos über
der anderen, in der Chor und Agonisten mitwirken, erwiesen.
Der Übergang also aus der Urform des Agons in die aristophanische bestand darin, dafs der Chor im Epirrhema sich
durch einen Agonisten vertreten liefs; nur als Erinnerung an
seine frühere Bedeutung behielt er die Katakeleusmoi — ein
augenscheinlich jüngeres, weil entbehrliches Element.

Wenn aber für den Chor ein Agonist eintreten konnte,
so folgt daraus wohl, dafs dieser 'Chor' nie als Gesamtchor,
sondern nur in der Person eines Choreuten tätig war; denn
so lautet das Gesetz: der Einzelchoreut kann durch einen
Agonisten vertreten werden, der Gesamtchor nie.

Ist aber dem so, so haben wir eine neue Bestätigung des
alten, leider noch immer nicht allgemein anerkannten Satzes
gewonnen: die Oden werden in der Regel vom Chor[2]),
die Epirrhemen von einzelnen Choreuten vorgetragen.
Doch darf ich bei dem gegenwärtigen Stand der öffentlichen
Meinung wohl erwarten, dafs gerade dieser Satz auf keinen
zu starken Widerspruch stofsen wird[3]); im Notfall liefse er
sich durch den Hinweis auf die Epirrhemen der Wespenparodos, oder auf das Verhältnis der Katakeleusmoi zu den
Oden[4]) stützen.

Consequenterweise müssen wir den Satz auch auf die trimetrischen Syzygien ausdehnen, die nach dem Vorbild der
tetrametrischen sich richten; wo also der Chor im Dialog
redet, tut er es durch einen Choreuten.

Wir sehen also, dafs dem metrischen Unterschied zwischen
den periodisch componierten Oden und den stichisch componierten Epirrhemen ein anderer zur Seite steht; einen dritten
wird der zweite Abschnitt liefern.

Mit dem Gesagten ist jedoch nur der Wechsel der lyrischen und epischen Teile in der epirrhematischen Composition,
nicht die kanonische Zweiteiligkeit dieser letzteren erklärt;

---

1) Nicht über dem Agon überhaupt. — 2) Ich sage mit Absicht
nicht: vom Gesamtchor. — 3) Wer freilich die aristotelische Definition
der Parodos als der πρώτη λέξις ὅλου τοῦ χοροῦ in dieser Form auf die
Komoedie anwenden will, der wird sich nicht überzeugen lassen. —
4) CMuff, über den Vortrag S. 15 ff.; RArnoldt a. O. S. 115 ff.

ebensowenig ist die Überschrift gerechtfertigt, die ich diesem Abschnitt gegeben habe.

§ 4.   Für die metrische Entsprechung zweier lyrischen Partien ist uns der Name 'antistrophisches Verhältnis' geläufig; die eine von den zweien nennen wir Strophe, die andere Antistrophe. In diesen Wörtern ist jedoch mehr enthalten, als die Bezeichnung metrischer Entsprechung; oder vielmehr, von dieser gerade ist nichts darin enthalten. Was uns die beiden Wörter unzweideutig berichten, ist eine orchestische Eigentümlichkeit; die Strophe entsprach der Wendung der Sänger nach irgend einer Richtung, die Antistrophe der Rückwendung. Begreiflicherweise konnte die Rückwendung nur von denjenigen Personen vollzogen werden, die auch die Wendung ausgeführt hatten; mit anderen Worten, die Sänger der Strophe sangen auch die Antistrophe. Diese Auffassung, die schon aus den Namen selber hervorgeht, wird uns zum Überfluß durch unverdächtige Zeugnisse aus dem Altertum bestätigt; so sagt der Grammatiker Atilius[1]: 'Olim carmina in deos scripta ex his tribus constabant: circumire aram a dextra strophen vocabant, redire a sinistra antistrophen, post eum in conspectu dei consistentes canticis reliqua pergebant, epodon. Hier lernen wir zugleich den hieratischen Ursprung der antistrophischen Composition, sowie die Zugehörigkeit der Epode zu ihr kennen.

Die drei Namen begegnen uns in der dorischen Lyrik, als deren Archeget in dieser Beziehung Stesichoros gilt[2]), sowie in der attischen Tragoedie wieder. Dafs sie noch nicht bedeutungslos geworden waren, davon können wir uns leicht überzeugen; der Übergang des Gedankens aus der Strophe in die Antistrophe — häufig bei Pindar, nicht selten bei den Tragikern — lassen keinen Zweifel daran zu, dafs in Lyrik und Tragoedie sowohl die Strophe wie auch die Antistrophe vom selben, also wohl vom gesamten Chor gesungen wurde.[3])

---

1) p. 295 Keil; cf. Marius Victorinus I, 16, 2; Schol. Eur. Hec. 647. WChrist, Teilg. d. Chors S. 199. — 2) τὰ τρία Cτηcιχόρου; Zenob. in EMiller Mélanges I, 23. Cf. übrigens OCrusius, Anal. crit. in paroem. gr. 97 A1. — 3) Auf die Frage nach der Verwendung der Chormassen in der Tragoedie komme ich unten (§ 5) zurück.

Die Namen Strophe und Antistrophe — echte Epoden sind nicht nachweisbar — begegnen uns freilich auch in der aristophanischen Komoedie — d. h. in der heliodoreischen Kolometrie; aber für den Leser dieser Zeilen bedarf es nicht erst des Nachweises, dafs sie mitsamt der ganzen Nomenclatur der Tragoedie entnommen sind. Fänden wir daher zur Bezeichnung der metrisch sich entsprechenden lyrischen Partien bei Aristophanes andere Namen — wir würden ihnen als den originellen unzweifelhaft den Vorzug geben.

Wir finden sie auch — und zwar im Herzen der Komoedie, im einzigen Teil, für den uns ein Bruchstück echter Nomenclatur erhalten ist. Die lyrischen Teile der Parabase heifsen nicht Strophe und Antistrophe — sie heifsen ᾠδή und ἀντῳδή[1]). Nun sind die Neueren zwar gewöhnt, beide Paare als gleichbedeutend zu betrachten: dafs diese Auffassung jedoch verfehlt ist, lehrt die Etymologie und der Gebrauch des Wortes ἀντῳδή. Was bedeutet ἀντᾴδειν? Doch wohl 'singend antworten'. So wenn sich Echo bei Aristophanes (Thesm. 1059) λόγων ἀντῳδός nennt; oder wenn anderwärts (Ekkl. 887) das Mädchen der verliebten Alten zu ἀντᾴσεσθαι verspricht. Wie also in den Wörtern στροφή und ἀντίστροφος die Forderung ausgesprochen liegt, dafs beide Lieder von denselben Personen gesungen werden, so lassen die beiden Ausdrücke ᾠδή und ἀντῳδή mit grofser Sicherheit das umgekehrte Verhältnis, den Vortrag durch zwei verschiedene Personen oder Gruppen erschliefsen. Das bestätigt uns zunächst Pollux, bei dem wir den Ausdruck ἀντᾴδειν gerade mit Beziehung auf die Antichorie angewandt finden.[2]) Das bestätigt uns ferner Aristarch, wie RArnoldt[3]) hübsch nachweist, und die auf diesen Ge-

---

1) Daneben freilich στροφή und ἀντίστροφος. — 2) IV. 107. . . . καὶ ἡμιχόριον δὲ καὶ διχορία καὶ ἀντιχόρια. ἔοικε δὲ ταὐτὸν εἶναι ταυτὶ τὰ τρία ὀνόματα· ὁπόταν γὰρ ὁ χορὸς εἰς δύο μέρη τμηθῇ, τὸ μὲν πρᾶγμα καλεῖται διχορία, ἑκατέρα δὲ ἡ μοῖρα ἡμιχόριον, ἃ δὲ ἀντᾴδουσιν, ἀντιχόρια. Ich habe freilich das Pragma Antichorie genannt, weil ich den Ausdruck Dichorie für die andere Erscheinung — die erst in der üppigsten Blüte der Komoedie nachweisbare Verwendung eines Nebenchors neben dem Hauptchor brauchte. — 3) S. 182. Die entschiedene Betonung und Durchführung der Antichorie gegenüber den wohlfeilen pseudoaesthetischen Bedenken JRichters und anderer ist sicher das Hauptverdienst dieser

lehrten zurückgehenden Personenbezeichnungen der besten
Handschriften, die in vielen Fällen die parabatischen Oden
den einzelnen Halbchören zuteilen. Endlich ist eine Spur dieser
Auffassung in den trüben Nachrichten zurückgeblieben, die
uns über den Vortrag der Parabase erhalten sind. Wenn es
heifst, dafs beim Vortrag der διπλᾶ die Choreuten sich ἀντι-
πρόcωπον ἀλλήλοις stellten, so ist damit allerdings noch nicht
Hemichorienvortrag bezeugt, aber doch die Chorstellung, die
sich mit diesem am leichtesten in Zusammenhang bringen läfst.

Auch hier dürfen wir alle Partien, auf die sich die epirrhematische Composition erstreckt, unter demselben Gesichtspunct zusammenfassen. Und nun beantwortet sich die Frage
nach jenem Choreuten, der das Epirrhema recitierte, von selbst;
es kann nur der Führer des entsprechenden Halbchors gewesen sein. Wir geben demnach die Ode dem rechten Halbchor, das Epirrhema dem rechten Halbchorführer, der zugleich
Koryphaios war, die Antode dem linken Halbchor, das Antepirrhema dem linken Halbchorführer — vom Standpuncte
der Zuschauer betrachtet.

Warum nicht umgekehrt? Dafs das Verhältnis in der
Tat so war, wie ich es annehme, das beweist folgende Stelle
aus der Parodos der 'Vögel' — über deren Composition
übrigens erst im vierten Abschnitt gehandelt werden kann.
Es wird die Antode gesungen; hierauf bemerkt der Halbchorführer (V. 352 f.)

  ἀλλὰ μὴ μέλλωμεν ἤδη τῷδε τίλλειν καὶ δάκνειν.
  ποῦ᾽ cθ᾽ ὁ ταξίαρχος; ἐπαγέτω τὸ δεξιὸν κέρας.

Also erstens: die Sänger der Antode bilden nicht das
δεξιὸν κέρας, unter dem sonach die Sänger der Ode zu verstehen sind; zweitens: der Anführer des δεξιὸν κέρας, dem
beim Sturm auf die Bühne der Vorrang gebührt — wohl aus
dem einfachen Grunde, weil die κλῖμαξ für die Entwickelung
der ganzen Front zu eng war — ist der Taxiarch, d. h. der
Koryphaios.[1]) Der Standort des rechten Halbchores hiefs

Schrift. Charakteristisch ist der Grund, warum JRichter die Antichorie in der Komoedie verwirft: weil die 15 Choreuten der Tragoedie
keine Halbierung zulassen (Vespae proll. S. 74). — 1) Anders FWieseler
(Advv. in Aesch. Prom. et Ar. Av. 93 f.); nach ihm spricht der Koryphaios

schlechthin τὸ δεξιὸν κέρας, daher ruft Demosthenes (Ri. 243) dem Chore zu

ὦ Cίμων

ὦ Παναίτι', οὐκ ἐλᾶτε πρὸς τὸ δεξιὸν κέρας;

Er wendet sich begreiflicher Weise an den Halbchor, der zuerst erscheinen mußte; Simon ist der Hipparch, d. h. der Koryphaios, Panaitios sein Parastat, der Führer des zweiten Stoichos. Mit der Antichorie hängt auch wohl die Notiz Aelians (?) zusammen (Fgm. 286 Hercher) Ἀριστόγονος οὖν Διονύcου μύcτης, λαμπαδεύεcθαι μέλλων εἶτα μέντοι τὰ δεξιὰ παρείθη μέλη, die, wie man aus der Erwähnung der Lampas schließen kann, uns in den Komos der Anthesterien[1] und damit in die Urkomoedie versetzt. Möglicherweise auch die allerdings noch weniger verständlichen Worte des Pherekrates Fgm. 145 K. Die Musik klagt, daß Kinesias sie

ἀπολώλεχ' οὕτως, ὥcτε τῆς ποιήceως

τῶν διθυράμβων, καθάπερ ἐν ταῖς ἀcπίcιν[2])

ἀρίcτερ' αὐτοῦ φαίνεται τὰ δεξιά.

Hiermit ist die Antichorie für die altattische Komoedie wohl hinreichend bezeugt; nach den so beliebten 'inneren Gründen' dafür zu fahnden dürfte gewagt sein. Die Behandlung der Frage für die Tragiker hat in abschreckender Weise gezeigt, wie es einem dabei ergehen kann: während die einen allenthalben 'Parallelismus der Gedanken' in Strophe und Antistrophe entdeckten und darin 'unverkennbare' Indicien für Hemichorienvortrag sahen, weisen nach anderen dieselben Chorika offenbaren Gedankenfortschritt in Strophe und Antistrophe auf, ein ebenso 'unverkennbares' Anzeichen, daß Vor-

---

als Stratarch diese Worte. Die Frage ist eigentlich höchst gleichgültig; wenn wir uns aber einmal auf solche Düfteleien einlassen, müssen wir doch FWieseler Unrecht geben. Es wäre doch höchst sonderbar, wenn der vom Koryphaios angeführte Halbchor die Antode, nicht die Ode gesungen hätte. — 1) S. AMommsen, Heortologie S. 355. — 2) Versteht jemand TKocks Erklärung 'ἀcπίδες sunt ordines militum'? Der Dichter sagt, 'rechts erscheint bei ihm links wie . . .' im Spiegel, würden wir ergänzen. Und daß ἀcπίς denselben Sinn giebt, beweist Ach. 1128. Der attische Hoplite — und solche bildeten ja den besten Teil des Publicums — hatte um jene Zeit öfter Gelegenheit, sich in seinem Schilde zu spiegeln, als im κάτοπτρον, dessen Gebrauch für weibisch galt.

trag durch den Gesamtchor anzunehmen ist. So würden sich
auch die meisten Chorgesänge des Aristophanes als jener
Zauberspiegel erweisen, der jedem das zeigt, was er gerade
sehen will. Doch will ich damit keineswegs die Methode
RArnoldts verurteilt haben, der (S. 174) für Fr. 814 ff. und
Wesp. 1450 ff. in recht gefälliger Weise Hemichorienvortrag
nachweist. Aber das sind Stasima; wir wenden uns zunächst
den Syzygien zu.

Dafs die Antode der zweiten Syzygie der 'Acharner'
(V. 566 ff.) blofs von einem Halbchor, bezw. dem Führer eines
solchen vorgetragen wurde, geben selbst die Skeptiker zu.
Die Entzweiung des Chores wurde erst durch das Antepirrhema dieser Syzygie (V. 496 ff.) hervorgerufen; als die Ode
gesungen wurde, war der ganze Chor Dikaiopolis feindlich
gesinnt. Wer nun für die Chorgesänge des Aristophanes
überhaupt Vortrag durch den Gesamtchor annimmt, mufs es
auch für diese Ode tun; aber wo bleibt dann die Symmetrie,
wenn die Ode vom ganzen Chor, die Antode von einem Halbchor gesungen wird? Erst durch die Antichorie wird eine
Symmetrie möglich. Dem Herkommen nach singt V. 359 ff.
(I. Syz. Ode) der rechte Halbchor, bezw. dessen Führer — diese
Alternative lassen wir vorläufig offen —, V. 385 ff. (I. Syz.
Antode) der linke, V. 490 ff. (II. Syz. Ode) wieder der rechte,
V. 566 ff. (II. Syz. Antode) wieder der linke, der durch die
Rhesis aufs höchste gereizt worden ist, endlich im Agon —
genau nach meiner Annahme oben S. 60 — der rechte,
freundliche, die Ode, der linke, nicht mehr feindliche, die Antode.

Von der Parodos der 'Ritter', die keine Ode besitzt, wurde
natürlich das Epirrhema vom rechten Halbchorführer, das
Antepirrhema vom linken vorgetragen[1]); das folgende ἁπλοῦν,
soweit es dem Chor gehört[2]), vom Koryphaios, der zugleich
Führer des rechten Halbchors war. Seine Worte (V. 271 f.)

ἀλλ' ἐὰν ταύτῃ γε νικᾷ, ταυτῃὶ πεπλήξεται,
ἢν δ' ὑπεκκλίνῃ γε δευρί, τὸ σκέλος κυρηβάσει

---

1) So schon REnger Fl. Jb. 69, S. 361, der aber mit Unrecht die
Epirrhemen den Halbchören giebt; ähnlich GDroysen, HSauppe (ep. crit.
S. 116) und TKoek. RArnoldts Polemik (S. 47) trifft den Kern der
Frage nicht. — 2) Also wohl nur in den ersten vier Zeilen (V. 269—273),

sind zwar verderbt[1]), aber ihr Sinn verständlich. 'Wendet er
sich dorthin (d. i. links), so wird er dort geschlagen werden;
wendet er sich hieher, so wird es ihm übel bekommen.' Auch
hier haben wir also Antichorie bezeugt.

In der Parodos der 'Wespen' geht der epirrhematische
Teil dem odischen voraus; auf die Frage an Strymodoros, ob
Euergides und Chabes da seien, antwortet — doch offenbar der
Angeredete — 'o ja, es sind alle da, die von unseren ehemaligen
Kameraden noch am Leben sind'.[2]) Hat also bis V. 234 ein
Choreut — der Führer des rechten Halbchors, der Koryphaios —
geredet, so redet jetzt ein anderer, Strymodoros. Und wer ist
dieser letztere? warum erkundigt sich der Koryphaios gerade
bei ihm nach Chabes und Euergides? Ich denke weil diese
letzteren nicht zu seinem, sondern zum linken Halbchor gehörten, dessen Führer Strymodoros war. Und nun ist es wohl
nicht Zufall, daſs die Antwort des Strymodoros (V. 235—239)
gerade so lang ist, wie die Rede des rechten Halbchorführers
(V. 230—234); wir werden in diesen beiden Abschnitten das
Epirrhema und das Antepirrhema zu erkennen haben. Das
Folgende (V. 240—247) fällt als ἁπλοῦν dem Koryphaios zu;
an ihn, der in der vordersten Reihe marschiert, wendet sich
auch der Knabe, was das folgende Gespräch veranlaſst (V.
248—258). Nun bleiben noch V. 259—272; sie enthalten
zwei Gedanken: daſs es bald regnen müsse, und warum Philokleon nicht erscheine. Der Übergang vom einen zum
anderen ist sehr schroff; fast sicht es aus, als wäre der
Wetterprophet in seinen Betrachtungen unterbrochen worden;
und da uns zwei Einzelchoreuten zur Verfügung stehen, und
da auſserdem die Commissur den Abschnitt in zwei gleiche
Teile teilt, so wird es erlaubt sein, den ersten (V. 259—265)

die eine Art Sphragis bilden; das folgende (V. 274—276 f.) ist dem
Demosthenes zu geben, damit die Choreuten Zeit haben, abzusteigen
und die Rosse wegführen zu lassen. — 1) Fehlerhaft ist sicher νικᾷ, was
im Widerspruch steht mit πεπλήξεται; denn daſs unter ταύτῃ und ταυτηί
dasselbe zu verstehen ist, ist wohl klar. Wir erwarten den Begriff 'sich
wendet, durchzuschlüpfen versucht'. Zu ergänzen ist übrigens sicher
nicht πάλῃ, da dann das folgende δευρί keinen Sinn giebt; vielmehr hat
ταύτῃ die gewöhnliche adverbielle Bedeutung. — 2) πάρεσθ' bedeutet
doch wohl πάρεστι, nicht πάρεστε.

als Epirrhema dem Führer des rechten Halbchors, den anderen
(V. 266—272) als Antepirrhema dem Führer des linken Halbchors zu geben. Damit ist die Einteilung, die ich oben (S. 134)
durchgeführt habe, gerechtfertigt.

Die Sphragis gehört, wie alle ἁπλᾶ, dem Chorführer; das
führt uns auch V. 728—729 über eine scheinbare Verlegenheit
hinweg. Hier schliefst sich ohne Interpunction die erste Syzygie (Ode) an den Agon (Sphragis)

728   ἀλλ' ὦ τῆς ἡλικίας ἡμῖν τῆς αὐτῆς ϲυνθιαϲῶτα,

729   πιθοῦ, πιθοῦ λόγοιϲι, μηὸ' ἄφρων γένῃ.

Das hat an sich nichts Auffallendes; genau so schliefst sich
in der 'Eirene' die Parodos an den Prolog. Verkehrt wäre
es allerdings, wenn die beiden Verse von verschiedenen Personen gesprochen worden wären; allein das ist nicht der Fall
gewesen; die Ode wurde wie immer vom rechten Halbchor
vorgetragen, die Sphragis vom Koryphaios, der zugleich Führer
des rechten Halbchors war und die Ode mitsang. Wir haben
also eine Erscheinung, die unseren Litaneien ganz analog ist;
auch in ihnen wird ja die Anrufung vom Vorsänger gesprochen, worauf der Chor mit der Bitte einfällt.

Eine doppelte Antichorie müssen wir für die Parodos
und die Parabase der 'Lysistrate' annehmen; das lehrt die
Composition dieser beiden Abschnitte. Sowohl der Männerhalbchor, wie auch der Frauenhalbchor erschien in je zwei
Viertelchören in der Orchestra wohl nicht in vier einzelnen
Stoichoi, was die unschöne Vorstellung des Gänsemarsches erweckt, sondern in je zwei Zügen zu drei Mann. Jeder Stoichos-
führer (Kraspedit) war somit auch Sprecher für seine selbständige Abteilung; der erste Kraspedit war zugleich Führer des
männlichen Halbchores und Koryphaios. Ihm gehörte jedenfalls das Prooimion (V. 254); der von ihm angeredete Drakes,
der βάδην ἡγεῖϲθαι soll, ist also der zweite Kraspedit, und
Strymodoros, den der rechte Viertelchor in der Ode anredet,
dessen Parastat. Im Epirrhema (V. 266 ff.) spricht wieder
der erste Kraspedit; mit Philurgos redet er seinen Parastaten
an. Und in der zweiten Antode, die der linke, von Drakes
und Strymodoros angeführte Viertelchor singt, erfahren wir
auch den Namen des ersten Kraspediten; er hiefs Laches. Er

teilte im zweiten Epirrhema (V. 307—311) den Genossen seinen Kriegsplan mit; im Antepirrhema wies Drakes seinen Viertelchor an; die Schlufsverse endlich (V. 317) sprach wiederum Laches. — Das Prooimion der Nebenparodos (V. 319 f.) sprach die dritte Kraspeditin, deren Name, wie wir weiter erfahren (V. 365) Stratyllis[1]) war; die vom rechten Viertelchor mit Nikodike Angeredete, wird also die vierte Kraspeditin gewesen sein. Im dritten Teile der Parodos haben die Halbchöre sich zu einander gewendet, so dafs die Kraspediten andere Parastaten bekommen haben; daher redet Laches seinen Parastaten (V. 356) mit Phaidrias an; dafs die Parastatin der Stratyllis Rhodippe hiefs, erfahren wir aus V. 370. Daher wird die Aufstellung des Chores folgende gewesen sein:

12.	10.	8.	6.	4.	2.
Zwölf-ter →	Zehn-ter →	Strymo-doros →	Sechs-ter →	Vier-ter →	Philur-gos →
↓	↓	↓	↓	↓	↓
11.	9.	7.	5.	3.	1.
Elf-ter →	Neun-ter →	**Dra-kes** →	Fünf-ter →	Phai-drias →	**La-ches** →
↓	↓	↓	↓	↓	↓
↑	↑	↑	↑	↑	↑
11.	9.	7.	5.	3.	1.
Elf-te →	Neun-te →	**Niko-dike** →	Fünf-te →	Rhod-ippe →	**Stratyl-lis** →
↑	↑	↑	↑	↑	↑
12.	10.	8.	6.	4.	2.
Zwölf-te →	Zehn-te →	Ach-te →	Sechs-te →	Vier-te →	Zwei-te →

Die horizontalen Pfeile deuten die Wendung während des ersten und zweiten, die verticalen die während des dritten Teiles der Parodos an; dafs letzterer auf der Bühne spielte,

---

1) Ganz richtig der Scholiast: Ϲτρατυλλίδος ἀντὶ ἐμοῦ. Wenn RArnoldt (S. 87) dagegen einwendet, es wäre ihm keine Stelle bekannt, wo für das Pronomen der Eigenname einträte, *ohne dafs dieser entweder appositionell zu fassen oder mit einer starken Emphase gesagt ist*, so weifs ich nicht, was er damit will; zu unserem Fall ist Wesp. 1396 οὔ τοι μὰ τὼ θεὼ καταπροίξει Μυρτίας eine genügende Parallele.

ist schon bemerkt worden. Während des Agons war die
Antichorie die gewöhnliche, mit den Proodoi der Ode stieg
der Männerhalbchor, mit denen der Antode der Frauenhalbchor
zur Orchestra herab. In der Parabase kehrt die Stellung von
Parodos III wieder, nur dafs hier der rechte männliche mit
dem rechten weiblichen, dann der linke männliche mit dem
linken weiblichen Viertelchor eine vollständige Syzygie aufführen. Den Führern der rechten Viertelchöre kommt aufser
den Epirrhemen, genau wie in der Parodos, noch je ein
distichisches Prooimion zu (V. 614 f. = V. 636 f.). — Das kann
als völlig gesichert gelten; wir sind zum Glück nicht einzig
auf unsere Combination angewiesen, in den Worten des Dichters selber liegt der Beweis, dafs die Parabase von vier Viertelchören, nicht von zwei Halbchören vorgetragen wurde. Die
Sänger der ersten Ode legen erst ihr Obergewand ab (V. 615
ἀλλ' ἐπαποδυώμεθ', ἄνδρες, τουτῳὶ τῷ πράγματι); dasselbe tun
die Sängerinnen der ersten Antode (V. 637 ἀλλὰ θώμεσθ', ὦ
φίλαι γρᾶες, ταδὶ πρῶτον χαμαί). Dasselbe tun aber auch die
Sänger der zweiten Ode (V. 662 ἀλλὰ τὴν ἐξωμίδ' ἐκδυώμεθ' ...)
und die Sängerinnen der zweiten Antode (V. 686 ἀλλὰ χἠμεῖς,
ὦ γυναῖκες, θᾶττον ἐκδυώμεθα). Daraus geht hervor, dafs die
Sänger der zweiten Ode von denen der ersten verschieden
waren; mit anderen Worten, dafs die Parabase nicht von
Hemichorien, sondern von den Stoichoi vorgetragen wurde.

Nachdem wir also erkannt haben, dafs die Antichorie
die eigentliche Seele der epirrhematischen Composition ist,
werden wir leicht eine Erklärung für die Tatsache finden,
dafs letztere in den 'Ekklesiazusen' so gut wie aufgegeben, im
'Plutos' aber gänzlich aufgegeben erscheint. In der Tat, der
Agon, der mit solcher Zähigkeit seine Form behauptet hat,
erscheint in diesen beiden Komoedien einteilig; von der Parabase haben noch die 'Ekklesiazusen' ein Epirrhema gerettet,
aber auch dieses ist einteilig; sogar vom Epirrhemation der
zweiten Parodos ist das eine Tristichon gegen das Herkommen
der Praxagora gegeben. Es kann kein Zweifel sein, die Antichorie ist in diesen Stücken aufgegeben; sie weisen nur einen
einzigen Halbchor auf. In den 'Ekklesiazusen' bestand dieser
Halbchor noch aus Sängern, daher liefs sich wenigstens für

die Parodos nach Art der 'Lysistrate' eine Syzygie herstellen, während zugleich der beigegebene Halbchor von Tänzern äufserlich den Schein eines vollständigen Chors erhalten half.[1]) Eine Stufe tiefer befinden wir uns im 'Plutos'. Von den Choreuten ist nur einer ein Sänger, nämlich der Koryphaios; die übrigen sind nur Tänzer, daher finden wir sogar im Agon keine Ode mehr. Nun könnte man einwenden, dafs ja in der Parodos Oden zu lesen seien; aber die Antoden zu ihnen werden von Karion gesungen, und da kraft des wiederholt angeführten Gesetzes 'nur ein Einzelchoreut durch einen Agonisten vertreten werden kann, der Gesamtchor nie', so müssen wir uns entschliefsen, auch dieses einzige Odenpaar dem Gesamtchor zu nehmen und dem Koryphaios zu geben.

Doch galt das bisher Auseinandergesetzte nur von den epirrhematischen Oden; was werden wir von den Stasima zu halten haben? Zu dieser Frage will ich gleich zurückkommen; erst möchte ich einiges über den Chor der Tragoedie bemerken.

Dafs es im allgemeinen ein höchst unwissenschaftliches Verfahren ist, die Lücken des komodischen Kanons ohne weiteres durch Analogien der Tragoedie auszufüllen, das wird, hoffentlich, für erwiesen gelten dürfen. Andererseits ist die Erwartung berechtigt, dafs diese beiden Gattungen dionysischer Kunst in allen Puncten übereinstimmen, wo kein Grund zu einer Verschiedenheit abzusehen ist. Eben darum mufs die Kleinheit des tragischen Chors dem komischen gegenüber Bedenken erregen; woher diese Bevorzugung der Komoedie? — FWelcker freilich versuchte das Verhältnis umzukehren und die Tragoedie als die begünstigtere hinzustellen; er ging vom dithyrambischen Chor aus, der aus fünfzig Personen bestand, also über das Doppelte des komischen betrug; aus ihm wären, indem man die fünfzig Choreuten auf die einzelnen Dramen der Tetralogie verteilte, vier tragische Chöre zu 12 Personen entstanden.[2]) Aber erstens stimmt die arithmetische Probe nicht; denn die zwei Choreuten, die zur Gleichung

---

1) Das hat RArnoldt (S. 99 ff.) sehr richtig auseinandergesetzt. Tänzer nahm auch REnger (Fl. Jb. 68, 257 ff.) an. — 2) Das hat für die 'Orestie' näher ausgeführt OMüller in den 'Eumeniden'. Dagegen cf. die Recension von GHermann (Opusc. VI).

$4 \times 12 = 50$ fehlen, können wir uns doch nicht wegescamotieren lassen. Zweitens kann uns ja der historische Zusammenhang des tragischen Chors mit dem dithyrambischen doch nicht über die Tatsache hinwegtäuschen, dafs der erstere in jedem gegebenen Falle hinter dem komischen an Zahl zurückstand. Aus dem oben Dargelegten ergiebt sich die Lösung des Rätsels von selbst. Zwölf ist die Grundzahl des tragischen Chors: durch Vermehrung der Choreuten um ein Zygon wurde aus ihm der Chor des Sophokles und Euripides. Dafs dieser Chor weitaus in den meisten Fällen in seiner Gesamtheit wirkte, steht fest; und ebenso, dafs der komische, soweit sich die epirrhematische, der Komoedie ureigentümliche Composition erstreckte, in zwei Halbchöre gespalten war, von denen nur je einer zur selben Zeit zu Worte kam. Damit ist aber die Überzähligkeit des komischen Chors tatsächlich aufgehoben; hier wie dort liefsen sich nur zwölf Choreuten gleichzeitig vernehmen. Wir dürfen glauben, dafs den Griechen diese Zahl zu einem vollen Chorgesange notwendig erschien.

Ist also die Antichorie Ursache gewesen, warum der komische Chor vierundzwanzig Choreuten zählte, so dürfen wir umgekehrt überall dort, wo vierundzwanzig Choreuten tätig waren, Antichorie annehmen. Darnach dürften nicht einmal die Stasima von der allgemeinen Regel eine Ausnahme machen, auch hier werden wir daher nicht Strophe und Antistrophe; sondern Ode und Antode anzunehmen haben. Und es wäre in der Tat sonderbar, wenn z. B. die Oden Vög. 1553 ff. = 1694 ff. von Halbchören, das ganz ebenso componierte Stasimon aber V. 1470 ff. vom Gesamtchor vorgetragen worden wäre.

Nur zwei Ausnahmen erleidet das Gesetz — ich meine die Parodos der 'Kalligeneia'[1]) und die der 'Frösche', die einen

---

1) Auch die Parodos der 'Nesteia' würde dahin gehören, wenn es nicht vielmehr wahrscheinlich wäre, dafs diese Komoedie überhaupt nur auf 12 Choreuten berechnet war. Dafür spricht die Einteiligkeit des neuen Agons (V. 531 ff.), der Parabase (V. 784 ff.), die nur ein Epirrhema aufweist, und der trochaeischen Parodos, zu deren Oden die Antoden durchgängig fehlen. Es ist wohl möglich, dafs schon damals infolge des Regimentes der Vierhundert die trüben Zeiten der ionischen Komoedie begannen und nur die Schlacht bei den Arginusen ein kurzes Aufflackern zur Folge hatte.

durch und durch hieratischen Charakter tragen. Aber von
ihnen ist die 'Kalligeneia' gleich wieder zu streichen; zwar
wurde Strophe und Antistrophe in ihr von denselben Gruppen
gesungen, aber wir haben oben (S. 89) dargetan, dafs es
Halbchöre waren; die Musen hielten, wie die Thesmophoriazusen, ihren besonderen Einzug. Und bei den 'Fröschen'
macht nur eine einzige Stelle Schwierigkeiten: der zweite Gesang an Iakchos. Dafs wir hier keinen Einzelgesang haben,
beweist der voraufgegangene Katakeleusmos. Soll man hier
Dreiteilung annehmen? Es wäre freilich unerhört, aber diese
Parodos findet überhaupt unter den übrigen, die uns erhalten
sind, keine Analogie. Zur Not kämen wir auch mit Hemichorien durch; man brauchte blofs anzunehmen, dafs Dionysos,
zum dritten Mal angerufen, seine Ungeduld nicht mehr be-
zähmen kann und durch sein Dazwischentreten die vierte
Strophe nicht zu Stande kommen läfst.

Was fangen wir aber mit den Anantistrophika der
neun ersten Komoedien — mit Ausschlufs der 'Thesmophoriazusen' — an? Sie sind nicht häufig. Hier findet sie der
Leser aufgezählt.

1) Ach.   280—283   das Kommation der Parodos.
2) Wolk.   457—475   die Antode des alten Agons.
3) Wesp. 1009—1014 das Kommation der Parabase.
4)   „   1265—1274 die Ode der Nebenparabase.
5) Eir.   385—399   cf. oben S. 205.
6)   „   512—519   die Ausrufe der Choreuten bei der Be-
                       freiung Eirenes.
7) Vög.   400—405   die Ode des Proagons.
8)   „   629—636   die Ode nach der Sphragis.
9)   „   678—684   das Kommation der Parabase.
10) „   1720—1725 das Kommation der Exodos.
11) „   1748—1754 das Lied der Exodos.
12) Lys.   1247—1272 das erste Lied der Lakoner.
13) „   1279—1294 das Lied der Athener.
14) „   1296—1315 das zweite Lied der Lakoner.
15) Fr.   875—884   das Lied an die Musen.
16) „   1251—1260 das 3. Stasimon.
17) „   1370—1377 das 4. Stasimon.

18 *

Hier muſs die Behandlungsweise natürlich verschieden sein.
Bei Nr. 4 ist die Antode einfach ausgefallen; bei Nr. 2 und
15—17 werden wir den Einfluſs der Diaskeue anzunehmen
haben; Nr. 12—14 sind Monodien. Die Kommatia Nr.
1, 3, 9, 10 werden von den übrigen Kommatia nicht zu trennen
sein; da diese, ihres epischen Versmaſses wegen, dem Chorführer angehören, wird auch von jenen dasselbe anzunehmen
sein. Speciell für Nr. 1 und 10 dürfte vielleicht die Annahme
von Einzelstimmen am Platze sein. Nr. 5 gehört dem linken
Halbchor; hier findet die Anantistrophie im künstlichen Auf-
bau der ganzen Syzygie ihre Erklärung. Für Nr. 6 war an
Ordnung nicht zu denken. Es bleiben nur drei Nummern nach:
7, 8 und 10, alle aus den 'Vögeln'. Nr. 10 wurde, wie der
Katakeleusmos beweist, mehrstimmig gesungen, also gehört er
dem ganzen Chore an. Nr. 8 würde am natürlichsten dem
Sprecher der Sphragis, also dem Koryphaios zufallen; wenn
ich für Nr. 7 den ganzen Chor vorschlage, so beeinfluſst mich
dabei allerdings ein Gesichtspunct, der erst im dritten Abschnitt
zur Sprache kommen soll. Wir nehmen somit in der Exodos
auch Vortrag durch den Gesamtchor an. Daſs der Gesang
der 'Vögel' das einzige Beispiel dafür liefert, wird man nach
dem Gesagten (s. oben S. 187 ff.) nicht wunderbar finden; wir
dürfen getrost annehmen, daſs die weggelassenen exodischen
Lieder der 'Acharner', 'Frösche' u. a. ebenfalls vollstimmig
gesungen wurden.

Für die oben den Einzelchoreuten zugewiesenen Leistungen
wird am natürlichsten der Koryphaios, bezw. die Halbchorführer in Anspruch zu nehmen sein. Den Halbchorführern
sind auch diejenigen antistrophischen Oden zu überweisen, deren
Vortrag — den wir teils aus der metrischen Beschaffenheit,
teils aus anderen Anzeichen erschliefsen — vielstimmigen
Gesang nicht duldet; dahin gehören die dochmischen Oden der
'Acharner', 'Vögel' und 'Thesmophoriazusen' nebst den Opfer-
gebeten der 'Vögel' — auf die wir übrigens im zweiten Abschnitt noch einmal zurückkommen werden.

Soweit, glaube ich, darf man gehen, ohne den Boden
unter den Füſsen zu verlieren. Die Fragen, die wir an die
aristophanische Komoedie richten könnten, sind damit freilich

nicht erschöpft. Ist nicht an gewissen Stellen Einzelgesang
der Stoichoi anzunehmen? Kamen beim verworrenen Einzug
der Vögel nur die beiden Halbchorführer, oder auch andere
hervorragende Choreuten zum Wort? Ist — namentlich für
die von mir sogenannten ionischen Strophen — nicht Solo-
vortrag in gröfserem Umfang wahrscheinlich? ... Nach meiner
Überzeugung ist hier unserem Wissen eine Grenze gesetzt;
wer es mit seinem philologischen Gewissen vereinbar glaubt,
auf solche Fragen positive Antworten zu geben, der mag es
getrost tun; ich kann es nicht.

Es ist oben auf die Tatsache hingewiesen worden, dafs § 5.
der normale komische Chor doppelt so grofs ist, wie der
normale tragische; zur Erklärung dieser Tatsache wurde die
Antichorie herangezogen. Ich suchte zu erweisen, dafs der
komische Chor nie — oder so gut wie nie — vollstimmig
gesungen hat, sondern immer in Halbchöre gespalten war;
von der **Tragoedie** nahm ich dagegen an, dafs Vortrag
durch den ganzen Chor die Regel war, Vortrag durch
Hemichorien auszuschliefsen ist. Die letztere Annahme bildet
somit das notwendige Gegenstück zur ersteren, und ihre Behandlung an dieser Stelle ist durchaus erforderlich.

Wir werden dabei von der chronologischen Ordnung absehen und uns zuerst mit der chorischen Technik des
Sophokles beschäftigen.

CMuff läfst bei Sophokles dem Hemichorienvortrag einen
grofsen Spielraum. An sich scheint ihm diese Vortragsweise
gesichert durch die Stelle des Pollux, durch die Fassung des
Textes, durch die Personenbezeichnungen der Handschriften
und durch Angaben in den Scholien. Allein von der ersteren
ist es nicht gesagt, dafs sie auch für die Tragoedie gilt; die
beiden letzteren Momente sind an sich bedenklich und werden
vollends hinfällig, wenn man weifs, dafs die Handschriften und
Scholien die Bezeichnung HMIX. gemeiniglich für solche Partien verwenden, die nicht vom ganzen Chor vorgetragen
wurden — also auch für Leistungen des Koryphaios und der
Einzelchoreuten.

Bliebe die Fassung des Textes nach. Wenn sich also
der Chor in zwei respondierenden Strophen *nicht blofs auf*

*gegensätzlichen Gebieten und nach verschiedener Richtung hin be-
wegt, sondern auch die einzelnen Seiten derselben Gedankengruppe
hervorhebt und ähnliche Erscheinungen aneinander reiht,* wenn
ferner *derselbe Gedanke, der in der Strophe behandelt wird, in
der Antistrophe nur ein wenig anders formuliert wiederkehrt;*
wenn endlich an *den entsprechenden Stellen dieselben Bemerkungen,
Ausdrücke und Wörter sich finden (welch letztere, wenn sie an
hervorragender Stelle stehen, als Stichwörter der sich ablösenden
Halbchöre zu betrachten sind)* — so ist eben, meint CMuff,
Vortrag durch Halbchöre anzunehmen.

Der erste Punct ist so unklar wie möglich ausgedrückt;
liest man das argumentum ex contrario, das weiter folgt, so
mutmafst man folgendes: wenn in der Antistrophe Äufserungen
vorkommen, die mit Äufserungen in der Strophe unvereinbar
sind. Dagegen würde sich freilich nichts sagen lassen; wir
wenden uns also zum speciellen Teil und suchen nach Beispielen. Da ist also (S. 164) das erste Stasimon des 'König
Oidipus': *in der Strophe heifst es, es ist Zeit, dafs er flieht,
schneller als ein Rofs* — *in der Antistrophe aber wird ganz im
Gegensatz dazu vermutet, er wandelt wohl einsam und verirrt
wie ein Stier der Herde im Dickicht des Waldes.* Das soll
ein Gegensatz sein? .. Lassen wir das Rofs und den Stier
aus dem Spiel, die doch nur des Schmuckes wegen da sind,
so ist der Gedanke folgender: 'der Mörder irrt von Gewissens-
bissen verfolgt in unserem Lande, das er durch seine Gegenwart befleckt; jetzt aber soll er rasch die Flucht ergreifen,
denn der Befehl des Phoibos ist ergangen, ihn aus dem Lande
zu treiben.' Das ist alles. — Auch im zweiten Strophenpaar
hat CMuff einen Unterschied des Gedankens wahrgenommen.
*In der Strophe herrscht Niedergeschlagenheit, weil die Beweise
fehlen, in der Antistrophe kommt es zu einem klaren Entschlufs,
weil des Königs Tüchtigkeit bewährt ist.* Man braucht sich nur
das Strophenpaar anzusehen, um zu erkennen, dafs der Chor
sich bereits in der Strophe zu einem klaren Entschlusse durch-
gerungen hat. Da ist ferner (S. 298 f.) das zweite Stasimon
des 'Oidipus auf Kolonos', und zwar das zweite Strophenpaar;
*die grofse Siegeszuversicht in der Strophe und das demütige Gebet
in der Antistrophe können nicht aus demselben Munde kommen.*

Gehen wir einmal darauf ein; so ist doch Antistr. α und Antistr. β vom selben Halbchor gesungen worden, und der Widerspruch ist wieder da; denn kann Siegeszuversicht stärker ausgedrückt werden, als durch V. 1065 ἁλώσεται· δεινὸς ὁ προσχώρων Ἄρης, δεινὰ δὲ Θησειδᾶν ἀκμά? Aber sollte es nicht natürlicher sein, überhaupt keinen Widerspruch darin zu sehen, wenn dem Rausch die Ernüchterung, der Siegeszuversicht die Besinnung folgt? — Und das sind die einzigen Stellen, welche CMuff die Veranlassung geben, vom Kriterion des Widerspruches Gebrauch zu machen.

Was das zweite und dritte Kriterion anbelangt, so ist wohl ein Hauptsatz jeder Erkenntnislehre folgender: wenn eine Erscheinung durch eine Tatsache vollständig erklärt wird, ist es müfsig, zu ihrer Erklärung weitere Hypothesen aufzustellen. In unserem Falle ist die metrische und musicalische Übereinstimmung der Strophe mit der Antistrophe eine Tatsache; wer der griechischen Musik nicht jeden Ausdruck absprechen will, wird zugeben müssen, dafs der Dichter und Componist alle Veranlassung hatte, parallelen Melodien parallele Gedanken unterzulegen, ja dafs gewisse bezeichnende Stellen der Melodie, die auf ein bestimmtes Wort berechnet waren, bei ihrer Wiederholung gebieterisch die Wiederholung desselben Wortes verlangten. So im zweiten Odenpaar der Parodos des ʻOidipusʼ: ὦ πόποι, ἀνάριθμα γάρ φέρω ... Ich denke mir gern, dafs die Trostlosigkeit, die das Wort ἀνάριθμα erweckt, in einem trüben, gedehnten Tone ihren Ausdruck fand. Dieser Ton mufste sich in der Antistrophe wiederholen; wie schön, dafs sich auch das Wort an derselben Stelle wiederholt: ὧν πόλις ἀνάριθμος ὄλλυται. So im zweiten Stasimon der ʻAntigoneʼ; die schwermütige Weise klingt in einem düsteren, unheildräuenden Accorde aus, der das Wort ἄτα begleitete; auch hier wiederholt sich dasselbe Wort in Strophe und Antistrophe. Für diese Erscheinung bietet auch unsere Poesie Parallelen; begreiflicherweise nur die Volkspoesie. Ich verweise auf das seltsame, von LErck (Liederhort S. 104) mitgeteilte niederdeutsche Lied, dessen melancholische, fermatenreiche Melodie wie Wellenschlag vor dem Sturme klingt. An einer Stelle erhebt sich die Musik, indem sie den

Rhythmus durchbricht, zu leidenschaftlicher Kraft, um dann
langsam und leise zu verklingen; aus dieser Stelle hat die
erste Strophe den Vers 'ich habe sie auf die weite See gesandt'..., die zweite Strophe 'den dritten raffte die weite See
dahin'... — Ist mit der Feststellung dieser Tatsache nicht
alles, aber auch alles erklärt? Und wie kümmerlich — um
nicht mehr zu sagen — nimmt sich daneben die Erklärung
durch den Hemichorienvortrag, oder gar durch die Stichwörter
aus! — Aber die 'Tautologien'! Nicht wahr, es wäre sehr
anstöfsig, wenn dieselben Choreuten denselben Gedanken zweimal vortrügen; es ist nicht anstöfsig, wenn dasselbe Publicum
denselben Gedanken zweimal hören mufs. Die Tragoedien
werden eben um des Chores, nicht um der Zuschauer willen
geschrieben. Aber so weit sind wir noch lange nicht. Diese
Tautologien sind noch zu erweisen; wenn auch derselbe Gedanke das ganze Strophenpaar beherrscht, so ist das noch
lange keine Tautologie, wenigstens nicht für die Empfindung,
die allein entscheidet.

Um recht gewissenhaft zu sein, will ich auch auf einige
zerstreute Bemerkungen des 'speciellen Teiles' eingehen, mit
denen CMuff seine Hypothese stützt. Für die Parodos des
'Aias' wird die Antichorie mit dem Hinweis auf den Umstand
begründet, dafs die Antistrophe die in der Strophe aufgeworfene Frage beantwortet. *Strophe*: 'Dich hat wohl einer
von den Göttern verblendet?' *Antistrophe*: 'Ja wohl, denn
sonst hättest du nicht etc.' Schade nur, dafs dieses 'ja wohl'
von CMuff auf unerlaubte Weise in den Gedanken einge-
schmuggelt ist; im Texte steht, wie jeder sich überzeugen
kann, ganz einfach 'Gewifs hat dich einer von den Göttern
verblendet (Str.), sonst hättest du nicht etc. (Ant.)'; durch die
Antistrophe wird die Strophe nicht beantwortet, sondern begründet, und das spricht wohl dafür, dafs beide von denselben
Personen vorgetragen wurden. Zwar nimmt CMuff oftmals
seiner Theorie zu Liebe das Umgekehrte an; das ist aber
einfach Unnatur. — Noch einen Punct will ich anführen. In
den 'Trachinierinnen' redet sich der Chor einmal mit παῖδες
an; hieraus folgert CMuff Antichorie, indem zweifellos der eine
Halbchor den anderen anrede. Hier soll doch die allgemein

menschliche Auffassung mafsgebend sein? denn die antike ist
uns, soviel ich weifs, völlig unbekannt. Ist aber dem so, so
ist CMuff einfach widerlegt; und ich habe es wohl nicht nötig,
die vielen Soldaten-, Studenten- und Kirchenlieder nebst den
Opernchören aufzuzählen, in denen sich die Sänger mit 'Kameraden', 'Freunde', 'Brüder' oder ähnlich anreden.

Doch genug hievon. Ich bin auf alle Gründe CMuffs
eingegangen, und darf wohl behaupten, dafs für die sopho-
kleische Tragoedie die Antichorie absolut unerwiesen ist.
Weitaus der gröfste Teil der Chorgesänge verhält sich zu
dieser Frage neutral; bei vielen aber wäre Hemichorienvortrag einfach unnatürlich, und selbst CMuff giebt das mehr als
einmal zu. Natürlich ist aber deswegen nicht jede melische
Chorpartie dem Gesamtchor zu geben; oft ist Vortrag durch
den Koryphaios anzunehmen, auch wechselnder Einzelvortrag
der Choreuten ist nicht ausgeschlossen (cf. die anantistrophische Epiparodos des 'Aias'). In welchem Umfang diese beiden
Vortragsweisen zur Geltung kamen, das braucht hier nicht
erörtert zu werden; genug, dafs von einer Antichorie nicht die
Rede sein kann.

Die kleine Schrift OHenses 'der Chor des Sophokles' hat
die Frage nicht gefördert; positiv lernen läfst sich aus den,
wenn man will, 'sinnigen' Phrasen des Büchleins nichts. Es
ist als hätte der Verfasser eine Anleitung behufs eventueller
Inscenierung der sophokleischen Tragoedien in der Gegenwart
schreiben wollen, nicht eine Untersuchung darüber, wie sie
vor über 2000 Jahren insceniert worden sind. Alles wird
in den Text hineingetragen, nichts aus dem Texte geschöpft.
Man wird unwillkürlich an jene Scherzaufgaben erinnert, worin
verlangt wird, dafs in einen gegebenen Schattenrifs ein Bild
hineingezeichnet werde; je mehr grundverschiedene Bilder
dabei ermöglicht werden, desto gelungener erscheint die
Lösung. So könnte auch ich — wenn ich Zeit und Lust
hätte, mich mit Scherzaufgaben zu befassen — der Diathesis
OHenses in beliebiger Anzahl andere Diathesen entgegen-
setzen, οὐδὲν ἀλλήλαισιν ὁμοίας καὶ πάσας δεξιάς. Den Haupt-
gedanken der Arbeit — dafs die Vermehrung der Agonistenzahl
mit der Vergröfserung des Chores innig zusammenhänge —

strict zu beweisen, darauf läfst sich OHense nirgends ein;
wohl aber wird dieser Gedanke überall wo es Not tut als bewiesen vorausgesetzt.

Viel wissenschaftlicher praesentiert sich die zweite Publi-
cation OHenses über dasselbe Thema (Rh. M. 32, 485 ff.).
Der Verfasser räumt zunächst ein, dafs die Methode CMuffs
keinen Anspruch auf Obiectivität erheben darf; darauf wird
auf die 'triadischen Figuren' als auf dasjenige Indicium hingewiesen, aus dem sich der Vortrag der Stasima mit Sicherheit ermitteln liefse. 'Triadische Figuren' giebt es bei Sophokles
im ganzen sechs, und sie zerfallen in zwei Gruppen. Die erste
Gruppe umfafst folgende drei Figuren: 1) Phil. 963 f., 1045 f.,
1072 f.; 2) El. 1100, 1102, 1105; 3) Trach. 665, 668, 671.
Die zweite Gruppe besteht ebenfalls aus drei Figuren, nämlich:
1) Ant. 766 f., 770, 772; 2) Ant. 1091 ff., 1100 f., 1103 f.;
3) KO. 1232 f., 1236, 1286. In der ersten Gruppe verhalten
sich die 'Megethe' der drei Äufserungen des Chors wie 1 : 1 : 1,
in der zweiten wie 2 : 1 : 1. Nun postuliert OHense zunächst,
dafs die drei Äufserungen an die 'drei chorischen Hauptrepraesentanten' verteilt werden, nämlich den Koryphaios und die beiden
Halbchorführer; dann wird weiter geschlossen: 'An allen
Stellen, wo Sophokles an seine drei chorischen Hauptrepraesentanten die Megethe nach isomerem Verhältnis verteilt, befanden sich die Choreuten in Halbchorstellung. Und andrerseits: an allen Stellen, wo der Dichter die Megethe der Lexis
unter die Führer nach dem Verhältnis von 2 : 1 : 1 verteilt,
befand sich der Chor in der Tetragonalstellung'. Und endlich:
'Vor den in Halbchorstellung von den drei Führern vorgetragenen Figuren ist eine Veränderung der chorischen Stellung
nicht eingetreten: folglich ist die Halbchorstellung auch für
die, diesen Figuren vorausgehenden Stasima erwiesen. Vor
den im Verhältnis von 2 : 1 : 1 vorgetragenen Figuren findet
sich überall im Beginn der betreffenden Epeisodia eine Stelle,
in welcher ein Übergang in die für jene Figuren notwendige
Tetragonalstellung stattfinden konnte. Daraus folgt mit Wahrscheinlichkeit, dafs das vorausgehende Stasimon in einer anderen
als in der Tetragonalstellung vorgetragen worden ist'. Und
das Resultat ist, dafs für Sophokles durchgreifende Antichorie,

also in weit gröfserem Umfang, als dies selbst CMuff befürwortet hatte, angenommen werden mufs.

Folgen wir einmal dieser Beweisführung Schritt für Schritt.

Erstens: was giebt uns das Recht, die aufgezählten' sechs Beispiele als 'triadische Figuren' von den übrigen trimetrischen Äufserungen des Chors abzusondern und in ihrer Dreifaltigkeit Absicht, nicht Zufall zu sehen? Das Recht hätten wir, entweder, wenn die Trias für alle trimetrischen Äufserungen des Chors kanonisch wäre, oder, wenn sie an gewissen, durch ein gemeinsames Merkmal gekennzeichneten Stellen der Epeisodia regelmäfsig oder doch mit Vorliebe wiederkehrte. Letzteres war, wie der Leser sich erinnern wird, bei unserem Epirrhematiou der Fall. Für OHenses triadische Figuren trifft aber keines von beiden zu. Im 'König Oidipus', beispielsweise, haben wir — abgesehen vom Gespräche des Königs mit dem Chor nach der Parodos — folgende dem Chor gehörige Dialogstellen: 1) V. 523 f., 527, 530 f.; 2) 616 f., 631—633; 3) 834 f.; 4) 927 f., 1051—1053, 1073—1075; 5) 1177 f.; 6) 1367 f., 1424—1426. Während also OHense selber nur eine 'triadische Figur' im ganzen Drama aufzufinden weifs, finden wir zwei 'dyadische' und zwei 'monadische'. Kann demnach überhaupt von einer Absicht die Rede sein, so ist für die dyadischen und monadischen Figuren die Gewähr gerade doppelt so grofs, wie für die triadischen.

Zweitens: geben wir einmal zu, dafs gerade den triadischen Figuren innerhalb der trimetrischen Äufserungen des Chors eine gewisse Bedeutung zuzusprechen ist — was berechtigt OHense, unter ihnen gerade diejenigen auszusuchen, deren Megethe sich entweder wie 1 : 1 : 1, oder wie 2 : 1 : 1 verhalten, und die übrigen einfach über Bord zu werfen? So haben wir in der obigen Aufzählung im 'König Oidipus' zwei triadische Figuren, die eine mit dem Verhältnis 2 : 1 : 2, die andere 2 : 3 : 3. Sind die Zahlen sonst bedeutsam, so sind sie es auch hier; sind sie es hier nicht, so sind sie es nirgends.

Drittens müssen wir uns gegen die Willkür verwahren, mit der OHense seine Figuren abgegrenzt hat. Nach Analogie der Figur im 'Philoktet' müssen wir zur ersten Figur

der Antigone auch V. 681 f. und 724 f. rechnen, so dafs wir
hier eine pempadische Figur (2 : 2 : 2 : 1 : 1) haben; oder
aber wir müssen auf den 'Philoktet' verzichten. Ferner ist
die zweite Figur der 'Antigone' aufzugeben, da wir auch hier,
wie jeder sich überzeugen kann, eine pempadische Figur haben
(4 : 1 : 2 : 2 : 1). Damit schrumpft die ohnehin spottkleine Figuren-
anzahl auf 4 zusammen.

Viertens wird es doch erlaubt sein zu fragen, warum die
von OHense zu Figuren zusammengefafsten Äufserungen des
Chors nicht vom selben Choreuten — dem Koryphaios — gesprochen sein konnten. OHense giebt einen Grund an, der,
auch wenn man sehr milde sein will, nur für zwei Figuren
unter sechsen, nämlich für den 'Philoktet' und die 'Elektra'
gilt. Im 'Philoktet' wendet sich der Chor mit der ersten
Äufserung an Neoptolemos, mit der zweiten an Odysseus, mit
der dritten an Philoktet; in der 'Elektra' sind zwar alle drei
Äufserungen an Orestes gerichtet, aber während die erste nur
seine Frage zum Gegenstande hat, steht die zweite in engerer
Beziehung zu Aigisthos, die dritte zu Elektra. Nun sind
Neoptolemos und Orestes Deuteragonisten, Odysseus und Aigisthos Tritagonisten, Philoktet und Elektra Protagonisten; und
da die beiden Halbchorführer mit dem Koryphaios die chorischen Gegenbilder der Agonisten sind — ich mufs freilich
gestehen, dafs ich mir unter diesen 'Gegenbildern' nichts denken
kann — so sind die drei Äufserungen entsprechend unter sie
zu verteilen. Sollen wir nun die Stimme unseres Gewissens
gewaltsam zum Schweigen bringen, die uns sagt, dafs dazu
nicht der geringste Zwang, ja nicht die geringste Veranlassung
vorliegt? Aber ach! zwei Figuren unter sechs ... und sechs
unter unzähligen ...!

Und wenn wir damit doch wenigstens am Ziele wären!
Aber selbst wenn wir mit den gröfsten Opfern unserer besseren
Einsicht dem Verfasser alles Verlangte zugegeben haben —
es stehen uns immer gröfsere bevor. Bedingt denn die Be-
teiligung der drei 'chorischen Hauptrepraesentanten' notwendig
die Halbchorstellung? .. Hier kommen uns eben die zwei
Gruppen zu Statten. In der ersten hatten wir ein isomeres
Verhältnis der Megethe, in der zweiten ein diplasisches; in

der ersten sprach der Chorführer ebensoviel wie jeder Halbchorführer, in der zweiten ebensoviel wie beide zusammen.
Das kann natürlich nicht Zufall sein; also, wie hat man das
zu erklären? Im zweiten Fall war der Koryphaios in seiner
'prominenten' Stellung weit mehr gekennzeichnet als im ersten;
folglich bedurfte er dieser Kennzeichnung weit mehr, als im
ersten Fall; folglich fiel er durch seine Aufstellung unter den
übrigen Choreuten weit weniger auf; folglich war der Chor
in diesem Fall tetragonal aufgestellt . . .

Mit nichten; dieser Schlufs beruht auf einer gründlichen Verkennung der Intentionen des Dichters. Bei Sophokles ist alles
von Bedeutung, jede Kleinigkeit steht im Dienste einer höheren
Idee; zweifelsohne war auch die jeweilige Chorstellung Ausflufs eines bestimmten, bewufsten Gedankens. Wenn also der
Dichter den Chor tetragonal aufstellte, wobei der Koryphaios
seinen bescheidenen Platz unter den übrigen Choreuten erhielt,
so geschah es offenbar deswegen, weil er ihn nicht vor den
anderen herausgehoben wissen wollte; und jeder wird zugeben, dafs dieser Intention weit mehr das isomere Verhältnis in den triadischen Figuren entspricht, als das dipla-
sische . . . Und nun können wir uns zufrieden geben. Denn
nun folgt nach dem zweiten Princip OHenses mit Notwendigkeit, dafs die Stasima in Tetragonalstellung, nicht in Halbchorstellung vorgetragen wurden.

Wenn nur dieses zweite Princip nicht selber die boden-
loseste Willkür wäre. Was soll man davon halten, wenn
OHense aus dem Dialog, der doch nirgends auf die Stellung
und die Bewegungen des Chors die leiseste Anspielung enthält, erschliefsen zu können vorgiebt, wo der Chor seine Lage
verändert habe und wo nicht? Kann man zu einer Methode,
die sich der Grenzen des Erkennbaren so wenig bewufst ist,
auch nur das geringste Vertrauen haben? —

Nach dem Gesagten wird es mir erlaubt sein, mein Urteil
dahin abzugeben, dafs die ganze Beweisführung OHenses ein
mit anerkennenswerter Energie und Grazie ausgeführter Schlag
ins Wasser ist. Damit ist die Discussion über die angebliche
Antichorie bei Sophokles für mich wenigstens geschlossen.

Wenn ich mich bei diesem Dichter länger aufgehalten

habe, so hatte das seinen Grund darin, dafs die Gegensätze
gerade hier ihren heftigsten Kampf ausgekämpft haben. Kürzer
kann ich mich bei den beiden anderen Tragikern fassen. Bei
Euripides schon deswegen, weil RArnoldt für die Stasima
dieses Dichters den hemichorischen Vortrag mit Entschieden-
heit in Abrede gestellt hat. Positiv erweisen läfst sich derselbe nirgends; wo die Handschriften ihr HM haben, kann
man ebensogut und noch besser mit der Annahme des Einzel-
vortrags auskommen — natürlich nicht jenes widerwärtigen
und unnatürlichen Vortrags der 15 Choreuten nacheinander,
sondern eines frischen, unmittelbaren, ungeordneten Auftretens
einzelner Choreuten, den näher zu praecisieren uns alle Handhaben fehlen.

Etwas anders steht die Sache bei Aischylos. Hier
haben wir an einigen Stellen Wechselgesang entschieden anzuerkennen; aber nicht Antichorie tritt hier ein, sondern Dichorie. Das ist erstens der Fall beim Schlufsgesange der
'Schutzflehenden' (V. 1018 ff.). Das erste Strophenpaar wurde
vollstimmig von den Danaiden gesungen; das zweite ebenso
vollstimmig von den Dienerinnen; das dritte amoebaeisch von
den Danaiden und den Dienerinnen, und zwar, wie es scheint,
antodisch. Das vierte Strophenpaar endlich gehört wiederum
den Danaiden an. — Der zweite Fall betrifft die Exodos der
'Eumeniden'. Zu den Eumeniden haben sich die Propompen
gesellt; die beiden Abzugslieder werden von beiden Chören
amoebaeisch vorgetragen, so dafs den Eumeniden jedesmal das
Ephymnion zufällt.[1]) — Zum dritten gehört hieher die Exodos
der 'Sieben gegen Theben'. Gegen den Schlufs der Tragoedie
hat sich zum eigentlichen Chor ein Nebenchor zugesellt, der
mit Antigone und Polyneikes sympathisiert und V. 1069 beim
Weggehen sich selbst als den Chor der Propompen bezeichnet

> ἡμεῖς μὲν ἴμεν καὶ cυνθάψομεν
> αἵδε προπομποί.

Damit ist die Unabhängigkeit dieses Chors dem Hauptchor
gegenüber hinreichend bezeugt. Auf beide Chöre verteilt sich

---

1) S. RWestphal Proll. z. Aesch. Trag. S. 23.

nun der Threnos V. 832 ff. in amoebaeischer Weise; auf die Einzelheiten einzugehen verbietet uns der Raum.

Somit traten bei Aischylos tatsächlich mehr als einmal vierundzwanzig Choreuten auf; daraus folgt wohl, dafs damals die 'ionische Tragoedie' noch in lebhaftem Andenken war.

Wie sind aber die Fälle zu beurteilen, wo die epirrhematische Composition in die Tragoedie eingreift? Je nach den zwei Gruppen, die wir oben festgestellt haben, verschieden. Wo die Syzygie als Epeisodion auftritt, lehrt schon das Versmafs, dafs jede Ode von einem einzigen Choreuten vorgetragen worden ist; wir werden also für das Odenpaar die Beteiligung zweier hervorragender Choreuten annehmen können. Die Syzygie als Stasimon wird ebenso zu beurteilen sein, wie die übrigen Stasima; die Oden wurden vom ganzen Chor vollstimmig vorgetragen. Es ist somit den Überlebseln der ionischen Tragoedie in der dorischen Tragoedie ebenso ergangen, wie in der ionischen Komoedie den Überlebseln der dorischen Komoedie. Das äufsere Schema wurde gewahrt, im übrigen mufsten die Kunstmittel der überwiegenden Form auch auf die herübergenommenen fremdartigen Gebilde ausgedehnt werden.

Zweiter Abschnitt.

Die Vortragsweise.

§ 1. Je geringer die Anzahl der Kunstmittel war, welche der antiken Musik zur Verfügung standen, um so sorgfältiger wurden sie ausgenutzt. Während ihr die Effecte verschiedener bald zusammenwirkender, bald wechselnder Klangfarben so gut wie unbekannt waren, während die Harmonisierung in ihr den Charakter einer fast dürftigen Einfachheit hatte, hat sie doch andrerseits ein System von Tonarten ausgebildet, das — wenn auch nicht so byzantinisch verworren, wie man vor RWestphal anzunehmen pflegte, — so doch viel mannichfaltiger war als das moderne; sie haben das Ethos dieser Tonarten, das ohnehin scharf gesondert war, durch Anwendung sämtlicher möglicher Melodieschlüsse noch besonders variiert, sind auch, wie die ausschliefsliche Verwendung gewisser Transpositionsscalen für bestimmte Gattungen der Musik beweist, dem verschiedenen Ethos der ersteren nachgegangen; endlich hat die hohe Vollendung ihrer Rhythmik und Periodologie ihnen die Möglichkeit gewährt, Tonstücke von wahrhaft architektonischem Ebenmafs zu schaffen, wie sie von Modernen schwerlich anders als mit dem Verstande erfafst werden können. So dürfen wir denn auch ohne Weiteres voraussetzen, dafs alle vier Hauptarten des Vortrags, die bei uns im Gebrauche sind, samt ihren Schattirungen — soweit diese für die antike Musik nicht aufserhalb der Grenzen der Ausführbarkeit liegen — auch den Alten bekannt waren.

Ursprünglich freilich sind von diesen vier Hauptarten auch bei uns nur drei. Der Gesang, das Recitativ und der Gesprächston wurzeln alle drei im Boden der Volksnatur, während der melodramatische Vortrag, wie bekannt, eine erst im vorigen Jahrhundert geschaffene Kunstform ist. Man könnte sich daher geneigt fühlen, sie dem Altertum überhaupt abzusprechen; und für die ältesten Zeiten eines Archilochos oder Terpander gewifs mit Recht. Wenn man aber bedenkt, welch einen hohen Grad von Ausbildung die Musik zur Zeit des peloponnesischen Krieges erreicht hatte, und dafs der melodramatische Vortrag der einzige war, der auf kunstmäfsigem Wege geschaffen werden konnte, so wird man es von vornherein nicht unwahrscheinlich finden, dafs er um die angegebene Zeit in der Kunstpoesie in Übung gewesen sei.

Für die Bestimmung des Vortrags ist bei Aristophanes § 2. ein doppelter Gesichtspunct mafsgebend: erstens, der metrische, und zweitens — wenn ich mich so ausdrücken darf — der tektonische.

Metrisch gliedert sich die Komoedie von selbst nach μέλη und ἔπη. Letztere zerfallen ebenso ungezwungen in ἔπη im engeren Sinne, oder Tetrameter[1]), und Dimeter — denn die wenigen Hexameter fallen wenigstens für Aristophanes aufser

---

1) Bei T'Kock (zu Wolk. 541) sonderbarerweise durch alle Anflagen hindurch 'Trimeter'; allein die Stelle, auf die er sich beruft (Fr. 885), beweist deutlich, dafs er 'Tetrameter' meint; sowie dort τἄπη λέγειν auf die Tetrameter des Agons geht, so geht λέξοντας ἔπη Ritt. 508 auf die Tetrameter der Parabase; darnach ist der Sinn von Wolk. 541 οὐδ᾽ ὁ πρεcβύτης ὁ λέγων τἄπη τῇ βακτηρίᾳ τύπτει τὸν παρόντ᾽, ἀφανίζων πονηρὰ cκώμματα klar. T'Kock erklärt: der Schauspieler, der in den 'Prospaltioi' des Eupolis die Rolle des Greises spielte, cf. die Stelle des Strattis [Fgm. 1 K]. Aber erstens bietet die Stelle des Strattis keine Ähnlichkeit, zweitens bezieht sie sich auf die Tragoedie, drittens haben die 'Prospaltier' mit unserer Stelle nichts zu tun, sondern sind vom Scholiasten zu V. 639 mit zweifelhaftem Recht herangezogen, viertens giebt die Erklärung keinen vernünftigen Sinn, fünftens entspricht sie nicht dem aristophanischen Ausdruck 'der Greis, der die ἔπη spricht'. Letzterer zwingt uns vielmehr, anzunehmen, dafs die Personen der Komoedie fürs gewöhnliche etwas Anderes sprechen, als die ἔπη. Ist aber ἔπη = Tetrameter, so schwindet jede Schwierigkeit; der πρεcβύτης ist dann der eine von den beiden Gegnern im Agon. Wie würdig diese Partie bei Aristophanes gehalten war, davon ist oben die Rede gewesen; um so unangenehmer fiel es ihm auf, wenn gerade sie bei seinen Gegnern der Tummelplatz wohlfeiler Späfse war. — Warum ἔπη in der Tragoedie = Trimeter, in der Komoedie aber = Tetrameter ist, das wird die gegenwärtige Untersuchung zeigen.

Betracht —, und in Trimeter, welche als Kunstform der Komoedie meines Wissens niemals ἔπη genannt worden sind.

Tektonisch gliedert sich die Komoedie, gemäfs der Theorie der epirrhematischen Composition, nach Oden und Epirrhemen. Die Combination dieser beiden Gesichtspuncte liefert uns eine viel festere Grundlage für unsere Untersuchung, als diejenige, welche unseren Vorgängern zur Verfügung stand. Denn dafs die Paare μέλη und ἔπη einerseits und Oden und Epirrhemen andererseits sich nicht vollständig decken, das wird der Leser bald sehen.

Die Begriffe 'Ode' und 'Epirrhema' sind streng voneinander geschieden; nirgends sind wir darüber im Unklaren, welchen von den beiden Ausdrücken wir zur Bezeichnung einer gegebenen Partie wählen sollen. Anders steht es mit den Wörtern μέλη und ἔπη. Dafs die iambischen, trochaeischen und anapaestischen Tetrameter zu den letzteren gehören, steht fest. Wohin beziehen wir aber den prokatalektischen (I) und dikatalektischen (II) iambischen, den dikatalektischen trochaeischen (III), den (pseudo)paeonischen (IV) Tetrameter und das Eupolideion (V)

I   ◡‒◡‒ ◡‒◡‒ ‒◡‒ ◡‒◡‒
II ◡‒◡‒ ◡‒◡‒ ‒◡‒ ◡‒◡
III ‒◡‒◡ ‒◡‒◡ ‒ ⌢◡ ‒◡‒
IV ‒⌢◡ ‒⌢◡ ‒ ⌢◡ ‒◡‒
V   ‒◡‒◡ ‒◡◡‒ ‒◡‒◡ ‒◡‒,

die Aristophanes in der Exodos der 'Vögel' (I), der Parodos der 'Wespen' (II), der Binnenparodos der 'Lysistrate' (III), den Epirrhemen der Nebenparabasen der 'Acharner' und 'Wespen' (IV) und der Parabase i. e. S. der 'Wolken' (V) anwendet, aber auch in den Oden der ersten Parodos der 'Ekklesiazusen' (I), des Nebenagons der 'Ritter' und der Parodos der 'Lysistrate' (II) und den Oden der Nebenparabase der 'Acharner' (IV, diesmal echt paeonisch)? Noch mehr entfernt sich von den ἔπη der episynthetische Vers im Exodion der 'Wespen'; und wenn man ihn auch zur Not, da er in einer stichischen Composition auftritt, unter den ἔπη begreifen könnte, so wird das von den ihm unmittelbar vorangehenden

Versen, die ihm an Bildung so ähnlich sind, nicht in gleicher Weise möglich sein. Hier haben wir eine ununterbrochene Leiter, die von den μέλη zu den ἔπη führt.

Um sicher zu gehen, müssen wir alle solche Übergangsbildungen in eine besondere Kategorie einordnen. Wir werden daher Strophen dorischer und Strophen ionischer Bildung unterscheiden; sie verhalten sich zueinander ungefähr wie Kunstlied und Volkslied. Die ionischen Strophen — bei denen der Leser nicht unbedingt an die ionische Tonart oder ionische Tacte zu denken braucht — sind auf das iambotrochaeische und das (anaklastisch)ionische Versmaſs beschränkt; sie umfassen stichische, distichische bis hexastichische Bildungen. Wir werden im dritten Abschnitt zu ihnen zurückkehren.

Die dorischen Strophen kommen auſserhalb der epirrhematischen und epeisodischen Oden nicht vor — abgesehen, natürlich, von den Monodien. Ebenso sind die ἔπη und Trimeter auf die Epirrhemen beschränkt. Die ionischen Strophen dagegen verteilen sich anscheinend gesetzlos auf Oden und Epirrhemen. Wir haben also zu unterscheiden

Mele		Epe	
Dorische Strophen.	Ionische Strophen.	Epe.	Trimeter.
Oden		Epirrhemen.	

Wir nehmen nun zweierlei als keines Beweises bedürftig an. Erstens, daſs die Verschiedenheit des Vortrags mit der Verschiedenheit der metrischen Behandlung in inniger Verbindung steht, so daſs die letztere nur bei ganz starren, keiner Allotropie fähigen Metra trotz wechselnden Vortrags dieselbe bleibt; zweitens, daſs entsprechend der Bedeutung der Wörter 'Ode' und 'Epirrhema' letzteres hinsichtlich der Vortragsweise mindestens eine Stufe unter der ersteren steht — wenn wir unter dem Kunstgesang die höchste, unter der gesprochenen Rede die niedrigste Stufe des Vortrags verstehen.

Prüfen wir das erste Gesetz. Eine Verschiedenheit des Vortrags für dorische Strophen, ionische Strophen, Epe und Trimeter geht aus ihm nicht unbedingt hervor; wir müssen

19*

die Untersuchung an einem einzigen Verse führen, der in verschiedenen Fällen eine verschiedene Behandlung erfahren hat. Das ist der iambische Trimeter; von allen uns bekannten Versen ist keiner in so hohem Grade allotropisch. Wir kennen ihn in drei verschiedenen Gestalten, die sich durch folgende Schemen annähernd wiedergeben lassen

$$I \quad \bar\upsilon - \upsilon - \quad \bar\upsilon - \upsilon - \quad \bar\upsilon - \upsilon -$$
$$II \quad \bar\upsilon \,\underaccent{\smile}{}\, \upsilon \,\underaccent{\smile}{}\, \quad \bar\upsilon \,\underaccent{\smile}{}\, \upsilon \,\underaccent{\smile}{}\, \quad \bar\upsilon \,\underaccent{\smile}{}\, \upsilon -$$
$$III \quad \dots$$

Man pflegt die erste Gestalt den lyrischen, die zweite den tragischen, die dritte den komischen Trimeter zu nennen; ich behalte diese Benennungen bei, obgleich alle drei Gattungen in der Komoedie nachweisbar sind. Vom lyrischen ist dies bekannt; wir treffen ihn ziemlich häufig in ionischen Strophen an, wobei folgende Variationen im Gebrauche sind. Erstens, Epoden im archilochischen Sinne; in ihnen bildet der Trimeter regelmäfsig den ersten Vers

$$I \quad \bar\upsilon - \upsilon - \quad \bar\upsilon - \upsilon - \quad \bar\upsilon - \upsilon - \qquad II \quad \bar\upsilon - \upsilon - \quad \bar\upsilon - \upsilon - \quad \bar\upsilon - \upsilon -$$
$$\bar\upsilon - \upsilon - \upsilon - - \mid \qquad\qquad - \upsilon - - \upsilon -$$
$$III \quad \bar\upsilon - \upsilon - \quad \bar\upsilon - \upsilon - \quad \bar\upsilon - \upsilon - \qquad IV \quad \bar\upsilon - \upsilon - \quad \bar\upsilon - \upsilon - \quad \bar\upsilon - \upsilon -$$
$$- \upsilon \upsilon - \upsilon - \qquad\qquad \upsilon - \upsilon \upsilon - -,$$

den zweiten eine iambische Hephthemimeres (J Ach. 1222 f., 1224 f., Thesm. 975 f., 983 f., 985 f.), ein dikatalektischer trochaeischer Dimeter (II Ach. 1214 f., 1216 f.), eine katalektische kyklisch-trochaeische (III Ach. 1218 f., 1220 f.) oder kyklisch-iambische Tripodie (IV Wolk. 1303[1]) f., 1311 f., 1345 f., 1347 f., 1349 f., 1391 f., 1393 f., 1395 f.). — Zweitens, mit Umkehrung des Schema I in tristichischen Strophen, wobei zwei Hephthemimeres (Gephyrismoi Fr. 397 ff.) oder auch zwei Dimeter (Ach. 1156 ff. = 1168 ff.; Lys. 286 ff. = 296 ff.; Ekkl. 913 ff., 918 ff.). Drittens, finden wir den Trimeter als Ephymnion im iambischen Lied Fr. 973 ff., wobei — in einem fünfsilbigen Worte — die zweite Arsis aufgelöst erscheint. In dorischen Strophen erscheint der Trimeter nur da, wo offen-

---

1) Der Trimeter V. 1307 = 1315 ist zweifelhaft; die Partie wird eher (mit TKock) in Dimetern zu schreiben sein. — Nach CReisig würden wir V. 1304 und 1312 einen epodischen Vers $\upsilon - \upsilon - - -$ erhalten; schon deshalb empfehlen sich seine Coniecturen nicht.

bar tragische Gesänge parodiert werden (Ach. 1191 ff.; Wolk.
1155 ff.; Wesp. 729 ff. = 743 ff., 868 = 885(?); Thesm. 1032[1])).
Interessanter ist der tragische Trimeter, von dessen Existenz in der Komoedie bisher nichts vermutet worden ist;
und doch ist er überall anzunehmen, wo der Chor, richtiger
der Chorführer in Trimetern spricht. Das werden folgende Zahlen
beweisen:

	Zahl der Verse	Aufgelöste Arsen	Kyklische Anapaeste	Hephthemimeres	Vernachlässigte Caesur
'Acharner' 364 f., 391 f., 492 f., 557, 557—565, 569, 575— 578, 1069 f.	20	—	1[2])	3	—
'Ritter' 467, 470, 611—615	6	—	—	1	—
'Wolk.' 794—796, 799, 1454 f., 1458—1461, 1508 f. . . .	12	1[3])	—	2	—
'Wespen' 1297 f.	2	—	—	—	—
'Eirene' 435—438	4	—	—	1	—
'Vögel' 1164 f., 1197 f. . .	4	—	—	—	—
'Lysistrate' 399—402, 706 f., 712, 714, 1074 f., 1078 f., 1082—1085, 1088 f., 1093 f., 1219—1221	23	8[4])	—	5	1
'Thesmophoriazusen' 582 f., 586, 589, 597—602, 607, 613 f., 1164, 1170 f., 1217— 1221, 1224 f.	23	2[5])	—	1	1
'Ekklesiazusen' 1127, 1134, 1151—1153	5	2[6])	2[7])	4	1
'Plutos' 328—331, 631 f., 962 f.	8	—	—	1	2
Im ganzen	107	13	3	18	5

1) Auch ist dieser Trimeter eher als Hexapodie zu bezeichnen; wenigstens ist die Form, in der er Ach. 1191 erscheint, nicht blofs für den
lyrischen Trimeter, sondern selbst für den komischen unstatthaft. —
2) Und selbst hier (V. 559) läfst sich der Anapaest durch die Synizese
(μιαρώτατε) rechtfertigen. — 3) V. 799 cὺ δ᾽ ἐπιτρέπεις, also unter pros-
odischem Zwange. — 4) V. 402 ἐνεουρηκότες, 714 δ τι, 1083 ἀπό, 1084
θαἰμάτι᾽, 1093 θαἰμάτῐᾱ, 1094 ἐρμοκοπιδῶν, 1219 πάνυ, 1221 μετά. — 5)
V. 613 ἀνάμενε, 1221 καταλάβοις. — 6) V. 1151 δῑᾱτρίβεις, 1152 καταβαίνεις.
— 7) V. 1134 εὐδαιμονικόν γ᾽, 1152 ἐν ὄςῳ.

Die Tabelle bedarf der Rechtfertigung. Da die Rollenverteilung
nicht selten strittig ist, so schien mir die einzige richtige
Methode die zu sein, zunächst nur die unzweifelhaft dem Chor
gehörenden Trimeter aufzunehmen; dahin gehören — bis auf
Ritt. 467, 470 und Eir. 435 ff. — alle im Vorstehenden aufgezählten Verse. Ich erhielt 101 Trimeter mit 13 Auflösungen.
Das gab mir wiederum das Recht, in solchen Fällen, wo aufser
dem Chor noch ein Agonist in Frage kommen könnte, alle
losen Trimeter dem letzteren zu geben. Es geschah an folgenden Stellen: Ritt. 482 ff. (Chor: Demosthenes) 1254 (id.)
Eir. 435 ff. (Chor: Trygaios) 484 f. (id.) 922 ff. (Chor: Sklave)
Vög. 440 (Chor: Kuckuck) Ekkl. 30 ff. (Chor: γυνὴ α'). An
erster Stelle geben die Handschriften auch V. 490 f., 493,
494 f., 495 ff. dem Chor; mit Recht haben seit REnger alle
Herausgeber die Person des Demosthenes für ihn eintreten
lassen; nur mufste man dann consequent sein und durfte nicht
V. 482 ff., mit denen das Gespräch beginnt, dem Chore lassen.
Bezüglich V. 1254 ff. sind die Handschriften — bis auf den
Parisinus A — und auch die Herausgeber[1]) einig; aber wie
seltsam ist es, wenn der Chorführer Agorakritos bittet, ihn
zum ὑπογραφεὺς δικῶν zu machen! Auch hätte man längst
die drei Verse Demosthenes gegeben — den man doch auch
ungern beim Triumphe seines Freundes vermifst, — wenn man
sich vor der Notwendigkeit nicht gescheut hätte, Demosthenes
hier durch ein Parachoregem spielen zu lassen, während er zu
Anfang des Stückes dem Tritagonisten zugefallen war. Aber
dieser ist für das antike Drama ganz unbedenklich; genau so
wird ja im 'Plutos' die Titelrolle im Prolog vom Deuteragonisten, von V. 771 an aber vom Tritagonisten gespielt. Mein
Gesetz vollends scheint mir die Frage zu Gunsten des Demosthenes zu entscheiden. — Über Eir. 435 ff. ist oben das Nötige
gesagt; ich habe dort auf Grund der Scholien die Verse des
Gebets unter Hermes und Trygaios verteilt; das neue Gesetz
bestätigt diese Verteilung durchaus. V. 484 f. giebt nur TBergk
mit dem Venetus(?) und den Scholien (implicite ein Schol. zu
481) dem Chor; die übrigen Herausgeber dem Trygaios. V. 922 ff.
läfst sich die richtige Verteilung, auch ohne auf die Metrik

1) Aufserdem noch CBeer, Zahl der Schauspieler S. 31; CMuff, Vor-

Rücksicht zu nehmen, herausfinden. Zwei Personen sind anwesend, Trygaios und der Sklave, als κωφὰ πρόcωπα wohl noch andere Sklaven. V. 922

ἄγε δὴ, τί νῦν ἐντευθενὶ ποιητέον

giebt der Ravennas dem Sklaven. JRichter folgt der Logik zum Trotz dem Venetus und giebt ihn dem Chor; TBergk in richtiger Einsicht, dafs es dann zum mindesten ἡμῖν hätte heifsen müssen, dem Trygaios. Ich meinesteils sehe keinen Grund, vom Ravennas abzuweichen. Dafs sich dann auch das übrige Gespräch auf Trygaios und den Sklaven verteilt, ist das allernatürlichste. [1]) — Von der Teilnahme am Agon der 'Vögel' habe ich den Chor schon oben ausgeschlossen; eine natürliche Folge davon ist, dafs wir ihm auch den Proagon nehmen. Mit V. 440 ἢν μὴ διαθῶνταί γ᾿ οἵδε wendet sich Peithetairos an den Kuckuck, nicht an den Chor: es ist daher auch billig, dafs der Kuckuck, dem der Chor schon V. 385 und 432 ff. sein Vertrauen wiedergegeben hatte, ihm antwortet; im Namen des Chors schliefst er mit Peithetairos den Vertrag. [2]) Ferner wird das Gespräch V. 809—836 von einigen Gelehrten[3]) auf Peithetairos und den Chorführer verteilt, der Überlieferung zum Trotz, wonach Peithetairos sich mit dem Kuckuck unterhält. Ich sehe nicht ein, warum man den Handschriften nicht folgen soll. Dafs in den 'Ekklesiazusen' V. 285 das erste Wort des Chores ist, sollte nie bezweifelt worden sein; oder weifs Jemand ein Beispiel, dafs der Chor im Prolog gesprochen hätte?

Bleiben wir also bei dem Gesetze: die vom Chor in den Epirrhemen gesprochenen Trimeter sind von strengem, tragischem Bau. Durchaus parallel ist die Scheidung, die wir an den iambischen Tetrametern wahrnehmen. Von den beiden folgenden Tabellen enthält die erste nur die dialogischen Tetrameter, d. h. die Epirrhemen der Agone mit Ausschlufs der Katakeleusmoi und Mesoden; die zweite die chorischen, und zwar ebensowohl die rein, wie die gemischt chorischen, also die Parodoi und Exodia.

---

tragsw. S. 105. — 1) Ähnlich schon PDobree (II, 211), der aber zwei Sklaven annimmt. — 2) Diese Einsicht scheint auch GDroysen bei seiner Rollenverteilung geleitet zu haben. — 3) CBeer (Zahl d. Schausp. 37), CMuff (Vortragsw. 7), TKock. TBergk läfst statt des Kuckucks Euelpides eintreten.

B. DAS MOMENT DER CHOREUTIK.

I. Dialogische Tetrameter.

	Zahl der Verse	Aufgelöste Arsen	Kyklische Anapaeste	Weibliche Caesur	Vernachlässigte Caesur
'Ritter' Nebenagon (V. 303 ff.) . .	64	28	15[1])	10	4
„ Hauptagon (V. 756 ff.) . .	68	27	7	11	13
'Wolken' Hauptagon (V. 949 ff.) .	49	23	6[2])	7	2
„ Nebenagon (V. 1345 ff.) .	80	27	2[3])	13	7
'Thesmophoriazusen' Agon[4]) (V. 531 ff.) . .	38	20	15	5	3
'Frösche' Agon (V. 895 ff.) . . .	64	30[5])	16	6	3
Im ganzen	363	155	61	52	32
		oder 42,5%	oder 16,7%	oder 14,3%	oder 8,8%

II. Chorische Tetrameter.

	Zahl der Verse	Aufgelöste Arsen	Kyklische Anapaeste	Weibliche Caesur	Vernachlässigte Caesur
'Acharner' Exodion (V. 1226 ff.) .	6	—	—	—	—
'Wespen' Parodos I (V. 230 ff.) .	18	2[6])	—	2	—
'Eirene' Parodos (V. 508 ff.) . .	4	—	—	3	—
„ Exodion (V. 1304 ff.) . .	8	1[7])	—	2	1
'Lysistrate' Parodos I (V. 254 ff.)	25	1[8])	—	—	2
„ Parodos III (V. 350 ff.)	32	2[9])	—	1	—
'Ekklesiazusen' Parodos I (V. 285 ff.)	4	1[10])	—	1	—
„ Parodos II (V. 478 ff.)	13	3[11])	—[12])	4	—
'Plutos' Parodos (V. 253 ff.) . .	36	2[13])	—	3	1
Im ganzen	146	12	—	16	4
		oder 8,2%		oder 10,9%	oder 2,7%

1) TBergks Coniectur zu V. 418 schafft eine Auflösung mehr. V. 428 nach TBergk; AvVelsen schafft eine Auflösung weniger und einen Anapaest mehr. — 2) Nach TKock; TBergk weicht V. 1063 ab. — 3) V. 1359 nach TBergk. — 4) Mit Ausschlufs der Verse des Chors. — 5) V. 948 lese ich οὐδένα. — 6) V. 237 περιπατοῦντε und 246 ἅμα. — 7) V. 1315 μεταμελήσειν. — 8) V. 281 ἐπολιόρκης'. AMeinekes (VA. 122) Coniectur zu V. 285 ἐν τῇ τετραπόλει empfiehlt sich daher nicht. — 9) V. 373 f, beidemal ἵνα. — 10) V. 288 ἐνδυόμεναι. — 11) V. 475 ἐπακολουθεῖ, 482 καταφυλάξῃ, 493 ἐπαναμενούσας. — 12) Die Coniectur AMeinekes (VA. 190) zu V. 286 λέγειν ἵνα μ. ist daher zu verwerfen. — 13) V. 274 ὑγιές; 278 ὁ δὲ Χάρων.

Diese Zahlen sind ebenfalls sprechend.[1]) Nachzutragen sind noch die 10 Katakeleusmoi[2]), eine Sphragis (Ritt. Nebenag.) sowie die Schlufsverse des Agons in den 'Thesmophoriazusen', dann die Prooden des Agons der 'Lysistrate'; wir hätten 38 Verse mit 2 Auflösungen[3]) und einem kyklischen Anapaest[4]), den man nicht ohne Not mit AvVelsen um einen zweiten[5]) vermehren darf. Sie gehören also auch unter die chorischen Verse. Bezüglich der Mesoden im Wespenagon (8 Verse mit 2 Auflösungen), die nur von den Agonisten gesprochen werden, läfst sich nichts Bestimmtes sagen.

Eine dritte Klasse bilden die lyrischen Tetrameter.[6]) Wir finden deren Ach. 836 ff.; Ritt. 756, 759 f. = 836, 839 f.; Eir. 859,—863 f. = 912,—916 f.; 942, 948 f. = 1026, 1032 f.; Vög. 1324 (?); Plut. 290—292 = 296—298; 302 f. = 309 f.; 316. Sie entsprechen durchaus den lyrischen Trimetern; während einerseits ihr Bau im ganzen sehr streng ist[7]), kommen andererseits gehäufte Auflösungen vor, und zwar mit (loser) Responsion; Plut. 292 = 298.

---

1) Der Unterschied ist bereits von RWestphal (Metrik II² 495 ff.; cf. CMuff, Vortrag S. 38) bemerkt und für den Vortrag, wenn auch nicht ganz zutreffend, verwertet worden. Die Caesuren habe ich nur zum Beweise aufgezählt, dafs sie kein Kriterion zur Unterscheidung darbieten. — 2) Einschliefslich Thesm. 381 f. — 3) Lys. 539 ἀπὸ τῶν, Thesm. 381 πρόcεχε. — 4) Ritt. 407 τὸν 'Ιουλίου, also bei einem Eigennamen. Seltsam ist der Name wohl, wird aber nicht zu ändern sein. Der Greis wird als Verehrer der Demeter geschildert (πυροπίπην hat der Rav.), und ἴουλος ist der technische Name für den Hymnus auf Demeter (Poll. I, 38), parallel ἰηπαιών und βακχέβακχος. Dafs freilich die Stelle durch diese Zusammenhänge an Klarheit gewonnen hätte, kann ich nicht behaupten. — 5) Und dazu noch im zweiten Fufse (ἤcθέντ' ἂν ἰηπ. Ritt. 408), was selbst bei dialogischen Trimetern unstatthaft ist (Ausnahmen wie Ritt. 414 f. sind natürlich unbeweisend). — 6) Oft freilich erscheint er in den Ausgaben da, wo statt seiner — wie die Nachbarverse beweisen — zwei Dimeter am Platze wären. Dahin gehört Wolk. 1310 = 1320, Lys. 386, (Fr. 414 ist sicher ein Trimeter), Ekkl. 485, 488 = 495, 499, Plut. 295 = 301; 305 = 312; 321. — 7) Kyklische Anapaeste finden wir nur Ach. 849 Κρατῖνος ἀεί (die bekannte crux) und Eir. 948 τὸ κανοῦν; doch sind möglicherweise die angeführten Verse der 'Eirene', da sie sämtlich mesodisch sind, mit den Mesoden des Wespenagons unter die ἀμφιcβητήcιμα zu rechnen. Auflösungen kommen mit Ausnahme der im Texte angeführten gar nicht vor.

ὑμᾶς ἄγειν· ἀλλ᾽· εἶα τέκεα θαμίν᾽ ἐπαναβοῶντες
πήραν ἔχοντα λάχανα τ᾽ ἄγρια δροcερὰ κραιπαλῶντα
ähnlich der Trimeter Ach. 1191

ϲτυγερὰ τάδε γε κρυερὰ πάθεα. τάλας ἐγώ.

Wir haben somit auch für die iambischen Tetrameter
dreierlei metrische Behandlung, also dreierlei Vortrag festgestellt. Die prokatalektischen und dikatalektischen Tetrameter treten bald für die lyrischen, bald für die chorischen
(nie für die dialogischen) Tetrameter ein; das ist das Grenz-
gebiet, das der ionischen Strophe zukommt.

Nur zweierlei Behandlung hat der trochaeische Tetrameter
erfahren.

Wir unterscheiden den lyrischen und den epischen Tetrameter.[1] Ersterer kommt nicht eben häufig vor; in den Mesoden (Ach. Par. II; Ritt. Nebenag.; Wesp. Par. II) werden wir
ihn nicht anerkennen können, ebensowenig in der epirrhematischen Anrede Ekkl. 1155 ff.; Thesm. 947 ff. und Fr. 1099
sind die Tetrameter in Dimeter zu zerlegen; übrig bleibt Eir.
349 f., 357, [395] = 588, 595; Lys. 619, 622 = 640, 645;
661—663 = 685—687. Auflösungen kommen nicht vor, die
Caesur wird gar nicht selten vernachlässigt; übrigens läfst
sich aus 16 Versen nicht viel erschliefsen. Die lyrischen Tetrameter wechseln gern mit binnenkatalektischen Versen von
trochaeischem Rhythmus ab; bei den epischen ist das nicht
statthaft, doch kommt es mitunter vor, dafs eine ganze Partie
in binnenkatalektischen Versen geschrieben ist, abgesehen vom
letzten Vers, der notwendig ein rein trochaeischer Tetrameter
sein mufs (Nebenparab. der 'Acharner' und 'Wespen', Binnenparodos der 'Lysistrate'). Dafs die epischen Tetrameter nicht
wieder in chorische und dialogische zerfallen, hat seinen Grund
darin, dafs der trochaeische Tetrameter in der aristophanischen

---

1) R.Westphal will den Bau des Verses in den parabatischen Epirrhemen loser gefunden haben, als in den Parodoi (betreffs der Caesuren
Metrik II S. 453); doch bestätigt eine genauere Zählung dies Resultat
nicht. So enthalten in den 5 ersten Komoedien die Parodoi auf 256 Tetrameter 38, die parabatischen Epirrhemen auf 224 Tetrameter 25 vernach-
lässigte Caesuren.

Komoedie, recht im Gegensatz zur dorischen und jungattischen, kein Dialogvers ist; die Dialoge, in denen er vorkommt, sind Verhandlungen zwischen der Bühne und der Orchestra, und letztere war für den Vortrag mafsgebend.

Noch weniger allotropisch ist der anapaestische Tetrameter; er läfst nur einerlei Behandlung zu.

. Kehren wir zum iambischen Tetrameter zurück. Seine § 3. drei Erscheinungsformen entsprechen drei verschiedenen Stufen des Vortrags; aber welche? Da der lyrische Vers in Oden vorkommt, also zweifellos melisch vorgetragen wurde, könnten wir für den chorisch epischen das Recitativ, für den dialogischen den melodramatischen Vortrag, oder, mit Überspringung dieser immerhin nicht ganz sicheren Sprosse, geradezu die ψιλὴ λέξις annehmen.

Nun haben wir aber ziemlich sichere Anzeichen dafür, dafs der Vortrag der agonischen Epirrheme, und mit ihnen des iambischen Tetrameters kein rein declamatorischer war. Das beweist, erstens, das Scholion zu Wolk. 1352 χρὴ δὴ λέγειν πρὸς τὸν χορόν· οὕτως ἔλεγον πρὸς χορὸν λέγειν, ὅτε τοῦ ὑποκριτοῦ διατιθεμένου τὴν ῥῆσιν ὁ χορὸς ὠρχεῖτο. διὸ καὶ ἐκλέγονται ὡς ἐπὶ τὸ πλεῖστον ἐν τοῖς τοιούτοις τὰ τετράμετρα, ἢ τὰ ἀναπαιστικά, ἢ τὰ ἰαμβικά, διὰ τὸ ῥᾳδίως ἐμπίπτειν ἐν τούτοις τὸν τοιοῦτον ῥυθμόν. Dafs das Scholion auf gute Quellen zurückgeht, sieht man auf den ersten Blick; der Verfasser weifs, dafs der Tanzrhythmus — denn das soll wohl der τοιοῦτος ῥυθμός bedeuten — Tetrameter verlangt, er weifs ferner, dafs in den Agonen — denn das will er wohl mit τοῖς τοιούτοις sagen — nur das iambische oder anapaestische Versmafs zugelassen ist. Wir dürfen ihm also Glauben schenken und die Tanzbegleitung der Agone für erwiesen betrachten. Zum Tanz gehört aber Musik; und wenn die Musik spielte, so war der Vortrag kein rein declamatorischer, sondern zum mindesten ein melodramatischer; er war sicher ein melodramatischer, da das Recitativ bereits vom chorisch epischen Tetrameter besetzt ist.

Was vom iambischen Tetrameter gilt, das gilt auch vom anapaestischen; der Scholiast sagt es, und es ist auch an sich wahrscheinlich, da beide Metra promiscue in den Epirrhemen

der Agone gebraucht werden. Zum Ueberflufs wird es uns
durch Aristophanes selbst bestätigt. In der Antode des Ly-
sistrateagons sagt der Frauenchor

ἀπαίρετ᾽ ὦ γυναῖκες ἀπὸ τῶν καλπίδων, ὅπως ἂν
ἐν τῷ μέρει χἠμεῖς τι ταῖς φίλαισι cυλλάβωμεν.
ἐγὼ γὰρ οὐπώποτε κάμοιμ᾽ ἂν ὀρχουμένη,
οὐδὲ τὰ γόνατα κόπος ἐλεῖ μου καματηρός . . .

Der letzte Vers ist verderbt, daher will ich auf das Futurum
ἐλεῖ kein allzugrofses Gewicht legen; auch so leuchtet es ein,
dafs die Frauen einen langen Tanz aufführen wollen, um ihren
Freundinnen auf der Bühne Mut einzuflöfsen; und zwar ἐν τῷ
μέρει, im Gegensatz zum Tanze, den die Männer ihrem Kämpen
zu Ehren aufgeführt haben. Natürlich meinen sie nicht den
Tanz, der etwa — wenn überhaupt — die kurze Antode begleitet hätte; es ist kein κόπος καματηρός, zwanzig Tacte
durchzutanzen. Sie meinen den Tanz, der nach der Meinung
des Scholiasten zu Wolk. 1352 den Tetrameter begleitete; im
Epirrhema hatten die Männer getanzt, das Antepirrhema gehört den Frauen. Brauchten wir für unsere Meinung von der
Antichorie noch eine Bestätigung, so könnten wir sie aus dieser
einzig kostbaren Stelle schöpfen.

Darf ich aber — ohne dem Verdachte zu verfallen, als
wollte ich das Gras wachsen hören — dem oben angeführten
Scholion die Behauptung entnehmen, dafs für die Komoedie
der melodramatische Vortrag, dessen Urgrund der Tanz war,
auf die Tanzverse, die Tetrameter beschränkt war, also auf
die Trimeter keine Anwendung fand? Denn dafs der rein
komische Trimeter dem Gebiete der ψιλὴ λέξις angehört, daran
zweifelt gegenwärtig niemand, das soll zum Überflufs im vierten
Abschnitt dargetan werden: und da wir nicht vier, sondern
nur drei Arten Trimeter haben und der lyrische sicher gesungen
wurde, so ist es klar, dafs eine von den beiden nachgebliebenen
Stufen des Vortrags für die Trimeter keine Verwendung fand.
Von dem Recitativ dieses anzunehmen hat keinen Sinn; der
Trimeter eignet sich vortrefflich für recitativischen Vortrag,
und obendrein wäre es recht sonderbar, wenn der dem recitativischen chorisch-epischen Tetrameter metrisch durchaus entsprechende tragische Trimeter nicht recitativisch, sondern melo-

dramatisch vorgetragen sein sollte. Schliefsen wir dagegen
den melodramatischen Vortrag aus, so ist alles in schönster
Ordnung.
Also wurde der tragische Trimeter recitativisch vorgetragen? Für die Komoedie könnte man das hingehen lassen;
aber mein erstes Axiom verlangt, dafs Veränderung der Vortragsweise Veränderung der metrischen Behandlung zur Folge
habe; ist also die metrische Behandlung bei einem so allo-
tropischen Verse, wie der Trimeter, die gleiche in der Komoedie
wie in der Tragoedie, so müssen wir auch für den tragischen
Trimeter der Tragoedie recitativischen Vortrag annehmen. Damit würden wir zur Meinung KGepperts[1]), Genellis[2]), ANaekes[3])
und RWestphals[4]) zurückkommen; mit der Modification jedoch,
dafs die genannten Gelehrten — soweit sie die beiden Vor-
tragsarten unterschieden haben — für den tragischen Trimeter
den melodramatischen, nicht den recitativischen Vortrag annehmen. Dem gegenüber mufs ich jedoch bei meiner Behauptung bleiben; die Worte Plutarchs περὶ μουc. c. 28 ἔτι δὲ τῶν
ἰαμβείων τὸ τὰ μὲν λέγεcθαι παρὰ τὴν κροῦcιν, τὰ δὲ ἄδεcθαι
Ἀρχίλοχόν φαcι καταδεῖξαι, εἶθ᾽ οὕτω χρήcαcθαι τοὺς τραγικοὺς
ποιητάς können ebensogut das begleitete Recitativ, wie den
melodramatischen Vortrag meinen. Für meine Ansicht vom
Vortrage des tragischen Trimeters kann ich noch aus Aristophanes selbst zwei Zeugnisse anführen. Erstens, Ach. 1183 ff.
(von Lamachos)

πτίλον δὲ τὸ μέγα κομπολακύθου πεcὸν
πρὸς ταῖς πέτραιcι, δεινὸν ἐξηύδα μέλος
'ὦ κλεινὸν ὄμμα, νῦν πανύcτατόν c᾽ ἰδὼν
'λείπω φάος γε τοὐμόν, οὐδὲν εἴμ᾽ ἐγώ.'
τοcαῦτα λέξας . . .

Leider sagen uns die Scholiasten nicht, aus welcher Tragoedie die zwei Verse genommen sind; dafs sie tragisch sind,
das unterliegt keinem Zweifel. Sie werden μέλος genannt;
das setzt gesungenen Vortrag, nicht blofs Declamation unter

---

1) Altgriechische Bühne S. 240; auch er läugnet für den komischen
Trimeter den musikalischen Vortrag. — 2) Das Theater zu Athen S. 132.
— 3) Rh. M. 17, 521. — 4) Proll. z. Aesch. S. 200.

Musikbegleitung — die hier doch wegfiel — voraus. Dasselbe
belehrt uns eine zweite Stelle, Wolk. 1370 f.

λέξον τι τῶν νεωτέρων, ἅττ' ἐςτὶ τὰ coφὰ ταῦτα·
ὁ δ' εὐθὺς ἧc' Εὐριπίδου ῥῇcιν . . .

Für WChrist[1]) werden sonst Partien *in das Mittelgebiet der
Parakataloge dadurch verwiesen, dafs sie bald als Lexis und bald
als* μέλος *bezeichnet werden*, — mit Unrecht, denn wo es nur auf
den Text, nicht auch auf den Vortrag ankam, konnte auch
eine Ode recht gut λέξις genannt werden. Hier soll Aristophanes die beiden Begriffe einfach *confundiert* haben[2]), während, wie wir weiter erfahren, der tragische Trimeter *einfach
declamiert werde, ohne jede musikalische Begleitung*. Für diese
'Confusion' beruft sich WChrist zunächst auf die Römer —
eine Analogie, die ich entschieden ablehnen mufs, da in
römischer Zeit das 'Singen' oft schon ein 'Überlebsel' geworden war, ganz wie in 'singe unsterbliche Seele' — sodann
auf Homer, Aischylos und Solon; aber bei letzterem ist ἐν ᾠδῇ
eben wörtlich zu nehmen[3]), bei Homer ebenfalls, und bei
Aischylos wird λέγειν von einem melischen Gedichte gebraucht,
was doch nichts Auffallendes hat.

Der Annahme, dafs der tragische Trimeter παρακαταλογάδην
— um diesen unbestimmten Ausdruck zu gebrauchen — vorgetragen worden sei, hat am entschiedensten WChrist widersprochen, aber mit Gründen, die selbst der schonendsten
Prüfung nicht Stand halten. Um von der Responsion, die
uns im vierten Abschnitt beschäftigen wird, vorläufig zu schweigen, ist erstens die Stelle Lucians π. ὀρχ. c. 27 anzuführen,
wo es von einem schlechten Schauspieler heifst: ἐνίοτε περι-
ᾴδων τὰ ἰαμβεῖα καὶ τὸ δὴ αἴcχιcτον, μελῳδῶν τὰς cυμφοράς.[4])
Da dies als übler Ton angesehen wird, so folgert WChrist
daraus, dafs die Trimeter in der Regel gesprochen, nicht ge-

---

1) Metrik² S. 680. — 2) a. O. S. 681. — 3) s. RPrinz de Solonis Plut.
font. S. 3 f.; ERohde d. griech. Roman S. 139 A. Dafs die Frage umstritten ist, weifs ich wohl; aber eben darum hätte sie WChrist nicht
berühren dürfen. — 4) Auch diese Stelle könnte übrigens für den recitativischen und gegen den melodramatischen Vortrag ins Feld geführt
werden.

sungen wurden[1]). Ganz gewifs; aber doch nur zur Zeit Lucians, also erst sechs Jahrhunderte nach der classischen Tragoedie; da nun der Übergang des Recitativs in die blofse Declamation etwas ganz Natürliches ist — wir selbst haben Ähnliches erlebt — so ist diese Analogie fast ebenso verfehlt, wie die von WChrist sonderbarerweise gleichfalls herangezogene Analogie der römischen Komoedie[2]). Sodann wird, um die Autorität Plutarchs — d. h. des Glaukos von Rhegion, des denkbar sichersten Gewährsmannes — abzuschwächen, geltend gemacht 'wir müfsten dann auch annehmen, dafs die Dithyramben des Krexos aus iambischen Trimetern bestanden hätten[3]); da dieses aber absurd ist', u. s. w. Zunächst doch nur, dafs in den Dithyramben des Krexos beiderlei Trimeter vorkamen; und da wir von Krexos und seinen Dithyramben sonst nichts wissen, so hat diese Annahme auch gar nichts gegen sich. Ferner wird Xen. Symp. c. 6 citirt: ἢ οὖν βούλεσθε, ἔφη, ὥσπερ Νικόστρατος ὁ ὑποκριτὴς τετράμετρα πρὸς τὸν αὐλὸν κατέλεγεν, οὕτω καὶ <ἐγὼ> ὑπὸ τὸν αὐλὸν ὑμῖν καταλέγωμαι; *Warum nennt er die Trimeter nicht?* fragt WChrist.[4]) Das möchte ich auch fragen; aber hier ist nicht der Ort dazu. *Endlich, meint er, würde auch die lebensvolle Kunst des Schauspielers... auf eine unerträgliche Weise durch die Begleitung eines gewöhnlichen (?) Flötenbläsers gestört und behindert worden sein.*[5]) Der Gesang ist allerdings die Maske des Vortrags; und die Maske, so sehr sie auch unserem Gefühle widerstrebt, wird doch der antiken Tragoedie nicht abzusprechen sein.

Der von uns betonte Unterschied im Vortrage des tragischen und des komischen Trimeters findet in einem anderen Unterschied seine Bestätigung. In der Tragoedie kommt es sehr häufig vor, dafs lyrische Partien durch eingelegte Trimeter unterbrochen werden (s. oben S. 230); in der Komoedie niemals, dagegen spielen hier (in den Mesoden und sonst) die Tetrameter dieselbe Rolle. Daraus geht wohl hervor, dafs die Trimeter der Tragoedie bezüglich des Vortrags auf derselben

---

1) Die Parakataloge S. 179; Metrik[2] S. 604. — 2) Die Parakataloge S. 194. Metrik S. 321. — 3) Die Parakataloge S. 180. — 4) Die Parakat S. 195. — 5) Metrik[2] S. 601.

Stufe stehen mit den Tetrametern der Komoedie; beide wurden recitativisch vorgetragen. Die μεταβολή des Gesanges in die ψιλή λέξις mochte den Griechen zu schroff erscheinen; die μεταβολή ins begleitete Recitativ dagegen war ganz unbedenklich.

Damit hängt auch der oben S. 289 A. berührte Sprachgebrauch zusammen, dafs in der Tragoedie die Trimeter, in der Komoedie dagegen erst die Tetrameter als ἔπη gelten.

Übrigens wird der Vortrag des tragischen Trimeters seine Geschichte gehabt haben; und ich neige mich sehr zur Annahme, dafs die Befreiung der Declamation von der Melodie mit der Befreiung des Verses von der streng epischen Behandlung Hand in Hand ging. Möglicherweise bildete der Ausbruch des peloponnesischen Krieges, wenigstens für Euripides, den Wendepunct.

§ 4   Fassen wir das Gewonnene zusammen. Wir haben die uns bekannten vier Hauptarten des Vortrags alle bei Aristophanes wiedergefunden; und es sind Anzeichen vorhanden, dafs auch die verschiedenen Nuancen derselben in ziemlicher Vollständigkeit vertreten waren.

Da ist zunächst der Unterschied zwischen den dorischen und ionischen Strophen; ich habe, um diesen zu verdeutlichen, die Ausdrücke 'Kunstlied' und 'Volkslied' in Vorschlag gebracht. Dabei schwebten mir nicht sowohl die melodischen deutschen und slavischen Volkslieder — obgleich auch hier die Verschiedenheit unverkennbar ist — als vielmehr die südländischen, die Stornelli und Rispetti Italiens, die patriotischen Lieder Griechenlands, deren Vortrag sich weit mehr dem gesungenen Recitativ nähert. Es läfst sich wohl denken, dafs die kunstgemäfs componierten dorischen Strophen sich von solchen Liedern kräftig genug abhoben, und wir dürfen uns daher nicht wundern, dafs diese quasi-recitativischen ionischen Strophen einmal (Wesp. Parod. I) sogar als Epirrhemen verwendet worden sind.

Wie stellt sich nun nach dem Gesagten das Verhältnis zwischen Ode und Epirrhema heraus? Es sind folgende Variationen möglich:

Ode.	Epirrhema.
Kunstgesang	Gesungenes Recitativ (ion. Str.)

('Wespen' Parod. I)

Kunstgesang	Recitativ
	(Parabasen und die meisten Parodoi)
Kunstgesang	Melodramatischer Vortrag
	(Die meisten Agone)
Kunstgesang	Declamation
	(Die meisten trimetr. Syzygien)
Gesungenes Recitativ	Recitativ
	(Die späteren Parodoi)
Gesungenes Recitativ	Melodramatischer Vortrag
	('Ritter' Agon, 'Wolken' Nebenagon)
Gesungenes Recitativ	Declamation
	(Viele trimetr. Syzygien, z. B. Ach. 1008 ff.).

Fügt man nun hinzu, dafs die Oden hin und wieder nicht den ganzen Halbchören, sondern ihren Führern zufielen, so wird man gestehen müssen, dafs für Abwechselung in reichem Mafse gesorgt war. Aber noch eine Nuance ist nachzutragen.

Wir unterscheiden begleitetes und unbegleitetes Recitativ. Dafs das Recitativ der griechischen Komoedie im allgemeinen begleitet war, ist evident; das geht aus dem Charakter des Tetrameters, der ein Marschvers war, hervor. War aber das Secco gänzlich ausgeschlossen?

Ganz gewifs nicht. Aristophanes selber bezeugt uns sein Vorkommen in einer Weise, die an Deutlichkeit nichts zu wünschen übrig läfst.

Der Kuckuck schickt sich an, die Vögel zur Versammlung zu rufen; Peithetairos ist neugierig, wie er das anstellen will. 'Ganz einfach', lautet die Antwort, 'ich begebe mich stehenden Fufses ins Gebüsch und wecke meine Nachtigall, dann werden wir sie rufen;

> οἱ δὲ νῷν τοῦ φθέϝματος
> ἐάνπερ ἐπακούϲωϲι, θεύϲονται δρόμῳ'.

'Das tue nur', sagt Peithetairos. Sogleich stimmt der Kuckuck das Wecklied an

> ἄϝε ϲύννομέ μοι, παῦϲαι μὲν ὕπνου . . .

Die Nachtigall antwortet ihm mit einem Flötenspiel; darauf beginnt das eigentliche Lied, mit dem die Vögel gerufen werden:

ἐποποποποποποποποποῖ . . .

Warum die Nachtigall dabei sein mußte, erfahren wir erst später (V. 659 ff.).[1]) Sie war die Flötenbläserin, welche den Gesang zu begleiten hatte. Nun ist es klar, daß sie das Wecklied noch nicht begleitet haben kann; dieses wurde also ohne Begleitung gesungen. Nun ist es ein Hypermetron, also ein Gedicht, bei dem der melische Vortrag ebenso ausgeschlossen ist, wie die nackte Declamation; es bleibt also — da ein melodramatischer Vortrag ohne Begleitung ein Unding ist — nur das Recitativ nach, und zwar das unbegleitete, das Seccorecitativ.

Leider läßt dieser Fall keine Generalisierung zu; höchstens könnten wir das Gesagte auf Thesm. 39 ff. ausdehnen, dieses allerdings mit hoher Wahrscheinlichkeit. Etwas weiter kommen wir mit der folgenden Stelle. Vög. 669 f. fordert der Chor den Kuckuck auf, die Nachtigall zu rufen, damit er mit ihr spielen könne. Bald tritt diese hervor und wird enthusiastisch vom Chorführer begrüßt in der arrhythmischen Anrede V. 676 ff., die das Kommation der Parabase bildet

ὦ φίλη, ὦ ξουθή . . .
ἀλλ᾽ ὦ καλλιβόαν κρέκουc᾽
αὐλὸν φθέγμαcιν ἠρινοῖc,
ἄρχου τῶν ἀναπαίcτων.

Wenn die Nachtigall erst jetzt aufgefordert wird, die Begleitung zu den Anapaesten zu spielen, so kann sie bis dahin nicht gespielt haben; es ist das auch nur natürlich, sie mußte erst

---

1) Daraus geht auch hervor, daß die vier Vögel V. 268 ff. nicht die Musikanten gewesen sein können; so dürftig dies auch ist, wir müssen annehmen, daß zur Begleitung des Gesanges nur ein Flötenspieler anwesend war. Jenes nimmt FWieseler an (Advv. in Aesch. Prom. et Ar. Av. 87 ff.); doch sind seine Gründe so kleinlich und gesucht, daß sie mich wenigstens nicht zu überzeugen vermögen. Die Bestimmung jener vier Vögel ist allerdings unklar: aber es ist auch die gleichgültigste Frage in der Welt.

in stummer Pantomime den Grufs der anderen Vögel beantworten. Also wurde das Kommation wiederum ohne Begleitung vorgetragen. Nun fragt sichs: melisch oder recitativisch? Man könnte aus Rücksicht auf das Versmafs sich versucht fühlen, das erstere anzunehmen, wenn nicht der natürliche Zwang vorhanden wäre, sämtliche Kommatia unter einen Gesichtspunct zusammenzufassen. Und da nicht wenige von ihnen in anapaestischen Hypermetra oder Tetrametern geschrieben sind, so ist der melische Vortrag wiederum ausgeschlossen; wir sehen uns gezwungen, das Seccorecitativ heranzuziehen.

Dasselbe möchte für V. 851—858 = 895—902 zu empfehlen sein. Diesmal ist es nicht die Nachtigall, sondern der Rabe, welcher die Flöte spielen soll; der Chor[1]) redet ihn mit Chairis an. Da er nun auch erst gegen das Ende des Opferliedes aufgefordert wird, den Gesang zu begleiten, so mufs dieser der Begleitung entbehrt haben.

Hiebei drängt sich noch eine Betrachtung auf. Der letzte Vers der Ode lautet — nach GHermanns evidenter Coniectur —

ξυναυλείτω δὲ Χαῖρις ᾠδᾷ.

Dafs Chairis, der Rabe, allsogleich zu blasen anfängt, ist klar; mit V. 859 παῦσαι cὺ φυcῶν bringt ihn Peithetairos zum Schweigen. Aber wo bleibt die ᾠδά, die er begleiten soll? Im Texte steht sie nicht. Noch mehr. Auch in der Antode wird uns ein Lied versprochen (V. 895 ff. εἶτ᾽ αὖθις αὖ τἄρα coι δεῖ με δεύτερον μέλος χέρνιβι θεοcεβὲς ὅcιον ἐπιβοᾶν), und auch dieses bleibt aus. Man möge nicht einwenden, dafs hier der Vorsatz durch die Dazwischenkunft des Dichters vereitelt worden ist; der Dichter meldet sich erst nachdem die χέρνιψ vorüber ist und das eigentliche Opfer beginnen soll (V. 903 θύοντες εὐξώμεcθα τοῖς πτερίνοις θεοῖς); das Lied aber sollte gerade zur Chernibs gesungen werden. Nach dem, was wir wiederholt bemerkt haben, fällt die Erklärung nicht schwer. Beide Gesänge wurden ausgeführt, nur in den Text aufgenommen

---

1) Nach FWieseler (Advv. in Aesch. Prom. et Ar. Av. 108) hätten wir freilich die Oden dem Priester zu geben. Da es aber in der Komoedie sonst keine antistrophischen Lieder ἀπὸ cκηνῆς giebt, so haben wir kein Recht, hier ein solches zu statuiren.

20*

wurden sie nicht, weil sie nicht geistiges Eigentum des Dichters waren. Er wird irgend ein beliebtes Prosodion herangezogen haben; die Strophe gab die Ode, die Antistrophe die Antode ab. Unter diesen Umständen wird es uns auch nicht Wunder nehmen, dafs hier sogar epirrhematische Oden im Seccorecitativ vorgetragen wurden; es waren eben keine Oden, sondern nur Kommatia, und als solche waren sie der gemeinsamen Regel unterworfen, wonach für das Kommation das Seccorecitativ die kanonische Vortragsweise war — einer Regel, die eben durch unseren Fall eine schöne Bestätigung erhält.

Zum Schlusse möchte ich den Versuch machen, wenigstens eine aristophanische Komoedie mit Rücksicht auf die in diesem und dem vorigen Abschnitt dargelegten Principien zu zerlegen. Ich sehe mir dazu die 'Vögel' aus.

V. 1—208		Trimeter. Einfache Declamation
„ 209—222		Hypermetron. Wecklied. Seccorecitativ
„ 223—226		Trimeter. Declamation. Gleichzeitig
	Prolog	praeludiert die Nachtigall auf der Flöte
„ 227—262		Monodie des Epops. Kunstgesang
„ 263—267		Trimeter. Declamation.
„ 268—326		Tetrameter. Begleitetes Recitativ
„ 327—335		Ode. Kunstgesang d. rechten Halbchors
„ 336—342		Tetrameter. Begleitetes Recitativ
„ 343—351	Parodos	Antode. Kunstgesang des linken Halbchors
„ 352—386		Tetrameter. Begleitetes Recitativ
„ 387—399		Dimeter. Begleitetes Recitativ.
„ 400—405		Ode. Kunstgesang des ganzen Chors
„ 406—434	I Zwischensc.	Wechselgesang des Chorführers mit dem Epops. Gesungenes Recitativ
„ 435—450		Trimeter. Declamation.

V. 451—459		Ode. Kunstgesang d. rechten Halbchors
„ 460 f.		Katakeleusmos. Begleitetes Recitativ des rechten Halbchorführers (Koryphaios)
„ 462—522		Epirrhema. Melodramatisch
„ 523—538		Pnigos. Melodramatisch
„ 539—547	Agon	Antode. Kunstgesang des linken Halbchors
„ 548 f.		Antikatakeleusmos. Begleitetes Recitativ des linken Halbchorführers
„ 550—610		Antepirrhema. Melodramatisch
„ 611—626		Antipnigos. Melodramatisch
„ 627f.637f.		Sphragis. Begleitetes Recitativ des Koryphaios.

„ 629—636		Ode. (Secco-?) Recitativ des Koryphaios
„ 639—657		Trimeter. Declamation
„ 658—660	11 Zwischense.	Tetrameter. Begleitetes Recitativ des Koryphaios
„ 661—675		Trimeter. Declamation, z. A. auch Flötenspiel.

„ 676—684		Kommation. Seccorecitativ des Koryphaios
„ 685—722		Anapaeste. Tetrameter. Begleitetes Recitativ des Koryphaios
„ 723—736		Pnigos. Begleitetes Recitativ des Koryphaios
„ 737—752	Parabase	Ode. Kunstgesang des rechten Halbchors
„ 753—768		Epirrhema. Begleitetes Recitativ des rechten Halbchorführers (= Koryphaios)
„ 769—784		Antode. Kunstgesang des linken Halbchors
„ 785—800		Antepirrhema. Begleitetes Recitativ des l. Halbchorführers.

V. 801 — 850		Epirrhema. Trimeter. Declamation
„ 851 — 858		(Kommation) Seccorecitativ d. rechten Halbchorführers (= Kor.)
—	I Syzygie	Ode. Kunstgesang d. rechten Halbchors
„ 859 — 894		Antepirrhema. Trimeter, untermischt mit Prosa. Declamation
„ 895 — 902		(Kommation) Seccorecitativ d. linken Halbchorführers
—		Antode. Kunstgesang d.link.Halbchors.
„ 903 — 953		Trimeter, dazwischen monodische Partien des Dichters, wohl ohne Begleitung gesungen
„ 954 — 991	III Zwischense.	Trimeter, dazwischen Hexameter des Propheten und des Peithetairos (wohl Seccorecitativ)
„ 992—1020		Trimeter. Declamation
„ 1021—1057		Trimeter, untermischt mit Prosa. Declamation.
„ 1058—1071		Ode. Kunstgesang d. rechten Halbchors
„ 1072—1087	Nebenparab.	Epirrhema. Begleitetes Recitativ des r. Halbchorführers (= Kor.)
„ 1088—1101		Antode. Kunstgesang des l. Halbchors
„ 1102—1117		Antepirrhema. Begleitetes Recitativ des linken Halbchorführers.
„ 1118—1187		Epirrhema. Trimeter. Declamation (abges. von 1164 f., die in begleitetem Recitativ vom Chorführer vorgetragen wurden)
„ 1188—1195	II Syzygie	Ode. Gesungenes Recitativ des rechten Halbchorführers
„ 1196—1261		Antepirrhema. Trimeter. Declamation (abges. von den beiden ersten Trimetern, die in begleitetem Recitativ vom Koryphaios vorgetragen wurden)
„ 1262—1265		Antode. Gesungenes Recitativ d. linken Halbchorführers.
„ 1266—1312	I Epeis. Trimeter. Declamation.	

V. 1313—1334 1 Stasi- Kunstgesang der beiden Halbchöre, von
mon Peithetairos in gesungenem Recitativ
unterbrochen.

„ 1335—1469 II Epeis- Trimeter. Declamation. Dazwischen mon-
odion odische Partien, unbegleiteter Gesang.

„ 1470—1493 II Stasi- Gesungenes Recitativ der beiden Halb-
mon chöre.

„ 1494—1552 Epirrhema. Trimeter. Declamation

„ 1553—1564 Ode. Gesungenes Recitativ des rechten
Halbchors

„ 1565—1693 III Sy- Antepirrhema. Trimeter (und Prosa).
zygie Declamation

„ 1694—1705 Antode. Gesungenes Recitativ d. linken
Halbchors.

„ 1706—1719 Trimeter. Declamation

„ 1720—1730 Kommation. Seccorecitativ des Chorführers

„ 1731—1742 Hymenaios. Gesungenes Recitativ der
beiden Halbchöre. Das Ephymnion

Exodos wohl vom ganzen Chor wiederholt

„ 1743—1747 Kommation. Seccorecitativ des Chorführers

„ 1748—1754 Kunstgesang des ganzen Chors

„ 1755—1765 Gesungenes Recitativ des Peithetairos
und des Chors.

Das soeben Dargetane legt uns eine kleine Betrachtung § 5.
nahe. Es ist vielleicht die sicherste Bürgschaft für die Richtigkeit einer Theorie, wenn Resultate, die auf verschiedenen
Wegen gewonnen sind, miteinander so gut übereinstimmen,
als wenn sie sich auseinander ergeben hätten; deswegen würde
ich es ungern versäumen, auf solche Übereinstimmungen, wo
sie vorhanden sind, hinzuweisen.

Oben ist auf dem Wege der Induction erwiesen worden,
dafs in den Agonen die Teilnahme des Chors auf die Katakeleusmoi beschränkt war. Schon damals machte ich den
Versuch, diese Erscheinung zu begründen, indem ich das Schieds-

richteramt des Chores betonte; doch hätte der Leser fragen können, warum denn auf die Rolle des Chores nicht einmal solche Äufserungen fallen, die sonst dem Schiedsrichter wohl anstehen. — Der Grund ist ein rein technischer. Wir haben gesehen, dafs alle Tetrameter des Chores recitativisch vorgetragen wurden. Hätte nun der Chor mitten im Epirrhema des Agons das Wort ergriffen, so würde der Flufs der melodramatisch vorgetragenen Tetrameter durch ein Recitativ unterbrochen worden sein; und wenn das auch beim Epeisodion ziemlich unbedenklich ist, bei einer Syzygie geht das nicht an, da hier die Einheitlichkeit der Vortragsweise Haupterfordernis ist. Die Katakeleusmoi verstofsen gegen diese Regel nicht; sie stehen zwischen den Oden und dem Epirrhema — eine Stellung, wie sie dem vermittelnden Charakter des Recitativs zwischen Gesang und melodramatischem Vortrag wohl angemessen ist.

Aus dem Gesagten erhellt auch, dafs die Epirrhemen für sich allein, ohne die Katakeleusmoi, ein Ganzes bildeten; die μεταβολή der Vortragsweise betonte hier die Commissur aufs deutlichste. Wie steht es aber um die Katakeleusmoi der Parodos, wo der recitativische Vortrag sich ins Epirrhema hinein fortsetzte? Zunächst sei bemerkt, dafs der Katakeleusmos in der Parodos — eben darum — keinen kanonischen Platz hat. Wo er vorkommt, — wie in der 'Eirene' — da haben wir an ein bewufstes Experiment, eine Entlehnung aus dem Agon zu denken; und es versteht sich, dafs die Gesetze des Agons dann auch für die parodischen Katakeleusmoi galten. Wir müssen daher auch in der Parodos die Epirrhemen als ein selbständiges Ganzes betrachten, dem Componisten standen genug Mittel zu Gebote, um die Commissur auch ohne die Nachhülfe der genannten Metabole seinem Publicum zu Bewufstsein zu bringen. Was es aber mit dem Ausdrucke 'als ein selbständiges Ganzes betrachten' für eine Bewandtnis hat — darüber das nähere im vierten Abschnitt.

Auch sonst ist unsere Scala durchaus naturgemäfs. Dafs die Kunstform des Agons jünger ist, als die der Parabase, das ist schon mehrfach betont worden. In der vorkratineischen Komoedie mufs der Agon ähnlich ausgesehen haben, wie die

Parabase der 'Lysistrate'; den Streit führten die beiden Halbchorführer. Natürlich war damals auch die Vortragsweise
im Agon dieselbe, wie in der Parodos und in der Parabase.
Damit ist der jüngere Ursprung des melodramatischen Vortrags
erwiesen — und das versteht sich eigentlich von selbst, das
ergiebt sich direct aus dem kunstmäfsigen Charakter dieser
Vortragsweise.

Wenn dem aber so ist, so ist auch die Bedeutung des
Wortes παρακαταλογή aufser Zweifel gestellt. Nach der
bekannten Stelle des Plutarch[1]) hätte sie Archilochos 'erfunden',
und zwar für seine iambischen Verse; diese Verse wurden teilweise gesungen, teilweise mit Musikbegleitung 'gesprochen'.
Archilochos, der das Volkslied in die Kunstpoesie eingeführt
hat, ist auch, wie oben gezeigt worden ist, als der Vater der
ionischen Komoedie zu betrachten; was Plutarch von der Verwendung der Parakataloge in seinen Gedichten sagt, gilt genau
von der epirrhematischen Composition. Ich trage keinen An-
stand, mir die Gedichte, die Plutarch im Sinne hat, der 'Lysistrate'-Parabase möglichst ähnlich vorzustellen.

Natürlich ist Parakataloge unter diesen Umständen durch
'begleitetes Recitativ' wiederzugeben, nicht durch 'melodramatischer Vortrag'. Der Ausdruck λέγεσθαι παρὰ τὴν κροῦσιν
kann an sich zwar beides bedeuten; aber für die erste Bedeutung spricht die Analogie der ionischen Komoedie ebenso
wie der Charakter des Volksliedes, für die zweite gar nichts.

Übrigens sind wir zum Glücke im Stande, nachzuweisen,
dafs der melodramatische Vortrag neben der Parakataloge bei
den Griechen üblich war. Es geht dies aus den schon oben
herangezogenen xenophonteischen Worten hervor (Cυμπ. 6) ἢ
οὖν βούλεσθε, ἔφη, ὥσπερ Νικόστρατος ὁ ὑποκριτὴς τετράμετρα

---

1) π. μους. 28 Ἀρχίλοχος τὴν τῶν τριμέτρων ῥυθμοποιίαν προσεξεῦρε
καὶ τὴν εἰς τοὺς οὐχ ὁμογενεῖς ῥυθμοὺς ἔντασιν καὶ τὴν παρακαταλογήν
καὶ τὴν περὶ ταῦτα κροῦσιν... ἔτι δὲ τῶν ἰαμβείων τὸ τὰ μὲν λέγεσθαι
παρὰ τὴν κροῦσιν, τὰ δὲ ᾄδεσθαι Ἀρχίλοχόν φασι καταδεῖξαι, εἶθ' οὕτω
χρήσασθαι τοὺς τραγικοὺς ποιητάς. Cf. R Westphal Gesch. d. Musik S. 117,
mit dessen Erklärung ich aus den im Texte dargelegten Gründen nicht
einverstanden bin. Die Stelle aus Aristoteles (probl. XIX) trägt zur
Deutung nichts bei.

πρὸς τὸν αὐλὸν κατέλεγεν, οὕτω καὶ ⟨ἐγὼ⟩ ὑπὸ τὸν αὐλὸν ὑμῖν καταλέγωμαι. Damit ist, wie der Zusammenhang lehrt, die einfache Rede gemeint, vom Flötenspiel begleitet, also genau das, was wir unter dem melodramatischen Vortrag verstehen. Diese Vortragsweise hatte der (tragische) Schauspieler Nikostratos — wohl an Stelle des Recitativs — für die Tetrameter eingeführt, also genau für diejenigen Teile des Dialogs, für die in der Komoedie der melodramatische Vortrag üblich war. Damit ist zugleich die S. 303 aufgeworfene Frage, warum Xenophon nicht auch die Trimeter nennt, beantwortet; für die Trimeter war eben in der Tragoedie das Recitativ im Gebrauch.

Endlich möge erwähnt werden, dafs allem Anscheine nach die Griechen auch für den melodramatischen Vortrag einen technischen Ausdruck gehabt haben, und zwar den Ausdruck καταλογή. Hierauf bezieht sich die Glosse des Hesychios: καταλογή· τὸ τὰ ἄςματα μὴ ὑπὸ μέλει λέγειν. Leider können wir sie nur aus sich selbst erklären; denn καταλέγειν bedeutet einfach 'hersagen', καταλογάδην heifst 'in Prosa', die καταλογάδην ἴαμβοι sind rätselhaft. Soviel ist klar, dafs Hesychios eine Vortragsweise meint. Μέλος ist selbstverständlich = Melodie[1]); also ist der Gesang ausgeschlossen und auch das Recitativ. Ausgeschlossen ist aber auch die ψιλὴ λέξις, da diese auf die ἄςματα nicht beschränkt war. Es bleibt also nur der melodramatische Vortrag nach, — so sonderbar es auch ist, dafs Hesychios das Hauptcharakteristicum des melodramatischen Vortrags, die musikalische Begleitung, gar nicht einmal erwähnt.

Und nun können wir unsere Untersuchung schliefsen. Wir würden sie weit über die erlaubten Grenzen ausdehnen müssen, wollten wir sämtliche Schriftquellen behandeln, die auf die Vortragsweise des antiken Dramas Bezug nehmen. Das erscheint jedoch überflüssig — wie es am besten die an dankenswertem Material so reiche, und doch so resultatlose Untersuchung WChrists über die Parakataloge lehrt.

---

1) Nicht = Begleitung, wie das WChrist (Parak. S. 197) annimmt; dann hätte Hesychios wohl παρὰ τὴν κροῦειν gesagt.

Dritter Abschnitt.

Die Errhythmie der Chorgesänge.

Es sei mir gestattet, auf den folgenden Seiten den Lesern § 1.
einige Wahrnehmungen mitzuteilen, die sich mir beim Studium
des Aristophanes unwillkürlich aufgedrängt haben. Dafs ich
mich hier mehr als anderswo unsicher fühle, ist in der Natur
des zur Bearbeitung vorliegenden Materials begründet und
wird der Beweiskraft der Tatsachen keinen Eintrag tun —
vorausgesetzt, dafs der Beurteiler mehr auf das Prüfen, als
auf das Widerlegen ausgeht und nicht gesonnen ist, es die
Sache entgelten zu lassen, wenn sie einen ungeschickten Ver-
fechter gefunden hat.

Der Antagonismus zwischen der Aeolodoris und der Ias,
der sich tiefgreifend durch die gesamte althellenische Cultur
zieht und erst durch die endgültige Anerkennung der geistigen
Hegemonie Athens zum Austrag gekommen ist, macht sich in
der musischen Kunst in dreifacher Weise geltend. Zunächst, in
der Harmonik. Es ist RWestphals Verdienst, in die verworrene
Überlieferung über das System der antiken ἁρμονίαι zuerst
Ordnung gebracht und fünf Haupttonarten des diatonischen
Tropos herausgeschält zu haben, die uns immerhin in ihrer
Mannichfaltigkeit fremdartig genug anmuten, aber doch unserem
Verständnis unendlich näher stehen, als die mechanischen Ton-
folgen, die man früher bei den Hellenen vorauszusetzen pflegte.
Die erste trägt je nach der Höhe des Schlufstons die Namen
der dorischen, aeolischen oder boeotischen — wir erschöpfen
die Nomenclatur, indem wir diese Tonart die aeolodorische
nennen; sie entspricht ziemlich unserem Moll. Die zweite heifst
die phrygische, ionische oder hypophrygische; nennen wir sie die
phrygoionische; es ist ein etwas modificiertes Dur. Die dritte

wird in ihren drei Stufen die lydische, syntonolydische und
hypolydische genannt, kürzer die lydische; ein Seitenstück zur
phrygoionischen, in der Melodie nur wenig, in der Harmonisierung gar nicht von ihr unterschieden. Die vierte, lokrische,
eine ephemere Erscheinung, repraesentiert das dem lydischen
Dur entsprechende Moll. Die fünfte, mixolydische, verhält sich
zur phrygoionischen wie die lokrische zur lydischen. Die
beiden letzteren sind kunstmäfsigen Ursprungs. Bemerkenswert ist, dafs die zweite unter ihnen — und von den beiden
die einzige, die ihren Platz dauernd behauptet hat — die
mixolydische, zur Heimat den Boden hat, auf dem Aeolodoris
und Ias zusammenstofsen, die Insel Lesbos, und zur Erfinderin
die Dichterin Sappho, welche zuerst die ionische Lyrik in der
aeolischen Mundart einbürgerte; das poetische Zwitterwesen
verlangte ein musikalisches, und das wurde die mixolydische
Tonart, welche die Innigkeit des aeolodorischen Moll mit dem
Ungestüm des ionischen Dur verband. — Lassen wir also die
lydische Tonart als die Abart der ionischen aufser Betracht
und sehen wir von den beiden kunstmäfsigen Zwittertonarten
ab, so finden wir den Gegensatz, den wir in Dur und Moll
empfinden, bei den Alten in der ionischen und aeolodorischen
Tonart verkörpert.

Sodann, in der Rhythmik. Die Vorliebe für gewisse
Tactarten, die sich noch jetzt in den Volksliedern gewisser
Völker nachweisen läfst, trotz des immer mehr um sich grei-
fenden Synkretismus, — diese Vorliebe ist bei den beiden alt-
griechischen Stämmen, von denen die Rede ist, deutlich wahrnehmbar. Am aeolodorischen Ursprung des Hexameters wird
mit der Zeit wohl jeder Zweifel schwinden; das Distichon
ist eine Kunstschöpfung des ionischen Stammes, welcher auf
den fremden Vers die einheimische Compositionsweise übertragen
wollte; im übrigen ist bei keinem echt ionischen Dichter,
weder bei Archilochos noch bei Anakreon der Gebrauch des
vierzeitigen Daktylos nachweisbar. Der Daktylos ist demnach
der echte aeolodorische Tact, trat ursprünglich wohl nur in Verbindung mit der aeolodorischen Tonart auf und trug viel dazu
bei, der letzteren den Charakter der Männlichkeit und Festig-
keit zu geben, den die Alten ihr nachrühmen, wir aber mit

dem besten Willen nicht nachempfinden können. Nächst dem
Daktylos ist der Fünfzeitler unzweifelhaft aeolodorischen, möglicherweise geradezu dorischen Ursprungs; nicht zufällig heifst
seine hauptsächliche Erscheinungsform dem dorischen National-
gott zu Ehren Paion, in compacter Gestalt nach der dorischen
Insel, dem Ursitz dorischer Weistümer, Kretikos, in aufgelöster
Orthios — ein dunkler Name, der aber zweifelsohne mit dem
Beinamen der dorischen Artemis Orthia zusammenhängt. Fragen
wir nach dem Versmafs des ionischen Stammes, so giebt uns
der Name selbst die Antwort; es ist der Ionikos in seinen
drei Erscheinungsformen als Ἴων. ἀπὸ μείζονος, Ἴων. ἀπ' ἐλάτ-
τονος und Choriambus, früher dem phrygoionischen National-
gotte zu Ehren, der zusammen mit Kybele in ionischen Anaklomenoi besungen wurde, Bakcheios genannt. Der Grundtact
der ionischen Lyrik des Anakreon, wird er von den dorischen
Lyrikern gemieden; angewandt hat ihn von den letzteren nur
Stesichoros in einem Gedichte, welches das traurige Los der
ionischen Liebesheldin Rhadina zum Gegenstande hat. Die Erfinderin der mixolydischen Tonart, Sappho, hat auch hinsichtlich der Rhythmik eine Brücke zwischen beiden Volksstämmen
zu schlagen gesucht, indem sie nach ionischer Compositionsweise zwei daktylische Verse zu einem Distichon verband. —
Beiden Stämmen gemeinsam ist der älteste Tact, der Dreizeitler;
während er einerseits durch das ungerade Verhältnis der Arsis
zur Thesis dem ionischen Versmafs ähnlich war und überhaupt
ein Ionikos mit beschleunigtem Tempo genannt werden konnte,
kam er wieder durch die dipodische Behandlung, die er verlangte, dem dorischen γένος ἴσον nahe.

Endlich, in der Composition. Die Aeolodoris kannte blofs § 2.
die stichische Aneinanderreihung gleichartiger Verse und den
Perikopenbau; die Ias bevorzugt jene gleichartigen Composi-
tionsabschnitte, die ich oben ionische Strophen genannt habe.
Der Unterschied ist wohl bekannt, nur dafs man ihn gewöhnlich zwischen dorischer und aeolischer Lyrik statuiert, Anakreon nur ein Anhängsel der letzteren sein läfst und Archilochos ganz entfernt — ohne dabei zu berücksichtigen, dafs
die meisten Vertreter der sog. dorischen Lyrik Aeolier waren,
und dafs die Aeolis, sonst in jeder Beziehung der Doris ver-

wandt, schwerlich einzig darin einen Gegensatz zu ihr gebildet
haben wird. Das Merkmal der Ias ist somit die polystichische
Composition, deren einfachste Form, die distichische, bereits
von Archilochos angewandt worden ist. Es wurden entweder
zwei gleichwertige Verse zusammengereiht, oder ein Ganzes von
5 Tacten nach dem goldenen Schnitt auf zwei Verse, einen
Trimeter und einen Dimeter verteilt. Wie es möglich war,
dafs eine Melodie von nur fünf Tacten sich immer wiederholte,
ohne die Hörer zu ermüden, das beweist am besten das von
LErck[1]) mitgeteilte deutsche Volkslied 'es spielt ein Ritter
mit einer Magd'. Zwei unter den vier gangbaren Melodien haben
einen streng epodischen Bau, und wären sie nicht so schwer-
mütig, so würde man ihnen recht gut die Worte αἶνός τις ἀνθρώ-
πων ὅδε, | ὡς ἀρ᾽ ἀλώπηξ καἰετὸς ξυνωνίην als Text unterlegen
können. In ihrer Entwickelung zur polystichischen Composition
wurde sie vielfach variiert, als Gesetz galt aber, dafs nicht nur
wenigstens zwei Verse innerhalb der Strophe ganz gleich blieben,
sondern überhaupt durch den Wechsel rationeller und kyklischer
Füfse ein eurythmisches Ganzes geschaffen wurde.

    Durch Archilochos überkam die **ionische Compositions-
weise** Kratinos, durch Kratinos die altattische Komoedie. Die
distichische Composition scheint bei Kratinos in noch aus-
gedehnterem Mafse die Chorgesänge beherrscht zu haben, als
bei Aristophanes.[2]) Von den Gesängen des Aristophanes gehören folgende Bildungen hieher.

    Erstens, **distichische Strophen**, die an der Grenze
der stichischen und distichischen Composition stehen. Auch
führe ich sie nicht an, um ihre distichische Schreibung zu be-

---

1) Liederhort S. 81. — 2) Cf. Fgm. 199 K.

    „οἶνός τοι χαρίεντι πέλει ταχὺς ἵππος ἀοιδῷ·
    ὕδωρ δὲ πίνων οὐδὲν ἂν τέκοις σοφόν."
    ταῦτ᾽ ἔλεγεν, Διόνυσε, καὶ ἔπνεεν οὐχ ἑνὸς ἀσκοῦ
    Κρατῖνος, ἀλλὰ παντὸς ὠδώδει πιθοῦ.

Dafs das Distichon wörtlich auf Kratinos zurückgeht, ist unzweifelhaft;
nur dadurch ist es zu erklären, warum der Dichter der Anthologie das
absonderliche Metrum gewählt hat. Nun ist das Metrum aber das bekannte archilochische Distichon; ein solches würde bei Kratinos, einem
bewufsten Nachahmer des Archilochos, gar sehr am Platze sein. Aristophanes kennt es nicht.

        ·

fürworten, sondern um einen Markstein für die folgende Auseinandersetzung zu gewinnen.

I. ⏒ _ ⏑ _ ⏒ _ ⏑ _   τὸν πηλόν, ὦ πάτερ, πάτερ,
    _ ⏑ _ ⏑́ _ ⏒   τουτονὶ φύλαξαι

cf. Ritt. 757 f. = 837 f. Wesp. 248 ff. Lys. 256 f. = 271 f.; Fr. 395 f.; 441 f.; 445 f.

II. ⏒ _ ⏑ _ ⏑ _ ⏑ _   ἕπεςθε νῦν γάμοιciv, ὦ
    _ ⏑ _ ⏑ _ ⏑ _   φῦλα πάντα ξυννόμων

cf. Vög. 1755 ff. Ekkl. 289 = 300.

III. ⏒ _ ⏑ ⏑ _ ⏑ ⏑ _ ⏒   cτρόβει, παράβαινε κύκλῳ καὶ
   _ ⏑ _ ⏑ _ ⏒   γάcτρicον cεαυτόν

cf. Wesp. 1528 ff.

Von diesen Bildungen sieht namentlich die erste einem einzigen Verse sehr ähnlich; sie wird auch bald promiscue mit dem iambischen Tetrameter gebraucht, bald mufs sie diesen ablösen. Die dritte ist ein episynthetischer Vers in echt archilochischem Stil [1]), der sich durch Wiederholung der ersten Hälfte zu einer polystichischen Strophe erweitern läfst:

IV. ⏒ _ ⏑ ⏑ _ ⏑ ⏑ _ ⏒   ἄγ', ὦ μεγαλώνυμα τέκνα
   _ ⏑ _ ⏑ _ ⏒   τοῦ θαλαccίου θεοῦ,
  ⏒ _ ⏑ ⏑ _ ⏑ ⏑ _ ⏒   πηδᾶτε παρὰ ψάμαθον καὶ
   _ ⏑ ⏑ _ ⏑ ⏑ _ ⏒   θῖν' ἁλὸς ἀτρυγέτοιο
  _ ⏑ _ ⏑ _ ⏒   καρίδων ἀδελφοί

cf. Wesp. 1518 ff. = 1523 ff.

Nichts als eine Erweiterung dieses Verses ist auch die Bildung, die sich in einem γεφυριcμός bei Kratinos vorfindet. Den γεφυριcμός ergänze ich auf gut Glück also:

   ⏒ _ ⏑ ⏑ _ ⏑ _   ⟨ἀλλ' εἶα, τί φήcομεν⟩
   ⏒ _ ⏑ ⏑ _ ⏑ _   Λάμπωνα, τὸν οὐ βροτῶν
  ⏒ _ ⏑ ⏑ _ ⏑́ ⏑ _ ⏒ _ ⏑ _ ⏑ _ ⋎   ψῆφοϲδύναταιφλεγυρὰδείπνωνφίλων
                     ἀπείργειν;
   ⏒ _ ⏑ ⏑ _ ⏑ _   ⟨ἔκαπτε μὲν ἀρτίως,⟩
   ⏒ _ ⏑ ⏑ _ ⏑ _   νῦν δ' αὖθις ἐρυγγάνει·
⏒ _ ⏑ ⏑ _ ⏑ ⏑ _ ⏒ _ ⏑ _ ⏑ _ ⋎   βρύκει γὰρ ἅπαν τὸ παρόν· τρίγλῃ δὲ
                    κἂν μάχοιτο

cf. die 'Flüchtigen' Fgm. 57 f. K.[2])

---

1) WChrist, Metrik[2] S. 570. — 2) Dafs es ein γεφυριcμός ist, scheint

Von den Epoden in archilochischer Manier ist schon im zweiten Abschnitt die Rede gewesen. Da uns hier nur die Chorgesänge interessieren, so kommen blofs zwei Formen in Betracht:

V. ◡ ‿◡‿◡ ‿◡‿◡ ‿◡⌣ ἀλλ᾽ εἰ᾽ ἐπ᾽ ἄλλ᾽ ἀνάcτρεφ᾽ εὐρύθμῳ
         ποδί,
◡‿◡‿◡‿◡⌣   τόρευε πᾶcαν ᾠδήν
   cf. Thesm. 975 f., 983 f., 985 f.

VI. ◡‿◡‿◡‿◡‿◡⌣* còν ἔργον, ὦ πρεcβῦτα, φροντίζειν ὅπη
◡‿◡◡‿⌣   τὸν ἄνδρα κρατήcειc
   cf. Wolk. 1303 f. = 1311 f.; 1345 ff. = 1391 f.

Besonders interessant ist die letztere Form, da sie dreimal wiederholt die ganze Ode bezw. Antode des Nebenagons ausmacht. Sonst ist sie sowie die vorerwähnte (V) durch hinzugesellte iambische Verse zu einer ausgedehnten ionischen Strophe erweitert, über deren Beschaffenheit sich mehr würde sagen lassen, wenn der Text nicht so verderbt wäre.

Indem wir nun zu den polystichischen Bildungen übergehen, berücksichtigen wir zuerst das *iambische Geschlecht*. Da ist

---

mir im Hinblick auf die Ähnlichkeit in Form und Inhalt mit Fr. 416 ff. unzweifelhaft; damit stimmt die Erwähnung der ἱερὰ ὁδός, ἣν οἱ μύcται πορεύονται ἀπὸ τοῦ ἄcτεος ἐπ᾽ Ἐλευcίνια Fgm. 61. Zum Inhalt wäre zu vergleichen Eupolis 'Schmeichler' Fgm. 162 K. οὐ πῦρ οὐδὲ cίδηρος | οὐδὲ χαλκὸς ἀπείργει | μὴ φοιτᾶν ἐπὶ δεῖπνον. Den Anstofs, den TKock an ψῆφος φλεγυρὰ nimmt, verstehe ich nicht. Den letzten Vers erklärt AMeineke unrichtig *ne nullo quidem, vilissimo pisce, abstineat*. Mit dieser Auffassung der τρίγλη stehen wenigstens die Stellen, die ich gesammelt habe, im Widerspruch; als Leckerbissen wird sie erwähnt Fgm. 320 (cf. Athen. 6e); erst die verwöhnte Zeit des Petron (93) fand an ihr keinen Gefallen mehr. Vergleicht man die Notiz bei Aelian π. ζ. II, 41 ἔcτι δὲ θαλαττίων ζῴων τρίγλη λιχνότατον, καὶ ἐς τὸ ἀπογεύcαcθαι παντὸς τοῦ παρατυχόντος ἀναμφιλόγως ἀφειδέcτατον ... φάγοι δ᾽ ἂν τρίγλη καὶ ἀνθρώπου νεκροῦ καὶ ἰχθύος· φιληδούcι δὲ μᾶλλον τοῖς μεμιαcμένοις καὶ κακόcμοις — so wird es klar, dafs Lampon vielmehr mit einer Barbe verglichen wird, weil er so gefräfsig und so wenig wählerisch sei. — Übrigens erhellt daraus, wie nichtig die Restitutionen des Stückes seien, die sich auf die Combination des Titels mit der Person des Lampon stützen. Nicht viel überzeugender ist die Erklärung von FLeo (Rh. M. 33, 408 ff.), der einen mythologischen Inhalt vermutet.

vor allen Dingen die mehrfach erwähnte Form der Gephyrismoi zu nennen

VII　　σ _ υ _ υ _ ͜　　βούλεcθε δῆθα κοινῇ
　　　σ _ υ _ υ _ ͜　　cκώψωμεν 'Αρχέδημον
σ _ υ _ σ _ υ _ σ _ υ ͜ ὃς ἑπτέτης ὢν οὐκ ἔφυcε φράτορας.
cf. Fr. 416 ff.

Zwei solche Tristicha bilden eine Strophe. Sonst wird der Trimeter nur einmal in solchen ionischen Strophen verwendet, nämlich

VIII σ ͜͜͜͜ ͜͜͜ ͜ ͜ "Ιακχε πολυτίμητε, μέλος ἑορτῆς
　　σ ͜υ͜σ ͜͜͜͜ ͜ ἥδιcτον εὑρών, δεῦρο cυνακολούθει
　　σ ͜υ͜σ ͜͜ πρὸς τὴν θεόν, καὶ δεῖξον ὡς
　　σ ͜υ͜σ ͜υ͜υ ͜ ἄνευ πόνου πολλὴν ὁδὸν περαίνεις.
　υ ͜͜͜͜ ͜υ͜υ ͜͜ "Ιακχε φιλοχορευτά, cυμπρόπεμπέ με.
cf. Fr. 398 ff.; 404 ff.; 409 ff.

Desto häufiger kommen Tetrapodien vor; und zwar können wir hier zwei Gruppen unterscheiden, je nachdem wir die Strophe als Erweiterung des kätalektischen oder des prokatalektischen Tetrameters auffassen. Um mit der ersten anzufangen, so ist zweifelsohne die einfachste Form

IX　　σ ͜υ͜σ ͜υ͜　Δήμητερ, ἁγνῶν ὀργίων
　　σ ͜υ͜σ ͜υ͜　ἄναccα, cυμπαραcτάτει
　　σ ͜υ͜σ ͜υ͜　καὶ cῶζε τὸν cαυτῆς χορὸν
　　σ ͜υ͜σ ͜υ͜　καί μ' ἀcφαλῶς πανήμερον
　　σ ͜υ͜υ __　παῖcαί τε καὶ χορεῦcαι.
cf. Fr. 384 ff. = 389 ff.

ein regelrechtes Pnigos der metrischen Formation nach. Hieher gehören ferner die beiden Oden der zweiten Parodos der 'Ekklesiazusen', nur daſs hier eine distichische Strophe mit einer tristichischen und einer pentastichischen verbunden erscheint (V. 484 ff. = 494 ff.); ferner die Oden der Parodos des 'Plutos', die uns aber als Sologesänge hier nichts angehen; endlich zwei Bildungen, die eine unverkennbare Ähnlichkeit miteinander haben. Es gehen nämlich beidemal der dimetrischen Strophe zwei Tetrameter voraus, aufserdem erscheint

ZIELINSKI, die Gliederung der altattischen Komoedie.　　21

322   B. DAS MOMENT DER CHOREUTIK.

der letzte Vers der Strophe variiert; im einen Falle ist die katalektische iambische Tetrapodie durch eine katalektische kyklische Tripodie ersetzt, im andern Falle hat sich zu ihr ein Ithyphallikos gesellt:

X εὐδαιμονεῖ γ᾽ ἄνθρωπος· οὐκ ἤκουςας οἳ προβαίνει
τὸ πρᾶγμα τοῦ βουλεύματος. καρπώςεται γὰρ ἀνὴρ
    ἐν τἀγορᾷ καθήμενος·
    κἂν εἰςίῃ τις Κτηςίας
    ἢ ςυκοφάντης ἄλλος, οἰ-
    μώζων καθεδεῖται.
Cf. Ach. 836 ff. = 842 ff. = 848 ff. = 854 ff.

XI ἦ πόλλ᾽ ἄελπτ᾽ ἔνεςτιν ἐν τῷ μακρῷ βίῳ, φεῦ,
ἐπεὶ τίς ἄν ποτ᾽ ἤλπις᾽, ὦ Cτρυμόδωρ᾽, ἀκοῦςαι
    γυναῖκας, ἃς ἐβώςκομεν
    κατ᾽ οἶκον ἐμφανὲς κακόν,
    κατὰ μὲν ἅγιον ἔχειν βρέτας,
    κατὰ δ᾽ ἀκρόπολιν ἐμὰν λαβεῖν,
    κλήθροις δὲ καὶ μοχλοῖςιν
    τὰ προπύλαια πακτοῦν;
Cf. Lys. 256 ff. = 271 ff.

Welche Mannichfaltigkeit in der Eurythmie erreicht werden konnte durch zweckmäfsig verwandte Katalexis, davon liefern die beiden amoebaeischen Lieder der 'Acharner' Beispiele. Da der Vers immer der iambische Dimeter bleibt, mit Monometern untermischt, so möge hier nur das Zahlenschema folgen.

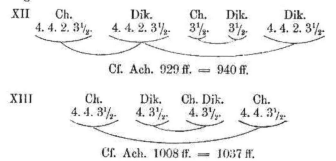

XII   Ch.   Dik.   Ch.   Dik.   Dik.
    4. 4. 2. 3½.   4. 4. 2. 3½.   3½.   3½.   4. 4. 2. 3½.

Cf. Ach. 929 ff. = 940 ff.

XIII   Ch.   Dik.   Ch. Dik.   Ch.
    4. 4. 3½.   4. 3½.   4. 3½.   4. 4. 3½.

Cf. Ach. 1008 ff. = 1037 ff.

Die zweite Gruppe, die als eine Erweiterung des prokatalektischen Tetrameters betrachtet werden könnte, ist nur durch ein einziges Beispiel vertreten. Es gliedert sich in vier Teile, indem auf den prokatalektischen Tetrameter erst ein Trimeter, dann zweimal ein trochaeischer Tetrameter folgt; das zweite Mal ist auch die Anakrusis im ersten Dimeter weggeblieben; den Schlufs bildet das Ephymnion. Das Zahlenschema ist demnach

XIV   4. 4. 6.   4. 4. 7½.   4. 4. 7½.   2. 4.

Cf. Lys. 286 ff. = 296 ff.

Zum zweiten wären die ionischen Strophen der *trochaeischen Gattung* aufzuzählen. Hier ist die metrische Zusammensetzung aufserordentlich einfach; der trochaeische Dimeter bildet überall den Grundvers, jede einzelne Strophe kann als Erweiterung des trochaeischen Tetrameters aufgefafst werden. Nur durch Wechsel in der Katalexis wird eine eurythmische Mannichfaltigkeit erzielt. Die Zahlenschemen sind dabei folgende

XV   4. 3½.   3½.   4. 4. 3½.   3½. 3½.   4. 4. 4. 3½.

Cf. Vög. 1470 ff. 1482 ff. 1553 ff. 1694 ff.

Die Progression in der Aufeinanderfolge der Strophen wird dem aufmerksamen Beobachter nicht entgehen. Viel einfacher ist das folgende Schema

XVI   4. 4. 3½.   4. 4. 3½.   4. 4. 3½.   4. 3½.

Cf. Fr. 534 ff. = 590 ff.

Sowie sonst um den Schlufs einer Strophe zu bezeichnen für den akatalektischen Dimeter der katalektische eintritt, so wird hier, um den Schlufs des Gedichtes zu bezeichnen, die tristichische Strophe, deren mehrfache Wiederholung das Gedicht ausmacht, durch die distichische vertreten. Ferner ist anzuführen

XVII   4. 3½.   4. 4. 4. 3½.   4. 4. 3½.   4. 4. 4. 4. 3½.

Cf. Fr. 1099 ff. = 1109 ff.

21*

Auch hier macht sich das Princip der Progression geltend, aber in getrübter Aufeinanderfolge; statt 2345 haben wir 2435.

Nun kommt die Reihe an zwei weitere Chorgesänge der 'Frösche', ein Stasimon und eins jener beiden unsymmetrischen Lieder. Hier die Schemen.

XVIII

$$3\tfrac{1}{2}.\ 3\tfrac{1}{2}.\ 3\tfrac{1}{2}.\quad 4.\ 4.\ 4.\ 4.\ 3.$$
$$\text{Cf. Fr. 1370 ff.}$$

$$3\tfrac{1}{2}.\ 3\tfrac{1}{2}.\ 3\tfrac{1}{2}.\quad 4.\ 3\tfrac{1}{2}.\quad 4.\ 4.\ 4.\ 3.$$
$$\text{Cf. Fr. 1482 ff.} = 1491\text{ ff.}$$

Die Aehnlichkeit ist auffallend; man beachte namentlich den Ithyphallikos, der sonst als Schlufsvers trochaeischer Strophen nicht nachweisbar ist. Sie wäre vollständig, wenn die Ode des Stasimons folgende Gestalt hätte (zweite Colonne):

ἐπίπονοί τ' οἱ δεξιοί.
τόδε γὰρ ἕτερον αὖ τέρας
νεοχμόν, ἀτοπίας πλέων,
ὃ τίς ἂν ἐπενόηcεν ἄλλος;
μὰ τόν, ἐγὼ μὲν οὐδ' ἂν εἴ τις
ἔλεγέ μοι τῶν ἐπιτυχόντων
ἐπιθόμην, ἀλλ' ᾠόμην ἂν
αὐτὸν αὐτὰ ληρεῖν.

μακάριός τ' ἀνὴρ ἔχων
ξύνεcιν ἠκριβωμένην·
ὅδε γὰρ εὖ φρονεῖν δοκῶν
πάλιν ἄπειcιν οἴκαδ' αὖθις
ἐπ' ἀγαθῷ μὲν τοῖς πολίταις
ἐπ' ἀγαθῷ δὲ τοῖς ἑαυτοῦ
ξυγγενέcι τε καὶ φίλοιcι
διὰ τὸ cυνετὸς εἶναι.

Das soll selbstverständlich keine Coniectur sein. Aber der Versuch mufste doch gemacht werden, die im dritten Abschnitt des ersten Teiles aufgeworfene Frage nach der Composition der zweiten Hälfte der 'Frösche' zu beantworten. Und dazu scheint mir die hervorgehobene Ahnlichkeit der anantistrophischen Ode V. 1370 ff. mit dem Stasimon V. 1482 ff. ein wertvoller Fingerzeig zu sein. Bis V. 1098 ging der Agon; es folgen: 1) das Stasimon V. 1099—1118; 2) der Dialog 1119—1250, die Musterung der Prologe; 3) die anantistrophische Ode 1250—1260, wo sich die alte Fassung neben die neue gedrängt hat; 4) der Dialog 1261—1369, die Musterung der Chorlieder enthaltend; 5) die zweite anantistrophische Ode V. 1370—1377; 6) der Dialog 1378—1481,

die Wageprobe und die politischen Ratschläge; 7) das Stasimon
1482—1499 und 8) die Exodos. Die Ode 3 verlangt eine
Antode, die wir am natürlichsten in 5 suchen. In 3 hat sich
die alte Fassung neben die neue gedrängt; ist es zu kühn anzunehmen, dafs in 5 die alte Fassung die neue verdrängt habe?
Das angenommen löst sich die Schwierigkeit ohne Mühe; die
neue Fassung enthielt I das Stasimon V. 1099—1118; II das
Epeisodion V. 1119—1250; III das Stasimon (?) V. 1251—1260;
IV das Epeisodion V. 1261—1369; V das Stasimon (?) V. 1370
—1377; VI das Epeisodion V. 1378—1481; VII das Stasimon
1482—1499 und VIII die Exodos. Wie aber die alte Fassung?
Da die alte Ode 1256—1260 der gleichfalls alten Ode 1370
—1377 nicht entspricht, so können sie nicht zu derselben
Syzygie gehört haben; 1256—1260 wird die Ode eines Stasimons
gebildet haben; 1370—1377 wird eben die Ode einer Syzygie
gewesen sein — und da ist es wohl kein Zufall, dafs sie mit
den Oden des Stasimons 1482—1499, in deren einen wir unter
allen Umständen die Antode zu suchen haben, metrisch so
wohl übereinstimmt. Die ältere Fassung bestand somit aus:
I Stasimon 1099—1118; II Epeisodion 1119—1250; III Stasimon 1256—1260; IV Epeisodion 1261—1369; V Syzygie:
Ode 1370—1377, Epirrhema 1378—1481, Antode 1482—1490.
Wo bliebe aber das Antepirrhema? Wir sahen oben, dafs die
Exodos umgearbeitet worden ist; nichts hindert uns anzunehmen,
dafs dabei das Antepirrhema verloren gegangen ist. Es ist
freilich nur eine Annahme; wer darüber die Achseln zuckt,
möge etwas besseres vorschlagen oder aber beweisen, dafs in
der altattischen Komoedie Ode und Antode sich nicht zu entsprechen brauchten.

An letzter Stelle sind zwei Odenpaare anzuführen, die eine
Seltsamkeit miteinander gemeinsam haben. Sie heben anapaestisch an; aber kaum ist der erste Dimeter vollendet, so schlägt
das Versmafs um und der Trochaeus kommt zu seinem Recht;
ohne Zweifel wird damit ein musicalischer Effect beabsichtigt.

καὶ μὴν ἡμεῖς ἐπιθυμοῦμεν   τάδε μὲν λεύccεις, φαίδιμ᾽ Ἀχιλλεῦ·
παρὰ coφοῖν ἀνδροῖν ἀκοῦcαι   cὺ δὲ τί φέρε πρὸς ταῦτα λέξεις;
τίνα λόγων, τίν᾽ ἐμμελείας . . . .   μόνον ὅπωc . . . . .

οὐπώποτε ταύτης ἤκουσα   τουτὶ μεντἤδη θαυμαστόν,
πολυπλοκωτέρας γυναικὸς   ὁπόθεν εὑρέθη τὸ χρῆμα,
οὐδὲ δεινότερα λεγούσης ...   χἤτις ἐξέθρεψε χώρα ....

XIX   4.   4. 4. 3½.   4. 4. 3½.   4. 4. 3½.   4. 2. 4. 3½.

Cf. Fr. 895 ff. = 992 ff.

XX   4. 4. 4. 4. 4. 4. 4. 3½.   4. 4. 4. 2. 3½.

Cf. Thesm. 433 ff. = 520 ff.

Drittens sind die *logaoedischen Strophen* zu behandeln. Auch hier ist der Grundvers nur ein einziger, ein logaoedischer Trimeter

$$\bar{\cup}\ \hat{\cup}\ \cup\ \_\ \cup\ \_\ \bar{\cup}\ \hat{\cup}\ \cup\ \_\ \smallsmile.$$

Seine erste Hälfte wird nach Belieben wiederholt; es ergeben sich dabei folgende Strophen:

XXI $\bar{\cup}\ \_\ \cup\ \cup\ \_\ \cup\ \_$ δεῦρ' ὦ γύναι εἰς ἀγρόν,
       $\bar{\cup}\ \_\ \cup\ \cup\ \_\ \cup\ \_$ χὤπως μετ' ἐμοῦ καλὴ
       $\bar{\cup}\ \_\ \cup\ \cup\ \_\ \smallsmile$ καλῶς κατακείσει.
       $\bar{\cup}\ \_\ \cup\ \cup\ \_\ \smallsmile$ 'Υμὴν 'Υμέναι' ὦ.
                  Cf. Eir. 1329 ff.

XXII $\cup\ \_\ \cup\ \cup\ \_\ \cup\ \_$ Ἥρα ποτ' 'Ολυμπίᾳ
       $\bar{\cup}\ \_\ \cup\ \cup\ \_\ \cup\ \_$ τῶν ἠλιβάτων θρόνων
       $\bar{\cup}\ \_\ \cup\ \cup\ \_\ \cup\ \_$ ἄρχοντα θεοῖς μέγαν
       $\bar{\cup}\ \_\ \cup\ \cup\ \_\ \cup\ \_$ Μοῖραι ξυνεκοίμισαν
       $\cup\ \_\ \cup\ \cup\ \_\ \smallsmile$ τοιῷδ' ὑμεναίῳ.
       $\cup\ \_\ \cup\ \smallsmile\ \_\ \smallsmile$ 'Υμὴν 'Υμέναι' ὦ.
              Cf. Vög. 1731 ff. = 1737 ff.

Aber auch ein complicierteres Gefüge läfst dieses Versmafs zu. Wir finden eine tetrastichische Strophe mit einer hexastichischen zu einem gröfseren Ganzen vereinigt, das in vierfacher Wiederholung ein Stasimon bildet

XXIII   3. 3. 3. 2½.   3. 3. 3. 3. 3. 2½.

Cf. Ritt. 1111 ff.

Noch kunstreicher ist die Bildung der Oden in der Parodos
der 'Ekklesiazusen'; hier treffen wir aufserdem die Eigentümlichkeit, dafs den logaoedischen Strophen ein prokatalektischer
iambischer Tetrameter voraufgeht (vgl. X, XI)

XXIV

8. $3.3.3.2\frac{1}{2}$. $3.3.3.3.2\frac{1}{2}$. $3.3.2\frac{1}{2}$. $3.3.3.2\frac{1}{2}$. $3.3.3.2\frac{1}{2}$.

Cf. Ekkl. 289 ff. = 300 ff.

Diese Eigentümlichkeit ist nicht vereinzelt; sie kehrt in der
folgenden Strophe wieder, nur dafs hier der Tetrameter ein
gewöhnlicher iambischer ist

XXV   8. $3.3.3.2\frac{1}{2}$.
                Cf. Fr. 448 ff. = 454 ff.

Und im folgenden Gedichte wird die logaoedische Strophe
zuletzt durch eine iambische ersetzt. Der Bau ist sehr an-
mutig: zweimal antwortet Trygaios auf je eine logaoedische
Strophe des Chors mit je einem Tetrameter; hierauf folgt
ein Tetrameter des Chors, auf den Trygaios mit einer iambischen Strophe antwortet

XXVI $3.3.2\frac{1}{2}$. 8. $3.3.2\frac{1}{2}$. 8. 8. $4.4.4.2.4.3\frac{1}{2}$.

Cf. Eir. 856 ff. = 909 ff.

Jetzt bleiben uns nur noch *Strophen des ionischen Rhythmus* übrig. Solcher giebt es zwar bei Aristophanes genug,
doch ist die Composition zum gröfsten Teil nicht ionisch.
Die ionische Composition beschränkt sich auf einen einzigen
Grundvers, den Priapeios; und es sind im ganzen nur zwei
Fälle, wo wir sie antreffen. Das eine Gedicht scheint uns
nur zum Teil erhalten

XXVII $2.2.1\frac{2}{3}$. $2.2.1\frac{2}{3}$. . . . . .
                Cf. Fr. 1251 ff.

Das zweite ist vollständig; hier ist die Strophe tetrastichisch,
drei solche Strophen bilden die Ode

XXVIII $-$ ˣ $\_$ ⌣ $\_$ ⌣ $\_$ Ἥδιστον φάος ἡμέρας

     $\_$ ˣ̣ $\_$ ⌣ $\_$ ⌣ $\_$ ἔσται τοῖσι παροῦσι καὶ

     $\_$ ˣ̣ $\_$ ⌣ $\_$ ⌣ $\_$ τοῖσιν εἰσαφικνουμένοις

     $\_$ ˣ̣ $\_$ ⌣ $\_$ $\_$ ἢν Κλέων ἀπόληται.

§ 3.   Hiemit sind die ionischen Strophen, denen wir bei Aristophanes begegnen, aufgezählt. Dafs sie sich von den dorischen nicht nur in metrischer, sondern noch weit mehr in musicalischer Beziehung unterschieden, scheint mir sicher; schon oben ist die Vermutung geäufsert worden, dafs sie sich zu ihnen verhielten, wie das volkstümliche Lied zum Kunstlied. Im folgenden werden wir unser Augenmerk auf die dorischen Strophen richten. Ihr Kennzeichen ist eine grofse Freiheit in dem Gebrauch der Versmafse. Die Eurythmie wird zwar nicht aufgehoben, aber ihre Forderungen sind anderer Art; es wird nicht mehr verlangt, dafs die Reihen gleiche Ausdehnung haben — ein Gesetz, von dem innerhalb der ionischen Composition nur die Epode eine sehr feste Ausnahme macht. Hexapodien wechseln mit Pentapodien oder Heptapodien ab; wenn auch die Tetrapodie im grofsen Ganzen die bevorzugte Stellung einnimmt, die ihr die Natur selbst verliehen hat. Ferner wird die Reinheit der Versfüfse nicht gewahrt; die Binnenkatalexis (innerhalb desselben Verses = Synkope), in der ionischen Composition unerhört[1]), ist hier an der Tagesordnung; der kyklische Daktylos, der dort nur in fester Reihenfolge wiederkehren durfte, ist hier an keine Regel gebunden. Bei den Jonikern wird die Anaklasis nach Belieben angewandt. Endlich kommen hier zwei Versmafse vor, von denen der eine — der Fünfzeitler — eine ionische Behandlung gar nicht, der andere — der Vierzeitler — wenigstens bei Aristophanes nicht zuläfst. Beides sind urdorische Versmafse, so dafs ihre Beschränkung auf die dorischen Strophen uns nicht Wunder nimmt.

Von einem Gesichtspunct war bis jetzt geflissentlich nicht die Rede — von der Errhythmie. Man wird natürlich nicht erwarten, dafs auf dem engen Raum dieser Seiten der grofse Streit zwischen den Anhängern und den Gegnern der Tact-

---

1) Mit der einzigen Ausnahme Lys. 295 — 305, und zwar in einem Ephymnion (ἰοὺ ἰοὺ τοῦ καπνοῦ).

gleichheit zum Austrag komme. Da aber für die folgenden Auseinandersetzungen eine 'Stellungnahme' in dieser Hinsicht notwendig ist, so will ich erklären, daſs ich mich zu den ersteren bekenne.

Für die ionischen Strophen unterliegt die Errhythmie keinem Zweifel. In den trochaeischen Strophen erscheint sie auch metrisch nirgends verletzt; in dem iambischen nur einmal (X), doch werden in diesem Falle selbst die Gegner der Errhythmie lieber die kyklische Messung des Daktylos, als einen Umschlag des Rhythmus für nur einen Fuſs annehmen. Ist aber in τοῦ μηνὸς ἑκάcτου der Daktylos kyklisch, so ist er es höchst wahrscheinlich auch in Ὑμὴν Ὑμέναι' ὤ, und damit auch in allen angeführten logaoedischen Strophen. Für die eine episynthetische (IV) wird man keine Ausnahme machen; vielleicht aber für die Strophen des ionischen Rhythmus? Ich müſste überhaupt erst darüber Rede stehen, daſs ich den Priapeios zur ionischen Rhythmengattung rechne; fürs gewöhnliche nimmt man an, daſs er mit dem Choriambus ebensowenig etwas zu schaffen habe, wie dieser mit dem ionischen Rhythmus; er sei einfach ein logaoedischer Vers. Aber zunächst gehört er doch sicher zum selben Geschlecht mit dem kleinen Asklepiadeios, da seine Bestandteile, der Glykoneios und Pherekrateios, in asklepiadeischen Strophen vorkommen; und den kleinen Asklepiadeios wird niemand vom groſsen trennen wollen. Nun giebt es freilich Gelehrte, die auch diesen Vers logaoedisch messen; aber wer den Anfang der 'Rhadina'

Ἄγε Μοῦcα λιγεῖ', ἄρξον ἀοιδᾶς ἐρατωνύμου

so kann lesen hören

∪ ∪ | ∠ ∪ ∪ | ∠̲ | ∠ ∪ ∪ | ∠̲ | ∠ ∪ ∪ | ∠̲ ∪ | ∠

statt

³/₁ ∪ ∪ | ∠ ∪ ∪ _ | ∠ ∪ ∪ _ | ∠ ∪ ∪ ◠ | ∠

ohne daſs sich ihm das Herz im Leibe umdreht, mit dem werde ich mich überhaupt nicht verständigen können. Und wie ich diesen groſsen Asklepiadeios als choriambischen Tetrameter fasse, so ist mir der kleine ein choriambischer Trimeter, der Glykoneios und der Pherekrateios choriambische Dimeter, der erste mit einem Trochaios Disemos im vorletzten Fuſse, der andere mit einer reinen Länge

$$\tfrac{3}{4} \; \_ \_ \; | \; \_ \quad \cup \cup \; \widehat{\cup\cup} \; | \; \_ \; \_ \_ \; | \; \_ \; \cup \cup \_ \; | \; \_$$

δέξαι | τὰν ἀγαθὰν τυ | χάν, δέξαι | τὰν ὑγίει- | αν.

Die Errhythmie ist somit gewahrt, allerdings durch die
Annahme eines Trochaios Disemos, die aber ganz unbedenklich ist.[1])

Wie steht es aber um die Errhythmie der dorischen
Strophen?

Nach den Lehren der Rhythmiker kann der Daktylos
durch den Trochaios Tetrasemos vertreten werden ($\_ \; \cup$);
ebenso kann der Paion durch einen doppelten Trochaios ersetzt werden, indem der eine Trochaios dann zweizeitig ge-
messen wird ($\_ \; \cup \; \widehat{\_\cup}$); aber auch der Ionikos kann durch Anaklasis zu einem doppelten Trochaios werden. Ebenso kann
seinerseits der Trochaios nach Belieben mit einem kyklischen
Daktylos abwechseln ($\widehat{\smile\cup} \; \cup$), von dem man dann nicht ein-
sieht, warum er nicht auch, fünfzeitig gemessen ($\_ \; \cup \; \cup$), einen
Paion ersetzen könnte; und dafs er sehr häufig, sechszeitig
gemessen ($\_ \; \cup \; \cup$), einen Ionikos bedeutet, ist bekannt. Nun
kann aber auch der Paion, kyklisch gemessen ($\widehat{\_\cup}\cup$), für
einen Daktylos stehen, und ebensogut, sechszeitig gemessen
($\ddot{\_} \; \acute{\omega} \; \cup, \; \ddot{\_} \; \cup \; \acute{\_}$), für einen doppelten Trochaios. Kurz, alles
kann für alles stehen; und so bequem das auch ist, so erweckt
es doch ein gerechtes Mifstrauen. Die Möglichkeit haben wir
jedenfalls, fast überall[2]) Errhythmie herzustellen; aber man
möchte auch gern wissen, ob irgend ein Zwang dazu vorliegt.

---

1) So wurde der Vers NB gesungen. Wie er declamiert werden
soll, das ist eine andere Frage, bei deren Beantwortung wir uns nach
den Alten, die ihn überhaupt nicht declamiert haben, nicht zu richten
brauchen. Auch in der deutschen Poesie kommt es ja nicht selten vor,
dafs die Ictusverhältnisse durch den Gesang geändert werden; man singt
'treú únd herzínniglích' ($\cup \; \_ \; \cup \; \_ \; \cup \; \_$) und spricht 'treú und herzínnig-
lich ($\_ \; \cup \; \cup \; \_ \; \cup \; \cup$). Noch mehr ist das in andern Sprachen der Fall, der
französischen und italienischen, am meisten vielleicht in der polnischen.
Es ist daher nichts dagegen einzuwenden, wenn einer lieber 'déxai tán
agathán tychán, déxai tán hygieían' spricht. Aber wo es angeht, in
reinen Choriamben, da sollte der melische Rhythmus doch gewahrt
werden. — 2) Fast überall; denn es bleibt uns als Richtschnur das
Gesetz, dafs eine dreizeitige Länge nicht in zwei Kürzen aufgelöst werden kann.

Dafs wir so glücklich sind, diese Frage oft mit 'ja' beantworten zu können, das verdanken wir einer zwar nur an wenigen, aber um so bedeutsameren Beispielen wahrzunehmenden Erscheinung — der rhythmischen Responsion. Da nämlich nachgewiesenermafsen zwei metrisch verschiedene Füfse rhythmisch gleichwertig sein können, so sieht man nicht ein, warum diese Gleichwertigkeit nicht in der Symmetrie von Ode und Antode hätte zur Geltung kommen sollen. Und das ist in der Tat der Fall, nicht blofs in der uns nicht näher angehenden Erscheinung der Hyperthesis, sondern auch sonst.

Die Oden der Parodos der 'Vögel' heben beide anapaestisch an; erst sind die Anapaeste ganz aufgelöst, mit der Zeit werden sie ganz compact. Der zweite Teil lautet nun in der Ode so (V. 333 ff.)

ἐς δὲ δόλον ἐκάλεσε παρέβαλέ τ᾽ ἐμὲ παρὰ
γένος ἀνόσιον, ὅπερ* ὅτ᾽ ἐγένετ᾽ ἐπ᾽ ἐμοὶ
πολέμιον ἐτράφη.

Also wieder aufgelöste Anapaeste bis auf den ersten Fufs, der ein Paion ist. Diesen Versen entspricht in der Antode (V. 349 ff.)

οὔτε γὰρ ὄρος σκιερόν, οὔτε νέφος αἰθέριον
οὔτε πολιὸν πέλαγος ἔστιν ὅ τι δέξεται
τώδ᾽ ἀποφυγόντε με.

Also lauter Paeone. Daraus folgt mit Notwendigkeit eins von beidem: entweder stehen die Anapaeste für Paeone, oder umgekehrt die Paeone für Anapaeste; im ersten Fall würden wir fünfzeitige Anapaeste, im anderen kyklische Paeone haben. Wer nun um jeden Preis die Errhythmie zerstören wollte, könnte das erstere annehmen[1]); doch das ist gottlob unmöglich; der fünfzeitige Anapaest ($\cup \cup \_$) kann seine Länge, die ja dreizeitig ist, unmöglich in zwei Kürzen auflösen. Es kann demnach kein Zweifel sein, wir haben reine Anapaeste und kyklische Paeone ($\widehat{\cup\cup} \stackrel{\smile}{\smile}$) vor uns, die ganze Ode hat anapaestischen Rhythmus, und die Errhythmie ist nicht verletzt.

---

1) RWestphal II², 435 TKock, Ausg. der 'Vögel'.

Ein zweites Beispiel. Das erste Stasimon der 'Lysistrate' fängt trochaeisch an; später werden Paeone immer häufiger. Von V. 787 an heifst es — ich schreibe die gewöhnliche Messung[1]) daneben —

$$\_ \_ \cup \overset{\frown}{\omega} \_ \_ \qquad\qquad \text{κἀν τοῖς ὄρεσιν ᾤκει,}$$
$$\_ \cup \overset{\frown}{\omega} \_ \_ \qquad\qquad \text{κᾆτ' ἐλαγοθήρει}$$
$$\_ \cup \overset{\frown}{\omega} \_ \_ \qquad\qquad \text{πλεξάμενος ἄρκυς}$$

in der Hauptsache paeonisch. Nun heifst es in der Antode (V. 811 ff.)

$$\cup \_ \cup \_ \cup \_ \_ \qquad\qquad \text{Ἐρινύων ἀπορρώξ.}$$
$$\_ \cup \_ \cup \_ \_ \qquad\qquad \text{οὗτος οὖν ὁ Τίμων}$$
$$\_ \cup \cup \cup \_ \_ \qquad\qquad \text{ᾤχεθ' ὑπὸ μίσους.}$$

Wir haben also auch hier eine doppelte Wahl; entweder stehen die Ditrochaeen der Antode für Paeone, oder die Paeone der Ode für Ditrochaeen. An sich ist beides möglich; doch wird es diesmal erlaubt sein, der Errhythmie wegen das letztere anzunehmen. Ich messe demnach

$$\_ \_ \overset{\frown}{\omega} \cup \_ \_ \quad = \quad \cup \_ \cup \_ \cup \_ \_$$
$$\_ \overset{\frown}{\omega} \cup \_ \_ \quad = \quad \_ \cup \_ \cup \_ \_$$
$$\_ \overset{\frown}{\omega} \cup \_ \_ \quad = \quad \_ \overset{\frown}{\omega} \cup \_ \_$$

Dasselbe Verhältnis kehrt öfter wieder. So entsprechen sich Wesp. 410 ff. = 468 ff.

καὶ κελεύετ' αὐτὸν ἥκειν,	οὔτε τιν' ἔχων πρόφασιν,
ὡς ἐπ' ἄνδρα μισόπολιν	οὔτε λόγον εὐτράπελον,
ὄντα κἀπολούμενον.	αὐτὸς ἄρχων μόνος.

Auch hier bleibt die Alternative offen; doch mufs man eine nervöse Abneigung gegen die·Errhythmie haben, um hier zu Ende einer sonst rein trochaeischen Strophe paeonischen Rhythmus zu statuieren. Ich messe

$$\_ \cup \_ \cup \_ \cup \_ \_ \qquad\qquad \_ \overset{\frown}{\omega} \cup \_ \overset{\frown}{\omega} \cup$$
$$\_ \cup \_ \cup \_ \overset{\frown}{\omega} \cup \qquad\qquad \_ \overset{\frown}{\omega} \cup \_ \overset{\frown}{\omega} \cup$$
$$\_ \cup \_ \cup \_ \cup \_ \qquad\qquad \_ \cup \_ \_ \cup \_$$

---

1) RWestphal II², 851.

Für mich ist demnach der durch nichts zu erweisende, aber,
wie ich meine, natürliche Grundsatz mafsgebend, dafs der Tact
öfter in reiner, als in getrübter metrischer Form zum Ausdruck gekommen ist, dafs daher aus dem Vorwalten eines
Versmafses auf den Rhythmus geschlossen werden darf. Und
da wir auf diesem Gebiete nicht gar viele Regeln haben, so
sollte man diese nicht geringschätzig behandeln. So sind wir
also nur consequent, wenn wir in vorwiegend paeonischen Strophen Eir. 346 ff. = 385 ff.

351. ἀλλ' ἀπαλὸν ἄν μ' ἴδοις   390. μὴ γένῃ παλίγκοτος
die Alternative zu Gunsten des paeonischen Rhythmus entscheiden.

Die Beispiele der rhythmischen Responsion sind hiemit
nicht erschöpft — streng genommen gehört auch die Hyperthesis und oft die Anaklasis hieher — aber ein weiteres Vorgehen ist aus Rücksicht auf die Beschaffenheit unserer Texte
nicht geraten. Doch ergiebt sich bereits aus dem Gesagten,
dafs die Errhythmie für die überwiegende Mehrzahl der dorischen Strophen eine unabweisliche Forderung ist.

Nicht für alle. So weit unser Gesetz auszudehnen, verbietet uns die metrische Überlieferung der Alten, mit der wir
uns doch nicht in Widerspruch setzen dürfen; diese redet ganz
deutlich von μεταβολαί und unterscheidet deren vier Arten:
Umschlag des Ethos, des Tempo, der ῥυθμοποιίας θέςις und des
Tactes. Wir werden das Register vervollständigt haben, wenn
wir eine fünfte nennen: den Umschlag der Vortragsweise.
Streng genommen wird die Errhythmie nur durch die vierte
dieser μεταβολαί verletzt, den Tactwechsel; doch kann diesen
jede von den übrigen zur Folge haben — bis auf die dritte,
die ihre Existenz einer Metrikerlaune verdankt. — Freilich,
dafs der Tactwechsel innerhalb derselben Periode eintreten
könne, davon sagt Aristides keine Silbe; R.Westphal[1]) nimmt
es stillschweigend an, aber die Beispiele, mit denen er seine
Behauptung belegt, sind sämtlich zweifelhafter Art; die Anaklasis kann doch ebensowenig ein Tactwechsel genannt werden,
wie die moderne Synkope; für die Skazonten steht melischer

---

1) Metrik I¹, 685 ff.

Vortrag nicht fest; der pseudo-trochaeischpaeonische Vers ist
nichts als ein dikatalektischer Tetrameter, und der Dochmios
ist zu umstritten, um ein Beispiel abgeben zu können. Im
übrigen läfst sich bei Aristophanes der Tactwechsel wohl innerhalb desselben Gedichts, aber nie innerhalb derselben Periode
nachweisen. Der μεταβολὴ κατ' ἦθος begegnen wir häufig;
sie bildet ein echtkomisches Effectmittel und dürfte sogar
aufserhalb der Komoedie nicht nachweisbar sein. Tritt sie
innerhalb derselben Periode ein, so hat sie keinen Tactwechsel
zur Folge. So Eir. 797 ff.

> τοιάδε χρὴ Χαρίτων δαμώματα καλλικόμων
> τὸν coφὸν ποιητὴν
> ὑμνεῖν, ὅταν ἠρινὰ μὲν φωνῇ χελιδὼν
> ἡδομένη κελαδῇ — χορὸν δὲ μὴ 'χῃ Μόρcιμος u. s. w.

Das Lied geht daktylisch weiter. An derselben Stelle tritt
die Metabole natürlich auch in der Ode ein. Fällt sie dagegen
mit dem Ende der Periode zusammen, so ist Tactwechsel die
gewöhnliche Begleiterscheinung. Als Beispiel mögen die Oden
im ersten Teile der Wespenparodos dienen (V. 273 ff.). Sie
heben ionisch an:

> τί ποτ' οὐ πρὸ θυρῶν φαίνετ' ἄρ' ἡμῖν ὁ γέρων οὐδ' ὑπακούει;

Das klingt recht tragisch; man wird beinahe an die Beschwörung
des Dareios in den 'Persern' erinnert (V. 633 ff.). Nun kommt
aber der Umschlag

> μῶν ἀπολώλεκε τὰς
> ἐμβάδας, ἢ προcέκοψε . . .

Stimmung und Rhythmus wechseln; für die Ioniker treten
Daktyle ein, und zwar kyklische, denn die Ode ist im übrigen
trochaeisch. Man darf annehmen, dafs diese Metabole durch
den Wechsel der Tonart noch betont wurde, indem die Melodie
aus der ionischen nach der aeolodorischen hinübermoduliert
wurde. Ein solcher Tactwechsel ist sogar in ionischen Strophen erlaubt; denn dafs der anapaestische Dimeter in XIX
und XX eine Periode für sich bildet, beweist am besten das
Zahlenschema zu XIX. Gerade dieses letztere Beispiel mutet
uns sehr vertraut an; wäre es nicht zu profan, so könnte man

an das Verhältnis so vieler Walzerpraeludien zu den Tanzweisen selbst erinnern. — Die übrigen Fälle der μεταβολὴ κατ᾽
ἦθος aufzuzählen, wird man mir hoffentlich erlassen; die Entscheidung hängt zu sehr vom subiectiven Ermessen ab, als
daſs der Katalog erschöpfend und nützlich erscheinen könnte.
Bezüglich des Angeführten ist wohl kein Zweifel möglich.

Wenden wir uns nun ausschliefslich zur μεταβολὴ κατὰ
ῥυθμόν, so unterscheidet Aristeides vier Fälle, von denen für
uns nur zwei Wichtigkeit haben; der eine betrifft die Ungleichheit der Tactgruppen, der andere den eigentlichen Tactwechsel;
der eine lockert die Eurythmie, der andere die Errhythmie. Der
erste Fall ist in modernen Volksliedern nachweisbar, wenn
auch recht selten; in den ionischen Strophen kommt er aber
nicht vor — von der Epode abgesehen. Desto häufiger ist er
in den dorischen. Und zwar kommt er ebensowohl innerhalb
derselben Periode, wie beim Zusammenstofsen zweier Perioden
vor. Für beides liefert uns das Stasimon Ach. 1150 ff. Beispiele. Jede Ode besteht aus drei Perioden; die erste, choriambische, hat folgendes Schema: 5. 4. 5; es gruppieren sich
demnach die beiden Pentapodien symmetrisch um die eine
Tetrapodie, die beiden paeonischen πόδες um den daktylischen.
Das gewährt uns einen Einblick in die kunstreiche Eurythmie
der dorischen Strophen. Die beiden folgenden Perioden sind
iambisch; und zwar enthält die zweite zwei Tetrapodien, die
dritte drei Hexapodien:

II ¯ _ ᴗ _ ᴗ _ ᴗ _   III ᴗ _ ᴗ _ ᴗ _ ᴗ _ ᴗ _ ¯ _ ᴗ _
   ¯ _ ᴗ _ ¯ _ ᴗ _   ᴗ _ _ _ _ ᴗ _ ¯ _ ᴗ _
                          ¯ _ ᴗ _ _ ᴗ _ ᴗ _ _ _.

Will man beide Gattungen bei Aristophanes weiter verfolgen,
so ist freilich das κατὰ δάκτυλον εἶδος auszuschliefsen; dasselbe wird zwar ebensogut seine eurythmischen Gesetze gehabt haben, wie die übrigen, aber dieselben sind für uns,
nachdem die Musik verloren ist, nicht mehr zu erkennen. Eine
leidliche Eurythmie herzustellen ist ohne Anwendung von vier-
bis sechszeitigen Längen und Pausen nicht möglich. Sonst
wären zur ersten Gattung nur noch die Strophen im ionischen
Rhythmus Ritt. 551 ff. und Wesp. 291 ff. anzuführen, wo unter
dipodischen Perioden je eine tripodische eingestreut ist, cf. auch

Wesp. 729 ff. Verbreiteter ist die zweite Gattung, namentlich unter dem paeonischen und ionischen Geschlecht; hier treffen wir auf mehrere eurythmische Figuren, von denen ich doch sehr bezweifle, ob sie blofs für das Auge und nicht auch für das Ohr da seien. Zunächst, die bereits erwähnte, wobei ein kürzerer Vers von zwei längeren (oder umgekehrt) eingeschlossen wird. Hieher gehören: das paeonische Gedicht Ach. 971 ff. (6. 5. 6. 4), das choriambische Wolk. 700 ff. (4. 2. 3. 2. 4. 3. 4.) 949 ff. (4. 4. 4. 3. 4.). Sodann, die progressive; Beispiele sind Ach. 204 ff. (6. 6. 5. 4. 4.), Fr. 814 ff. (6. 6. 5. 4). Endlich die parallelistische; vgl. Ach. 284 ff., die interessanteste:

$$(4.)\ 5.\ (4.)\ 4.\ 4.\ 4.\quad (4.)\ 5.\ (4.)\ 4.\ 4.\ 4.$$

Eingeklammert sind die Recitative; denn das Gedicht liefert uns auch ein Beispiel für den Umschlag der Vortragsweise, der bei Aristophanes nicht selten ist. Von den zwei Pentapodien ist die erste anapaestisch, die zweite paeonisch; an einen Tactwechsel wird niemand gern denken, und da im übrigen das Gedicht paeonisch ist, so werden auch die Anapaeste paeonisch zu messen sein, etwa mit Anwendung der Synkópe folgendermafsen: ∞ ⌣ | ∞ ⌣ | ∞ ⌣ | ∞ ⌣ | ∞ ⌣ ∧ | .

Doch ist diese Art Metabole für unsere Zwecke minder wichtig; ich gehe daher zum reinen Tactwechsel über. Hier sind folgende Fälle zu unterscheiden: 1) Übergang aus dem ionischen Versmafs (Choriambus mit inbegriffen) ins iambotrochaeische: Beispiele: Ach. 1150 ff. ᾿Αντίμαχον τὸν Ψακάδος . . . ὃν ἔτ᾿ ἐπίδοιμι τευθίδος; Wesp. 273 ff. τί ποτ᾿ οὐ πρὸ θυρῶν φαίνετ᾿ ἄρ᾿ ἡμῖν . . . μῶν ἀπολώλεκε τάς . . . λίθον ἔψεις, ἔλεγεν (hier durch die μεταβολὴ κατ᾿ ἦθος motiviert). 2) Übergang aus dem ionischen Versmafs ins daktylische: Wolk. 563 ff. ὑψιμέδοντα μὲν θεῶν . . . καὶ μεγαλώνυμον ἡμέτερον πατέρ᾿ (wobei freilich die Möglichkeit vorhanden ist, die Daktylen kyklisch zu messen, sodafs sich dieser Fall vom vorangeführten nicht unterscheiden würde). 3) Übergang aus dem trochaeischen ins daktylische Versmafs: Ritt. 303 ff. ὦ μιαρὲ καὶ βδελυρέ . . . ἀλλ᾿ ἐφάνη γὰρ ἀνήρ (hier ist der Übergang auch noch dadurch gemildert,

dafs zwischen je zwei Perioden Recitative eingeflochten sind);
Lys. 476 ff. ὦ Ζεῦ, τί ποτε χρηcόμεθα ... τόδε coι τὸ πάθος.
Eigentlich müfsten wir, wenn wir die metrische Form dieser
Chorlieder ins Auge fafsten, eher von einem Übergang aus
dem paeonischen Versmafs ins dactylisch-anapaestische
reden; doch da sich die scheinbaren Paeone Lys. 781 ff. als
Trochaeen erwiesen haben, so wird es erlaubt sein, auch hier
dasselbe anzunehmen. Das paeonische Versmafs ist sehr starr
und gestattet nicht leicht Tactwechsel: wo man solchen wahrzunehmen glaubt, ist derselbe nur scheinbar. So sind Eir. 346 ff.
die paeonischen Strophen durch trochaeische Tetrameter unterbrochen; aber hier haben wir vielmehr eine μεταβολὴ der Vortragsweise, indem die Tetrameter gewifs im gesungenen Recitativ vorgetragen wurden. Ebenso wechseln Vög. 1058 ff. anapaestische Perioden mit paeonischen ab; aber die Paeone
sind ebenso sicher vierzeitig zu messen, wie Vög. 327 ff. Im
übrigen ist mein Verzeichnis vollständig. —

Doch nun ist es an der Zeit, den Zweck anzugeben, um § 4.
dessentwillen diese etwas langwierige Untersuchung geführt
worden ist. Fassen wir also die Chorgesänge des Aristophanes ins Auge, ich meine die Leistungen des vollstimmigen
Chors, nicht die des Koryphaios; sehen wir dabei von den
ionischen Strophen ab und berücksichtigen wir die dorischen
allein, die ja den kunstvollsten Vortrag verlangten und daher
untereinander recht wohl ein Ganzes bilden konnten; sehen
wir ferner von den Nebenparodoi ab — unten wird gezeigt
werden, warum —; so hat der musikalische Teil der aristophanischen Komoedien folgenden Bestand.

I. '*Acharner*'.

1. V. 208—218 ἐκπέφευγ', οἴχεται ... = V. 223—233 ὅcτις,
    ὦ Ζεῦ πάτερ...
Erste Parodos; rein paeonisch

2. V. 284—301 cὲ μὲν οὖν καταλεύcομεν ... τοῦτ' ἐρωτᾷς;
    ἀναίcχυντος ... = V. 335—346 ἀπολεῖς ἄρ' ὁμή-
    λικα ... ἀλλὰ νυνὶ λέγ' εἰ ...
Zweite Parodos; paeonisch; die Strophen des Chors werden durch recitativische Tetrameter des Dikaiopolis unterbro-

chen; die anapaestische Pentapodie ist, wie gesagt (oben S. 336),
fünfzeitig zu messen.

3. V. 665—675 δεῦρο Μοῦc' ἐλθὲ φλεγυρά ... = V. 692—702
     ταῦτα πῶς εἰκότα ...
   Parabase; rein paeonisch

4. V. 971 — 977 εἶδες ὤ, εἶδες ὤ ... = V. 988 — 990 ⟨οὑ-
     τοcὶ δ' ἐπτόη⟩ται ...
   Zweite Parabase; rein paeonisch

5. V. 1150 — 1161 'Αντίμαχον τὸν Ψακάδος ... ὃν ἔτ' ἐπί-
     δοιμι ... = V. 1162—1173 τοῦτο μὲν αὐτῷ κακὸν
     ἕν ... μαινόμενος· ὁ δέ ...
   Zweites Stasimon; choriambisch-iambisch.

Was lehrt uns diese Zusammenstellung? Von den fünf
kunstvolleren Tonstücken der Komoedie sind vier in paeonischem
Rhythmus ausgeführt. Eine einzige Composition ist im durchaus fremden Dreiviertel- bezw. Sechsachteltact gehalten; und
von dieser ist oben nachgewiesen worden, dafs sie mit der
ursprünglichen Anlage der Komoedie nichts gemein hat, sondern erst später gedichtet wurde, als der Dichter mit dem
Plane umging, das Stück zum Zwecke einer zweiten Aufführ-
rung umzuarbeiten. Auf die Gefahr hin, durch die weiteren
Beispiele widerlegt zu werden, könnten wir jetzt folgende zwei
Behauptungen aufstellen:

Erstens: Die Errhythmie war nicht blofs für jeden
einzelnen Chorgesang, sondern auch für die gesamten
Compositionen desselben Stückes, soweit sie vom Chor
vorgetragen wurden und nicht blofse Tanzweisen waren, ein
festes Gesetz. Die 'Acharner' speciell sind in paeonischem
Tacte componiert.

Zweitens: Die Diaskeue eines Stückes betraf in erster
Linie die Musik. So sollten die zweiten 'Acharner' in Sechs-
zeitlern componiert werden.

In den 'Acharnern' ist übrigens die Errhythmie nicht
blofs κατὰ ῥυθμόν, sondern auch κατὰ ῥυθμοποιίας θέciν gewahrt. Nirgends ist ein Paion durch einen Ditrochaios
ersetzt; nur einmal, im Momente der höchsten Aufregung des
Chors sind an Stelle der Paeone durch eine eigentümliche
Anaklasis Anapaeste getreten.

II. 'Ritter'.

1. V. 303—334 ὦ μιαρὲ καὶ βδελυρέ.... ἄρα δῆτ' οὐκ ἀπ'
ἀρχῆς... ἀλλ' ἐφάνη γὰρ ἀνήρ... πανουργίᾳ τε καί...
= V. 382—408 ἦν ἄρα πυρός γ' ἕτερα... ὡς δὲ πρὸς
πᾶν... ὦ περὶ πάντ' ἐπὶ πᾶϲι... ᾄϲαιμι γάρ...
Nebenagon; trochaeisch(-dactylisch). Volle Errhythmie
läfst sich herstellen, wenn man annimmt, dafs die Dactylen
kyklisch gemessen wurden.

2. V. 551—564 ἵππι' ἄναξ Πόϲειδον, ὦ... = V. 581—594
ὦ πολιοῦχε Παλλάς, ὦ...
Parabase; choriambisch

3. V. 616—623 νῦν ἄρ' ἄξιόν γε πᾶϲι... = V. 683—690
πάντα τοι πέπραγας...
Erste Syzygie; trochaeisch

4. V. 1264—1273 τί κάλλιον ἀρχομένοιϲιν... = V. 1290—1299
ἢ πολλάκις ἐννυχίαιϲι...
Zweite Parabase; trochaeisch. Das Gedicht besteht aus
episynthetischen Versen, in denen Trochaeen und Dactylen sich
ziemlich die Wage halten.

Wir könnten demnach die Composition der 'Ritter' für
trochaeisch-choriambisch, kurz für sechszeitig halten. Zur
Steuer der Wahrheit mufs hinzugefügt werden, dafs die Tabelle
absolut gar nichts beweist; wer sich darauf legen wollte, die
Errhythmie nicht zu Stande kommen zu lassen, könnte das
erste Tonstück paeonisch, dactylisch und iambisch, das vierte
dactylisch messen und dann behaupten, in der Composition
der 'Ritter' fänden sich ziemlich alle Versmafse wieder. Doch
würde dies, denke ich, auch nichts weiter als Willkür sein.
Am vorsichtigsten ist es jedenfalls zu gestehen, dafs durch die
'Ritter' unser Gesetz weder bestätigt noch widerlegt wird. Das
eine ist sicher: wenn die Errhythmie im angenommenen Umfange sich als Gesetz herausstellen sollte, dann können die
'Ritter' nur trochaeisch sein.

III. 'Wolken'.

1. V. 275—290 ἀέναοι Νεφέλαι... = V. 299—313 παρθένοι
ὀμβροφόροι...
Parodos; fast rein dactylisch.

22*

2. V. 457—475 λῆμα μὲν πάρεστι ... ταῦτα μαθὼν παρ' ἐμοῦ ...
Der alte Agon; fast rein dactylisch; nur zu Anfang einige
vierzeitige Trochaeen.

3. V. 563—574 ὑψιμέδοντα μὲν θεῶν = V. 595—626 ἀμφί
μοι αὖτε, Φοῖβ' ἄναξ.
Parabase; choriambisch; die dritte Periode dactylisch
bezw. trochaeisch.

4. V. 700—706 φρόντιζε δὴ καὶ διάθρει = V. 804—812 ἄρ'
αἰσθάνει πλεῖστα δι' ἡμᾶς.
Erste Syzygie; choriambisch

5. V. 949—958 νῦν δείξετον τὼ πιςύνω = V. 1024—1033
ὦ καλλίπυργον ςοφίαν.
Hauptagon; choriambisch.

Beweist diese Tabelle etwas? Unter fünf Tonstücken
zwei dactylische und drei choriambische. Doch möge der Leser
prüfen, was im ersten Teil über die Diaskeue der 'Wolken'
gesagt worden ist, und zwar recht genau prüfen, um sich zu
überzeugen, dafs mich damals durchaus nicht die Absicht
leitete, der gegenwärtigen Untersuchung vorzuarbeiten; wenigstens war meine Ansicht von der Überarbeitung des Stückes
längst fertig, noch ehe der Gedanke an die Errhythmie bei
mir auftauchte. Darnach verteilen sich die fünf Tonstücke auf
die beiden Recensionen wie folgt:

Erste 'Wolken'	Zweite 'Wolken'
1. dactylisch	3. choriambisch
2. dactylisch	4. choriambisch
	5. choriambisch.

Und das ist entweder ein sehr seltsamer Zufall, oder es bestätigt beide Gesetze, die oben aufgestellt worden sind. Die
ersten 'Wolken' waren demnach in Dactylen componiert; die
zweiten sollten es in Choriamben werden. Gehen wir weiter.

IV. 'Wespen'.

1. V. 273—280 τί ποτ' οὐ πρὸ θυρῶν ... = V. 281—289
τάχα δ' ἂν διὰ τὸν ...
Erster Teil der Parodos; ionisch-trochaeisch, mit kyklischen Dactylen untermischt; das trochaeische Versmafs waltet
vor, nur der erste und letzte Vers ist ionisch.

2. V. 333—345 τίς γάρ ἐcθ᾽ ὁ ταῦτα . . . = V. 365—378
ἀλλὰ καὶ νῦν ἐκπόριζε . . .
Zweiter Teil der Parodos; trochaeisch; die Strophen werden von recitativischen Tetrametern Philokleons unterbrochen.

3. V. 405—414 νῦν ἐκεῖνο, νῦν ἐκεῖνο . . . = V. 463—470
ἆρα δῆτ᾽ οὐκ αὐτά . . .
Dritter Teil der Parodos; trochaeisch; die beiden Perioden
jeder Strophe werden durch je zwei recitativische Tetrameter
eingeleitet; die Antode ist verstümmelt.

4. V. 526—545 νῦν cε τὸν ἐκ θἠμετέρου . . . = V. 631—641
οὐπώποθ᾽ οὕτω καθαρῶς . . .
Agon; choriambisch; in die Strophen sind recitativische
Tetrameter der Agonisten eingestreut.

5. V. 729—749 πιθοῦ, πιθοῦ λόγοιcι . . . ~ V. 868—890 εὐφημία μὲν πρῶτα . . .
Erste Syzygie; iambotrochaeisch. Von der eigentümlichen Responsion dieser Oden war oben (S. 202) die Rede.

6. V. 1060—1070 ὦ πάλαι ποτ᾽ ὄντες ὑμεῖς . . . = V. 1091
—1110 ἆρα δεινὸς ἦν . . .
Parabase; trochaeisch.

7. V. 1265—1274 πολλάκις δὴ ᾽δοξ᾽ ἐμαυτῷ . . .
Zweite Parabase; trochaeisch; die Antode ist nicht erhalten.

8. V. 1450—1461 ζηλῶ τε τῆς εὐτυχίας = V. 1462—1473
πολλοῦ δ᾽ ἐπαίνου . . .
Erstes Stasimon; choriambisch.

Einer solchen Übereinstimmung gegenüber ist die Zurückhaltung, die ich betreffs der ‘Ritter’ geübt habe, wohl nicht mehr
am Platze. Auch ist die Tabelle reichhaltig genug, um einen
Schlufs zu gestatten. Alle Strophen haben sechszeitigen Rhythmus; die vereinzelten Vier- und Fünfzeitler können an den
Fingern hergezählt werden. Kein Zweifel, die Komoedie ist in
choriambisch-choreischem Rhythmus componiert; keine Strophe
macht eine Ausnahme; ein neuer Beweis dafür, dafs wir ein
einheitliches Drama vor uns haben, dafs demnach von einer
Diaskeue im Sinne JStangers oder gar ElBrentanos nicht die
Rede sein kann. Nur κατὰ ῥυθμοποιίας θέcιν kann zwischen
den einzelnen Strophen ein Unterschied bemerkt werden; wäh-

rend das erste Tonstück kyklische Bildung bevorzugt, fällt bei den übrigen eine mehr oder minder häufige Anwendung der Binnenkatalexis auf.

V. 'Eirene'.

1. V. 346—360 πολλὰ γὰρ ἀνεσχόμην . . . = V. 385—399 εἴ τι κεχαρισμένον = V. 582—600 cῷ γὰρ ἐδάμην πόθῳ. . .

Parodos und erste Syzygie; paeonisch. Recitativische Tetrameter sind untermischt. Über die eigentümliche Function der ersten Ode, die zugleich Ode der Parodos und der ersten Syzygie zu sein scheint, s. oben S. 205.

2. V. 459—472 ὦ εἶα . . . ἀλλ᾽ οὐχ ἕλκουc᾽ . . . = V. 486—499 ὦ εἶα . . . οὔκουν δεινόν . . .

Zweite Syzygie. Streng genommen kann man diese Lieder nicht unter die kunstvollen Tonstücke rechnen, da sie fast nur aus Ausrufen und Zurufen bestehen; will man es dennoch tun mit Rücksicht auf ihre Symmetrie, so ist das anapaestische Versmaſs das einzige, das selbständig auftritt.

3. V. 775—796 Μοῦcα cὺ μὲν πολέμους . . . = V. 797—117 τοιάδε χρὴ Χαρίτων.

Parabase; dactylisch

4. V. 939—955 ὥς πάνθ᾽ . . . χωρεῖ κατὰ νοῦν . . . = V. 1023 —1038 cέ τοι . . . cχίζας δευρί . . .

Vierte Syzygie; anapaestisch. Eingestreute recitativische Tetrameter unterbrechen den Fluſs der Strophen.

5. V. 1127—1139 ἥδομαί γ᾽, ἥδομαι . . . = V. 1159—1171 ἡνίκ᾽ ἂν δ᾽ ἀχέτας . . .

Zweite Parabase; paeonisch.

Wären noch mehr Beweise für die Behauptung nötig, daſs wir in unserer 'Eirene' das zweite, spätere Stück dieses Namens besitzen, so würde die mitgeteilte Tabelle sie liefern. Die Composition ist nicht einheitlich, wie die der 'Wespen'; zwei ganz verschiedene Rhythmen beherrschen sie ziemlich in gleichem Umfange. Dem Fünfzeitler gehört die Parodos und die zweite Parabase, dem Vierzeitler die erste Parabase und noch eine Syzygie, vielleicht auch deren zwei an. Nun sind wir allerdings bloſs von der ersten Parabase im Stande anzugeben, daſs sie bestimmt erst bei der Diaskeue gedichtet worden ist;

aber diesmal ist es wohl erlaubt, vom Versmafs einen Rückschlufs auf die Zugehörigkeit zu ziehen. Wir verteilen daher
die Gesänge wie folgt:

Erste 'Eirene'   Zweite 'Eirene'

1. Parodos; paeonisch   2. Zweite Syzygie; anapaestisch
  Erste Syzygie; paeonisch   3. Erste Parabase; dactylisch
5. Zweite Parabase; paeonisch   4. Vierte Syzygie; anapaestisch.

Und diese Verteilung verdient auch aus anderen Gründen gut
geheifsen zu werden; auch in den 'Wolken' gehört ja, wie alle
zugeben, die Parodos und die zweite Parabase der ursprünglichen Anlage, die erste Parabase der Ueberarbeitung an.

Die hier entwickelten Gesetze würden uns bei unseren
Untersuchungen über die fragmentarisch überlieferten Stücke
von grofsem Nutzen sein können, wenn die Bruchstücke der
dorischen Strophen nicht gar so unbedeutend wären. Eine
kleine Unterstützung gewähren sie aber doch. So läfst sich die
Frage, ob die 'Landleute' mit der verlorenen 'Eirene' identisch
waren, mit ihrer Hülfe endgültig, und zwar in negativem
Sinne entscheiden. Aus den 'Landleuten' ist uns die dorische
Strophe erhalten Fgm. 109 K.

> Εἰρήνη βαθύπλουτε καὶ ζευγάριον βοεικόν,
> εἰ γὰρ ἐμοὶ παυσαμένῳ τοῦ πολέμου γένοιτο
> σκάψαι κἀποκλάσαι τε καὶ λουσαμένῳ διελκύσαι,
> τῆς τρυγὸς ἄρτον λιπαρὸν καὶ ῥάφανον φαγόντι,

aus der wir ersehen, dafs die Komoedie in choriambischem
oder choriambisch - trochaeischem, jedenfalls sechszeitigem
Rhythmus verfafst war, sich also weder mit der ersten,
noch mit der zweiten 'Eirene' deckte. — Auf Fgm. 110
und 111 möge man sich nicht berufen; sie stammen sicher
aus den Epirrhemen der zweiten Parabase, cf. Ach. 979 ff.,
Wesp. 1275 ff.

    VI. 'Vögel'.

1. V. 327—335 ἔα, ἔα, προδεδόμεθ' . . . == V. 343—351 ἰὼ
        ἰώ, ἔπαγ' ἔπιθ' . . .

Parodos; anapaestisch, mit vielen Auflösungen; die zweiten
Perioden z. T. scheinbar paeonisch mit anapaestischem Rhythmus;
s. oben S. 331.

2. V. 400—405 ἄναγ' ἐς τάξιν . . .

Erste Zwischenscene; anapaestisch. Dafs es kein Pnigos ist, beweisen die Proceleusmatici und der Schlufs. Dagegen gehört das folgende, ein Gespräch zwischen dem Chorführer und dem Epops, als Einzelgesang nicht hieher.

3. V. 451 — 459 δολερὸν μὲν ἀεί . . . . = V. 539—547 πολὺ
    δὴ, πολὺ δή . . .

Agon; anapaestisch

4. V. 737—752 Μοῦςα λοχμαία . . . = V. 769—784 τοιάδε κύκνοι . . .
    Parabase; dactylisch.

5. V. 1058—1071 ἤδη μοι τῷ παντόπτᾳ . . . = V. 1088—1101
    εὔδαιμον φῦλον . . .

Zweite Parabase; anapaestisch, und zwar in der ersten Periode durchgehend compact, in der zweiten, wie in der Parodos, in kyklischen Paeonen.

6. V. 1313—1322 ταχὺ δ'ἂν πολυάνορα = V. 1325—1334
    φερέτω κάλαθον . . .

Erstes Stasimon; anapaestisch. Die Strophen werden durch Recitative des Peithetairos unterbrochen.

7. V. 1748—1753 ὦ μέγα χρύςεον ἀςτεροπῆς φάος . . .
    Exodos; dactylisch.

Auch diese Tabelle liefert uns eine Bestätigung, wie sie voller und schöner nicht verlangt werden kann. Selbst der geschworene Gegner der Errhythmie wird die citierten Gedichte nicht anders messen, als ich es getan habe. Es darf daher behauptet werden, dafs die 'Vögel' in vierzeitigem, dactylo-anapaestischem Rhythmus componiert waren.

VII. 'Lysistrate'.

Mit diesem Stück beginnt auch in musikalischer Beziehung der Verfall der ionisch-attischen Komoedie. Die 'Vögel' waren das letzte Stück, in dem die Oden der Parodos durch dorische Strophen gebildet wurden; von nun an werden die Parodoi in unseren Tabellen wegbleiben.

1. V.476—483 ὦ Ζεῦ τί ποτε . . . = V.541—548 ἐγὼ γὰρ οὔποτε . . .

Agon; von den beiden Perioden ist die eine trochaeisch, wenn auch in paeonischem Metrum, die andere anapaestisch.

2. V. 614—625 ἤδη γὰρ ὄζειν ταδί = V. 636—647 ἡμεῖς
γάρ, ὦ πάντες ἀςτοί . . .
Parabase, erste Syzygie, trochaeisch
3. V.658—671 ταῦτ' οὖν οὐχ ὕβρις = V.682—693 εἰ νὴ τὼ θεώ . . .
Parabase, zweite Syzygie; trochaeisch
4. V.781—804 μῦθον βούλομαι...= V.805—828 κἀγὼ βούλομαι...
Erstes Stasimon; trochaeisch
5. V. 1043—1058 οὐ παρασκευαζόμεςθα = V. 1059—1072
ἑςτιᾶν δὲ μέλλομεν . . .
Zweites Stasimon; trochaeisch
6. V. 1088—1209 ςτρωμάτων δέ = V. 1205—1215 εἰ δέ τῳ
μὴ ςῖτος . . .
Drittes Stasimon; trochaeisch.

Die Gesänge der Exodos bleiben hier weg; wenn auch
die Handschriften sie den Chören geben, so beweist doch ihre
metrische Bildung, dafs es Monodien sind. Im übrigen gehört
die 'Lysistrate', wie aus der Tabelle ersichtlich ist, zu den
Compositionen im trochaeischen Rhythmus. Doch haben diese
Trochaeen Eigentümlichkeiten, welche die 'Lysistrate' scharf
von den übrigen trochaeischen Stücken unterscheiden. Erstens,
kann für den Ditrochaeus nie ein ionischer Fufs eintreten;
wir haben ein rein trochaeisches, kein choriambisch-trochaeisches
Stück vor uns. Zweitens — und das ist ein neuer Beweis für
die Errhythmie in meinem Sinne, — ist es sonst bei Aristophanes unerhört, dafs trochaeische Reihen mit dreizeitigen
Längen, deren jede einen Fufs bedeutet, anfingen; nur ganz
selten kommt etwas Ähnliches in iambischen Reihen vor Ach.
1159 = 1171; Vög. 620 f.

‿ ͟ ͟ ͟ ͟ ‿ ͟ ͞ ͟ ‿ ͟ ͞
ὀκέλλοι· κᾷτα μέλλοντος λαβεῖν.

In der 'Lysistrate' sind die Beispiele gehäuft, und zwar in
zwei verschiedenen Tonstücken; wohl der beste Beweis, dafs
wir es hier mit einer Art 'Leitmotiv' zu tun haben, das die
ganze Composition beherrschte. Hier die Beispiele:

3. ͟ ͟ ͟ ͟ ‿ ͟ ͞ ͟ ‿ ͟ ͞   ταῦτ' οὖν οὐχ ὕβρις τὰ πράγματ' ἐςτί V. 658=682
͟ ͟ ͟ ͟ ‿ ͟ ͞ ͟ ‿ ͟ ͞...   πολλή; κἀπιδώςειν μοι δοκεῖ τό... „ 659=683
͟ ͟ ͟ ͟ ‿ ͟ ͞ ͟ ‿ ͟ ...   νῦν δεῖ, νῦν ἀνηβῆςαι πάλιν . . . „ 669=694

4. ‿‿ ‿◡‿◡ ‿◡‿◡ μῦθον βούλομαι λέξαι τιν' ὑμῖν . . „ 781 805
‿‿ ‿◡‿◡ ‿◠◡‿ οὕτως ἦν νεανίσκος Μελανίων . . „ 784 808
‿‿ ‿◡‿◡ ‿◡‿◡ οὕτω τὰς γυναῖκας ἐβδελύχθη . . „793 817.

Und hat man das erst eingesehen, so wird man über die
Messung so vieler scheinbarer Paeone nicht mehr im Zweifel
sein. Warum soll der compacte Ditrochaeus nicht gelegent-
lich die eine Länge auflösen können? Natürlich nicht in zwei
Kürzen, sondern entweder in eine Länge und eine Kürze, oder
in drei Kürzen. Dafs dieses tatsächlich geschehen ist, lehrt
uns die rhythmische Responsion, von der oben die Rede war;
solchen Beispielen gegenüber wäre es höchst kurzsichtig, nicht
glauben zu wollen, dafs jeder viersilbige Paeon unserer Komoedie ein Ditrochaeus ist, in dem der eine Fufs compact,
der andere aufgelöst ist. Des Beispiels halber seien hier die
metrischen Schemata für das vierte und fünfte (= sechste) Tonstück angeführt:

781. ‿‿	‿◡‿◡	805.	1043. 1188. ‿◡‿◡	‿◡‿◡	1059. 1204.
‿◡‿◡	‿◡‿◡		‿◡‿◡	‿◡‿◡	
‿ ‿◡◡	‿ ‿ ∧		1190. ‿◡‿◡	‿◡‿∧	1205.
785. ‿ ‿	‿◡‿◡		1045.	‿ ‿◡◡ ‿◡ ‿	1060.
‿ ‿◡◡ ‿◡ ‿			‿◡◡ ‿◡‿◡		
‿ ‿	‿◡◡ ‿	810.	‿ ‿◡◡	‿ ‿◡◡	
‿◡◡‿◡	‿ ! ‿◡		‿ ‿◡◡	‿◡‿∧	
{ ‿◡‿			1050. 1195. ‿◡ ‿	‿◡ ‿	1065. 1210.
{ ‿ ‿◡◡	‿ ‿		‿◡‿	‿◡‿∧	
{ ‿◡‿					
{ ‿ ‿◡◡	‿ ‿				
‿ ‿◡◡	‿ ‿		‿◡‿◡	‿◡‿◡	
790. ‿ ‿◡◡	‿ ‿		‿◡‿◡	‿◡‿◡	
‿ ‿◡◡	‿ ‿◡◡	815.	‿◡‿◡		
‿ ‿◡◡	‿ ‿ ∧		1200. ‿◡‿◡	‿◡‿∧	
‿ ‿	‿◡‿◡		1055.	‿◡‿◡ ‿◡‿∧	
‿◡‿◡	‿◡‿◡		‿◡‿◡	‿◡‿◡	1070.
795. ‿◡‿◡	‿ ◡◡◡			‿◡‿◡	
‿◡ ‿	‿◡‿∧	820.	‿◡‿◡	‿◡‿∧	1215.

Was die übrigen vier Stücke anbelangt, so kann ich mich
hier kürzer fassen. Für die 'Thesmophoriazusen' ist Diaskeue
constatiert; wir dürfen daher ein doppeltes Grundversmafs erwarten. Die Verderbnis bezw. Unfertigkeit der überlieferten
Chorgesänge erschwert das Urteil; immerhin erkennt man,

dafs die Parodos der 'Kalligeneia' in trochaeischem, die der 'Nesteia' in dactylischem Rhythmus abgefafst ist. Dactylisch, oder wenigstens vierzeitig sollten auch die anderen Teile der Nesteiaparodos werden; der Rhythmus, den man heraushört, ist überwiegend der anapaestische. Dactylisch ist ferner auch V. 1136 ff. Dasselbe Verhältnis ist auch für die 'Frösche' anzunehmen; nur ist die dorische Composition hier sehr geringfügig. Die Oden der Parabase sind dactylisch, auch V. 815 ff. ἢ που δεινὸν ἐριβρεμέτας . . und V. 875 ff. ὦ Διὸς ἐννέα παρθένοι sind in diesem Rhythmus componiert. Die trochaeische Parodos kommt nicht in Betracht, da sie aus lauter ionischen Strophen besteht; dagegen weist die Nebenparodos ionischen Rhythmus auf, der (§ 5) auf ein Stück von trochaeischer Composition schliefsen läfst. Die 'Ekklesiazusen' besitzen nur eine einzige dorische Strophe, die Ode des Agons, welche dactylisch ist. Vom 'Plutos' kann hier keine Rede sein.

Vom Standpuncte der Errhythmie zerfallen demnach die Komoedien unseres Dichters in folgende drei Gruppen:

I Trochaeische und trochaeisch-choriambische (von sechszeitigem Rhythmus)
'Acharner II'. 'Ritter'. 'Wolken II'. 'Wespen'. 'Lysistrate'. 'Kalligeneia'. 'Frösche I'.

II Paeonische (von fünfzeitigem Rhythmus)
'Acharner I'. 'Eirene I'.

III Dactylisch-anapaestische (von vierzeitigem Rhythmus)
'Wolken I'. 'Eirene II'. 'Vögel'. 'Nesteia'. 'Frösche II'. ('Ekklesiazusen').

Doch sind wir mit unserer Betrachtung noch nicht zu § 5. Ende. Die Nebenparodoi habe ich vorhin mit Fleifs aus dem Spiel gelassen; nicht als ob sie die dort entwickelten Gesetze in Frage stellten, sondern weil sie für sich ein neues begründen. Ihr Verhältnis zu den Hauptparodoi mag die folgende Tabelle veranschaulichen:

	Hauptparodos.	Nebenparodos.
'Wespen'	trochaeisch	ionisch
'Lysistrate'	trochaeisch	choriambisch
'Kalligeneia'	trochaeisch	ionisch
'Frösche'	trochaeisch	ionisch.

Das Verhältnis ist demnach fest. Nur trochaeisch componierte Stücke lassen eine Nebenparodos zu; und in keinem anderen Rhythmus darf diese dann componiert werden, als im ionischen.

Soweit meine Wahrnehmungen. Sie locken zu recht weitgreifenden Combinationen; doch mufs ich es mir diesmal versagen, dieser Lockung zu folgen. Inwiefern sie die Resultate meiner übrigen Untersuchungen bestätigen — das zu entscheiden kann ich getrost dem Leser überlassen. Überhaupt ging meine Absicht blofs dahin, einige nicht wegzuleugnende Tatsachen zusammenzustellen; die Nutzanwendung, die sich für mich aus ihnen ergab, anderen aufzudrängen, ist nicht mein Wille. Neugierig wäre ich zwar, zu wissen, was sich gegen sie einwenden liefse; doch ahne ich fast, dafs die Skepsis auf die allerbequemste Ausflucht verfallen wird, sich hinter die 'Unzulänglichkeit des Materials' zu verschanzen. In dieser Position ist sie allerdings unangreifbar; denn dafs die neunundzwanzig verlorenen Komoedien des Aristophanes wieder aufgefunden werden, ist kaum zu erwarten.

Vierter Abschnitt.

Eurythmie und Symmetrie.

In diesem letzten Abschnitt soll über eine Frage gehan- §1.
delt werden, welche ziemlich auf dem ganzen Gebiet der antiken
Poesie eine bedeutende Stellung behauptet. Allerdings wird sie
uns nicht in ihrem ganzen Umfange beschäftigen; dazu ist sie zu
weit verzweigt, und der Teil, in dem sie die Aristophaniker inter-
essiert, im Verhältnisse zum Ganzen zu gering. Ich verzichte
daher darauf, eine Geschichte der Controversen zu geben, die sich
an sie knüpfen; wo alle Bedingungen so verschieden sind — wie
das z. B. in den Elegien des Properz gegenüber den Komoedien
unseres Dichters der Fall ist — da kann eine gemeinsame
Behandlung nur zur Confusion und zur Verkennung gerade
dessen, was für uns von Bedeutung ist, führen. Sonach will
ich lieber an die Resultate der vorangegangenen Untersuchungen anknüpfen und die Frage nur vom Standpuncte der epirrhematischen Composition behandeln.

Gehen wir von der Parabase aus. Zwei Halbchöre stehen
einander gegenüber; von zwölf Stimmen ist die Ode gesungen
worden, jetzt 'recitiert' der Führer des Halbchors das Epirrhema.
Der gesangähnliche Vortrag wird von der Musik begleitet;
die Verse selbst, in denen das vorgetragene Gedicht gehalten
ist, sind trochaeische Tetrameter, also Tanzverse. Wer tanzt
aber? Der Vortragende sicher nicht; eine solche Doppel-
leistung übersteigt die Kräfte der menschlichen Lunge; ebenso
wenig aber die übrigen 11 Choreuten des Hemichorions, die
eben die Ode gesungen haben und obendrein in ihrer Elfzahl
keine regelmäfsigen Figuren gebildet haben würden. Also wird
es der andere Halbchor gewesen sein. Die Tanzweisen haben

aber vor jeder andern Musik den Vorzug strengster Eurythmie;
sowie man in ihnen die Teile jedes einzelnen Tactes leicht
heraushört, so fällt auch der ganze Satzbau der Melodie leicht
ins Ohr. Und zwar ist dieser Satzbau streng tetradisch; vier
Tactteile bilden ein Metron, vier Metra ein Tetrametron, einen
Satz oder Vers. Und was für unsere Tanzmusik gilt, dafs die
tetradische Gliederung sich über den Satz hinaus erstreckt
und vier Sätze dazu gehören, um die Melodie zu bilden, das
wird auch für die antike Musik gegolten haben; es vereinigten
sich also vier Verse zu einem gröfseren Ganzen, der Strophe,
welche eine abgeschlossene Melodie bildete. Eine noch weiter
gehende Eurythmie würde bei blofser Wiederholung derselben
Melodie fürs Ohr nicht wahrnehmbar sein; nehmen wir aber
einen Wechsel an, der für moderne Tanzweisen unerläfslich
ist, so war es nur natürlich, wenn vier Strophen sich ihrerseits zu einer höheren Einheit zusammentaten, — der Perikope, wie wir sie nennen wollen. Eine Perikope würde darnach ein Ganzes von sechzehn Tetrametern sein.

Sind nun die Epirrhemen der Parabasen eurythmisch?
Jedermann weifs, dafs sie aus 8, 16 oder 20 Tetrametern bestehen, und dafs 16 die gewöhnliche, kanonische Zahl ist. Es
ist demnach klar, dafs sie aus einer ganzen Zahl von Strophen,
und mit Vorliebe aus einer ganzen Perikope bestehen. Also
eurythmisch sind die Epirrhemen sicher; es fragt sich aber,
hat diese Eurythmie irgendwelchen Ausdruck im Bau des
Textes gefunden? Wenn bei uns einer Tanzweise ein Text
untergelegt wird, so entspricht regelmäfsig dem Schlufs der
Melodie ein Sinnesabschnitt im Text. In der griechischen
Lyrik ist das bekanntlich nicht der Fall; wir brauchen uns
daher nicht zu wundern, wenn die parabatischen Epirrhemen
dieser Forderung noch viel weniger entsprechen.

Damit ist zugleich die Grundverschiedenheit nachgewiesen,
die zwischen unserer Eurythmie obwaltet und jener anderen,
die man z. B. in den römischen Elegikern hat finden wollen.
Diese besteht im gleichmäfsig wiederkehrenden Sinnesabschnitt
und fällt bei der blofsen Declamation schon ins Ohr; die unsrige
dagegen wird erst durch den Gesang oder die Begleitung
wahrnehmbar und notwendig, ohne Musik weifs niemand, ob

sie da ist, und der Dichter müfste unsinnig sein, wenn er sich diese nutzlose Fessel anlegen wollte.

Wenn das Epirrhema zu Ende ist, singt der andere Halbchor — nach einer kleinen Ruhepause vermutlich — die Antode, die sich metrisch, also auch musikalisch mit der Ode deckt; hierauf tritt der zweite Halbchorführer auf mit dem Antepirrhema. Wäre nun der Vortrag der Epirrhemen blofse Declamation gewesen, so würde niemand bemerkt haben können, ob das Antepirrhema gleich viel, oder mehr, oder weniger Verse enthalte, als das Epirrhema, besonders bei der Ungleichheit, welche der ausdrucksvolle, bald beschleunigte, bald verzögerte Vortrag zur Folge hat. Wir sehen indessen, dafs sich die beiden Epirrhemen stets an Verszahl entsprechen; der Grund wird also kein anderer gewesen sein, als dafs die Melodie in beiden die gleiche war.

Somit haben wir im Bau der Epirrhemen der Parabase nicht blofs Eurythmie, sondern auch Symmetrie constatiert. Verweilen wir etwas bei diesem — natürlich nichts weniger als neuen — Ergebnis, um uns die Consequenzen desselben zu vergegenwärtigen.

Solange man die Komoedie in compositioneller Beziehung § 2. für einen Blendling der Tragoedie hielt und nur die Parabase, mit oder ohne 'glücklichen Wurf', als ein fremdes Element innerhalb derselben auffafste, konnte man sich begnügen, Eurythmie und Symmetrie für die parabatischen Epirrhemen festgestellt zu haben. Deshalb konnte aber doch die mitunter auffallende Symmetrie im Bau der übrigen Teile der Komoedie dem geübten Auge scharfsinniger Forscher nicht entgehen; einmal festgestellt, lockte diese Tatsache zu weiteren Untersuchungen. Da es aber an einem leitenden Gesichtspuncte fehlte, so hatten diese immer das Tappende des inductiven Verfahrens an sich; der Zufall legte sich neckisch ins Spiel, und einmal aus dem richtigen Geleise gebracht, wurde die Frage in einem erstaunlich kurzen Zeitraum gänzlich festgefahren. Die Reaction konnte nicht ausbleiben; kopfschüttelnd sahen andere, mehr oder weniger besonnene Forscher der wilden Jagd nach 'Responsionen' zu und ärgerten sich bafs ob des 'pythagoraeischen Zahlenschwindels'. Dabei blieb es.

Den Coetus der Pythagoraeer zu vermehren hatte unter solchen Umständen wenig Verlockendes. Es bleibt mir aber nichts anderes übrig, da der Gang der Untersuchung selbst zu der Alternative geführt hat: entweder ist die Komoedie nach dem Schema der epirrhematischen Composition gegliedert, und dann gelten die dargelegten Forderungen der Eurythmie und Symmetrie auch für die übrigen Epirrhemen; oder sie gelten nicht, und dann hängt die ganze Hypothese in der Luft. Doch ist noch eine Clausel hinzuzufügen, da die Alternative, so schroff gefafst, die Frage nur aufs neue verfahren würde; es ist hohe Zeit, jene Leuchte wieder aufzurichten, die bereits GHermann, der Pythagoras des Bundes, aufgestellt hat, die aber gleich zu Anfang der tollen Fahrt umgeworfen wurde. Da nämlich als der tiefere Grund der Eurythmie sowohl wie der Symmetrie das Moment der Choreutik erkannt ist, so können wir jene beiden Erscheinungen nur bei denjenigen Epirrhemen voraussetzen, deren Vortrag mit Musik und Tanz — oder Marsch — verbunden war; also nicht bei den trimetrischen Syzygien, wohl aber bei den drei Grundpfeilern der komodischen Composition — Parabase, Parodos und Agon.

Von der Parabase gingen wir aus; wenden wir uns jetzt zur **Parodos**. Auch hier will ich von jeder Classification absehen und an der überlieferten Ordnung festhalten.

1. 'Acharner' I V. 204—233. Diese Parodos ist umsomehr geeignet, den Uebergang von der Parabase zu vermitteln, da die Epirrhemen im Tanz- und Laufvers gedichtet sind, der für die parabatischen Epirrhemen kanonisch ist, dem trochaeischen Tetrameter. Unseren Forderungen entspricht sie vollkommen. Das Epirrhema besteht aus vier Tetrametern, also einer Strophe; genau ebensoviel zählt auch das Antepirrhema.

2. 'Acharner' II V. 284—346. Auch hier kehrt der parabatische Vers, der trochaeische Tetrameter wieder. Dafs die Epirrhemen von den Oden eingeschlossen sind, ist bereits bemerkt worden; wir haben das Schema *aba*, richtiger *abba* vor uns. Sondert man die Oden V. 284—302 und V. 335—346 aus, so bleiben für die Epirrhemen die VV. 303—334 nach, also wohlgezählt zweiunddreifsig Tetrameter oder acht Stro-

phen, oder zwei Perikopen. Nun offenbart sich erst, wie sehr ich
Recht hatte, aus diesem epischen Teil zwei Epirrhemen zu machen;
ein jedes von ihnen besteht aus einer Perikope, genau wie in
der Parabase. Was wir sonst dabei gewinnen, ist gehörigen
Orts dargelegt worden; eins möchte ich hier nachholen, ein
Ergebnis der 'Antichorie'. Darnach sprach bis V. 318 der
rechte Halbchorführer die Verse, die in den Handschriften dem
Chor gegeben sind; nachdem er sich lange gesträubt, scheint
er V. 315 f. in seinem Entschlufs schwankend geworden zu
sein; es sieht fast aus, als könnte er sich bestimmen lassen,
die Verteidigung anzuhören. Wie passend ist es nun, wenn
V. 319 f. der linke Halbchorführer dazwischentritt und allem
Bedenken ein Ende macht.

3. 'Ritter' V. 242—283 ist nicht durch Oden, sondern
nur durch den Personenwechsel gegliedert. Da ist es denn längst
aufgefallen, dafs der Chor sich zweimal in je acht Tetrametern
(V. 247—254 = V. 258—265) vernehmen läfst, und Kleon
beide Mal mit je drei Tetrametern antwortet. Diese in die
Augen springende Symmetrie hat mich oben veranlafst, V. 247
—257 dem Epirrhema, V. 258—268 dem Antepirrhema zuzuweisen. Der Eurythmie genügen die Partien des Chors
vollkommen; sie bestehen aus je zwei Strophen. Den Umstand,
dafs die Antworten des Kleon nicht je eine volle Strophe aus-
machen, kann man sich erklären wie man will. Entweder
zieht man die Analogie der Katalexis heran und meint, der
Text hätte absichtlich, um die Gliederung zu betonen, je eine
Pause von einem Tetrameter nach jedem Epirrhema. Oder —
was mir das wahrscheinlichere dünkt — man knüpft an die
parabatischen Epirrhemen an und fafst die Regel so: gleichwie die parabatischen Epirrhemen mit Vorliebe aus einer
vollen Tetras von Strophen bestehen, aber hin und wieder
hinter diesem Mafse zurückbleiben oder es überschreiten, indem sie zwei oder fünf Strophen enthalten, — so bestehen
auch die kleineren Marschcompositionen wohl mit Vorliebe
aus einer vollen Tetras von Versen, bleiben aber doch hin
und wieder hinter diesem Mafse zurück oder überschreiten es.
Aufserhalb der Symmetrie steht der Aufruf des Demosthenes
V. 242—246, der die Stelle eines Kommations vertritt; des-

gleichen das ἁπλοῦν V. 269—283, an dem sich der Chor wieder
durch eine volle Strophe beteiligt. Dieses ἁπλοῦν besteht
aus fünfzehn Versen, es fehlt ihm also nur ein Vers zu einer
vollen Perikope. Nun ist aber schon längst bemerkt — als
noch niemand an eine Eurythmie in meinem Sinne dachte,
dafs zwischen V. 273 u. 274 ein Tetrameter ausgefallen ist.
Ergänzt man diesen, so erhält man sechzehn Tetrameter,
oder eine Perikope.

4. 'Ritter' V. 1316—1334. Dafs auch die Agonistenparodoi den Gesetzen der Eurythmie folgen — von einer
Symmetrie kann natürlich keine Rede sein — ist zwar durch
nichts gegeben, aber doch wahrscheinlich, da sie ja auch eine
Marschmusik zur Begleitung hatten. Das einzige Beispiel
einer ausgedehnteren Agonistenparodos besteht, anscheinend
hoffnungslos, aus neunzehn anapaestischen Tetrametern. Sieht
man sich aber diese genauer an, so entdeckt man leicht eine
Commissur nach V. 1326, wo Demos selbst an der Schwelle
der Propylaeen erscheint. Von da an zählt man acht Verse,
oder zwei Strophen bis zum Schlufs; rechnet man die gleiche
Anzahl nach dem Anfange zu ab, so scheiden sich nur die
V. 1316—1318 ab, die Anrede des Agorakritos, die ebenso wie
die Anrede des Demosthenes in Nr. 3 aufserhalb der Eurythmie
steht und das Kommation vertritt; die Parodos zerfällt demnach in das Kommation und ein ἁπλοῦν von sechzehn
Tetrametern, oder einer vollen Perikope.

5. 'Wolken' I V. 263—313. Das Epirrhema besteht
aus zwölf anapaestischen Tetrametern, oder drei vollen Strophen. Das Antepirrhema ist, wie oben dargelegt worden,
verstümmelt.

6. 'Wolken' II V. 314—438 entzieht sich jeder Euryth-
misierung. Das wird niemand Wunder nehmen, der auf die
Composition gerade dieser Parodos geachtet hat und weifs,
wie hier Altes und Neues, Parodos und Agon durcheinander-
geflochten ist.

Nun mufs ich aber auf etwas hinweisen, was dem Leser
sicher sehr sonderbar erscheinen wird; am allersonderbarsten
erscheint es mir selber. Sollte die ganze Parodos, V. 263—438,
wie wir sie jetzt lesen, in der Tat die Parodos des neuen

Stückes, der zweiten 'Wolken' werden? Man möchte es kaum glauben, und doch ist es so. Dieses Sammelsurium, das sich uns wie ein nachlässig zusammengeflickter Cento darstellt, oder besser, wie ein geistvoller Aufsatz, den ein ungeschickter Redactionsboeotier rücksichtslos 'coupirt' hat — es ist tatsächlich die endgültige neue Form, die der Dichter seiner Parodos gegeben hat. Zu diesem Ergebnis gelangen wir, wenn wir —' echt pythagoraeisch — sämtliche Tetrameter, aus denen die Parodos besteht, zusammenaddieren. Da sind

V. 263—274 bis zur Ode . . . . 12 Tetrameter
„ 291—297 zwischen Ode und Antode . . . 7 „
„ 314—438 von der Antode bis zum Schlufs 125 „
In Summa: 144 Tetrameter

Hundertvierundvierzig Tetrameter — genau neun Perikopen! Ich wiederhole, dafs ich selber vor diesem Resultat fast zurückschrecke. Zwar, dafs auf diese Weise ein so unorganisch zusammengesetztes Gedicht den Zuhörern als ein Ganzes geboten wurde, das mag noch hingehen; haben es doch zwei Jahrtausende seitdem als ein Ganzes genossen und geliebt. Aber die sonstigen Consequenzen dieser Annahme. Zwischen die dritte und vierte Strophe der ersten Perikope hat sich die Ode gedrängt; noch schlimmer steht es um die Antode, welche den dritten und vierten Vers derselben Strophe auseinanderreifst. Man denke sich: die Marschmelodie wird gerade an der Stelle, wo der Vordersatz in den Nachsatz übergeht, unterbrochen und bleibt solange schweben, bis ein langes Chorlied ausgesungen ist; dann erst kommt der Nachsatz. Sehr seltsam in der Tat, indessen doch ... hundertvierundvierzig Tetrameter geben neun Perikopen, trotz alledem. Die eurythmische Einheit, die ich annehme, umfafst eine zu grofse Anzahl von Versen, als dafs die Teilbarkeit durch sie zufällig sein könnte. Und was das zweite Bedenken anbelangt, so können die Athener von dieser 'Barbarei' leider nicht freigesprochen werden; weiter unten wird uns ein zweites Beispiel begegnen.

7. 'Wespen' I V. 230—272 gehört zu den kleinern Parodoi, deren Epirrhemen nur eine symmetrische, nicht zu-

23*

gleich eine eurythmische Gliederung zulassen. Um die erstere
zu erkennen bedienen wir uns folgender Commissuren. Erstens
des Umschlags des Versmaſses nach V. 247; dadurch werden
die achtzehn katalektischen Tetrameter von den fünfundzwanzig
dikatalektischen abgetrennt. Innerhalb der ersten Gruppe ist
ferner eine Commissur nach V. 234 wahrzunehmen, wo Frage
und Antwort zusammenstoſsen. Die Antwort zählt fünf Verse,
genau ebensoviel machen den Anfang der Parodos bis zur
ersten Commissur aus. Es entsprechen sich daher V. 230—234
und V. 235—239 als Epirrhema und Antepirrhema. Übrig
bleibt ein ἁπλοῦν von acht Versen, oder einer halben Perikope,
V. 240—247. Die zweite Gruppe beginnt mit einem ἁπλοῦν
von elf Versen, die das Gespräch des Chorführers mit dem
Knaben begreifen V. 248—258. Möglich, daſs nach V. 258
eine Pause von einem Tetrameter eintrat — die natürlich die
Musik ausfüllte — um die Gliederung zum Ausdruck zu bringen,
so daſs dieses ἁπλοῦν eigentlich drei Strophen hatte. ... Man
wird zwar fragen, warum denn die Pause gerade hier notwendig war, und nicht nach V. 234, 239 und 247. Aber dort
war die Gliederung teils durch den Wechsel der Person (V.
234 u. 239) teils durch den Umschlag des Versmaſses (247)
deutlich genug betont. Was übrig bleibt, die vierzehn Verse
V. 259—272, wo der Chor wieder nur mit sich selbst zu
tun hat, zerfällt von selbst in Epirrhema V. 259—265 und
Antepirrhema V. 266—272 zu je sieben Versen. Wir haben
daher folgende Symmetrie:

R. Hlbchf. L. Hlbchf. Kor. Kor. R. Hlbchf. L. Hlbchf.
Epirrh. Antepirrh. ἁπλ. ἁπλ. Epirrh. Antepirrh.
230—234=235—239; 240—247; 248—258; 259—265=266—272
5. = 5. 8. 11. 7. = 7.

8. 'Wespen' II V. 333—402 ist ein lehrreiches Beispiel
eurythmischer Strophengliederung. Die Mesoden bestehen aus
je einer Strophe Philokleons, welche die Ode unterbricht und
selbst durch einen odischen Teil des Chorlieds unterbrochen
wird; im Versmaſs ist sie von den Epirrhemen verschieden.
Von diesen enthält das Epirrhema V. 346—357 zwölf anapaestische Tetrameter, oder drei Strophen; das Antepirrhema

V. 379—402 vierundzwanzig Tetrameter oder sechs Strophen. Das Antepirrhema ist demnach gerade noch einmal so
grofs wie das Epirrhema. In den parabatischen Epirrhemen hatten wir es mit halben, vollen oder grofsen Perikopen (8, 16 und
20 Tetrameter) zu tun; hier tritt uns zum ersten Mal die
kleine Perikope zu 12 Tetrametern entgegen.[1]) Das Epirrhema besteht aus einer, das Antepirrhema aus zwei kleinen
Perikopen.

9. 'Wespen' III V. 403—525. Von der eigentümlichen
Beschaffenheit dieser Parodos war gehörigen Ortes die Rede.
Es ist gezeigt worden, dafs jedes Epirrhema zweimal durch
eine odische Partie des Chores unterbrochen ist, V. 417—419
=473—477 und V. 428 f. = 486 f. Rechnet man diese ab,
so offenbart es sich, dafs das Antepirrhema V. 471—525
achtundvierzig Tetrameter, oder drei volle Perikopen enthält. Zählen wir die Verse des Epirrhemas zusammen, so
finden wir deren blofs dreiundvierzig. Was ist nun anzunehmen:
ist beides, Eurythmie nicht minder wie Symmetrie, in diesem
Epirrhema verletzt, oder sind vielmehr fünf Tetrameter ausgefallen? Glücklicherweise berechtigt uns der Zustand des
Textes durchaus zur letzteren Annahme. Bei V. 462, von dem
an wir den Ausfall dieser fünf Tetrameter anzunehmen hätten,
stöfst das Epirrhema an die Antode, und dafs diese verstümmelt
ist, hat man längst anerkannt. Gleichwie in der Nebenparabase
unseres Stückes der Ausfall der Antode zugleich das Verschwinden des ersten Verses im Antepirrhema zur Folge hatte,
ebenso sind hier nicht blofs die zwei Verse, mit denen die
Antode begann, sondern auch die fünf Schlufsverse des Epirrhemas untergegangen. Wir können daher getrost die Vermutung wagen, dafs auch das Epirrhema dem Antepirrhema
symmetrisch entsprach und drei volle Perikopen enthielt.

10. 'Eirene' V. 299—656. Gehen wir auch hier vom
Antepirrhema aus, so ist zu betonen, dafs V. 601 f. ein Kata-

---

1) Übrigens mufs diese Perikope auch für die Parabasen im Gebrauch gewesen sein; das bezeugt uns das Scholion zu Wesp. 1071 εἴ
τις ὑμῶν, ὦ θεαταί· τοῦτό ἐστιν ἐπίρρημα· τὸ δὲ ἐπίρρημα ὡς ἐπίπαν
ὀκτώ (so zu lesen statt des ὀκτωκαίδεκα der Hften) στίχων, ἢ ιβ′, ἢ ιϛ′·
ἐνθάδε δὲ εἴκοσι.

keleusmos ist; ein solcher war uns bisher nicht begegnet, da
in den Parodoi, die wir behandelt haben, der Chor entweder
alles (Ach. I, Wesp. I), oder viel (Ach. II, Ritt., Wesp.
II, III) oder gar nichts sprach (Wolk.). Hier spricht der Chor wenig,
das Gespräch führen Hermes und Trygaios, und es erscheint
ganz passend, wenn der Chor es eröffnet. Im übrigen hat
das Antepirrhema auch hier achtundvierzig Tetrameter, das
heifst, drei Perikopen (V. 603—650). Ebensoviel sind wir
berechtigt, im Epirrhema zu erwarten; doch fragt es sich, was
ist unter dem Epirrhema zu verstehen. Alle Tetrameter gehören sicher nicht dazu: V. 508—511 wird man schon deshalb nicht nehmen, weil sie iambisch sind; sie bilden, vier an
Zahl, eine Strophe für sich. Auch die versprengten trochaeischen Tetrameter V. 426—430 und 383 f. sind auszuschliefsen;
übrig bleiben sonach die beiden zusammenhängenden Gedichte
V. 289—338 und V. 553—570. Das zweite Stück beginnt
mit einem Katakeleusmos, der aber drei Verse zählt; schon
oben ist die Vermutung ausgesprochen worden, V. 555, der
an dieser Stelle tautologisch ist, sei nach V. 568 umzustellen:

> ἀλλὰ πᾶς χώρει πρὸς ἔργον εἰς ἀγρὸν παιωνίας·
> ὡς ἔγωγ' ἤδη 'πιθυμῶ . . .

Hier haben wir die Bestätigung. In der Tat hat das Stück,
den Katakeleusmos abgerechnet, dann sechzehn Tetrameter,
oder eine volle Perikope. Nicht ganz so leichtes Spiel
haben wir im ersten Stück. Die Symmetrie verlangt, dafs
darin die übrigen zwei Perikopen enthalten seien; statt dessen
zählt es vierzig, oder, den Katakeleusmos abgerechnet, acht-
unddreifsig Tetrameter — eine ganz incommensurable Zahl.
Doch fragt es sich, ob wir es hier nicht mit einer Dittographie
zu tun haben, wozu die Diaskeue die Veranlassung liefern
konnte. Die Verse 313 ff. wenigstens gehören sicher der Umarbeitung an; und da sie eine Wiederholung des Motivs von
V. 309 ff. enthalten, so liegt der Verdacht nahe, dafs sie diese
in der zweiten 'Eirene' zu vertreten hatten. Zwar ist auch
Polemos eine Figur aus dem umgearbeiteten Stück; aber die
Rolle war doch auch in der ursprünglichen Anlage vorhanden, nur
dafs sie von Zeus selber gespielt wurde. Und was V. 319 unbelangt

ἐκδραμὼν γὰρ πάντα ταυτὶ ϲυνταράξει τοῖν ποδοῖν,

so kann er auf den unmittelbar vorher erwähnten Kleon aus
zwei Gründen nicht gehen; einmal, weil sich dieser unter der
Erde (κάτωθεν) befindet, die Praeposition ἐκδραμών daher unstatthaft ist; sodann, weil er zwar mit seiner Kykloboros-
stimme Unheil genug anrichtet, aber doch nicht mit den Füfsen.
Beides ist nur in Beziehung auf den Bewohner des Palastes
(ἔνδοθεν) verständlich, man mag sich darunter den unge-
schlachten Riesen Polemos oder Zeus selber denken. Soll ich
nun einen positiven Vorschlag machen, so glaube ich, dafs
die zwei Strophen V. 309—322 in den beiden Auflagen also
gelautet haben:

I

309 οὐ ϲιωπήϲεϲθ᾽, ὅπως μὴ περιχαρεῖς τῷ πράγματι
    τὸν Δί᾽ αὖτ᾽ ἐκζωπυρήϲετ᾽ ἔνδοθεν κεκραγότες; –
    ἀλλ᾽ ἀκούϲαντες τοιούτου χαίρομεν κηρύγματος.
312 οὐ γὰρ ἦν ἔχοντας ἥκειν ϲιτί᾽ ἡμερῶν τριῶν. –

318 ἐξολεῖτέ μ᾽, ὦνδρες, εἰ μὴ τῆς βοῆς ἀνήϲετε.
    ἐκδραμὼν γὰρ πάντα ταυτὶ ϲυνταράξει τοῖν ποδοῖν.
320 ὡς κυκάτω καὶ πατείτω πάντα καὶ ταραττέτω. –
322 τί τὸ κακόν; τί πάϲχετ᾽, ὦνδρες; μηδαμῶς, πρὸς τῶν θεῶν...

II

313 εὐλαβεῖϲθε νῦν ἐκεῖνον τὸν κάτωθεν Κέρβερον,
    μὴ παφλάζων καὶ κεκραγώς, ὥσπερ ἡνίκ᾽ ἐνθάδ᾽ ἦν,
315 ἐμποδὼν ἡμῖν γένηται τὴν θεὸν μὴ ᾽ξελκύϲαι. –
    οὔτι καὶ νῦν ἔϲτιν αὐτὴν ὅϲτις ἐξαιρήϲεται
317 ἣν ἅπαξ ἐς χεῖρας ἔλθῃ τὰς ἐμάς. ἰοῦ ἰοῦ. –
318 ἐξολεῖτέ μ᾽, ὦνδρες, εἰ μὴ τῆς βοῆς ἀνήϲετε. –
321 οὐ γὰρ ἂν χαίροντες ἡμεῖς τήμερον παυϲαίμεθ᾽ ἄν. –
322 τί τὸ κακόν; τί πάϲχετ᾽, ὦνδρες; μηδαμῶς, πρὸς τῶν θεῶν...

Man möge mit dieser Spielerei nicht zu streng ins Gericht gehen; ich zweifle nicht, dafs sich noch viel bessere Vor-
schläge würden machen lassen. Das eine nur mufs ich nach-

drücklich betonen: dafs ein einziges Beispiel, aus einem überarbeiteten Stücke herausgegriffen, nicht gegen ein sonst so wohlbeglaubigtes Gesetz ins Feld geführt werden darf.

11. 'Vögel' V. 268—386. Hier haben wir ein zweites Beispiel jener Composition, die uns bei den zweiten 'Wolken' so sonderbar berührt hat. Der epische Teil wird durch die Oden nicht gegliedert, sondern nur unterbrochen; dagegen ergiebt die Summe aller Tetrameter eine hochbedeutsame Zahl

V. 268—326 bis zur Ode[1) . . . . . . 54 Tetrameter

„ 336—342 von der Ode bis zur Antode . . 7 „

„ 352—386 von der Antode bis zum Schlufs 35 „

In Summa　96 Tetrameter.

Sechsundneunzig Tetrameter, oder sechs volle Perikopen. Hier einen Zufall sehen wollen hiefse für jede philologische Combination den Boden entziehen. Schon für einmal wäre es höchst seltsam, wenn die Teilbarkeit durch eine so grofse Einheit, wie die Zahl 16 es ist, auf Zufall beruhen sollte; für zwei derartige Fälle ist es einfach unmöglich.

Die Gliederung in Epirrhema und Antepirrhema ist hier ebensowenig wie in den zweiten 'Wolken' aufrecht zu erhalten. Diese fand ihren Ausdruck, erstens, in der regelmäfsigen Abwechselung mit den gesungenen Teilen; was weder hier noch dort zutrifft. Zweitens, darin, dafs der rechte Halbchorführer das Epirrhema, der linke das Antepirrhema vortrug; damit können wir erst recht nichts anfangen, denn in den 'Wolken' kommt der Chor überhaupt erst gegen Ende der vierten, in den 'Vögeln' erst in der dritten Perikope zum Worte, und zwar reden der rechte (V. 336 f.) und der linke (V. 352 f.) Halbchorführer in derselben Perikope. Doch sieht man leicht ein, warum die Gesetze der epirrhematischen Composition hier und dort verletzt werden mufsten; sie verlangten einen geordneten Einzug des Chors und duldeten keine solchen Bühneneffecte, wie Gesang des Chors hinter den Coulissen und allmähliches (σποράδην) Erscheinen der Choreuten.

12. 'Lysistrate' 1 V. 254—285. Die Symmetrie ist

---

1) V. 318 zählen wir selbstverständlich mit. Jede Länge entspricht hier einem Tact.

streng durchgeführt; zu einer eurythmischen Gliederung sind die Epirrhemen zu klein. Sie bestehen aus je 5 Versen (V. 266—270 = 281—285).

13. 'Lysistrate' II V. 286—318. Hievon gilt dasselbe. Die Epirrhemen werden von je sechs Tetrametern gebildet (V. 307—312 = 313—318). Allerdings ist ohne weiteres zu gestehen, dafs nur die Rücksicht auf die Symmetrie uns veranlassen kann, die zwölf Verse zu halbieren und nach V. 312 eine Commissur zu machen. Andererseits giebt es aber auch gar nichts, was dagegen spräche.

14. 'Lysistrate' III V. 350—381 ist ein längeres ἁπλοῦν und entspricht unseren Erwartungen vollkommen. Es umfafst zweiunddreifsig Tetrameter oder zwei Perikopen.

15. 'Lysistrate' Binnenparodos V. 1014—1042 beweist natürlich gar nichts, weder für noch gegen die Composition der Parodos. Ihr Versmafs ist der mehrfach erwähnte synkopierte trochaeische Tetrameter, der gegen das Ende durch den reinen Tetrameter vertreten wird. Vollgültige Analogien dazu bilden die zweiten Parabasen Ach. 971 ff. und Wesp. 1265 ff.; aus ihnen können wir die eurythmischen Gesetze solcher Formationen erkennen. Sie bestehen aus je neun Tetrametern, von denen acht synkopiert, der neunte rein ist; daraus folgt: Formationen, die aus synkopierten pseudopaeonischen Tetrametern bestehen, müssen stets mit einem reinen Tetrameter schliefsen, der indessen aufserhalb der Eurythmie steht. Also steht in unserer Binnenparodos V. 1036

καὶ φιλήϲω — μὴ φιλήϲηϲ — ἤν τε βούλῃ γ᾽ ἤν τε μή

aufserhalb der Eurythmie und schliefst das vorangegangene Gedicht ab; die folgenden sechs reinen Tetrameter sind deutlich ein Epirrhemation. Wie dagegen die 22 dikatalektischen Tetrameter zu gliedern seien, das würden wir wissen, wenn wir mehr als diese eine Binnenparodos besäfsen.

16. 'Ekklesiazusen' I V. 285—289. Das Epirrhema besteht aus fünf Versen, das Antepirrhema ist entweder ausgefallen, oder es war nie vorhanden.

17. 'Ekklesiazusen' II, V. 478—503. Das Prooimion V. 478—482 zählt fünf Verse, von denen der erste und fünfte

mehrzeitige Längen bezw. Pausen enthält. Das Epirrhema
V. 489—492) besteht aus vier Tetrametern oder einer Strophe;
von gleichem Umfang ist das Antepirrhema (V. 500—503).
18. 'Plutos' V. 253—289. An Symmetrie zu denken
verbietet die Beschaffenheit des ganz dürftigen Chors. Es
kann demnach nur von Eurythmie die Rede sein. Nun enthält die Parodos — mit Ausschlufs des von allen Herausgebern athetierten V. 281 — sechunddreifsig Tetrameter,
also drei kleine Perikopen.

Werfen wir jetzt auf die eurythmische Gliederung der
Parodos einen Blick zurück.

Die Eurythmie in unserem Sinne verlangt für Tonstücke
mittleren Umfangs Gliederung nach Strophen, d. i. Teilbarkeit
der Verszahl durch vier, und läfst es wünschenswert erscheinen,
dafs dieselben nicht mehr und nicht minder als eine Perikope
umfassen. Diese Regel auf Gedichte kleineren Umfangs übertragen würde lauten: obligatorisch ist die Gliederung nach
Tetrametern; wünschenswert, dafs ein solches Gedicht gerade
eine Strophe ausfülle.

Das trifft auch zu. Hier die Beispiele für isolierte tetrametrische Strophen: 1) Ritt. 457—460 (Sphragis); 2—3) Wesp. 336f.
+ 340f. = 368f. + 371f. (Mesodos); 4—5) Wesp. 403f. + 408f.
= ∧ + 466f. (Mesodos); 6—7) Wesp. 529f. + 538f. = 634f.
+ 642f. (Mesodos); 8) Wesp. 725—728 (Sphragis); 9) Wesp.
875—878 (Gebet); 10) Eir. 508—511 (Aufforderung); 11) Eir.
1316—1319 (Euphemia); 12) Vög. 627f. + 637f. (Sphragis).
Eins oder das andere von diesen Beispielen könnte man sich
vielleicht wegwünschen: die Zahl wird trotzdem grofs genug
bleiben. Hiezu kommen dann die Beispiele aus den Parodoi selbst, die der obigen Aufzählung entnommen werden
können.

Scheidet man die kleinen Parodoi aus und berücksichtigt
nur diejenigen, die an Umfang mindestens einer kleinen Peri-
kope gleich kommen, so findet man folgende Zahlen:
'Acharner'II Epirrh.+Antepirrh... 32 Tetr. od. 2 volle Perik.
'Ritter' ἁπλοῦν............... 16 „ „ 1 „ „
'Wolken' gesamte Parodos...... 144 „ „ 9 „ „
'Wespen' III Antepirrhema..... 48 „ „ 3 „ „

'Eirene' Epirrh. 2. Stück ...... 16 Tetr. od. 1 volle Perik.

„　　Antepirrhema .... 48　„　„　3　„　　„

'Vögel' gesamte Parodos .... 96　„　„　6　„　　„

'Lysistrate' III ἁπλοῦν .... 32　„　„　2　„　　„

'Wespen' II Epirrhema .... 12　„　„　1 kleine Perik.

„　　Antepirrhema ...... 24　„　„　2　„　　„

'Plutos' Parodos . ... 36　„　„　3　„　　„

Dafs ich das ἁπλοῦν der 'Ritter', wo die Eurythmie durch Ergänzung eines einzigen schon vor mir vermifsten Tetrameters wiederhergestellt wird, sowie das zweite Stück des Epirrhemas in der Eireneparodos, wo es nur der Umstellung eines solchen bedurfte, getrost mitgerechnet habe, — darüber brauche ich mich wohl nicht zu verantworten; aber auch wenn man von diesen beiden Gedichten absicht, die Beispiele sind zu zahlreich, die Zahlen zu sprechend, als dafs man an eine zufällige Übereinstimmung denken könnte — zumal ich nirgends zu einer Lücke oder Athetese meine Zuflucht genommen habe.

Letzteres habe ich nur in folgenden zwei Fällen getan. Erstens, dem Epirrhema von 'Wespen' II, gegen dessen Schlufs schon andere eine Lücke erkannt hatten. Zweitens, im ersten Stück vom Epirrhema der 'Eirene', wo die nachgewiesene Diaskeue den Verdacht einer Dittographie nahe legte. Nun frage man sich, ob z. B. die Wiederherstellung von Tetraden in den stichischen Oden des Horaz auch so leicht von statten gegangen ist.

Hat nun auch die Eurythmie irgend einen Einfluss auf die Sinnesabschnitte gehabt? Bezüglich der Parabase mufsten wir die Frage verneinen. Nur die Parabase der 'Lysistrate' macht eine allerdings höchst auffällige Ausnahme; im übrigen haben wir folgende Zahlenverhältnisse:

Ach. I ... 3—0(2) ... 3—0(1)

„　II ... 1—0(1) ... 1—1

Ritt. I ... 3—1(2) ... 3—2(3)

„　II ... 3—2(3) ... 3—0(1)

Wolk. I .. 4—2(3) ... 4—1(4)

„　II .. 3—1(2) ...　—

Wesp. I .. 4—2(4) ... 4—2

Wesp. II . 1—1 ..... 1—0(1)

Eir. II ... 3—2 ..... 3—0(3)

Vög. I ... 3—1(3) ... 3—2(3)

„　II ... 3—2(3) ... 3—2(3)

Thesm. .. 3—0(3)　　　—

Fr. ...... 4—0(1) ... 4—1(4)

Ekkl. .... 1—0(1)

Zur Erklärung bemerke ich, dafs von den durch Puncte
getrennten Zahlenpaaren die linken auf das Epirrhema, die
rechten auf das Antepirrhema gehen; in jedem einzelnen Paare
bedeutet die Zahl links vom Gedankenstrich die Commissuren
— deren es natürlich immer um 1 weniger giebt als Strophen —,
die Zahl rechts · die damit zusammenfallenden Sinnesabschnitte,
insofern sie durch eine schwere Interpunction (Punct, Kolon
oder Fragezeichen) gebildet werden; in der Ziffer, die daneben in
Klammern steht, sind die leichten Interpunctionen (Komma)
mitgezählt. Alles in allem ergiebt sich folgendes Verhältnis:
auf 71 Commissuren ist 25mal schwer und 57mal überhaupt
interpungiert; negativer hätte das Resultat kaum sein können.
Fragen wir nun, warum die Parabase der 'Lysistrate' so seltsam absticht, in der jede Strophe — und sie hat deren zwölf —
in Bezug auf den Sinn ein geschlossenes Ganzes bildet? Ihr
einziger Unterschied von den übrigen Parabasen besteht darin,
dafs sie dramatisch ist; sollte das der Grund gewesen sein?
Es bietet sich uns eine Combination eigentümlicher Art dar.
Von den phrygoionischen Tonarten — auf deren häufige Anwendung in der Komoedie uns ihr bacchischer Ursprung, die
Flötenbegleitung, die häufigen ionischen Tacte und Strophen
zu schliefsen gestatten — schrieben die Alten der hypophrygischen
oder iastischen ein ἦθος πρακτικόν, d. h. dramatisches Ethos,
der phrygischen ein enthusiastisches oder bacchisches zu; was
jedenfalls darin seinen Grund hat, dafs jene in dramatischen,
diese vorzugsweise in lyrischen Compositionen verwandt wurde.
Nehmen wir also an, die parabatischen Epirrhemen im allgemeinen wären in phrygischer, nur in der 'Lysistrate' in iasti-
scher Tonart componiert, so löst sich das Problem. Bei der
phrygischen Tonart schlofs die Melodie in der Quinte; ein
solcher Schufs giebt der Melodie nach unserem Gefühl etwas
Unvollendetes, und man kann sich recht wohl vorstellen, dafs
er in der Mitte eines grammatischen Satzes eintrat. Anders
die iastische Tonart; hier war der Schlufston zugleich Grundton, der Melodieschlufs verlangte ein Senken der Stimme, wie
es nur zu Ende eines grammatischen Satzes einzutreten pflegt.

Das berechtigt uns zur Erwartung, dafs in den Parodoi
mit ihrem dramatischen Inhalt das Verhältnis zwischen der

Zahl der Commissuren und derjenigen der mit ihnen ver-
knüpften Sinnesabschnitte sich anders herausstellen wird. Und
so ist es auch in der Tat, wie die folgende Tabelle beweist.

	Commis- suren	Inter- punction	Personen- wechsel			Commis- suren	Inter- punction	Personen- wechsel
Acharn. II	7	7	6	Wesp. II Antep.		5	4(5)	3
Ritt. Epirrh.. . .	2	2	1	„ III Epirrh.		11	7(9)	5
„ Antep. . . .	2	2	1	„ Antep.. . .		10	5(9)	2
„ ἁπλ.	3	3	3	Eir. Epirrh. II. .		3	3	2
„ Agonistenp.	4	4	3	„ Antep. . .		11	5(9)	2
Wolk.	35	23(29)	19	Vög.		23	16(18)	8
Wesp. I ἁπλ.. .	1	0	—	Lys. III		7	7	7
„ II Epirrh.	2	2	2	Plut.		8	7	7

Auf 134 Commissuren 97 schwere Interpunctionen — hier ist
eher etwas von Absicht zu spüren. Am wenigsten befriedigen
die still beschaulichen Parodoi der 'Wolken' und der 'Eirene'
(Antepirrh.), die man sich am liebsten in der dorischen Tonart mit ihrem ἦθος ἡσύχιον componiert denkt, und die wild-
verworrene Parodos III der 'Wespen', für die sich die lärmende
phrygische Tonart eignen würde.

Also auf die Stropheneinteilung ist in den Parodoi auch
bei der Feststellung der Sinnesabschnitte im grofsen und
ganzen Rücksicht genommen. Noch mehr haben wir das für
die Gliederung nach Perikopen zu erwarten; für die Parodoi,
die hiebei in Betracht kommen, stellt sich das Verhältnis
folgendermafsen heraus.

	Commis- suren	Inter- punction	Personen- wechsel		Commis- suren	Inter- punction	Personen- wechsel
Acharn. II	1	1	1	Wesp. III Ant.	2	1(2)	0
Wolk.	8	6(8)	4	Eir. Ant. . . .	2	1	1
Wesp. II Antep..	1	1	0	Vög.	5	5	4
„ III Epirrh.	2	2	0	Lys. III	1	1	1

Auf dreiundzwanzig Commissuren zwanzig schwere Interpunctionen — die Observanz ist somit ziemlich strict.

Über die Symmetrie können wir uns kurz fassen. Ernsthaft verletzt erscheint sie nirgends; die Epirrhemen von
Wesp. III und Eir. wird man nach dem Gesagten nicht für
eigentliche Ausnahmen gelten lassen; Wesp. II liefert uns ein
Beispiel für die Regel, dafs von den beiden Epirrhemen das
eine auch um eine Perikope gröfser sein kann als das andere
— ein Beispiel, das nicht isoliert bleiben wird.

§ 3.   Die voraufgegangene Untersuchung hat für die oben dargelegte Tatsache, dafs die Parodoi nach dem Schema der epirrhematischen Composition — wenn auch nicht mit Ausschlufs
einiger Freiheiten — gegliedert sind, die Probe geliefert. Für
die Agone steht die Zugehörigkeit zu jener Grundform der
komodischen Gliederung noch ungleich fester; der compositio-
nelle Kanon gestattet im grofsen und ganzen weder Modificationen noch Ausnahmen; daher sind wir zur Erwartung
berechtigt, dafs auch die Gesetze der Eurythmie und Symmetrie auf die agonischen Epirrhemen angewandt eine aus-
nahmlose Geltung haben werden.

Gleich der erste Agon in chronologischer Reihenfolge
liefert eine vielversprechende Bestätigung unserer Vermutung.
Im Nebenagon der 'Ritter' besteht das Epirrhema aus zweiunddreifsig iambischen Tetrametern, oder zwei Perikopen;
genau ebensoviel zählt auch das Antepirrhema.

Doch werden wir diesmal nicht in chronologischer Ordnung weiter gehen, und auch das Gesetz der Symmetrie vorläufig nicht weiter verfolgen. Die eigentümliche Beschaffenheit des Materials, mit dem wir es zu tun haben, läfst es
wünschenswert erscheinen, dafs zuerst die Epirrhemen zusammengestellt werden, die sich unseren Anforderungen ohne weiteres
fügen.

Zu diesen gehört vor allen Dingen das oben zu Tage
geförderte Epirrhema des alten Wolkenagons, V. 364—411.
Über seine Grenzen kann kein Zweifel bestehen; V. 363 ist
der letzte Vers in der ersten Rhesis des Wolkenchores, V. 412
der erste Vers in der zweiten; was dazwischen liegt, ist in
sich abgeschlossen und zusammenhängend. Wenn also der
auf diese Weise herausgeschälte Abschnitt gerade achtundvierzig Tetrameter oder drei Perikopen zählt, so wissen wir,

was das zu bedeuten hat. Und doch — wie seltsam! Diese drei Perikopen, die ursprünglich ein selbständiges Ganzes bildeten, wurden später dazu verwendet, zugleich mit Resten der alten Parodos und neuen Einlagen die neun Perikopen der neuen Parodos vollzumachen. Hat nun der Dichter wenigstens dafür gesorgt, dafs die Strophen- und Perikopengliederung dieselbe blieb, die neuen Commissuren auf die alten trafen? Nein. Was früher der erste Vers der ersten Perikope war (V. 364), wurde jetzt der siebente Vers der fünften. So lose und äufserlich war mitunter in diesen melodramatischen und recitativischen Partien der Zusammenhang zwischen Musik und Text.

Das waren drei Beispiele. Fügen wir als viertes das Epirrhema des Agons in den 'Fröschen' hinzu, welches aus vierundsechzig Tetrametern oder vier Perikopen besteht, und halten von dieser ziemlich festen Basis aus Umschau über die anderen Fälle, die wir noch zu registrieren haben. Da treffen wir auf folgende Zahlen:

'Ritter'	II	Epirrhema	61 Tetr.	'Vögel'	Epirrhema	61 Tetr.
„		Antepirrh.	58 „	„	Antepirrhema	61 „
'Wolken'	I	Epirrhema	47 „	'Lysistrate'	Epirrhema	45 „
„		Antepirrh.	49 „	„	Antepirrh.	47 „
„	II	Epirrhema	33 „	'Thesmophoriazusen'		38(41) „
„		Antepirrh.	46 „	'Frösche'	Antepirrh.	71 „
'Wespen'		Epirrhema	72 „	'Ekklesiazusen'		106 „
„		Antepirrh.	59 „	'Plutos'		109 „

Es sieht ziemlich bunt aus. Aber ehe wir weiter gehen und die Panacee suchen, welche das scheinbare Widerwillen dieser Gedichte, sich den Gesetzen der epirrhematischen Composition zu unterwerfen, in Gefügigkeit umwandelt, dürfen wir zwei derselben herausgreifen, welche dieser Panacee nicht bedürfen. Es sind 'Wolken' I Antepirrhema und 'Wolken' II Epirrhema. Hätten beide je einen Vers weniger, so würden sie — jenes mit drei, dieses mit zwei Perikopen — herrliche Beispiele für das Gesetz der Eurythmie abgeben. Und sollte das nicht ursprünglich der Fall gewesen sein? sollte die Änderung von Vers 1385 in

ἐξέφερον ἂν καὶ προὐςχόμην ce· cὺ δ' ἐμὲ νῦν ἀπάγχων

ἐξέφερον ἂν καὶ προὐςχόμην
ἔξω ce· cὺ δ' ἀπάγχων με νῦν

wirklich so schwer sein, schwerer als so viele andere, die um
einer Feinheit des attischen Sprachgebrauches willen, oder
aus subtil metrischen Rücksichten unternommen werden? Ganz
davon zu schweigen, daſs mit dieser Änderung zugleich die
— allerdings nicht obligatorische — Symmetrie der Pnige
(zu 7 Dimetern) wiederhergestellt wird. Was nun jenes Antepirrhema anbelangt, so ist es zwar sehr leicht, unter 49 Versen
einen herauszusuchen, der uns das Wasser trübt; trotz alledem glaube ich, wenn V. 1038 ff. so überliefert wären:

ἐγὼ γὰρ ἥττων μὲν λόγος δι' αὐτὸ τοῦτ' ἐκλήθην
ἐν τοῖcι φροντιcταῖcιν, ὅτι πρώτιcτος ἐπενόηcα
τοῖcιν νόμοις καὶ ταῖς δίκαις τἀναντί' ἀντιλέξαι·
καὶ τοῦτο πλεῖν ἢ μυρίων ἔcτ' ἄξιον cτατήρων.
cκέψαι δὲ τὴν παίδευcιν ἧ πέποιθεν ὡς ἐλέγξω...

so würde niemand daran etwas aussetzen können, niemand
etwas vermissen. — Und nun die Panacee.

Vergessen wir nicht, daſs die Forderungen der Eurythmie
sowohl wie der Symmetrie in voller Strenge nur der Musik
und dem Tanze gegenüber galten, welcher die Epirrhemen begleitete; für den Text nur insofern, als dieser sich genau an
die begleitende Musik schmiegte, so daſs je vier Tacten ein
Vers entsprach. Das geschah nur dann, wenn die Rede oder
das Gespräch ununterbrochen, ohne Pausen dahinflofs; und
das geschah, wie wir sahen, sehr häufig. Vor allem in den
Epirrhemen der Parabase, die nur von einer Person vorgetragen wurden, so daſs hier zu Pausen keine Veranlassung
vorhanden war; sodann durchgängig in den Parodoi, von denen
entweder dasselbe gilt, oder aber in denen die Lebhaftigkeit
der dramatischen Action keine Pausen zuliefs; endlich in den
angeführten sechs agonischen Epirrhemen für die, aus welchen
Gründen auch immer, zusammenhängender Vortrag anzunehmen ist.

Nun denken wir uns diesen Gedichten gegenüber einen Fall wie folgenden, aus dem Antepirrhema der 'Frösche': (V. 1019 ff.)

ΕΥΡ. καὶ τί cὺ δράcας οὕτως αὐτοὺς γενναίους ἐξεδίδαξας;
ΔΙΟ. Αἰcχύλε, λέξον, μηδ᾽ αὐθαδῶς cεμνυνόμενος χαλέπαινε.
ΑΙC. δρᾶμα ποιήcας Ἄρεως μεcτόν. ΔΙΟ. ποῖον; ΑΙC. τοὺς
Ἕπτ᾽ ἐπὶ Θήβας.

Wie hat man sich den Vortrag dieser Verse zu denken? Es bieten sich drei Möglichkeiten dar, oder genauer, eine Möglichkeit und zwei Unmöglichkeiten. Entweder folgte V. 1020 unmittelbar auf V. 1019; dann nahm Dionysos dem Aischylos die Antwort vorweg und hatte keinen Grund, sich über sein Schweigen aufzuhalten. Oder es erfolgte zwischen den beiden Versen eine Pause, die auch die Musik respectierte; der Flötenbläser hielt mit dem Spielen inne, die Choreuten blieben plötzlich wie festgebannt auf einem Beine stehen ... man male sich das weiter aus. Oder endlich — die Musik spielte ununterbrochen weiter, aber im Dialog entstand eine Pause, hervorgerufen durch die Unlust des Aischolos, sich dem verachteten Nebenbuhler gegenüber zu verantworten; eine Pause, die zum mindesten vier Tacte ausfüllte und einen vollständigen Tetrameter vertrat.

Und die Consequenz? Vorausgesetzt, daſs dieses die einzige Pause im ganzen Epirrhema war, mufste es doch bei strengster Perikopengliederung um einen Tetrameter zu kurz erscheinen; es würde demnach bei zwei Perikopen nur 31, bei drei nur 47, bei vier nur 63 Tetrameter enthalten. Ich betone, daſs dieses nicht etwa eine Hypothese, sondern eine Tatsache ist, durch Aristophanes selbst bezeugt. Jetzt wissen wir, was wir von den folgenden Zahlen zu halten haben: Wolk. I Epirrh. 47 Tetr.; Lys. Antepirrh. 47 Tetr.; Wolk. II Antepirrh. 46 Tetr.; Lys. Epirrh. 45 Tetr. Betrachten wir die 'Lysistrate'. Jeder Freund des Dichters erinnert sich des V. 590

ΛΥC. . . . κἀκπέμψαcαι παῖδας ὁπλίτας. ΠΡΟ. cίγα, μὴ μνηcι-
κακήcῃς

mit seinem eigentümlich schwülen, niederdrückenden Tone.

Sollte Lysistrate gleich darauf mit εἶθ' ἡνίκα χρῆν εὐφραν-
θῆναι... fortfahren, so würde sie die Wirkung abschwächen. Es
ist daher durchaus angebracht, nach V. 590 eine Pause anzunehmen; das Publicum hat dann Zeit, sich das Gehörte zu
überlegen, während Lysistrate ihre Gedanken sammelt, um auf
einen anderen Gegenstand überzugehen — und wir bekommen
auf diese Art unsere drei Perikopen voll. Im Epirrhema könnte
eine Pause passend nach V. 516

ΠΡΟ. κἂν ᾤμωξάς γ', εἰ μὴ 'cίγας. ΛΥΣ. τοιγὰρ ἔγωγ' ἔνδον
                                                   ἐcίγων

angenommen werden. Im übrigen ist gerade hier das Gedicht
verstümmelt; der folgende Vers ist um einen Fufs zu kurz,
und es ist leicht möglich, dafs nicht nur ein Anapaest, sondern aufserdem noch zwei Tetrameter ausgefallen sind. — Im
Epirrhema von 'Wolken' I, wo der Sprecher des Rechts das
Wort hat, eine Pause anzunehmen, hat keine Schwierigkeit;
ebensowenig wie im Antepirrhema von 'Wolken' II, wo der
nicht allezeit schlagfertige Strepsiades von seinem Sohne ins
Gebet genommen wird. Über das Wo läfst sich besser im
Zusammenhange handeln.

Der Übersicht halber seien hier die sämtlichen Agone mit
ihrer Verszahl und den Pausen, die zur Ausfüllung der Perikopen notwendig sind, angegeben; mit a ist das Epirrhema,
mit b das Antepirrhema gemeint.

			Peri-kopen.				Peri-kopen.
1. 'Ritter'	I	a-32	2	6. 'Wespen'	a-72+8		5
„	„	b-32	2	„	b-69+11		5
2. „	II	a-61+3	4	7. 'Vögel'	a-61+3		4
„	„	b-68+12	5	„	b-61+3		4
3. 'Wolken I'		-48	3	8. 'Lysistr.'	a-47+1		3
4. 'Wolken II'	I	a-47+1	3	„	b-47+1		3
„	„	b-48	3	9. 'Frösche'	a-64		4
5. „	II	a-32	2	„	b-71+9		5
„	„	b-46+2	3	10. 'Ekkl.	106+6		7
				'Plutos' —	109+3	—	7 Perikopen.

Der Pausen sind meist nur wenige; die gewöhnliche Anzahl ist 1—3 Tetrameter. Das ist auch begreiflich; sie waren, namentlich da sie durch die Musik betont wurden, ein starker dramatischer Effect, der nicht zu häufig angewandt werden durfte, wenn er wirksam bleiben sollte. Wenn er daher im Antepirrhema der 'Frösche' neunmal vorkam, so lag das in der Person des Redners, Aischylos, der gleich den Helden seiner Tragoedien durch Schweigen zu imponieren liebte (Fr. 832 ff.). Einen schönen Gegensatz dazu bildet das Epirrhema, in dem der redselige Euripides fast ununterbrochen das Wort führt; es enthält keine einzige Pause. Eine eigene Bewandtnis hat es mit 'Ritter' II; die Redner sind beide sehr schlagfertig und wir könnten eigentlich einen ununterbrochenen Streit erwarten, wie im Nebenagon. Hier waren die Pausen durch die Geschenke motiviert, welche die beiden Nebenbuhler dem Demos bringen. Bei sich haben konnten sie dieselben unmöglich; schon deshalb nicht, weil Kleon diesen Kunstgriff seinem Gegner erst abguckt, also auf keine Weise vorbereitet sein kann; auch paſst der Ausdruck φέρω V. 784 besser, wenn man sich den Wursthändler mit dem Kissen herankommend denkt. Im Epirrhema fehlten uns drei Verse, im Antepirrhema zwölf; im besten Verhältnis damit steht die Zahl der Geschenke. Im Epirrhema holt nur einmal Agorakritos ein Kissen; im Antepirrhema Agorakritos ein paar Schuhe (V. 872), dann einen Chiton (V. 881 ff.), dann Kleon einen Mantel (V. 890 ff.), dann Agorakritos allerhand Kinkerlitzchen (V. 906 ff.). Wir haben also dort einen, hier vier Gänge, und dem entsprechend dort drei, hier zwölf Pausen.

Im übrigen würden wir bei der Bestimmung der Pausen ziemlich ratlos sein, wenn uns nicht ein Gesichtspunct zu Hilfe käme, von dem schon oben die Rede war. Die Frage, ob die Strophengliederung mit den Sinnesabschnitten im Zusammenhange stehe, wurde für die Parabasen verneint, für die meisten Parodoi bejaht. Bejahen müssen wir sie auch für die Agone. Nehmen wir die sechs Epirrhemen, die keine Pausen haben, und die zwei, in denen der Ort der Pause sicher ist, so erhalten wir folgende Verhältnisse:

24*

AGONE.	Strophen.			Perikopen.		
	Com- misuren.	Inter- punction.	Personen- wechsel.	Com- missuren.	Inter- punction.	Personen- wechsel
'Ritter' I Epirrh. .	7	5(6)	4	1	1	1
„ Antep. .	7	5(6)	3	1	1	0
'Wolken I'	11	8(9)	7	2	1(2)	1
'Wolken II' I Antep. .	11	4(7)	0	2	0(1)	0
„ II Epirrh. .	7	5(6)	2	1	1	0
'Lysistrate' Epirrh. .	11	10	5	2	2	1(2?)
„ Antep. .	11	9(11)	6	2	1(2)	1
'Frösche' Epirrh. .	15	9(12)	4	3	3	0

Es wäre freilich Selbsttäuschung, wenn man sich ver-
hehlen wollte, dafs im Antepirrhema von 'Wolken' I das Zu-
sammenfallen von Sinnesabschnitt und Strophe uns wie zum
Possen constant vermieden ist; um so besser stimmen die
übrigen Gedichte, namentlich die 'Lysistrate', was beim Lesen
noch mehr auffällt. In den 'Fröschen' beschäftigt sich Euripides seinem Programme gemäfs in den zwei ersten Perikopen
mit seiner eigenen Poesie, in den zwei übrigen mit derjenigen
des Aischylos; gerade bei V. 939, dem ersten der dritten Perikope, bewerkstelligt er den Übergang. Zweimal ist der Strophen-
schlufs durch das refrainartig wiederholte φημὶ κἀγώ des
Aischylos betont (V. 954 u. 958), zweimal, und zwar dicht
nebeneinander, ist sogar der Reim dazu verwandt, um je zwei
Tetrameter distichisch miteinander zu verbinden:

ὀφρῦς ἔχοντα καὶ λόφους, δείν' ἄττα, μορμορωπά,   925.
ἄγνωτα τοῖς θεωμένοις. — οἴμοι τάλας. — cιώπα.
cαφὲς δ' ἂν εἶπεν οὐδὲ ἕν. — μὴ πρῖε τοὺς ὀδόντας. —
ἀλλ' ἢ Cκαμάνδρους, ἢ τάφρους, ἢ 'π' ἀcπίδων ἐπόντας.

Das kann uns ein, wenngleich nicht untrügliches, Kriterion liefern, um die Pausen in den Epirrhemen richtig zu
verteilen. Bei Wolk. 1 Epirrh. zum Beispiel, wo wir nur
eine Pause einzuschalten haben, finden wir Sinnesabschnitte
nach folgenden Versen (V. 961 als V. 1 gesetzt): 2. 3. 5. 8.
11. 15. 17. 22. 25. 26. 28. 29. 31. 34. 36. 38. 40. 43. 47.

Von rückwärts gezählt erhalten wir folgende Perikopen: 15.
31. 47. Davon ist die erste um einen Vers zu kurz; hier ist
also die Pause anzunehmen. Die einzige mögliche Strophen-
verteilung innerhalb dieser Perikope ist: (4). 8. 11. 15, wobei
die dritte Strophe zu kurz erscheint. Die Pause trat mithin
nach V. 8 oder 11 ein, wahrscheinlich nach dem letzteren
(V. 972). Wenden wir diese Methode auf alle Epirrhemen
an, die auf der vorigen Tafel fehlen, so erhalten wir folgende
Zahlen:

AGONE.	Pausen.	Strophen.			Perikopen.		
		Commissuren.	Interpunction.	Personenwechsel.	Commissuren.	Interpunction.	Personenwechsel.
'Ritter' II Epirrh.	780 (3).	15	7(12)	3	3	3	1
„ Antep.	849. 867 (3). 880 (3). 889 (4). 905.	19	15(16)	9	4	4	4
'Wolken' I Epirrh.	972.	11	5(7)	0	2	2	0
„ II Antep.	1429. 1436.	11	8(10)	3	2	2	1
'Wespen' Epirrh.	559 (4). 577. 589. 600. 615.	19	17(18)	4	4	4	4
„ Antep.	649. 663. 695 (2). 699 (2). 703. 706 (3). 712.	19	15(17)	5	4	4	3
'Vögel' Epirrh.	464. 480. 498.	15	10(12)	7	3	3	2
„ Antep.	560. 585. 598.[1]	15	12(14)	9	3	3	2
'Frösche' Antep.	1005. 1012. 1019. 1025. 1029. 1031. 1038. 1042. 1061.	19	14(19)	9	4	4	1
'Ekklesiazusen' . .	610. 637. 640. 650. 658. 661.	27	23(25)	19	6	6	4
'Plutos'.	516. 518. 586.	27	15(20)	11	6	6	3

Mit der Neuigkeit, dafs diese Methode doch etwas unsicher
sei, wird man mir hoffentlich nicht kommen. Dagegen ist

---

1) Auf diese Weise bilden die so symmetrisch gebauten VV. 588—591
tatsächlich eine Strophe.

πρῶτα μὲν αὐτῶν τὰς οἰνάνθας οἱ πάρνοπες οὐ κατέδονται,
ἀλλὰ γλαυκῶν λόχος εἰς αὐτοὺς καὶ κερχνήδων ἐπιτρίψει.
εἶθ᾽ οἱ κνῖπες καὶ ψῆνες ἀεὶ τὰς cυκᾶς οὐ κατέδονται,
ἀλλ᾽ ἀναλέξει πάντας καθαρῶς αὐτοὺς ἀγέλη μία κιχλῶν.

hier einem anderen Einwande zu begegnen; kann die Perikopengliederung für die Agone als erwiesen gelten, wo sich
nur vier, im besten Falle sechs Epirrhemen zwanglos dieser
Forderung fügen, die übrigen nicht? Freilich, wenn wir nur
inductiv zu verfahren hätten, dann könnte ein solches Verhältnis wohl entmutigen. Aber unsere Untersuchung beruht
im wesentlichen auf einer Deduction, die tetradische Gliederung der Epirrhemen folgt ohne weiteres aus dem Charakter
der Marschmusik; die Epirrhemen aller Parabasen, so gut wie
aller Parodoi, einer stattlichen Anzahl von Agonen bestätigen
dieses Gesetz; und für die übrigen ist in den Worten des
Dichters selber der sichere Grund gefunden worden, warum
sie sich dem Schema nicht fügen, sich ihm nicht fügen
dürfen[1]) — das läfst die Sache doch in einem anderen Lichte
erscheinen.

Von der Symmetrie war bis jetzt noch nicht die Rede;
holen wir in aller Kürze das Versäumte nach:

'Ritter'	I	Epirrhema	2	Perik.	=	Antepirrhema	2	Perik.
„	II	„	4	„	<	„	5	„
'Wolken'	I	„	3	„	=	„	3	„
„	II	„	2	„	<	„	3	„
'Wespen'		„	5	„	=	„	5	„
'Vögel'		„	4	„	=	„	4	„
'Lysistrate'		„	3	„	=	„	3	„
'Frösche'		„	4	„	<	„	5	„

1) Auch hiezu wüfste ich aus der Volkspoesie eine Analogie, wenn
auch keine vollkommene Parallele. Die beiden ersten Strophen eines
Liedes, das ich in Thüringen viel habe singen hören, lauten folgendermafsen:

Ich stand auf hohem Berge,   „Du sagtst, du wolltst mich nehmen,
Sah in das tiefe Tal;   „Sobald der Sommer kommt;
Mein Schätzlein stand daneben,   „Und der Sommer ist gekommen,
Hatt' ein grau Röcklein an.   „Und du hast mich nicht genommen,
                                     „Traut Schätzchen, nimm mich
                                                            doch!"

Also eine vierzeilige und eine fünfzeilige Strophe — und doch werden
sie beide nach derselben Melodie gesungen. Diese ist sechszeilig; in
der ersten Strophe wird der 3. und 4. Vers, in der zweiten nur der 4.
wiederholt.

Es bestätigt sich demnach die Regel, die wir bei der Betrachtung der Parodoi aufgestellt haben. Fürs gewöhnliche waren sich die beiden Epirrhemen gleich; doch konnte es vorkommen, dafs das eine um eine Perikope gröfser war, als das andere. Das hatte seinen Grund, wie ich glaube, darin, dafs bei jeder folgenden Perikope die Musik der vorhergehenden sich wiederholte, so dafs es auf eine Perikope mehr oder weniger nicht ankam. Höchst eigentümlich ist der Umstand, dafs in Ritt. II, Wolk. I und Fr. das eine Epirrhema iambisch, das andere anapaestisch ist; es ist, wie wenn jemand bei uns aus einer Walzermelodie eine Marschmelodie machte, nur durch Veränderung des Tactes. Aber warum soll das in der antiken Musik nicht möglich gewesen sein?

Wir haben uns im Vorhergehenden ausschliefslich mit den §4. Epirrhemen beschäftigt; in Anknüpfung daran mag hier, wenn auch nur als ἀπόρημα, die Frage nach der Eurythmie und Symmetrie der Pnige behandelt werden.

Von parabatischen Pnige ist uns — für die Syzygie — nur ein Beispiel erhalten, Eir. 1156 ff. = 1188 ff. Jedes Pnigos besteht aus einer dreizeiligen Strophe; die Symmetrie ist somit gewahrt, für eine eurythmische Gliederung ist die Strophe zu klein.

Für die Parodoi haben wir folgende Zahlen:

'Ritter'	284—302 . . 19	'Eirene'	651—655 . . 6
'Wespen' II	358—364 . . 7	'Vögel'	387—399 . . 13
'Eirene'	339—345 . . 7	'Lysistr.' III	382—386 . . 6
„	571—581 . . 11		

Die Sachlage ist demnach völlig hoffnungslos; weder von Eurythmie noch von Symmetrie läfst sich etwas spüren — für die letztere könnte überhaupt nur die 'Eirene' in Betracht kommen.

In den Agonen dagegen begegnen uns auffällige Beispiele von Symmetrie. So hat in den 'Vögeln' Pnigos sowohl wie Antipnigos sechzehn Verse — man wäre fast versucht, auch hier Perikopen zu statuieren. In den 'Fröschen' treffen wir auf beiden Seiten einundzwanzig Dimeter; die Pnige der 'Lysistrate' haben je neun, die der 'Wolken' (Neben-

agon) je sieben, die der 'Ritter' (Nebenagon) je siebzehn
Dimeter. In den 'Wolken' (Hauptagon) hat das Pnigos
fünfzehn, das Antipnigos fünfundzwanzig[1]) Verse, die sich
auch dem Sinne nach sehr schön in drei und fünf fünfzeilige
Strophen eurythmisch gliedern. Aber das ist auch alles; an
dem was übrig bleibt, mufs ich wenigstens verzweifeln. Man
könnte sich mit der Tatsache, dafs — wenigstens in den Anapaesten — der Monometer nachweislich den Wert eines Dimeters haben kann, wohl ein wenig helfen; aber weit kommt
man auch damit nicht.

Was ist aber zu den Anapaesten der Parabase zu
sagen — den einzigen tetrametrischen Compositionen, von
denen in diesem Abschnitte noch nicht die Rede war? Nach
meinem Ermessen — gar nichts. Zwar hat WChrist den Versuch gemacht, auch darüber eine Vermutung aufzustellen; aber
diese Vermutung ist gar zu bodenlos. Er weist auf den Umstand hin, dafs eine Anzahl von Parabasen i. e. S. — nämlich
drei, Ach. (6 $\times$ 6), Eir. (6 $\times$ 6) und Ritt. (7 $\times$ 6) — durch die
Zahl 6 teilbar ist — nämlich wenn man die Pnige mitzählt,
je zwei Dimeter für einen Tetrameter. Damit ist natürlich
gar nichts anzufangen. Da nun alle Marschgedichte eurythmische Gliederung aufweisen, die Parabase i. e. S. aber nicht,
so wird sie eben kein Marschgedicht gewesen sein; sie wurde
vom Chorführer unter Musikbegleitung recitativisch vorgetragen,
während der Chor in ruhigen Stellungen um ihn gruppiert
war. Zugleich liefern diese Anapaeste eine schöne Probe für
meine obige Beweisführung. Wer nun noch behaupten wollte,
mein eurythmisches Gesetz wäre erfunden und nicht entdeckt,
den möchte ich auffordern, für die Anapaeste der Parabasen
etwas Ähnliches nachzuweisen.

§ 5.   Ich habe im Vorstehenden mein Wort eingelöst und überall
da Eurythmie und Symmetrie nachgewiesen, wo die Gestaltung
der Scenen durch das Moment der Choreutik bedingt war.

---

1) Eigentlich 26. Aber von den beiden Versen

ἢν ταῦτα ποιῇς ἀγὼ φράζω
καὶ πρὸς τούτοις προσέχῃς τὸν νοῦν

ist der eine doch wohl Dittographie.

Die Wahrheit des daraus sich ergebenden Satzes, dafs Eurythmie und Symmetrie lediglich Begleiterscheinungen der Choreutik sind, wird durch die Gegenprobe bestätigt. In der folgenden Tabelle sind die Verszahlen der Epirrhemen sämtlicher aristophanischer Syzygien zusammengestellt, wobei die Gliederung der Komoedien, wie sie in der Tabelle S. 213 f. entworfen ist, zur Grundlage dient.

'Acharner'	I . . . 11—19	'Eirene'	I . . . . . 22—26
	II . . . 97—69		II . . . . . 13— 8
	III . . . 19—22		III . . . . . 37—41
'Ritter' . . . . 59—65			IV . . . . . 17—25
'Wolken'	I . . . 73—82	'Vögel'	I . . . . . 50—36
	II . . . 52—23		II . . . . . 70—65
	III . . . 45—44		III . . . . 59—129
'Wespen' . . . . . . 103—118		'Thesmophor.' . 50—(16)—54
	'Frösche' . . . 74—41.		

Von Eurythmie ist ebensowenig wie von Symmetrie eine Spur zu sehen, und wir sind dem Dichter aufrichtig zu Danke verpflichtet, dafs er jede einigermafsen bedeutsame Zahl vermieden hat. Allerdings würden sich solche Zahlen mit Leichtigkeit herausfinden lassen, wollte man jede Syzygie aufs Prokrustesbett spannen; aber dazu liegt eben keine Nötigung vor. Dafs also die Syzygien des trimetrischen Dialogs weder eurythmische noch symmetrische Gliederung aufweisen, stimmt trefflich zum obigen Ergebnis, dafs sie ohne jede Inanspruchnahme der Choreutik einfach declamiert wurden. Aber auch hier bietet sich — so scheint es wenigstens auf den ersten Blick — die Gelegenheit zu einer Gegenprobe dar. Entbehren die Syzygien der Komoedie einzig deshalb der genannten Gliederung, weil sie ohne musicalische Begleitung vorgetragen wurden, so dürfen wir die Erwartung hegen, dafs uns in den Syzygien der Tragoedie, für deren Dialog wir musicalische Begleitung constatiert haben, diese Gliederung wieder begegnen wird.

Wir dürfen, allerdings; aber unbedingt notwendig ist das nicht. Ohne bedeutende Modification kann die eurythmische Theorie auf den Trimeter nicht übertragen werden, der kein Marschvers ist und sich schon in seinem Bau der tetradischen

Gliederung abhold zeigt. Nicht vier, sondern drei Tacte vereinigen sich hier zu einem Vers; es läfst sich deductiv gar nicht feststellen, ob wir, im triadischen Verhältnisse fortschreitend, eine Strophe zu drei Versen annehmen, oder, ins tetradische übergehend, vier Verse zu einer Strophe vereinigen sollen, oder ob der Strophenbau eine andere eurythmische Einheit verlangt. Dafs eine solche Einheit sich auf dem Wege der Induction werde finden lassen, das wird derjenige nicht erwarten, der mit dem Zustand unserer Tragikertexte vertraut ist. Zudem ist es nicht einmal gesagt, dafs sie überhaupt da war; ohne weiteres annehmen durften wir sie bei der Marschmusik, zu der aber die Begleitung des Trimeters nicht gehört. Wir werden daher gut tun, die Eurythmie überhaupt aufzugeben und nur die Symmetrie ins Auge zu fassen.

Die Tragikerstellen, die hiebei in Betracht kommen, sind oben S. 224 ff. aufgezählt worden; wir halten uns hier an die dort gegebene Reihenfolge.

Die erste Variation der ersten Gruppe wird uns nur durch die beiden Syzygien der 'Antigone'-Parodos zur Anschauung gebracht. Hier scheint Symmetrie beabsichtigt zu sein; die Hypermetra der ersten Syzygie haben je sieben Reihen, wobei freilich dem Monometer im ersten Hypermetron ein Dimeter im zweiten entspricht. Das Epirrhema der zweiten Syzygie zählt gleichfalls sieben, das Antepirrhema nur sechs Dimeter. Alles wohl erwogen spricht doch die gröfsere Wahrscheinlichkeit dafür, dafs auch hier Symmetrie wiederherzustellen sei, zumal es schwerlich Sache des Zufalls ist, dafs die Zahl der Reihen im Epirrhema wiederum sieben beträgt. Das leichteste Mittel zur Wiederherstellung der Symmetrie wäre wohl, das Antepirrhema in fünf Dimeter und zwei Monometer zu zerlegen. Wir würden dann folgendes Schema erhalten:

α. 7. α. 7.   β. 7. β. 7.

Das erste Beispiel der zweiten Variation scheint sich in seiner zweiten Hälfte dem Gebote der Symmetrie nur widerstrebend zu fügen. Das Epirrhema der ersten Syzygie enthält 15, oder — wenn man den Ausruf αἰαῖ αἰαῖ nicht mitzählt —

14 Tacte, das Antepirrhema genau 14. Die erste Syzygie ist demnach durchaus symmetrisch; stellen wir die Dimeter her, so erhalten wir das Schema:

α. 7. α. 7.

Die Reihenzahl der Epirrhemen ist dieselbe wie in der Parodos der 'Antigone'; und wenn der Leser erst das folgende Beispiel zur Kenntnis genommen haben wird, wird er mir zugeben, dafs es mit dieser Zahl eine eigene Bewandtnis haben mufs. Das Antepirrhema läfst uns auch für die zweite Syzygie das beste erwarten: es umfafst 13 Tacte, also ebenfalls 7 Reihen. Das Epirrhema umfafst 22 Tacte. Ist es erlaubt, hier mit den schärfsten Waffen der Kritik vorzugehen und eine — etwa aus dem 'Lyomenos' stammende — Interpolation anzunehmen, nach deren Entfernung wir Folgendes behalten würden

ἦ μὴν ἔτ᾽ ἐμοῦ, καίπερ κρατεραῖς
ἐν γυιοπέδαις αἰκιζομένου
χρείαν ἕξει μακάρων πρύτανις,
καί μ᾽ οὔτι μελιγλώςςοις πειθοῦς
ἐπαοιδαῖςιν θέλξει, πρὶν ἂν ἐκ
δεςμῶν χαλάςῃ ποινάς τε τίνειν
τῆςδ᾽ αἰκίας ἐθελήςῃ

im ganzen 7 Reihen? Ich mufs die Frage unentschieden lassen.

Das zweite Beispiel weist unzweifelhafte Symmetrie auf; doch ist diese selbst höchst eigentümlicher Art. Das war eigentlich auch zu erwarten; dafs in der dritten Syzygie das Antepirrhema von iambischen Trimetern gebildet wird, ist schon an sich eine ungewöhnliche Erscheinung. Übrigens mufs bemerkt werden, dafs durch eine leichte Umstellung, die ich sehr gern befürworten möchte, alle Seltsamkeiten gehoben werden können. Von den fünf Hypermetra, die überhaupt in Betracht kommen, zählt das erste 20 Tacte, das zweite 14, das dritte 14, das vierte 14, das fünfte 21. Die drei mittleren entsprechen sich somit augenscheinlich; ebenso die beiden äufseren, man darf sie nur so abteilen, dafs dem Monometer drüben ein Dimeter hier entspricht. Damit wäre wohl noch etwas anderes erreicht, die Commensurabilität aller fünf Epir-

rhemen, insofern das erste dann auch 21 Tacte begreifen
würde. Eine Schwierigkeit böte freilich die Binnenkatalexis
im fünften Hypermetron, die man entfernen müfste, etwa indem man V. 1009 πέμπειν πόλεως ὡς ἐπὶ νίκῃ schriebe. Wir
hätten dann folgendes Schema — die Anapaeste in tunlichst
dimetrische Reihen verteilt:

Ich habe alles angeführt, was diese Ansicht bestechend erscheinen läfst; meine eigene ist es nicht. — Betont man die
Binnenkatalexis im fünften Epirrhema, so erscheint es auffallend, dafs von den zwei Hypermetra, in die es dadurch zerfällt, das erste genau 14 Tacte zählt. Da nun in der epirrhematischen Composition das Schema *baba* dieselbe Berechtigung hat, wie *abab*, so können wir das erste Odenpaar mit
den Anapaesten, die es einschliefst, recht gut für sich bestehen
lassen und die Syzygien erst von V. 749 zählen. Die erste
würde sonach bis V. 987 gehen und ein Beispiel streng durch-
geführter Symmetrie abgeben. In der zweiten Syzygie ist
freilich das zweite Hypermetron des Antepirrhemas von Übel;
aber mich dünkt, dafs auch der Sinn die Umstellung desselben
nach V. 1031 verlangt

> ὑμεῖς δ᾽ ἡγεῖcθε, πολιccοῦχοι
> παῖδες Κραναοῦ, ταῖcδε μετοίκοις,
> εἴη δ᾽ ἀγαθῶν
> ἀγαθὴ διάνοια πολίταις.

Nach diesen Versen, die man sich am liebsten als den
Abschiedsgrufs Athenas an die Stadt denkt, erscheint die
längere Rede der Göttin überflüssig; und dafs die Propompen
dem an sie ergangenen Befehle nicht sogleich, sondern erst
nach mehr als zwanzig Versen nachkommen, ist zum mindesten
unnatürlich. Stellt man die Verse um, so ist alles in Ordnung,
und wir erhalten die Symmetrie

Abgesehen von der Umkehrung des Schemas entspricht dieses

Syzygienpaar genau der Parodos der 'Antigone', — was vielleicht kein Zufall ist.

Das dritte Beispiel beweist weder für noch gegen. Zwar, nach dem oben angenommenen Schema würde die Sache nicht zum besten stehen, da das Epirrhema 23, das Antepirrhema 12 Tacte enthält. Aber der Ode gehen gleichfalls Hypermetra voraus, nämlich 13 Tacte der Tekmessa, 11 des Chors und 14 der Tekmessa. Nimmt man nun das Schema *baba*, statt *abab*, und teilt die ersten 13 Tacte der Tekmessa in 7 Reihen ab, die folgenden 11 des Chors in 6 Reihen, die folgenden 14 der Tekmessa in 7, die folgenden 23 der Tekmessa in 13 — wobei 3 Monometer statuiert werden müfsten —, endlich die letzten 12 — mit 2 Monometern — in 7, so könnte man zur Not folgende Symmetrie herstellen

Syzygie.

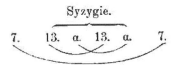

7.   13. α. 13. α.   7.

Doch mufs gestanden werden, dafs sie wenig Überzeugendes hat, namentlich wegen der Binnenkatalexis im Epirrhema, die sich nur schwer heben läfst.[1])

Beim vierten Beispiel verhält es sich folgendermafsen. Den zwölf Tacten des Neoptolemos V. 144—149 entsprechen die 13 Tacte desselben Neoptolemos V. 162—168; wir müssen beide Gruppen in 7 Reihen einteilen (die erste mit 2, die zweite mit 1 Monometer) und erhalten das Schema

α. 7. α. 7.

wobei uns die Zahl 7 einmal mehr begegnet. Nun hat sich aber zwischen die Antode und das Antepirrhema ein anapaestisches Zwiegespräch eingedrängt. Die Verse sind zwar nicht

---

1) Nach RWestphal (Metrik II² S. 418) und CMuff (die chorische Technik des Sophokles) wäre das Schema vielmehr folgendes:

T. Ch. T.   CH. T. CH. T.
7. 6. 7.   α. 12. α. 6.

Doch erscheint die Symmetrie der Epirrhemen dabei zerstört.

übel, gehören aber nicht hieher. Auf die Frage des Chores
V. 157 f.

> τίς τόπος, ἢ τίς ἕδρα, τίν᾽ ἔχει cτίβον,
> ἔναυλον ἢ θυραῖον;

antwortet Neoptolemos am natürlichsten mit V. 162

> δῆλον ἔμοιγ᾽ ὡς φορβῆς χρείᾳ
> cτίβον ὀγμεύει τόνδε πέλας που.

Sehr unpassend erscheint dagegen die Frage, mit der er
sie in den Hften beantwortet

> οἶκον μὲν ὁρᾷς τόνδ᾽ ἀμφίθυρον
> πετρίνης κοίτης;

und noch unpassender die Gegenfrage des Chors

> ποῦ γὰρ ὁ τλήμων αὐτὸς ἄπεcτιν

der ja gar nicht wissen konnte, ob Philoktet drinnen oder
draufsen war, und eher geneigt sein mufste, das erstere anzunehmen, nachdem eben Neoptolemos auf seine Frage, wo der
Gesuchte wäre, das Häuschen gezeigt hatte.[1]

Wenn das fünfte Beispiel, die Parodos des ᾽Oidipus auf
Kolonos᾽ sich scheinbar ebenfalls gegen die Symmetrie sträubt,
so können wir sie hier doch mit gröfserer Sicherheit durchführen. Das Epirrhema zählt 19 Tacte, das Antepirrhema 12;
aber sein letzter Vers

> coì πιcτεύcας καὶ μεταναcτάς

beweist klar, dafs es damit noch nicht abgeschlossen war.
GHermanns Conjectur — er tilgt das καί — geht, wenn mir
recht ist, aus sprachlichen Gründen nicht an. Ist also eine
Lücke anzunehmen, so hindert uns nichts, sie durch 7 Tacte

---

1) Die langwierige Frage nach den Bewegungen des Chors in dieser
Parodos kann hier natürlich nicht entschieden werden. CMuffs Darstellung (d. chor. Techn. d. Soph. S. 236 ff.) befriedigt mich durchaus
nicht. Er bringt den Chor mit V. 158 auf die Bühne, läfst ihn dort
bis V. 161 und führt ihn dann nach der Orchestra zurück; alles das
nur damit der Chor sich das Haus des Philoktet ansehen kann. Sollte
etwas davon in der Weisung des Neoptolemos V. 144—149 enthalten
sein, so durfte der Chor erst bei der Ankunft des Philoktet die Bühne
verlassen und mufste in der Behausung des Philoktet selber gewesen
sein (oder worauf sonst sollte τῶνδ᾽ ἐκ μελάθρων gehen?) und sie nicht
blofs von ferne betrachtet haben.

auszufüllen. Wir hätten dann — die Reihen abgeteilt — folgende Symmetrie:

α. 10. α. 10.

Doch wäre es gegen mein Gewissen, wenn ich diesen
Ausweg empfehlen wollte. Die 7 Tacte, die uns hier fehlen,
finden sich an einem anderen Orte wieder, wo wir sie gar
nicht erwarten, nämlich zwischen der zweiten Strophe und
ihrer Antistrophe (V. 188—191, 1 Monometer + 3 Dimeter),
wo sie aufserhalb der Symmetrie stehen. Der nächste Gedanke würde freilich sein, dafs man die Verse umstellen müsse.
Allein das duldet der Sinn nicht. Vielmehr ist anzuerkennen,
dafs die zweite Strophe in unser Antepirrhema hineingeflochten
ist. Die Erscheinung wird uns jetzt nicht mehr so fremdartig
anmuten; die Parodoi der 'Wolken' und der 'Vögel' bieten
vollgültige Analogien.

Das sechste Beispiel entnahmen wir der 'Alkestis'. Von
den beiden Syzygien erweckt die erste in uns die schönsten
Erwartungen; das Epirrhema umfafst 21 Tacte, das Antepirrhema genau ebensoviel. Aber um so grausamer enttäuscht
uns die zweite Syzygie; den 15 Tacten im Epirrhema entsprechen 27 im Antepirrhema. Das wäre nun vollständig
hoffnungslos, wenn sich daneben nicht doch die auffällige
Übereinstimmung ergäbe $21 + 21 = 15 + 27$. Wir werden
daher auch hier Unterbrechung des Epirrhemas durch die Ode
anzunehmen haben, und das Schema der Symmetrie wird folgendes sein

11. α. 11. α.   8. β. 3. 11. β.
                                    11.

Das siebente Beispiel stimmt vorzüglich. Wir haben hier
vier Syzygien. In der ersten haben die Hypermetra je 11 Tacte;
in der zweiten — da V. 1521 f. unecht ist — je 14; in der
dritten das Antepirrhema 19, das Epirrhema freilich 15, doch
ist hier die Lücke gewifs. In der vierten Syzygie haben die
Epirrhemen je zwei Hypermetra; die ersten zu 6 Tacten sind

384 B. DAS MOMENT DER CHOREUTIK.

erhalten, das zweite — 10 Tacte — fehlt im Epirrhema fast
ganz. Das Schema ist wie folgt:

α. 8. δ. 6. α. 6. β. 7. β. 7. γ. 8. δ. 10. γ. 10.

Das achte Beispiel, der Choephorenthrenos, zählt im
ersten Epirrhema 17, im zweiten 10, im ersten Antepirrhema
16, im zweiten 10 Tacte. Scheinbar stimmt alles vorzüglich,
wir hätten in den ersten Epirrhemen 9, in den zweiten 5 Reihen.
Aber die Katalexen machen Schwierigkeiten; im ersten Epirrhema haben wir deren drei, im Antepirrhema nur zwei. Das ist
absolut unzuläfsig; so oder anders, Abhülfe mufs geschafft werden.

Das letzte Beispiel zeigt uns die correspondierenden Epirrhemen so durcheinandergeworfen, dafs das Schema der epirrhematischen Composition kaum noch wiederzuerkennen ist·
Zählt man die Reihen bis zur Katalexis und läfst Ausrufe
(ἰώ, αἰαῖ) wie gewöhnlich extra versum, so erhält man:

Tr. M. Tr. Ch. Tr. M. Ch. M. Tr. Ch. Tr. Ch.
15. 4. 15. α. 5. 4. β. 4+4. 5. β. 20. γ.

Die dritte Variation wird, wie die vierte, nur durch eine
Syzygie vertreten (Antig. 801 ff.). Das Epirrhema zählt 10, das
Antepirrhema 12 Tacte; es lassen sich also correspondierende
Hypermetra zu 6 Reihen herstellen.

Die vierte Variation (Andr. 501 ff.) entspricht unseren
Erwartungen vollkommen; beide Epirrhemen haben je 15 Tacte.

Sehen wir einmal für die ersten vier Variationen von
allen gewaltsamen und zweifelhaften Änderungen ab — unser
Gesamturteil wird doch dahin lauten, dafs die Symmetrie zu
häufig und zu auffallend ist, als dafs wir annehmen könnten,
sie hätte ganz aufser der Absicht des Dichters gelegen. Es
wird also dasselbe auszusprechen sein, wie oben bezüglich der
Symmetrie der Pnige: es ist hier in bester Form ein Rätsel
aufgegeben, dessen Schlüssel noch nicht gefunden ist.

Für die fünfte Variation kann ich auf die Zusammenstellung S. 230 verweisen. Bei den Beispielen I—VI ist die
Symmetrie durchgehend vorhanden; dafs sie bei VII ursprüng-

lich nicht vorhanden gewesen wäre, glaubt seit GHermann
wohl niemand; bei VIII ist die Entscheidung deshalb unsicher,
weil auf die letzten 13 Trimeter der Tekmessa lauter Trimeter
folgen; es wäre daher möglich, daß sie gar nicht zum Stasimon gehörten,, und daß bei diesem die Strophen, wie öfter,
mesodisch durch eingelegte Trimeter des Agonisten — hier
die 10 Trimeter der Tekmessa — getrennt wären. Ein schönes
Beispiel für diese Art Symmetrie bietet IX; die drei letzten
stimmen ebenfalls recht gut. Es kann demnach die Symmetrie
in dieser fünften Variation für ein unverbrüchliches Gesetz gelten.

Und es ist nur natürlich, wenn unser Urteil über die
Notwendigkeit der Symmetrie für die ganze erste Gruppe der
tragischen Syzygien von diesem Ergebnis mit beeinflußt wird.

Die zweite Gruppe umfaßt die Syzygien, welche inte-
grierende Bestandteile der Epeisodia bilden; das erste Beispiel
dieser Verwendung bildet jenes berühmte zweite Epeisodion
der 'Sieben vor Theben'. Eine eingehendere Behandlung dieses
Epeisodions kann unmöglich an dieser Stelle von mir verlangt
werden; die Frage ist zu umfassend, zu verwickelt, als daß
sie hier als Parergon abgefertigt werden könnte. Die von
FRitschl hergestellte Symmetrie ist nicht diejenige, welche
die epirrhematische Composition verlangen würde; nach dieser
müssten sich vielmehr je zwei Redepaare an Verszahl entsprechen, wobei freilich die Responsion der beiden Reden in
demselben Redepaare nicht ausgeschlossen wäre. Ob freilich
diese im Sinne der epirrhematischen Composition gedachte
Symmetrie durchzuführen ist, diese Frage mag ich weder mit ja,
noch mit nein beantworten.

Ähnlich steht es um die Syzygien im 'Agamemnon' und
in den 'Eumeniden'. Die Syzygie im 'Oidipus auf Kolonos' (33
—32 Verse) scheint sehr für die Annahme der Symmetrie zu
sprechen, während sich die Syzygie im 'Philoktetes' jeder Sym-
metrisierung entzieht.[1])

Die Gegenprobe lief somit für die erste Gruppe der
tragischen Syzygien befriedigend, für die zweite unentschieden ab.

---

1) Hier mag das leider zn spät von mir bemerkte Versehen auf
S. 233 corrigiert werden. Die Exodos der 'Antigone' (V. 1261—1346) ist
mit dem Schema $\alpha : 2 : \alpha' : 6 = \alpha : 2 : \alpha' : 5; \ \beta : 5 : \beta' : 2 = \beta : 5 : \beta'$

§ 6.   Mit dem Gesagten betrachte ich den positiven Teil meiner
Untersuchung für abgeschlossen. Es bleibt mir nur noch übrig,
einige Worte bezüglich der sogenannten 'constructiven' oder
'grofsen Responsion' zu sagen, schon deswegen, damit meine
obigen Auslassungen nicht mifsverstanden und ich selber nicht
zu jenen Responsionstheoretikern gezählt werde, welche uns
gegenwärtig das Studium der antiken Poesie so vielfach verleiden.

Meine Ausführungen hatten überall die Voraussetzung zur
Grundlage, dafs die respondierenden Stellen unter Musikbegleitung vorgetragen wurden. Hier die Symmetrie von vornherein absurd zu finden, wäre ungefähr dasselbe, wie wenn man
die Responsion von Strophe und Antistrophe in den lyrischen
Partien a priori für unwahrscheinlich erklärte. Sieht man von
diesem Elemente ab, so läfst sich eine dreifache Art von
Responsionen unterscheiden.

Erstens: jene rhythmische Gliederung des Dialogs, wonach die Antwort an Verszahl der Frage gleich kommt. Hieher gehört die Stichomythie, Distichomythie u. s. w. Gegen
diese Responsion läfst sich begreiflicherweise nichts einwenden,
so lange die Anzahl der Verse in jedem Abschnitt als solche
von Ohr und Gedächtnifs erfafst wird.

Zweitens: die rhythmische Gliederung eines zusammenhängenden Gedichtes, das sonach in eine unbestimmte Anzahl
von gleichen Strophen zerfällt. Auch dagegen läfst sich —
mit derselben Clausel allerdings — nichts sagen. Die Zusammensetzung eines Gedichtes aus gleichen Strophen giebt
demselben ein gewisses Ethos, das durch die Verszahl der
einzelnen Strophen noch bestimmter präcisiert wird. Der männ-
lich feste Charakter der Nibelungenstrophe, der getragene,
pathetische der Terzine hängt nicht zum wenigsten damit zusammen, dafs jene aus vier, diese aus drei Versen besteht.
Ich kann daher nicht mit jenen sympathisieren, die sich von
vornherein gegen die rhythmische Gliederung epischer Gedichte

---

als Nr. XIII der fünften Variation der ersten Gruppe zuzuzählen (S. 230).
Um die Symmetrie herzustellen, nehmen RBrunck und GHermann den
Ausfall eines Verses nach V. 1301 an. Eher möchte der unerfreuliche
V. 1281 zu streichen sein, wodurch auch in den Personen Symmetrie
erreicht wäre und die Zahl 5 zu ihrem Rechte käme.

aussprechen. Nur ist freilich zu betonen, dafs diese Gliederung nur facultativ ist, nicht — wie bei den Marschgedichten — obligatorisch; sie kann entbehrt werden, daher hat man hier mit den leichtesten Mitteln der Kritik zu operieren.

Aber damit hat die dritte Gattung der Responsion, die 'grofse' oder 'constructive Responsion' nichts zu tun. Ihre Anhänger appellieren nicht ans Ohr, noch überhaupt an das Wahrnehmungsvermögen des menschlichen Geistes. Die 'grofse Responsion' ist nicht da, weil sie notwendig, oder weil sie wünschenswert, oder auch nur weil sie wahrnehmbar wäre; sie ist da, weil — sie da ist.

Ich schreibe diese Worte mit Bewufstsein nieder, obgleich — oder vielmehr, weil ich JOeris Apologie der grofsen Responsion in dessen vorletzter einschlägiger Schrift gelesen habe. Die Widerlegung der letzteren will ich auf mich nehmen, sobald sich auch nur Einer findet, dem sie einleuchtet.

Auch Aristophanes ist vielfach mifshandelt worden, da man auch bei ihm nach Beispielen jener 'constructiven Responsion' fahndete. Ich bin FWitten[1]) wirklich dankbar, dafs er es unternommen hat, die bezüglichen Hypothesen in ihr Nichts zurückzuweisen; zieht man den Anteil ab, den Willkür und Gewaltsamkeit an den schönen Responsionstabellen JOeris gehabt haben, so bleibt so gut wie nichts übrig — Responsionen wie Thesm. 1—38 = 63—100. Und wenn das Absicht ist, dann ist das Akrostich λεύκη zu Anfang von Il. XXIV, dann sind die ἰσόψηφοι ebenfalls Absicht.

Indem ich mich auf FWitten berufe, kann ich mir und meinen Lesern die Mühe ersparen, auf jedes einzelne Beispiel, das JOeri für den Nachweis von Responsionen bei Aristophanes ins Feld führt, des näheren einzugehen. Unmöglich kann ich mir aber eine kleine Schlufsbetrachtung erlassen. Ich will es nämlich nur gestehen — die Gewandtheit, mit der JOeri namentlich in seiner vorletzten Schrift die späteren Tragoedien des Sophokles zergliedert, hätte mich beinahe an meiner Auffassung irre gemacht. Und da war es mir sehr willkommen, dafs JOeri mir selber ein Mittel in die Hand gab, die Richtigkeit seiner Aufstellungen zu prüfen.

1) Qua arte Aristophanes deverbia composuerit.

Von allen nach Verszahlen gearbeiteten Dramen ist das
auffälligste der 'Oidipus auf Kolonos', für den JOeri folgende
Responsionstabelle zusammengestellt hat.

*Ich habe allerdings — führt JOeri fort[1]) — um zu diesem
Resultate zu gelangen, dreizehn Verse tilgen und drei Lücken
von je einem Verse annehmen müssen; aber es soll doch einer
kommen und mir bei einem Dichter, von dem wir wissen, dafs
er sich nicht nach Zahlen gerichtet hat und dessen Text gesichert
ist, z. B. bei Molière oder Schiller mit einer entsprechenden Vers-
tilgung und Lückenannahme ein gleich tief in ein Stück ein-
greifendes Responsionssystem nachweisen; ich will dann gerne
glauben, dafs ich mich geirrt habe; vor der Hand aber meine
ich, dafs ich doch wohl viele Athetesen und Lücken vorgeben
müfste, eh dies jemand in den 'femmes savantes' oder im ' Wallenstein' zu Stande brächte.*

Man könnte ja versuchen. Ich müfste im Rotwälsch der
Responsionstheoretiker schlecht bewandert sein, wenn mir das
Unternehmen in dem von JOeri vorgeschlagenen Stück, im
'Wallenstein' nicht gelingen sollte. Die Manen des Dichters
mögen mir diese Profanation des Kunstwerks vergeben; es
soll ein gutes Werk damit geschehen.

'Wallensteins Lager' ist an Umfang einem antiken Drama,
wenn man von den Chorpartien absieht, ungefähr gleich, eignet
sich daher trefflich zur Vergleichung. Das Stück gliedert sich
ungezwungen in fünf Teile; in der Mitte steht gleichsam als
Mesodos die Kapuzinerscene. Diese besteht aus zwei Teilen
von ungleichem Umfange, der zusammenhängenden Predigt
(V. 1—111) und dem Dialog (V. 122—141). — Ich bemerke,
dafs ich die Verse des Stückes nach der Cotta'schen Ausgabe von
1877 sehr gewissenhaft gezählt habe und für die Richtigkeit der
nachfolgenden Daten die vollste Garantie übernehme. — In
der ersten, der zusammenhängenden, Partie findet nun auffallende epodische Responsion statt; von ihren drei Unter-
abteilungen nämlich — die Gliederung ist durch die Absätze
gegeben — zählt die erste genau 49, die zweite 48, die dritte
14 Verse. Allerdings ist die Responsion vorläufig nur annähernd; aber das Recht, die Interpolation bezw. Lücke von
nur einem Verse anzunehmen wird mir JOeri nicht bestreiten,
zumal es tatsächlich der einzige Fall ist, wo ich von diesem

---

1) Die grofse Responsion S. 31.

Rechte Gebrauch zu machen gedenke. Ganz richtig sagt er
(S. 12) die Responsion lasse nicht die Wahl, ob wir in der
einen Parallelpartie eine Lücke oder in der andern eine Interpolation annehmen wollen, sondern verlange gebieterisch das
eine oder das andere. In unserem Falle eine Lücke. Zwar
liest sich alles recht nett herunter; bei genauerem Zusehen
fällt es aber auf, dafs von den beiden parallelen Hypothesen
V. 80 ff. die zweite ('und wenn euch für jedes böse Gebet' ff.)
fünf, die erste ('wenn man für jeden Donner und Blitz') nur
vier Verse zählt. Hier, wenn irgendwo, war die Responsion
angebracht; es ist daher nach V. 80 eine Lücke anzunehmen.
Auch läfst sich die Entstehung der Lücke leicht erklären. Es
ist von Flüchen die Rede; es war nur natürlich, dafs der
Mönch, der seine Herde nicht schonen durfte, ihr eine ihrer
gräfslichsten Lästerungen vorhielt, und ebenso natürlich war
es, dafs die damals sehr strenge Theatercensur den Vers strich.
Wir hätten also für die eigentliche Predigt die Zahlen 49—49—14
gewonnen. Eine auffallende Rolle spielt bei dieser Gliederung
die Zahl 7; das läfst uns erwarten, dafs sie auch für die Composition des folgenden Zwiegespräches mafsgebend sein wird.[1]
Und in der Tat ist dem so; die Zwischenreden der Soldaten
bezeichnen die Caesuren, und so zählen wir 7 Verse bis zur
ersten Caesur (V. 118 'lafs er uns das nicht zweimal hören!'),
7 bis zur zweiten (V. 125 'stopft ihm keiner sein Läster-
maul?') und 7 bis zur vierten (V. 132 'schweig stille! du bist
des Todes!'), und auch die Schlufsrede des Kapuziners enthält
7 Verse; für die beiden Verse der Kroaten ist es also 'empi-
risch festgestellt', dafs sie aufserhalb der Responsion stehen.
Leider ist die Responsionstheorie noch nicht soweit entwickelt,
dafs wir wissen könnten, was der leitende Gesichtspunct des
Dichters bei der Wahl dieser oder jener Grundzahl war; es
läfst sich daher auch nicht sagen, ob Schiller, als er die
Zahl 7 zur Grundzahl der Kapuzinerpredigt machte, an die
sieben Todsünden gedacht hat oder an etwas anderes. Jedenfalls aber ist ihr Schema folgendes:

1) Auf die Bedeutung der Grundzahlen hat JOeri erst in seiner
jüngsten Schrift (Interpolation und Responsion in den iambischen Partien
der Andromache des Euripides) hingewiesen.

$$\underbrace{49.\ 49.}\quad \underbrace{14.\ 14.}\quad \underbrace{7.\ 2.\ 7.}$$

Das ist, wie gesagt, die Mittelscene. Die übrige Masse des
Dialoges gruppiert sich symmetrisch um sie. Zwei Gruppen für
sich bildet einerseits der Prolog, der das Gespräch des Bauers
mit dem Bauernknaben enthält — oder der 1. Auftritt — andrerseits die Exodos. Letztere wird ziemlich durch das Reiterlied
ausgefüllt, doch müssen wir die einleitenden Verse vom Erscheinen der Marketenderin an (11. Auftritt V. 384 'das
kommt nicht aufs Kerbholz') hinübernehmen, da nur das Erscheinen oder der Weggang einer neuen Person die Caesur
motiviert (JOeri S. 8). Der Prolog enthält 48 Verse, die
Exodos die sieben Strophen des Reiterliedes zu 6 Versen (die
Wiederholungen natürlich nicht mitgezählt), dazu die einleitenden sechs Verse, zusammen ebenfalls 48. Übrig bleiben zwei
Epeisodia, das erste zwischen Prolog und Mittelscene, das
zweite zwischen dieser und der Exodos. Sie entsprechen sich
auch inhaltlich; das erste wird der Hauptsache nach ausgefüllt
durch das Gespräch zwischen den Jägern und dem Wacht-
meister, das zweite durch das Gespräch zwischen den Küras-
sieren und den Arkebusieren, und in beiden bildet der Krieg
das Thema. Das erste Epeisodion umfaßt somit den zweiten
Auftritt mit 41 Versen, den dritten mit 15, den vierten mit 13,
den fünften mit 60 (der Ausruf 'sieh, sieh' vor V. 1 steht
extra versum und wird nicht mitgezählt) den sechsten mit 201
und den siebenten mit 91 (das Lied des Rekruten als lyrische
Partie nicht mitgezählt); es enthält also alles in allem 421,
sage vierhunderteinundzwanzig Verse. Hier wird der
Leser gebeten, innezuhalten und die Richtigkeit der Rechnung
zu prüfen. — Das zweite Epeisodion umfaßt den neunten
Auftritt mit 24, den zehnten mit 14 ('der muß baumeln!'
und 'zum Profoß! zum Profoß!' bildet zusammen einen Vers)
und den elften bis zur Exodos mit 383 Versen; es enthält also in
summa 421, vierhunderteinundzwanzig Verse. Doch damit ist die Architektonik des Stückes nur ganz im allgemeinen
dargestellt. Wie sehr die Symmetrie auch für die Gliederung
der einzelnen Scenen von Bedeutung war, — das würde ich
gern in aller Ausführlichkeit auseinandersetzen, wenn der
wachsende Umfang des Buches nicht zum Schlusse drängte.

Die folgende Tabelle möge die Liebhaber solcher Dinge schadlos halten.

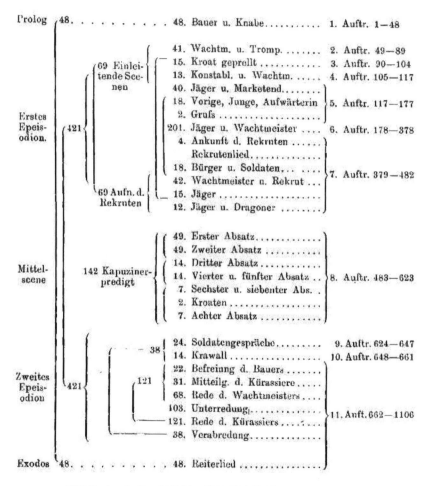

| Prolog | 48. . . . . | | 48. Bauer u. Knabe . . . . | 1. Auftr. 1—48 |

```
                        ┌ 41. Wachtm. u. Tromp. . . . . . . .   2. Auftr. 49—89
            ┌ 69 Einlei-┤─ 15. Kroat geprellt . . . . . . . . . .   3. Auftr. 90—104
          ┌ │ tende Sce-│  13. Konstabl. u. Wachtm. . . . . .   4. Auftr. 105—117
          │ │ nen       │  40. Jäger u. Marketend. . . . . . .┐
Erstes    │ │           │  18. Vorige, Junge, Aufwärterin   │ 5. Auftr. 117—177
Epeis-   421┤           └   2. Grufs . . . . . . . . . . . . . . . . . .┘
odion.    │ │             201. Jäger u. Wachtmeister . . . .   6. Auftr. 178—378
          │ │              4. Ankunft d. Rekruten . . . . . .┐
          │ │                 Rekrutenlied. . . . . . . . . . . .│
          │ │             18. Bürger u. Soldaten. . . . . . .│
          │ 69 Aufn. d.┌  42. Wachtmeister u. Rekrut . . .├ 7. Auftr. 379—482
          └ Rekruten   └─ 15. Jäger . . . . . . . . . . . . . . . . .│
                          12. Jäger u. Dragoner . . . . . . .┘
```

| Mittel-scene | 142 Kapuziner-predigt | 49. Erster Absatz. . . . .
49. Zweiter Absatz . . . .
14. Dritter Absatz . . . .
14. Vierter u. fünfter Absatz . .
7. Sechster u. siebenter Abs. .
2. Kroaten . . . .
7. Achter Absatz . . . . | 8. Auftr. 483—623 |

```
          ┌            ┌ ─ 38 ┌ 24. Soldatengespräche. . . . . . . .   9. Auftr. 624—647
          │            │      │ 14. Krawall . . . . . . . . . . . . . . . . . 10. Auftr. 648—661
          │            │      │ 22. Befreiung d. Bauers . . . . . . .
Zweites  421┤          │ 121  │ 31. Mitteilg. d. Kürassiere . . . . .
Epeis-    │            │      │ 68. Rede d. Wachtmeisters . . . .
odion     │            │      │ 103. Unterredung. . . . . . . . . . . . .├ 11. Auft. 662—1106
          │            └ ─ 121 Rede d. Kürassiers . . . . . . .│
          │              ─ 38  Verabredung. . . . . . . . . . . . .┘
Exodos   48. . . . . . . . . . , 48. Reiterlied . . . . . . . . . . . . . .
```

Ich kann es nun im Hinblick auf diese Tabelle JOeri selber überlassen, ob er seine Responsionshypothese aufgeben oder aber annehmen will, dafs auch Schiller nach Verszahlen gearbeitet habe. Ein drittes giebt es nicht.

Für uns aber ist die Frage nach der grofsen Responsion

bei Aristophanes mit dem Gesagten erledigt. Das Publicum
der altattischen Komoedie hatte keine Stichometer im Gehör;
ihre Dichter schrieben die Dialogverse hin, wie es der Sinn
verlangte, ohne sich viel darum zu sorgen, ob sie ein vor-
gezeichnetes Maſs ausfüllten oder nicht.

Nur wo die Musik die Verse begleitete, da ergab sich
für die letzteren die Notwendigkeit, derselben zu folgen und
ein besonderes System von Strophen und Perikopen auszufüllen.
Und zwar geschah das ausschlieſslich in den tetrametrischen
Syzygien — der Parodos, dem Agon und der Parabase. Daſs
damit ein neuer Beweis für die engere Zusammengehörigkeit
dieser drei Partien geliefert ist, wird dem Leser einleuchten.

Λήγει μὲν ἀγών ... und so bliebe mir denn nichts mehr
übrig, als die Feder niederzulegen und das Urteil der βραβῆς
abzuwarten. Ehe ich das aber tue, möge mir gestattet sein,
die Bedeutung der Frage, wie ich sie mir denke, zu beleuchten.

So schwer es auch ist, von seinem eigenen Auffassungs-
vermögen zu abstrahiren, so hoffe ich doch, daſs jeder der
nur irgend im Stande ist, poetische Kunstformen in plastischer
Lebendigkeit anzuschauen, in der Auffindung und Darlegung
der epirrhematischen Compositionsweise eine nicht geringfügige Bereicherung unserer so mangelhaften Kenntnis von
der antiken Poetik erkennen wird. Ihm gegenüber brauche
ich meine Arbeit nicht weiter zu empfehlen. Wer das nicht
kann — der mag an diesem Puncte still vorübergehen, aber
keine lächerliche Übertreibung darin erblicken, daſs ich die
epeisodische Composition mit der dorischen, die epirrhematische mit der ionischen Säulenordnung verglichen habe. An
ihn sind die folgenden Worte gerichtet.

Es handelte sich für mich nicht einzig darum, an Stelle
einer irrigen Actegliederung eine richtige zu setzen. Mir
schwebte fortwährend der innige Zusammenhang dieser Untersuchung mit der Geschichte der antiken Komoedie vor; und
daſs diese letztere sich nun im wesentlichen anders, und zwar
lichtvoller, praeciser darstellt — das darf ich wohl behaupten. Unsere Überlieferung von der altattischen Komoedie

gleicht einem eingestürzten Viaduct; einige wohlerhaltene
Bogen stellen die Dramen des Aristophanes dar; verfolgen
wir die Strafse rückwärts, so sind 'die Acharner' der Name
des Pfeilers, bei dem der Absturz beginnt. Drüben, durch
eine weite Kluft geschieden, ragt ein anderer Pfeiler, an den,
wie wir wohl wissen, unser Viaduct dereinst anknüpfte; er
heifst 'griechische Volkspoesie'. Die Anknüpfung zu finden,
das Fehlende zu ergänzen — das wird die Aufgabe desjenigen
sein, der sich die Geschichte der altattischen Komoedie zu
schreiben vornimmt. Einigen Anhalt gewähren ihm die vielen
Quaderstücke, die unten, im Tale und im Bette des Stromes,
mit andern Trümmern untermischt, in wüstem Durcheinander
umherliegen. Sie aber herauszuscheiden, ihnen die richtige
Stelle anzuweisen — das kann ihn nur das genaue Studium
der Quaderconstruction in den erhaltenen Teilen lehren.

Die Resultate eines solchen Studiums bringt das vorliegende Buch; in ihrer Richtigkeit ist seine Existenzberechtigung enthalten.

INDICES.

I.

Verzeichnis der auf ihre Composition hin untersuchten Abschnittte.

II.

Exegetisches und * Kritisches.

III.

Sachliches.

Nachträge und Berichtigungen.

S. 27, Z. 10 ist 460 zu lesen statt 410.

S. 41, Z. 25 ist πάλλε für πάττε verdruckt.

S. 55, A. 6. Als diese Anmerkung gedruckt wurde, waren mir die beiden überaus freundlichen Recensionen des dort erwähnten Schriftchens durch NWecklein (Phil. Rundschau 1884) und einen Ungenannten (L. Cbl. 1884) noch nicht zu Gesichte gekommen. Ich werde ja wohl den beiden Herren Recensenten darin Recht geben müssen, dafs meine Vermutung sich nicht zu völliger Evidenz bringen läfst; andererseits glaube ich aber nicht, dafs eine Entscheidung im Sinne NWeckleins, der die Nachricht des ersten Scholiasten zu Ach. 1150 für eine einfache Erfindung erklärt, uns befriedigen könnte. Ich tue mit dem zweiten Scholiasten dasselbe, allerdings; aber ich sehe eben im ersten Scholiasten dessen mifsdeutete Quelle. Was soll aber den Irrtum des ersten Scholiasten veranlafst haben?

S. 71, Z. 3 v. u. ist cπeιcaμένους ein Schreibfehler für cπeícavτaς.

S. 121. Ein kanonischer Eingang, wie das auffordernde ἀλλά für den Katakeleusmos, läfst sich auch für das Epirrhema angeben; es fängt gern mit καὶ μήν an. Hier die Beispiele

Ritt. Nbg. Ep.	καὶ μὴν ἀκούcαθ᾽ οἷός ἐcτιν οὑτοcὶ πολίτης.
Wolk. Hptg. Antep.	καὶ μὴν πάλαι γ᾽ ἐπνιγόμην τὰ cπλάγχνα κἀπεθύμουν
„ Nbg. Ep.	καὶ μὴν ὅθεν γε πρῶτον ἠρξάμεcθα λοιδορεῖcθαι
Wesp. Ep.	καὶ μὴν εὐθύς γ᾽ ἀπὸ βαλβίδων περὶ τῆς ἀρχῆς ἀποδείξω
Vög. Ep.	καὶ μὴν ὀργῶ νὴ τὸν Δία καὶ προπεφύραται λόγος εἴς μοι
Lys. Ep.	καὶ μὴν αὐτῶν τοῦτ᾽ ἐπιθυμῶ νὴ τὸν Δία πρῶτα πυθέcθαι
Fr. Ep.	καὶ μὴν ἐμαυτὸν μέν γε τὴν ποίηcιν οἷός εἰμι
Ekkl.	καὶ μὴν ὅτι μὲν χρηcτὰ διδάξω, πιcτεύω· τοὺς δὲ θεατάς.

Und dahin wird wohl auch Eup. Fgm. 117 K. zu beziehen sein

καὶ μὴν ἐγὼ πολλῶν παρόντων οὐκ ἔχω τί λέξω

Ein Beweis mehr dafür, dafs das Epirrhema ohne Katakeleusmos als ein Ganzes zu betrachten ist.

S. 227, Z. 8 mufs es statt 'kommatisch' vielmehr 'kommisch' heifsen.

S. 233, Z. 15 ff. Siehe S. 385 A.

S. 252, Z. 22 u. 24 lese man beidemal Euergides statt Charinades.

S. 351 ff. heifst es irrtümlich 'pythagoraeisch' etc. statt 'pythagoreisch'.

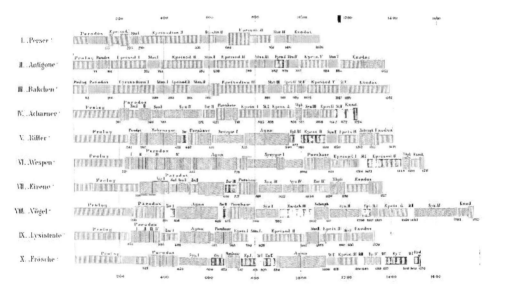